——《合肥通史》编纂委员会——

主　　任：凌　云
副 主 任：韩　冰　钟俊杰　林存安　吴春梅
委　　员（以姓氏笔画为序）：
　　　　　王家贵　王道才　吴利林　汪秀坤　李尚才
　　　　　罗　平　查　凯　洪家友　夏毓平　黄群英
　　　　　谢　军

——《合肥通史》编纂委员会办公室——

主　　任：夏毓平
副 主 任：夏元荣　许昭堂
成　　员：王东征　贾　猛　李平原

《合肥通史》学术指导委员会

顾　　问：卜宪群　黄传新　朱士群

主　　任：陆勤毅

委　　员（以姓氏笔画为序）：

　　　　　王道才　宁业高　朱万曙　朱玉龙　汤奇学

　　　　　张　生　苏士珩　沈世培　施立业　翁　飞

　　　　　戴　健

民国卷

武菁
陆发春 ◎ 主编

合肥通史

《合肥通史》编纂委员会 编

全国百佳图书出版单位
时代出版传媒股份有限公司
安徽人民出版社

图书在版编目(CIP)数据

合肥通史　民国卷/武菁　陆发春主编.—合肥：安徽人民出版社，2016.8
ISBN 978-7-212-09194-1

Ⅰ.①合… Ⅱ.①武…②陆… Ⅲ.①合肥市—地方史—民国 Ⅳ.①K295.41

中国版本图书馆 CIP 数据核字(2016)第 167335 号

合肥通史　民国卷
HEFEI TONGSHI MINGUOJUAN

《合肥通史》编纂委员会　编

武　菁　陆发春　主编

出 版 人：徐　敏	
选题策划：刘　哲　丁怀超	责任印制：董　亮
责任编辑：刘　超　方贵京	装帧设计：程　慧

出版发行：时代出版传媒股份有限公司 http://www.press-mart.com
　　　　　安徽人民出版社 http://www.ahpeople.com
地　　址：合肥市政务文化新区翡翠路 1118 号出版传媒广场八楼　邮编：230071
电　　话：0551-63533258　0551-63533292(传真)
制　　版：合肥市中旭制版有限责任公司
印　　刷：安徽新华印刷股份有限公司

开本：710mm×1010mm　1/16　　印张：29.5　　字数：400 千
版次：2017 年 5 月第 1 版　　2017 年 5 月第 1 次印刷

ISBN 978-7-212-09194-1　　　　定价：160.00 元

版权所有，侵权必究
发现印装质量问题 请联系：(0551)63533291

绪　论

　　自鸦片战争以来，中国处于社会的转型时期，是从传统社会转向现代社会的变革时代。这种社会大变动，史家谓之"近代中国社会的新陈代谢"。民国时期，无论政治鼎革，还是社会变迁，随之而来的经济社会动荡与思想文化激荡，无论广度、深度，都是前所未有的。

　　晚清以来西方列强的入侵，打破了朝贡制度，迫使中国对外关系纳入条约体系。一系列不平等条约带来的主权沦丧和民族屈辱，引发革命志士奋起推翻王朝专制，建立共和政体。孙中山等革命先驱经过艰苦卓绝的奋斗，取得了辛亥革命的胜利，建立了亚洲第一个民主共和制度的国家。然而，这种仿照西方的制度移植，在浸润了数千年专制淫雨的传统社会文化土壤中艰难地生长。民国时期，社会政治错综复杂，社会现象光怪陆离，这段历史，一路走来，既有"老者"的踟躇而行，亦有"孩童"的蹒跚学步，经历了帝制复辟、军阀混战、国共合作、抗日战争、国共内战等社会变迁与政治动荡。

　　民国时期的合肥，同样承载着社会转型的重负，经历了各种磨难，留下了自己特色鲜明的历史轨迹。

　　辛亥革命推翻清朝专制政权，建立民国。合肥地区较早参与军事、政治活动，推动了安徽省级政权的建立。合肥县地方议会制度的建立，标志着在全省最早实行了民主代议制。北洋政府时期，军人干政，军阀跋扈，社会动荡，乱象丛生。合肥地区经济、文化、教育等社会生活，呈现新旧转化的过渡状态。以蔡晓舟为代表的合肥社会变革先驱人物，引领新锐思潮，传播民主、科学思想，推动社会文化进步。

北伐战争是以消灭北洋军阀为目标的，国共两党合作的军事政治重大举措。1926年7月初，国民革命军在广州誓师北伐，安徽地区的中共党员和国民党左派人士携手开展革命运动，接应北伐军进军安徽。1927年初，国民革命军取得占领安徽的胜利。

在北伐胜利进军中，蒋介石建立了南京国民政府。蒋介石、汪精卫先后进行"分共""清党"，国共合作全面破裂。北伐进军并未停止，国民革命军发动了合肥之战，北伐期间合肥县国民党新政权建立。南京国民政府时期，合肥社会经济建设逐步发展。抗日战争爆发后，合肥县城于1938年5月沦陷。

南京国民政府十年建设时期，各地教育事业得到发展。限于区域政治、经济发展水平及教育财政支持力度，合肥县教育事业与省内其他县教育相比尽管落后，但公共卫生事业、图书馆设立、新闻报刊发行及群众文化活动开始起步。

第一次国共合作破裂后，皖籍中共党员按照中共中央部署，返乡开展革命活动，建立、发展中共地方组织。为开展武装斗争，1927年秋至1931年夏，中共合肥各级地方组织先后建立。合肥（皖西）、寿县（皖北）两中心县委合并成立中共皖西北中心县委，直属中共中央领导。

早期中共合肥组织领导农民组建农民协会，开展农民运动，同时成立合肥赤色职工会，领导工人运动。

1932年春蒋介石"围剿"鄂豫皖革命根据地，革命形势严峻。1934年合肥、寿县两个中心县委遭到严重破坏，中共中央重建合肥党组织，整合皖北游击大队与合肥游击队，坚持和配合鄂豫皖根据地反"围剿"斗争。

1938年初，为适应战时需要，李宗仁就任安徽省主席后对安徽县政进行了初步改革，调整县府各科执掌，制定《安徽省政教卫合一实施办法》，在县乡保各级推行"政教卫合一"，为桂系在皖推行新县制奠定基础。

1940年初，为响应国民党政府要求，安徽省开始统一地方武装，整编保安团队、六路抗日人民自卫军、游击纵队、各县抗日人民自卫军。行政改革方面,注重基层行政人员的培训。在教育方面,各级政府专设教育科、股,并将完成国民学校创设作为基层官员考核的基本指标之一。安徽基层教育事业得到恢复。

中日战争全面爆发后,国民党加强合肥驻军军力,构筑防御工事。一些爱国的社会贤达自发筹建民间抗日武装。由于敌我实力相差悬殊,合肥防线出现漏洞,日军于1938年5月攻陷合肥。日军在合肥及周边地区,大肆烧杀奸淫,犯下滔天罪行。

合肥沦陷后,一些民族败类卖国求荣,投靠日本。日军在沦陷区利用他们,建立汉奸组织,加强社会控制。沦陷初期,由于日军疯狂实施烧杀劫掠暴行,沦陷区经济遭到严重破坏。为泯灭沦陷区民众民族意识,日本侵略者竭力推行奴化教育,以巩固其殖民统治。

中国共产党领导的新四军则勇敢杀敌,领导人民进行抗日斗争。新组建的新四军第四支队于1938年4月开赴合肥一带作战。新四军在蒋家河口首战告捷,并在六(安)合(肥)、安(庆)合(肥)舒(城)六(安)等公路全线出击,伏击日军运输车队。新四军八团在肥东地区,积极打击日军。1940年3月到9月,合肥及其周边地区先后建立了五个县级抗日民主政权。

1945年8月15日,日本宣布无条件投降,安徽人民经过艰苦抗战,终于迎来了抗日战争的最后胜利。战后,国民党安徽省政府也随即迁出位于皖西大别山腹地的立煌县,在皖中的合肥成立临时省会。抗战胜利和合肥首次成为安徽省省会,给合肥的经济和城市发展带来前所未有的历史机遇。合肥教育、文化、体育事业得到恢复。合肥人民满怀希望,期待在和平环境下休养生息,重建家园。但是,由于国共两党对战后建立什么样的国家,中国向何处去等事关国家政权问题产生重大分歧,国民党为在全国建立专制统治,不惜诉诸战争,军事上消灭中共及其武装,政治上压制民主,经济上官僚贪污腐败,造成经济溃败,接收大员变接收为"劫收",国民党陷入统治危机。抗战结束时的和平曙光转瞬即逝。

全面内战,给中国人民带来深重灾难。合肥地区人民再次陷入战争深渊。中共中央对此采取了针锋相对的措施,加强皖西大别山和皖西江淮丘陵地区的革命力量,在六(安)合(肥)地区开展游击战,建立民主政权。为支援刘邓大军作战,庐江人民在十分困难的情况下,尽力筹措粮、款,赶制军鞋送往部队,为刘邓大军坚持大别山斗争起到积极作用。

1948年11月下旬,随着淮海战役国民党军的失利,合肥城中的国民党安徽省党政军机构更加人心惶惶。12月,当局将省府各机构迁往安庆。1949年1月10日,淮海战役胜利结束,人民解放军即将南下。1月21日,人民解放军先遣部队进入合肥,滞留合肥的国民党军政要员列队迎接,并清点移交城防设施、武器装备及仓库物资。至此,合肥宣告和平解放。

目 录

绪　论　/001

第一章　北洋政府时期合肥地域政局与社会　/001

第一节　光复后合肥地域政权的建立　/003
一、政权建立与政策举措　/003
二、县议会制度的尝试　/008
三、淮上军南下与合肥地域的反袁斗争　/021

第二节　民国初期的合肥社会经济　/025
一、区划沿革与人口　/025
二、城镇分布与合肥社会经济　/027
三、交通、邮电　/043

第三节　北洋政府时期合肥地域文教卫事业　/053
一、北洋政府时期的合肥教育　/053
二、新闻出版与图书馆　/061
三、医疗卫生与民间体育　/063
四、历史遗存与社会礼俗　/066
五、新文化先驱蔡晓舟与五四新文化思潮传播　/071

第二章 南京国民政府时期的合肥 /083

第一节 国共合作北伐时期的合肥 /085

一、蔡晓舟与吴山庙武装斗争 /085

二、北伐军进军合肥地域 /088

三、合肥县国民党新政权的建立 /095

第二节 合肥财政体制与经济社会 /098

一、合肥县财政体制的建立 /098

二、合肥经济社会的发展 /102

第三节 教育改革与教育财政 /118

一、教育部学制变动 /118

二、安徽省教育普及 /119

三、合肥县地方财政与教育行政 /120

第四节 卫生医疗 /143

一、"卫生现代性"教育与卫生行政体系的构建 /143

二、合肥公共卫生事业的起步 /148

第五节 图书馆与新闻出版 /151

一、图书馆的设立 /151

二、新闻出版 /155

三、群众文化 /161

第三章 合肥地区中共基层组织的建立及其活动 /167

第一节 早期中共基层组织的建立 /169

一、中共合肥北乡支部的建立及其主要活动 /169

二、合肥地区中共党组织的恢复 /171

第二节 早期党组织领导的农民运动 /176

一、组建农民协会 /176

　　二、合肥地区的抗捐、抗暴、抗税、扒粮斗争 /178

　　三、合肥赤色职工会组织的成立 /185

　　四、互济会的建立和发展 /188

第三节　中共合肥组织与鄂豫皖根据地 /189

　　一、中共合肥中心县委的恢复、遭破坏及再恢复 /189

　　二、中共合肥中心县委领导的群众斗争 /191

　　三、支持鄂豫皖苏区反"围剿"斗争 /193

第四章　抗日战争时期 /201

第一节　新桂系主政安徽与民众动员 /204

　　一、政治革新与机构整顿 /204

　　二、干部培训与民众动员 /206

第二节　日军北犯与合肥沦陷 /211

　　一、日军入侵合肥 /211

　　二、日军暴行 /217

　　三、伪县政权的建立与更迭 /221

　　四、日伪对沦陷区的占领与控制 /229

第三节　合肥沦陷区概况 /238

　　一、沦陷区的经济与社会 /238

　　二、沦陷区的教育与文化 /246

第四节　新四军在合肥的抗日活动 /255

　　一、新四军四支队东进抗日 /255

　　二、新四军江北指挥部在庐江建立 /258

　　三、新四军二、七师交通线的开辟 /262

　　四、战斗在寿东南的淮西独立团 /264

第五节 合肥跨地区抗日民主政权的建立 /266
一、合肥东南各区联合办事处（合肥办事处）/267
二、合肥县抗日民主政府 /268
三、寿东南办事处 /269
四、定合县抗日民主政府 /271
五、巢合办事处 /272

第五章 解放战争时期的合肥 /275

第一节 日军投降与战后接收 /277
一、接受日军投降 /277
二、合肥民众在战争中的牺牲与贡献 /280
三、接收敌伪产业与惩治汉奸 /283

第二节 中共组织在合肥的恢复 /288
一、淮西革命根据地的重建与发展 /288
二、肥西（南）、肥西新游击区的开辟与活动 /292
三、肥东地区游击斗争的坚持与巩固 /296
四、庐江游击战争的开展与坚持 /300

第三节 安徽省会迁置合肥及其过程 /305
一、省府迁移合肥 /305
二、国民党恢复合肥地区的统治 /309
三、围绕合肥省会地位问题的争夺 /312

第四节 战后复员和经济恢复 /318
一、经济复员和建设计划 /318
二、农业复员政策的推行 /319
三、工商业复员与重建 /323
四、恢复和发展交通 /329

五、电讯业的恢复与扩展 /338

六、市政规划与城区改造 /342

第五节 卫生、教育及文化事业复员 /351

一、医疗卫生事业的复员 /351

二、战后教育复员与初步发展 /355

三、社会教育 /369

四、新闻与体育事业的复员 /372

第六节 国民党统治的崩溃与合肥全境解放 /378

一、政治黑暗与腐败盛行 /378

二、横征暴敛 /381

三、粮价不断暴涨与抢米风潮突起 /385

四、国民党在合肥的统治陷入全面危机 /392

五、省府南迁与合肥解放 /396

大事记 /401

参考文献 /445

后　记 /459

第一章
北洋政府时期合肥地域政局与社会

第一章 北洋政府时期合肥地域政局与社会

清末民初，中国社会由帝王专制走向共和民主，这样一个数千年未有之时局，是从中央到地方整体变动的结果。辛亥革命安徽光复，民主共和旗帜下的安徽省级政权建立，与合肥地区较早地和平光复并予以军事、政治的推动，有着紧密的关系。不仅如此，合肥县在全省最早迈开了民主代议制——地方议会制度的历史步法，这是该时期合肥社会历史中的一个亮点。北洋政府统治期间，也是安徽地方军阀以军董政，地方社会经济和教育文化备受军阀势力侵夺的历史时期，合肥地区无论在经济、文化、教育等诸多方面，基本处在新旧转化、社会转型纷乱错杂的过渡状态。这样一个时期内，以蔡晓舟为代表的合肥先驱人物，登上历史舞台，他们传播新思潮，推动以民主、科学为主要内容的新文化运动在安徽和合肥地域展开，为其后国民政府时期合肥的文教建设，奠定了一定的基础。

第一节 光复后合肥地域政权的建立

一、政权建立与政策举措

武昌起义后，安徽各地光复，并不是在某一个政党统一领导下的统一行动，其类型各异。1911年11月5日，首义举旗在淮上的寿州，组织起义的领导者们，以早先岳王会骨干为首领，也是长期以来追随孙中山反清革命的革命中坚。他们并非愤于一时拍案而起的文弱书生辈，而是有理想、有纲领、有胆魄并且有效能地使一支主要由荷锄携镰的农民组成的起义军，变成了一支革命武装。这支以四乡的农民和团练、会党为基本队伍，揭櫫而起，一举起义成功。在以新军反

正为特征的辛亥革命中,淮上军可谓特色鲜明。① 初期庐州府域内的合肥县、巢县、庐江县等地的光复,亦各有其特点。

11月9日,庐州府首县合肥县的光复和新政权建立。此举有5点值得注意的特征:

第一,合肥光复是以革命党人活动新军力量,协调地方势力,和平光复,平稳过渡。合肥县本来是同盟会安徽地区领导者吴旸谷、王天培等为首的革命党骨干力量较强,革命基础较好的地方,"群众包括教师学生和开明士绅都是主张或同情革命的"②。晚清戊戌维新和新政改革中,一批青年才俊去日本留学或参加省城安庆的新军,早期参加同盟会成员数,是仅次于寿州的安徽县域。只是吴等人工作重点放在省城安庆的光复,合肥光复主要依靠地方反清革命力量如"合肥学会"等。"李诚安原充合肥同盟会分会长,知时机已熟,密集党员商议响应,俱以季雨农所带防营为障碍,须首图季,然后取庐州中学所藏保卫团新枪百支为基本队,再收商、民团、县卫队各枪成三营"。革命党人孙万乘、袁斗枢、李次宋等,充分利用了武昌首义后的革命形势。庐州知府旗人穆特恩,在有革命党背景的庐州总团练首领袁斗枢以"革命党已来城,闻将以炸弹起义,职以保卫地方为主,若逮捕党人,又恐激成变乱……"话语威慑下,加之庐州中学堂学生敢死队以会话等事相逼,率旗人逃出城外。其次利用被争取过来的知县李松圃(维源),劝诫驻扎合肥县的清军武装江防营管带季光恩(雨农),告诫他:"我为合肥官,以地方人民生命财产为重。君在本乡,愈不可糜烂地方。现有人报告,革命党将响应武昌。汝不必固执旧见,仇视彼等。"季在告诫下,遂不敢轻举妄动,动用武力镇压。袁斗枢则对季反复申以利害,"季允从命"。③ 庐州革命党人还争取地方士绅力量,

---

① 陆发春:《辛亥安徽光复:类型划分与重点考察——以淮上军为讨论中心》,《合肥师范学院学报》2011年9期,第31—57页。

② 夏仲谦:《辛亥合肥光复亲历记》,中国人民政治协商会议合肥市委员会文史资料研究委员会编:《合肥文史资料》安徽省出版总社非(85)2048号第2辑,1985年版,第2页。

③ 《辛亥庐州光复记》(原文转引自《清末安徽大事记》,佚名),合肥市政协学习与文史委员会编:《辛亥革命与合肥》第20辑皖内(2001)—98,2001年版,第2页。

为顺利光复做好各种地方势力安抚工作。合肥知县也同意了革命党人与其谈判的条件,即一是县府改为庐州军政分府民政部,部长一职可由知县李维源担任;二是衙门内人事不予变更,人员全部录用;三是交出清知县大印,交出武器弹药,改换旗帜。11月9日即宣统三年(公元1911年)(岁次辛亥)农历九月十九日,合肥县府召开地方群众大会,"宣布独立。会上欢声雷动。霎时间,全城商店都悬挂光复大汉旗帜。机关部随即集合民军,由全体同志率领开进大书院,组成庐州军政分府,推孙万乘为总司令,方绎言为副司令,并临时成立秘书、执法、经理三处"。① 庐州首县合肥和平光复,在全国亦属文明过渡典型,"欧美旅华教士调查各地光复状况,评语载于外报,谓中国各处光复秩序紊乱,唯苏州程雪楼、庐州孙品骖两处,善维持地方,最为文明"。②

第二,光复政权后的各股力量,通过武力火并,稳定庐州军政分府政权。推翻清朝在庐州的统治,是人心大势趋向,并不仅是一部分人之向往。王亚樵是合肥县磨店镇人,"清末科试将停之前,曾一度以王玉清之名,应合肥县场考试,名列前十,颇为士林称道,由此头角渐露。他能文善言,尤长于组织,曾与革命先驱吴旸谷辈,在合肥组织庐州学会,联络各县有志之士,鼓吹革命。辛亥武昌起义,各省响应,庐州知府、知县因大势不报,相继逃亡。亚樵见时机已到,乃集中各方面力量,邀请地方绅商,宣布独立,在合肥李文忠公祠内筹组革命政府"③。王等人成立的合肥军政机构,并没有与早些时候成立庐州军政分府、有新军背景的孙万乘等人沟通联络,更谈不上得到承认和维护。但王亚樵与同乡李元甫(辅)、王传柱、李小一、张朝阳、朱品朝、郑益庵等,曾接受安徽都督柏文蔚之命,组织军政府,李任司令,

---

① 沈祖炜主编,上海市文史研究馆编:《辛亥革命亲历记》,中西书局2011年版,第58页。
② 合肥市政协学习与文史委员会编:《辛亥革命与合肥》第20辑,第1页。
③ 中国人民政治协商会议合肥市委员会文史资料研究委员会编:《合肥文史资料》第3辑,1986年6月,第27页。

王亚樵任副司令，王传柱任参谋长。李、王等提出主张，要打开庐州李鸿章家族的李府仓房，封李府当典，以作革命军军饷。孙万乘等人是得着中部同盟会上海总部的委任，同伙的葛质夫还从上海运来武器。① 他们反对王亚樵等人。据王亚樵弟回忆，"后孙品骖（即孙万乘）串联李府总管刘仿渠，告发王亚樵、李元甫（辅）等抢仓房、封当典，将李元甫（辅）、王传柱、李小一等捉拿枪杀。王亚樵适下乡集合队伍，得免此难，遂逃往南京"。② 据《安徽清末大事记·辛亥庐州光复记》文中记载，孙万乘在擒杀李元甫时，曾面斥李"革命须同盟会统系，有总理及会长命令，或为地方人公举乃可，否则抢劫人民，是乱徒非革命也"。反映了政权鼎革时期，欲投入革命行伍中，亦须有正大名目护身，否则革命者自己反而被革了命。与王亚樵熟稔的洪耀斗也在回忆王亚樵人生经历时，即佐证"孙之势力颇大，对王亚樵在李文忠公祠之组织势不能容，所谓卧榻之侧，岂容他人鼾睡。乃派军包围了李文忠公祠，将副司令王传柱（著）、参谋长张朝阳及李元甫（辅）、李小一等人，一并逮捕，先后枪决。王亚樵适因事去乡下，得免此难"。③ 有一种说法是其后王、孙得人调解，以误会了之。事实是王亚樵因在城外动员民众一时幸免于难。其后孙万乘又派兵包围王所居住的王小郢村，搜捕王亚樵未获。王逃往外地一段时间后，再回合肥等地，化名从事社会党组织活动，与孙等人的芥蒂，一直未见消释。

第三，及时完善军政府革命机构，是光复后革命政权的一个重要措施。军政府成立之初，推孙万乘为总司令，方绂言为副司令，并临时成立秘书、执法、经理三处。嗣后因事务日繁，旅外同志回归合肥的日多，军政分府遂扩大组织，成立民政、财政、执法、警察、团防、经理、交际各部及秘书、参谋两处。秘书处有徐炎东、夏印龙、金达三，参谋处有刘文明、张述乾，民政为周行藻，财政为邓鹤仙，团防为殷羲樵，警察为张践初，都是地方人士。其余各部处则由同志许拙云、戴

---

① 《辛亥革命与合肥》第20辑，第3页。
② 《合肥文史资料》第3辑，第2页。
③ 《合肥文史资料》第3辑，第28页。

青吾、葛质夫、范章甫等担任。据担任执法部长李次宋回忆,还派"袁先奎为协统,李孟州、季光恩为标统,李海波、李向之、郭子清、杨畹贞、叶守坤、夏永伦、季光黄为管带"。

如果说庐州军政分府成立后,火并王亚樵等其他赞同革命的光复力量,是其稳定政权措施之一,那么同时坚决镇压骚乱溃兵,则反映了军政董政时期的另一个治政鲜明特点。"分府成立未及数日,有张勋所部之江防兵两营自安庆撤退到庐州,拟经南京归队,沿途奸淫抢劫,无所不为。我们决计予以歼灭,乃诱至东门外大王庙,会同适自淮上开来之王占一军,将其包围击溃,俘获人枪甚多"。① 再如 11 月 10 日"有地痞在城北殴毙乡民,参事处闻之,谓此匪不办,宵小生心矣。孙命兵擒之,押巡通衢而枪毙之"。

第四,巩固革命形势,派出方绶言率兵前往庐江县,支持府属县域光复。1911 年 11 月 20 日夜,革命党人王天培亲督敢死队 200 余人攻打庐江城,清知县马文锦惧革命之威势,交出印鉴回家,敢死队入城后,布告安民。21 日,庐江宣告光复。革命党势力的李新桥光复无为、含山,李性存光复舒城,张信斋光复含山、巢县,于庐州光复后三日,亦悬五色旗。"于是庐州四境数百里内,当国变之际,闾阎安堵,盗贼不兴,人民称颂不已,而秩序井然也"。②

第五,积极筹划财政经费,募捐筹款,购枪备炮,准备北伐。庐州光复后,财政经费的筹划,"一、征收合肥本年钱粮,旧欠在民的豁免;二、没收大清银行资本;三、没收盐局存仓官盐;四、收取旧庐阳书院(时为庐州中学)和地方各财团公共房产租金;五、提用同太钱庄资金和李经羲、李经方在城内开设而出当典的资本,宣布只赎不当,所有收入悉数解交军需处。冬季三个月,共解现金一百五十多万"。响应淮上军革命政权号召,为对抗南下的倪嗣冲等清北洋势力,积极准备北伐。对庐州府把持地方、为富不仁的李健文、李斐君兄弟劣绅,籍

---

① 《辛亥革命亲历记》,第 59 页。
② 《辛亥革命与合肥》第 20 辑,第 3 页。

没其家产充作军饷,同时对少部分富户募捐,以解决财政款项问题。"另外,不属财政部范围还有一笔大宗现款,由征收机关直接解送军需处。这就是自起义之日起议决裁撤的内地水陆码头厘局,只留运漕大关一处,所有进出口货物,只需在运漕完税一次,这项现款数目超过财政部的收入"。① 又集合庐州军营原有武器,及由上海革命党人范鸿轩处所得枪弹,并从南京革命政权处请领大炮等,编练成二旅武装,共八个步兵营、一个炮兵营、一个卫兵营、一个骑兵连。还组织了一个一百人的敢死队,"赴南京参加铁血军"。②

二、县议会制度的尝试

(一)安徽全省临时议会的建设历程

1911年安徽光复不久,资产阶级革命党人即开始民主代议制的议会制度建设。1912年,由全省60个县公推而出的41人议员组成的安徽省临时议会成立,并依据南京临时政府3月颁布的《中华民国临时约法》,制定和公布了共54条具有资产阶级民主性质的《中华民国安徽省临时约法》,宣布在安徽建立一个体现共和制度,以三权分立为基本特征的安徽地方政权架构体系。蒯若木、杨修心、何震分别作为合肥县、巢县、庐江县籍贯当选省临时议会议员。柏文蔚继孙毓筠上任后,则主要是推进和逐步实施安徽省临时约法。在民国元年(1912年)5月公布的《全皖临时议会》文中,即确认"本省临时约法第二条内开皖军政府,以全皖人民公举之都督及其任命之政务员与临时议会、法院三部构成之……"③并就如何具体实施,从全省法院的组

---

① 中国人民政治协商会议合肥市委员会文史资料研究委员会编:《合肥文史资料》第2辑,中国人民政治协商会议合肥市委员会文史资料研究委员会编行1985年版,第3页。

② 安徽省政协文史资料研究委员会编:《辛亥风雷》,安徽人民出版社1987年版,第141页。

③ 《安徽公报》1912年第4期。

织、地方审判厅的组织原则和办法等方面做出解释。其后《安徽公报》1912年第5期，全文公布并宣告在全省实施《全皖临时议会章程》，取代辛亥革命初期《中华民国安徽省临时约法》。新的章程有议员、职权、开会闭会及休会、会议、办事处、罚则、经费、附则共9章23条，对临时议会如何组织及其运行程序做了规定。如规定议会应行议决的事体有：规划全皖政略、军法及普通法律、官制及官俸、全皖预算及决算、全皖税法及公债、全皖担负义务增减、全皖权利存废、陈请中央参议院及答复其咨询等。并且可以向都督及政务员提出质问书要求答辩、受理人民的陈请送达都督、弹劾政务员失职以及法律上的犯罪、对都督提出不信任书、选举中央参议院议员、对都督所发布的紧急命令和预算外支出行使否决权。实际上赋予临时议会对都督等官员权限予以法权及程序上的全力制约。①

其后公布的《省议会议员选举法》共7章99条，分总则、初选举、复选举、选举变更、选举诉讼、罚则及附则等。1912年秋季开始，安徽60个县举行省议会议员、国会议员初选和复选，复选区共划分13个区，在总监督柏文蔚和各县知事等监督下，经过两轮选举，共选出省议会议员108人，参议院议员10人，众议院议员27人。这是一个政党制背景下的议会选举，其中国民党籍吴汝澄等众议院议员18人，共和党8人，统一党1人，合肥县李子幹当选第一届参议会参议员。②安徽临时议会结束历史任务后，1913年2月，安徽省议会正式成立，其中合肥县和巢县、庐江县在选举第二区，合肥县当选议员的有李子幹、周行敬、许凤慈、李国衡、李迺景、黄倩威。巢县有王鼎、王僧功，庐江县有刘同文等人。民初安徽以都督名义颁发的不少公告中，有不少经过临时议会审查表决通过，或未通过的都督府文件如实予以公布或宣布取消，反映资产阶级革命共和理想的新的省级政权结构，

---

① 张湘炳、蒋元卿、张子仪：《辛亥革命安徽资料汇编》，黄山书社1990年版，第487—490页。

② 《政府公报》第311号公电，1913年3月19日。

开始在江淮大地上正式运行。①

(二)合肥县临时议会的筹备和成立

与安徽省级三权分立体制相对应的,是县级民主政权建设。在此方面,合肥县议会建设,最具全省代表性。由迄今所见作为文献史料,直接反映民初安徽县级议会建设的唯一较为完整实证材料《合肥县临时议会议事录》②中可见其概貌。

合肥县临时议会议员的选举,据都督府所颁布章程和规程,在1912年6月前由各区乡完成,1912年6月27日,在合肥县城内正式召开筹备会。当日选出的合肥县议员129人,有98人出席,缺席31人。在合肥县议会筹备所所长金鸿德主持下,"遵章用无名单记法投票互选"③,即无记名投票方式选出合肥县临时议会正议长、副议长各一人。沈荣秩以74票当选正议长,范家煌以73票当选副议长。县议会筹备所所长金鸿德并向当选议长和议员,报告所有县议会筹备时一切事宜,办事人员则当场交点一切筹备用费账簿,以及置备所用的器具和图章。6月30日,在正、副议长共同主持下,讨论合肥县临时议会正式开会日期,并现场公推议员8人,负责起草《合肥县临时议会议事细则》《合肥县临时议会旁听规则》《合肥县临时议会办事细则》《合肥县临时议会罚则》,并经议员投票,对议会所用办事人员人数、薪金做出安排。"若照前次所用人数,似觉过多,若照省章规定人数,又觉过少,恐不敷应事之用,今拟订书记员二人,收发员一人,执事员三人,夫役仍旧十四人,请公决""主席报告会内办事各员以及工役薪金可否仍旧三十五,黄君锡侯提议,现在国币通行,应一律改用龙洋"。并议决"订于七月十号互选审议长及各股审查员,主席报告

---

① 陆发春:《安徽共和政权的初步建立和新政举措》。郭敏:《辛亥:激荡的安徽》,黄山书社2011年版,第116—117页。
② 《合肥县临时议会议事录》,安徽省档案馆收藏本,以下史料均据该稿,原无页码,简称《议事录》。
③ 《议事录》,6月27日。

议员提议草案以及公民请议书,遵章须于开会前十日送交本会,以便缮印,分送各议员先期讨论,兹因创办伊始,期限从宽,改订前五日送交本会"。①

1912年7月1日,合肥县临时议会举行成立大会,82名议员到会,缺席47人。安徽省府行政厅长以及各科办事员袁道铭、宣德音、周炳文到会出席,合肥县域国民党、共和党等各党派及社会各界来宾出席观礼。正式会议程序如下:

1.奏乐

2.行政厅长、佐治员、正副议长、议员均北向立正,向共和万岁牌前脱帽行三鞠躬礼,仍退原位

3.行政厅长、佐治员、正副议长、议员立正,各一鞠躬行相见礼

4.乐止

5.行政厅长、佐治员、正副议长、议员次第退位议厅,分别各就本席

6.招待员导引来宾退往议厅,入来宾旁听席

7.书记员齐奉图记,入书记员席

8.摇铃开会

9.宣诵行政厅祝词毕

10.宣诵来宾祝词毕

11.宣诵本会答行政厅祝词毕

12.宣诵本会答来宾祝词毕

13.启用图记、印盖、徽章

14.摇铃散会

……②

来宾祝词和议会答词,则反映行政官员及议会议员对议会成立的意义、政治体制之功能及其发挥等,均有相当认知。如专程前来的

---

① 《议事录》,6月30日。
② 《议事录》,7月1日。

省府行政厅长的祝词,对地方议会成立的意义有充分展开:

"维民国元年七月一号为合肥议会成立之始,谨撰芜词为贵会祝且为国民祝曰:父老兄弟苦专制久矣,曩者法禁森严,风气闭塞,我国民散处四方,蜷伏于政府压力之下。知有家而不知有国,知有君而不知有民。知有民,知有权利而不知有义务,知有命令而不知有法律。天下之大,人民之众,唯数人得享自由,而吾四民不兴兴焉。思想日以全锢,生计日以促,国势日益破坏决裂而不可收拾。天佑中国,民智渐开,推翻满政府一跃而跻于共和之域。今者民国告成,三权鼎立。贵会以立法机关,为行政之监督,而贵会议长、副议长、议员皆四民之秀杰者,一时得被选举为百余万人之代表,责任重矣!今而后发抒政见,讨论典章,维教桑梓之治安,臻进共和之美德,皆唯贵会诸君是赖!敝厅职司行政,凡属地方应兴、应革之事,仰赖贵会提倡于前,敝厅无不进行于后。唯是一人之精力有尽,百端之待理无穷,尤赖贵会左提右挈,指示方针,以匡不逮,此则敝厅所馨香窃祷也。"

合肥县议会对省级行政厅及来宾的答词,凸显了对地方议会立法性质有高度认知,并对县议会与省、县行政机构的关系,兼及与地方军、警、学、商等社会机构与团体的互动关联予以阐释:

"共和告成,建设宜亟。吾肥地大物博,待理尤繁。本会为立法机关,负代表人民之责,凡地方之兴革,民生之休戚,自当根据法理,悉心研究。兹当成立之始,蒙行政厅长锡赐之以祝词,本会全体实深感激,惟徒法不能以自行,所望採择施行者,惟行政厅是赖,贵厅长既夙具政治之能力,又负乡里之重望,行见左提右挈,百废俱兴,群策群力,相与有成,维阖境居民之治安,造共和政权之基础,懿欤休哉,爰贵数言,为贵厅全体祝且为地方前途祝。"

"军、警、学、商界暨各党会颁以祝词,敝会全体不胜荣幸,第民国初建,万端待理,立法机关固为缔造幸福之基础,自兹以往所有一切进行方法,尚赖各界诸君子赞助维持,以达共和之目的……"①

---

① 《议事录》,7月1日。

（三）合肥县临时议会议事历程及对地方民主建设的贡献

合肥县临时议会从7月10日第一次会议开始，对事关民初合肥县政权建设和民生的重要事项，提出议案，进行讨论。合肥县首任知事周行藻等地方官员，往往就事关地方重大事务被安排出席会议，予以备询。7月10日以无记名票选方式选出议会审议长及法律、财政、民政、教育、实业、清议、惩罚等各股审查员，且当日表决通过议员开会迟到即停权一次，议员当日只有一次发言权，议员不过半数出席不得开会议事。14日议定议员席次座位，并通过《合肥县议会议事细则》《合肥县议会办事细则》《合肥县议会议事罚则》《合肥县议会旁听规则》。

县议会议事采取三读程序通过，凡将要通过的议案实行"有关系议员本身亲属者应行回避"准则。1912年7月议会开会讨论的事宜有：7月16日一读宣布武全福议员提议改良地丁案；蔡麟经、蒋守范议员丁漕改归自治承办案；魏学贤议员提议丁漕改归各区承办案；议员龚心灏、张先鳌提议丁漕改归各区承办案；张学晴、完宗藩、周宏纶、邹言扬议员提议丁漕划归各区承办案。7月17日一读宣布虞维龙、龚心澍议员提议典铺减利益东便民案；张乃勋议员提议清理全邑财政，指定之款振兴实业案；张庆元议员提议修筑东大圩案；刘文炳议员提议统一财政，化除畛域，维持学校案；宣布公民梁学熙请议取缔课店子店章程案；宣布公民蔡辅请议支配李氏公益案。7月19日一读宣布完宗藩议员提议除弊政、改丁漕、节靡费、重团防案；黄锡侯议员提议节靡费而兴实业，划节约款项助军需，合城乡而普教育案；议员殷传严提议整顿颛课店子店案；张先鳌议员提议李国筠捐款应归地方筹办公益案。7月20日一读宣布周县知事交议的前清银行各欠款、支配各学校经费案；宣布周县知事交议无为县请将复凝卅租利提归该县办学案；宣布周县知事交议公民李清昌陈请拨提李承德堂捐款龙洋壹万元充作女子师范学校经费案；宣布周县知事交议李承德堂捐款应如何支配案原文；宣布知事

交议舒城议会咨请拨还庐州中学小官庄田租案原文;宣布知事交议署内出入预算表案原文表;宣布庐州中学校咨请驳覆舒城议会请拨还小官庄田租案原文。7月22日一读宣布议员刘泽益提议收回旧提租产以办学务案;宣布议员武崇士提议禁卖公产、维持学校案;宣布议员蒯先辂提议拨款助学案;宣布议员何仁涵提议统一公产、公款,振兴学校案;宣布公民罗杰请议拨款兴学案。7月23日一读宣布刘朝钦、唐理淮议员提议设立财政局,以便人民监督案;议员余文兰提议财政统一案;谢邦熙议员提议各区财政统一,以办学务案;蒋守范议员提议统一学款,以均支配案;宣布议员程培贤提议镇、乡、区学款各自统一案;宣布公民江彝冀请议均平财政,广设学校案。7月24日一读宣布议员唐龄提议汰冗滥,以节财用案;宣布议员刘泽益、张继宠提议清查财政案;宣布议员龚心灏提议清查义仓,认真整顿案;宣布议员李兆昌提议呈现各区抽捐米厘,设立丰备案;宣布公民李绪缉等九人请议裁汰陋规,补助学款案;宣布公民郭传薪请议拨提公款、公产,以助学校经费案。7月25日一读宣布议员胡棣杰提议研究法律、促进共和案;宣布议员张继宠提议严禁自戕以儆骗图案;宣布议员张云塘提议司法应行独立案;宣布议员张继杰提议禁烟强种案;宣布议员高寿山、高仰山、王金亮、王建勋、杨士杰提议另设单级小学,改良丁漕,节省学校经费,实行禁烟办法,劝止缠足共五案;宣布公民陆玉璋提议拨提盐银余课,补助工艺案。7月26日一读宣布议员王锦章提议增设国防,消患未然案;宣布议员张继宠提议练办乡团而保身家案;宣布议员毕炳文提议维持地方现状,承认自治有效案;宣布议员李述如提议乡镇各区设财政统一所案;宣布议员唐理淮、刘胡钦提议办理地方自治案;宣布公民孙子原、周家凤、曹文光请议创办农务分会案。7月27日一读宣布魏学贤提设改良私塾,以普教育案;宣布议员李福裕提议教育普及案;宣布议员邹言扬提议甄别校长,以重教育案;宣布议员谢邦桢提议拟设单级师范传习所案;宣布议员吴春涛提议组织法学传习所案;宣布公民孙子原、周家凤、曹文光请议创办中等桑蚕学校案。7月29日一读宣布议员完宗藩提议收回庐芜河小轮专利案；宣布议员李国衡提议改良路政案；宣布议员高克仁提议筹助庐阳日报经费案；宣布议员张继宠提议劝导剪发案；宣布议员贺镜波提普剪发辫案；宣布议员完宗藩提议重建镇淮楼壮观兴利案；宣布驻合肥县二十九旅旅长刘文明咨请提议李承堂公益捐储存官钱局，以备军饷借垫案原文；宣布公民沈经道、金性涵请议驴厂、马厂、城墙草租拨充农会经费案。

  以上一读提案审议程序，无论议员提案或公民提请议审的案由，均由议会确定的工作人员宣读（即宣布）。议员议席座次从一开始即抽号确定，并规定议员发言权均等，不可把持。执掌行政职责的县知县重大行政举措经议会审读。允许公民提请议案，并允许公民全过程旁听议案审议等。应该说临时议会在一读审议初步实践中，能看出议员权力运行路径，贯彻了良好的民主价值观。在其后的二读、三读审议中，则更显现了县议会实行集议及其效能。

合肥县临时议会 1912 年议事历程二读、三读议程表录①

时间	会议议事内容	备注
8月16日	研究编制议案。 酌定二读会日期。 改定开会时间。 宣布辞职出缺员数。	
8月23日	宣布改良丁漕案为二读会。 （系合七案办法裁取并为一案，第丁漕为国家、地方两税之正款，其与国家、地方教育关系，此等自应详细讨论，分条取决，以期推行尽利）。	
8月24日	续议改良丁漕案为二读会。 宣布警察厅咨请指定的款拨给警饷案原文。 宣布厘金总局咨请议设水、旱各分卡案原文。	后两条为临时提议

---

① 本表据《议事录》编制。

（续表）

时间	会议议事内容	备注
8月26日	宣布审议后修正李承德堂捐款龙洋十万元提取支配案为二读会。 宣布十五师二十九旅合咨请议决城守营去留，并该营8月份军饷从何筹给案原文，为临时提议。	
8月27日	临时提议案宣布合肥县王知事咨送各科佐治员及办事各员表案文表，案文表为临时提议。	王知事为周知事之后新履升上任者
8月28日	宣布审查后修正各区统一财政，以维学校案为二读会。 宣布财政审查股高克仁等查前合肥县周知事决算表报告，为临时提议。	
8月30日	宣布改良私塾，以普教育案。 宣布节省学校经费案（以上为二读会）。 宣布黄锡侯提议裁减庐州中学经费案，为临时议案。	
8月31日	宣布禁卖公产，维持学校案为二读会。 宣布王知事咨覆由李承德堂捐款内借给警饷案，为临时提议。 "警察厅长张知章陈述警务目下困难情形，并宣布一切用项暨亏欠数目，请本会从速议筹用款，以维现状，语毕退席"，"主席报告宣布王知事咨覆由李承德堂捐款内借警饷案原文，书记员朗读，主席请公决。二十六号议员阚毓珉提议筹覆知事，当云本会即遵照来咨，指由李成德堂捐款内拨借，以后由地方税项下抵还，公议暂借龙洋三千元以维现状，仍清转咨警厅，以厅负当力加樽节，以惜财用"。	用起立表决法，通过表决二十六号动议。
9月2日	宣布黄锡侯等临时提议，推举中和局经理人报告书，为临时提议。 "主席报告今日临时发呈之文，一关教育，一关孔庙祀典两文，切相重要，应从速讨论，暂临正案缓议。主席报告宣布知事咨本会公举代表赴省城教育总会与会案原文，书记员朗读，主席读请公决推举。当经全体起立，公举代表一人童君挹芳。主席报告本会明日函知童君请其答覆，从速就道"。	
9月3日	设立单级师范传习所案。 各自分段设立单级小学案。	

（续表）

时　间	会议议事内容	备　注
9月4日	宣布研究法律促进会案。 宣布司法应行独立案。 宣布组织法学讲习所案。 宣布严禁自戕以儆图骗案。 宣布禁烟强种并禁烟办法两件。	以上为二读
9月5日	提前通过改良丁漕案为三读会	
9月7日	县知事王德熙莅会。 知事会商筹备众议院选举事。 复举省城教育会代表，以上均为临时提议。 "沈议长主席临时指任邹君言扬为纠察员。知事王君德熙出席报告，昨接省电为筹备选举众议院议员事，期限既迫，手续尤繁，先从各区调查选民，由行政厅造册汇报，都督厅侯支配当选额数，行知行政厅遵办，诸君皆各区代表，极望出为赞助，明日由行政厅送给章程，由各区举定调查员，开单送交行政厅照单加给照会、证书，并当选资格说明书，以期从速筹办，毋逾限期。语毕退席。" 主席报告宣布童挹芳谢绝被举为省教育会代表。 书记员朗读，主席请复行推举。 三十二号议员汪调鼎提议周君行原，品学兼优，堪膺此选。 用起立表决法，以对于十四人之四十八人之多数起立赞成。 主席报告仍应本会函知周君，劝其从速就道。	
9月9日	宣布设立财政局以便人民监督案。 宣布裁汰冗滥以节糜费案（以上为二读）。	以上为二读
9月10日	宣布盐课案，为二读。 省调查员王君先鳌莅会，"调查财政委员王君先鳌出席，陈述调查困难情形，拟会同本会电呈，都督申明周知事至今未交细账，无从调查各节，请示办理。主席请众讨论"。 五十三号议员邹言扬提议电省请示，极表同意，但须"分为两电，双方并举，以清界限，全体赞成"。	
9月12日	宣布裁减庐州中学校经费案。 宣布劝导剪发案。 宣布办理地方自治案。 宣布续议盐课案。	以上为二读

(续表)

时间	会议议事内容	备注
9月17日	用投票选举法选举驻省议员一人,为临时提议案。 宣布普剪发辫案。 宣布修筑东大圩案。	后二为二读
9月18日	宣布清查义仓,认真整顿案。附二十区社仓办法。 宣布清理财政,提定的款,振兴实业案。 宣布修正盐课案。 宣布筹助庐阳日报办报经费案。	以上均为二读
9月22日	"九月十九号因主席议员未过半数未正式开会。" "九月二十号、二十一号,因出席议员未过半数,未正式开会"。"九月二十二号三钟开会"出席议员四十六,未到者六十一人。 主席报告"连日出席议员,均不过半数,迨由驻城日久,公费拮据,若不回归措资,势难处此,兹拟休息三星期,订于十月十号继续开会"获全体赞成。	
10月11日	宣布重团防而卫治安案。 宣布增设乡团案。 宣布练办乡团案。 宣布改良路政案。 宣布典铺减利益东便民案。 宣布请议拨提盐银余利案。	以上为二读
10月12日	通过改良私塾以普教育案。 通过禁卖公产维持学校案。 通过各区分段设立单级小学案。 通过组织法学讲习所案。 通过研究法律促进共和案。 通过裁减中学校经费案。 通过设立财政局以便人民监督案。 通过组织单级师范传习所案。 通过节省学校经费案。	三读通过
10月14日	通过清查义仓,认真整顿案。 通过盐课案。	均为三读会
10月15日	通过修筑东大圩案为三读会。 宣布议员邹言扬等临时提议本会常设议员案。 宣布知事咨送署内预算表案,均为临时提议。	

(续表)

时 间	会议议事内容	备 注
10月16日	互选本会常驻议员。主席报告今日开会为选举本会常驻议员充额,每区一人,分二十区共举二十人,诸君公议互选方法,或票举或推举均可。全体赞成推举。 殷傅岩　城区　　　杜鸿藻　东二镇区 邹言扬　东一镇区　　赵鸿议　东乡区 殷文瀚　南镇区　　　葛树屏　南乡区 盛济宽　西一镇区　　刘朝钦　西二镇区 刘泽益　北一乡区　　李文藻　北二乡区 高寿山　东南镇区　　蔡麟经　东北一镇区 周宏纶　东北二镇区　胡栋栋　东北三镇区 谢邦桢　东北四镇区　魏学贤　东北五镇区 徐宝章　西南一镇区　张云埔　西南二镇区 唐理淮　西南三镇区　龚心灏　西北一镇区 "主席报告明日知会被举常驻各员,请其实行驻会"。	
10月17日	宣布知事咨送、都督批驳给予里书册费案咨文。 宣布李国衡等提议变通学款案。	以上均为临时提议
10月18日	提议魏学贤被里书殴伤事,为临时提议。	
10月19日	宣布咨覆知事答覆丁漕案咨文并咨司法厅拘提殴伤议员魏君学贤之册书。	临时提议
10月21日	推举财政局经理人并干事员。 决定开会日期。	
10月24日	议长主席报告本届自开会至今议事成绩。	会议终会总结

由上述表格统计作分析,首先可以看出在前后 40 多次的正式会议历程中,临时议会就合肥县关系地方经济、社会稳定和发展的许多重大问题,均有议员提出重要议案,交立法讨论和议决。

其次,地方议会四个月时间内,合肥县议会处理了几十件案件,具有很高的效率。"甲:收集本会议员提议案 49 件。乙:收集知事交议案 77 件。丙:收集各界请议书 10 件。丁:收付议会并之案 20 件。戊:议决废弃之案 20 件"。其中议决实行的案件 16 件,计有:改良丁漕案、李承德堂捐款提取支配案、各区统一财政以维学校案、节省学校经费案、改良私塾案、组织单级师范传习所案、各区分段设立单级小学案、组织单级师范传习所案、组织法学讲习所案、裁减庐州中学经费案、禁卖公产维持学校案、设立财政局以便人民监督等款振兴实业案、清查义仓案(附各自社仓办法)、盐课案、修筑东大圩案、普剪发辩案、典铺减利益东便民案。议决备行之案:组织法律研究所案、改良路政案共2件。议而未决3件:知事交议拨助女子师范学校经费案、收回庐芜小轮专利案、甄别校长以重教育案。对县行政官员周知事交议且驳覆的案件3个(交议舒城议会咨请拨还庐州中学小官庄田租案、交议无为县请拨还庐州中学复凝卅租课案、交议署内经费决算表案)。议决答复的案件2件:周知事交议组织演说团案、周知事交议提取前清银行各欠款,支配各学校经费案。答复临时提议案14件,如议决咨覆知事由李承德堂捐款内拨借龙洋三千元发给警饷案、咨覆合肥厘金总局咨请议设水旱各分卡案、议决咨覆二十九旅由李承德堂捐款内拨给五万元储备该旅军军饷借垫案等。

第三,会议过程严格规程,如议案三读通过议决程序,所有议案均公开宣读。最重要的一点,是议员的投票权得到最大程度尊重,议会多次开会,因为到会议员人数不够,被迫休会或散会,或人选、议案未得通过,说明议员权利不予让渡,这也是代议制民主政治制度中最值得重视的制度建构。

第四,允许合肥县公民提出议案,且允许公民全程旁听议决过程,表现了较好的社会民主性。

第五,对行政权和立法权及其关系有较好的厘清,发挥立法机构对行政的监督权。县知事对选举众议员人选等重大事务,到场说明。对办公经费等行政预算等,依规进行议会审议,发挥监督权。

基于以上陈述做总结,可以说,民国初年合肥县临时议会,第一次迈开了百年来合肥近代民主政体改革的坚实步伐。"二次革命"爆发后,执政安徽的北洋系倪嗣冲自1913年10月下旬开始缉捕全省国民党籍议员,安徽省议会名存实亡。1914年2月北洋政府宣布解散各省议会,作为选举产生的民意代表议员提案参政,立法机构行使立法和监督权的合肥县议会亦终止运行。辛亥革命后合肥县一度设立初级审检厅作为过渡时期司法机构,"二次革命"后亦被令停止。①

---

① 《申报》1913年11月30日。

三、淮上军南下与合肥地域的反袁斗争

　　淮上军在寿州首举义旗，接着兵分三路，开拓革命事业。其中淮上军第二路军由权道涵、段云、洪振九等人指挥，于11月上旬和中旬先后出发，出征合肥、六安、霍邱等地。寿州起义后，庐州革命党人曾派人去寿州联络，要求淮上军派兵帮助合肥县光复。于是由王占一（体乾）率吴寿民部淮上军前往庐州。11月9日，庐州在同盟会成员孙万乘、李次宋策动下，知县李维源同意革命光复条件。淮上军中途闻讯，王占一仍按计划进驻庐州城郊。当月下旬，发生皖垣江防营溃兵惊扰庐州事件。其时庐州革命党力量薄弱，合肥军政分府司令孙万乘也"未敢言招抚"，盘踞不走的溃兵"亦不愿就抚"。王占一果敢地率师震慑，"斩获甚众"，使"合城震恐"的庐州府城为之安定。接着王占一领兵光复巢县、无为，还组织了一支火炮船队，本拟由无为东进，帮助江浙革命联军会攻南京，因接到光复后的新任安徽都督孙毓筠电邀，率队赶往芜湖商讨全省政事。

　　寿州独立后三天，安庆省谘议局宣告安徽独立，但推举出的所谓都督朱家宝，是个见风投机的清廷政客，也是镇压过革命党人的刽子手，不久即畏惧潜逃。革命派内部亦纷争不停。来皖的浔军黄焕章部更使安庆政局进一步糜乱。王占一认为，安庆在浔军兵变后仅为一"残破孤城，碍难收拾"，不如以合肥为中心，召集全省各府代表开会，组织一个革命的新政府，然后"联合武汉，会师北伐"。孙毓筠一时曾为王的主张所动，后因安庆方面党人力邀，才同意赶去安庆"故往一视"赴任。正是在淮上军护卫下，孙毓筠才得以逃过大通黎宗岳部的突袭，从而避免安徽政局更加糜乱，为下一步之稳定创造条件。

　　与淮上军南下相对应，庐州军政分府成立不久，正式遣军北伐。刘文明为北伐先锋队司令，率夏永伦、李向之两营步兵，会同淮上各军进攻驻在颍州之清军倪嗣冲部。颍城未能攻下，北伐军随主力退守正阳关，直至南北停战后，战事始告结束，庐州军政分府亦于和议

告成后撤销。所属部队经改编后编为第十五师,由南京临时政府任命孙万乘为十五师师长,师部设于芜湖,军队分驻庐州、芜湖、蚌埠3处。至1913年,十五师缩编为独立旅,孙万乘卸职,由龚振鹏任独立旅旅长,仍驻芜湖、合肥两处。原驻蚌埠之庐州之旅,另行改编。

1913年7月,反袁的"二次革命"爆发。其时孙多森来皖新任安徽民政长[①]。本来已经交卸都督职位之印,且被袁世凯政府任命为陕甘筹边使的柏文蔚,再举安徽反袁大旗。7月17日,宣布安徽独立。19日,合肥宣布独立,"地方安靖,军民欢迎"[②]。7月27日柏文蔚布告回任安徽都督兼任民政长,宣布响应江西李烈钧反袁,"袁贼祸国,首破共和,……本司令承三千万父老付托之重,为四百兆同胞请命,而兴保障共和维持秩序……"明确告知安徽大众,此次起义,"维保政治之改进,初无南北之见,只在推翻首恶之个人"[③]。安徽作为"二次革命"的讨袁武装斗争的主要战场,在皖北、皖南及庐州合肥,都有激烈的军事对抗。

宁、赣独立,安徽接着宣布独立,逐走孙多森,初始公推祁振襄护理都督,柏文蔚则拟到省府安庆任职。首先重新起用老朋友陈独秀为都督府秘书长,龚维鑫为都督府参谋长;军事上,重用胡万泰率部到太湖作战,龚振鹏居二线指挥西向作战,原淮上军首领张汇滔指挥北路作战。"省芜于七月十七号宣布独立,电达庐州遵照办理,适孙万乘先日到庐,接电即与其党假行政厅宣布独立,组织指挥府,任总指挥职务"[④]。但是刚刚进入8月初,在皖北战场,倪嗣冲部接连取得战场优势。"讨袁军旅长张梦介与倪军鏖战于寿州北郊四顶山两昼夜,因倪优势炮兵向张梦介部轰击,张部既缺炮兵,又弹药断绝,乃放弃寿州,退至合肥。倪旋命马联甲直捣合肥,命王志国向长江西岸东

---

① 孙彩霞主编:《柏文蔚文集》,黄山书社2011年版,第341页。
② 《民立报》1913年7月22日。
③ 《柏文蔚文集》,第341页。
④ 安徽省政协文史资料研究委员会与中共安徽省委党校理论研究所合编:《淮上起义军专辑》,1987年印刷本,第105页。

西梁山的讨袁军龚振鹏所部进攻。倪军至合肥时,讨袁军夏永伦开城投降,由倪嗣冲收编(后夏被倪委任长淮水上警察厅长)"①。

而在安徽讨袁军内部,内讧不断。据柏文蔚回忆,"而有被收买之胡万泰、顾逐堂默许部下柴宝山围困都督府,祁双手持枪,左右射击,拼命冲出,仅以身免。刘国栋者,士官学生,……接近北洋系。是时密衔袁命图皖,故得举为都督。南京得此消息,故急电余回宁……余至皖后,管、范、张、郑、凌诸皖籍党人联袂而至,余甚欣幸,因委龚维鑫为都督府参谋长,代行都督职权;委管鹏为内务司司长,代行民政长职权;余仍赴前线,督师北伐……"芜湖的军事指挥官龚振鹏,自从正阳关作战失利回芜湖以后,态度大变,"残杀无度,每日枪决民众,不可胜数,英领事因每日枪声不绝,出面干涉,盖亦恶其不人道也"。都督府秘书长陈独秀因其行为残暴,痛斥其非,袁师长家声亦以良心不许,委婉讽劝不成,均被龚振鹏绳绑,好在正拟枪决时,而以芜湖张旅长永迫以兵力,"稍敛淫威,未下毒手,而陈、袁饱受惊吓矣……龚振鹏者,富有革命性也,惟头脑简单,近朱则赤,近墨则黑。余由陆军部调龚来皖,充当旅长,迨至芜湖赴任时,余将讨袁计划全盘告之。龚与段之泉以故乡情谊,竟而告密,在正阳关开军事会议时,又闻诸尚权利者之言,颇大不满意于余"。②

1913年8月12日,柏文蔚通电全省六十县,指斥叛变的胡万泰:"胡贼万泰浅通袁逆,久蓄异志,阴柔侧媚,险诈百端。自浔阳起义,各省响应,胡贼乘机窥伺,窃据安庆,阳假独立之名,暗争都督之位,诸将识其非诚,皖人怒其无耻,挥戈逐之,崇朝而遁。本总司令时督师淮上,迭闻内讧,感各界迎请之忱,受人民付托之重,允回原任。道过金陵,胡贼匍匐来见,涕泗交颐,宛如哀鸣,乞援蚁命。本总司令宽厚待人,未忍加诛,冀能悔悟,挈之返省,予以自新。乃贼性难除,养痈遗患,变生肘腋,事出仓皇,倘以兵力扫除,何难即时扑灭,惟惜一

---

① 《淮上起义军专辑》,第89—90页。
② 《淮上起义军专辑》,第90—91页。

城生灵共归涂炭,崑岗火炽玉石俱焚,偶因投鼠忌器之难,暂出避蛇断臂之计,釜鱼幕燕宁许久安,指日调集大兵殄兹小丑,以平众怒而快人心。"①柏文蔚提出要以芜湖为总司令行辕所在,继续反袁斗争,并要求各县所有丁漕厘税赶紧催解芜湖,接济军饷。但是形势愈来愈不利,曾经做过帮会头目,辛亥革命时才被释放出狱的驻合肥龚振鹏旅一营长夏永伦,暗通倪嗣冲,此时不仅逼走上司李、陶姓两位团长,且叛变倒向倪嗣冲。此时适逢淮上讨袁军旅长张汇滔及参谋廖少斋率失利之兵七八百名②,由寿县退却经过合肥。张率部经合肥,是准备利用合肥地方作反攻修整之地。张汇滔与廖少斋不知夏永伦已与倪部暗通声气,受邀赴其晚餐。席上夏劝说未成,指定所带士兵驻守城外,将廖少斋扣留,逼其缴械投敌。廖少斋破口大骂,坚不相从,被夏开枪射击,身中3弹,仍大呼杀贼不已,牺牲时年仅33岁③。张汇滔由县知事王和甫护送出城,幸免于难。倪嗣冲遂委任夏永伦为旅长,率李海波一营及由倪部派来的王治国兵一部向芜湖进攻。

　　龚振鹏得到报告后,令钱瑞庭率机枪营等部队,星夜驰往西梁山附近的张家湾堵截夏部。经两昼夜激战,打死打伤敌兵甚多,并俘虏一连。夏永伦吃了败仗,连夜回合肥,带着卫兵将钱瑞庭的家母及幼子捉去,作书威胁让钱投降。钱瑞庭悲愤曰:"自古忠孝不能两全,况我辈是现代革命军人。"不肯低头就范,钱部官兵士气高涨,冲锋突击,坚决与敌周旋,相持二十多天。芜湖军政当局鉴于长江上游和大江北岸合肥等要镇相继沦为敌手,部队粮饷无着,腹背受敌,遂命令前线军士撤回芜湖,给资遣散。柏文蔚、张汇滔、龚振鹏等,或只身或率队,乘轮船向东退却,或逃亡日本及上海等地。8月底,袁世凯任命倪嗣冲为安徽都督、民政长,反袁武装被镇压后作星散。

　　在安徽"二次革命"中,合肥是反袁斗争的重要战地。但由于革命党人的政治策略失当,敌我力量的悬殊,加上革命党中重要军事将

---

①　《通电六十县知事》,《民立报》1913年8月16日。
②　《淮上起义军专辑》,第105页。
③　《淮上起义军专辑》,第149页。

领的反戈叛变,安徽地域的"二次革命"以失败告终,民初一段时间支持柏文蔚督军府力量的合肥县地方权力结构随之亦改变。

第二节　民国初期的合肥社会经济

一、区划沿革与人口

(一)民初合肥区划沿革

清朝设庐州府,合肥县为庐州府府衙办公所在地。辛亥合肥光复后,一段时间内,以庐州军政分府行使行政管辖权,合肥县、巢县、庐江县都在安徽督军府军政统治之下。南京临时政府成立后,1912年2月,《临时政府公报》发布由参议院通过的关于光复后政权稳定和建设的议案,"查各省光复后,军政、民政、财政等权,往往归于同一机关。如军政分府,虽在一隅之地,而权限辄逸出军事范围以外,至民政、财权难于统一。今官制既未订定,急宜发布临时命令,将军政分府名目即日撤销。"[①]主持庐州军政分府的孙万乘在柏文蔚等督促下,率先宣布取消,"至地方民政事宜,改归行政厅管辖"[②]。3月正式裁撤,在合肥驻军大部分调往芜湖驻扎。8月,《皖省暂行地方官制》颁布,其第一章第一条规定"凡本省所属直隶州、州、县统名曰县"。县设县知事,直隶都督,由各司会同荐请都督委任,"掌管该县行政事宜,其印信由都督颁发,……对于境内人民有发县令之权"[③],开启民国时期省级政区直管合肥县治理时期。

---

① 《临时政府公报》第21号,1912年2月24日。
② 《民立报》1912年2月23日。
③ 《皖省暂行地方官制》,《安徽公报》1912年第4期,第50—55页。

1914年5月,安徽省发布《道官制》,设安庆、芜湖、淮泗三道,合肥县、巢县、庐江县和舒城县等16县,属驻怀宁的安庆道辖境。1927年道制废弃,国民政府成立后,县直属省管;1932年初安徽省分设十区试行首席县长制时,合肥县为第三区(包括合肥县、舒城县、庐江县、巢县、全椒县)首县,8月属新设立的安徽省第三行政督察区(包括六安县、合肥县、舒城县、霍山县)管属,其时专署设在六安。巢县和庐江县属设在芜湖县的第二行政督察区(包括芜湖县、繁昌县、南陵县、当涂县、铜陵县、无为县、巢县、庐江县)。①

(二)民初合肥的人口

清末民初以来,政权动荡,社会扰乱,战乱和自然灾害频发等原因,合肥地域人口起伏较大。据1916年《内务府土地人口统计》,1916年合肥县现住户数194157,男性人口数626625,女性人口数573602,共计人口数1200227;巢县现住户数57951,男性人口数207143,女性人口数200020,共计人口数407163;庐江县现住户数54694,男性人口数287998,女性人口数199965,共计人口数487963。② 1919年人口数,据《安徽省60县产业调查繁表》记载,合肥县人口数1416111人,巢县418113人,庐江县453367人。1928年的人口数,据《安徽全省户籍第一次调查报告书》记载,合肥县下降为1305646人,巢县下降为364855人,庐江县531458人。③ 虽然人口数有较大起伏,但是合肥县一直是仅次于阜阳县的100万人以上人口大县,其主要原因与县域面积相关,如1928年合肥县面积4795平方公里,人口密度每平方公里295人;巢县1460平方公里,人口密度每

---

① 安徽省地方志编纂委员会:《安徽省志·建置沿革志》,方志出版社1999年版,第413—435页。

② 《中华民国十一年度内务统计·土地与人口·五年度》,北京图书馆藏书,第67—72页。

③ 除1916年数据外,1919、1928两个年份数据参见安徽省地方志编纂委员会:《安徽省志·人口志》,安徽人民出版社1995年版,第35—39页。

平方公里286人,庐江县1615平方公里,人口密度每平方公里281人。①

二、城镇分布与合肥社会经济

(一)县城与村镇

民初合肥虽然主要延续清代城乡结构,但城乡区划仍有不少变动。以城池为中心的是城区:"县城周围绕以运河及沟渠,南北短而东西长,成一椭圆形。城墙全长约十里半,高度自一丈八尺至二丈四尺,上面约阔一丈二尺,下部有一丈二三尺高,全系石造,上部用厚砖,洵一坚固之城池也。"据旧志所载及,在晚清太平天国战争后,有几次修缮,"周四千七百六丈,计二十六里有奇,正西西南墙皆缘岗,高二丈四尺有奇,南东北列平地,高二丈八尺至三丈不等,底阔四丈,余敛八尺,垛四千五百七十八,启楼廿八,门七:在南二门,左曰南熏(小南门)右曰德胜,(大南门)在东二门,左曰威武,(大东门)右曰时雍,(小东门)西二门,左曰西平,(大西门)右曰水西(小西门),北曰拱辰。水系二:一在水西门左,一在威武门右。金斗河(即肥水)为唐时北濠,宋时拓城河,乃贯城东出,明时西门改建,河塞渐淹,积淤成害,故濬河启口,分引河流,仍贯城东出,于交通卫生,皆为首要之图"。城池的城墙西南边城墙缘冈而建,高二丈四尺有奇,南北相距七里,东西相距八里,城中面积约五十四平方里。城池外围以壕沟即护城河,"东濠阔十丈左右深二丈,北濠阔五丈至十丈不等,深八尺。西濠阔十丈至二十丈不等,深二丈有奇。南濠曰包公池,阔二十丈至三十丈不等,深七尺至一丈二尺"。②

---

① 除1916年数据外,1919、1928两个年份数据参见安徽省地方志编纂委员会:《安徽省志·人口志》,安徽人民出版社1995年版,第65页。
② 安徽省通志馆:1935年《各县采访概要·合肥》稿本,安庆市图书馆藏本,无页码。以下引注依图书馆编目简称《合肥采访册》。

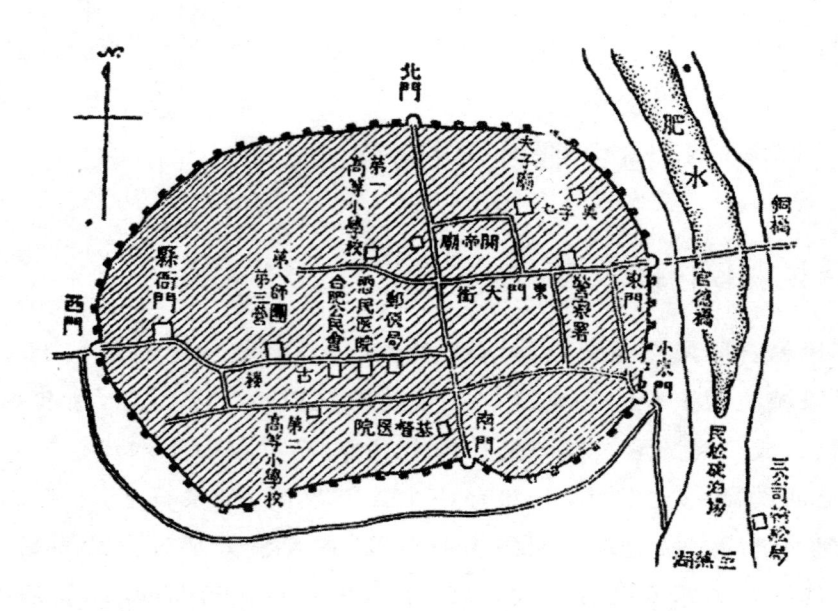

民初合肥县城池图，图见东亚同文会编《中国省别全志·安徽省》第 88 页

由上图可见，行政区主要在城中西部位置，东南部有县学、奎楼、庐阳书院、包公祠等文教区。城内有威武门内东门大街、时雍门内小东门大街、拱辰门内北门大街、西为县桥大街等街道，十字街、四牌楼街等，大商店及酒馆、茶馆皆在十字街和四牌楼附近，东南则有通向巢湖的水道。

全县城乡结构，"主要分城区、东部镇乡、西部镇区、南部镇乡、北部乡区、东南镇区、西南镇区和西北镇区。主要城镇有梁县镇，在城东北七十里；三河镇，在城南偏东九十里；店埠镇，在城东三十五里；排头镇，在城东三十五里；撮城镇，在城东南三十五里；官亭镇，在城西九十里；青阳镇，在城南偏西七十里；圆疃镇，在城东北六十里；长宁镇，在城东南五十五里；长城镇，在城西八十里；上派河镇，在城南三十五里；石塘镇，在城东七十里；青龙厂镇，在城东北六十里；左路镇，在城北一百二十里；丰乐河镇，在城南九十里；界河镇，在城南百二十里;金桥镇,在城西百三十里;吴山庙镇,在城北七十里"①。

到 20 世纪 30 年代,合肥县城乡进一步划分为区镇制,合肥县共分为十个区,第一区合肥城内,(一等区)县中心;第二区店埠(一等区),位置县城东北;第三区长临(一等区),位置县城东南;第四区梁园(一等区),位置县城东北;第五区南圩集(一等区),位置县城东北;第六区埠李(一等区),位置县城东北;第七区双墩集(一等区),位置县城西北;第八区山南馆(一等区),位置县城西南;第九区化字岗(一等区),位置县城西南;第十区三河(一等区),位置县城南。②

(二)合肥的农业经济

1.农业水利

合肥作为农业大县,比较有特色的农业水利是利用堤坝兴修的圩田和一些重要沟渠、河道。例如金斗河河畔的金斗圩;淝水官城圩、马圩、杨七圩、东大圩、姚埠圩、三汊圩;派河流域的上下张圩、牛角大圩;巢湖同大圩、东湾圩、施湾圩、创兴圩。塘堰有城南包公池、大官塘;城西五十五里枯草塘;城西九十里金城河(即铁索涧);城西七十里小官塘;浪陂塘、陷湖陂,在城东七十里;竹丝坝在城东北九十里;池家陂在城东百里;袁(杨)家坝在城东北百十里;冯家坝在城东北百三十里;段家坝在城南乡,以及城东乡的黄鳝坝。

沟渠则有城内乡的九四水、小史港,城西南乡的双枣树水,城北乡皇陵庙水等。

丘陵岗地之间与农业生产紧密的水道有城东乡乌柏坝、长甯河、百子河、潜溪河;城西乡平桥水、羊虎山水、长冈店水、土山水、方家桥水、枣林冈水;城南乡桃花桥水、侯家冈水、大慈桥水、唐家桥水、双港桥水;城东乡唐杨桥水、撮城河水;城东北滁水。

---

① 《合肥采访册》。
② 李絜非:《合肥风土志》,《学风(安庆)》1935 年第 5 卷第 7 期,第 8 页。

2. 农业出产

合肥是安徽传统的农业大县,也是农业物产大县。民初日本人兴办的东亚同文会组织对合肥地区的农业调查,即发现"以言合肥本地之物产则最有名者为米,麦、豆、花生等之,杂谷次之,而茶、麻、毛皮等之产物亦复不少"。① "吴山庙位江淮分水岭之顶点,在合肥与寿州交界处由此往合肥扬子江流域土地肥沃,殆全系水田,一过吴山庙至淮河流域则忽变为高台性之地势,……缺水不能种稻,故全种旱粮,就中以高粱、绿豆、棉花为最多,亚麻、大豆、芝麻次之"。

稻米是合肥出产大宗,稻的种类有早白稻、早中秋、晚白稻、晚稻、大小籼、六十黄、赶上陈、凤来马、观音籼、银条籼、羊鬃糯、羊脂糯等,百姓普通所食为籼米、长粒籼、蔗籼、糯米、红米数种;另有播种的特色香米,往往作馈赠用。其次是麦类、谷豆类等,名称有大麦、小麦、荞麦、高粱(俗名庐粟)、玉蜀黍(或称包芦、或称六谷)、蚕豆、黄豆、绿豆以及甘薯(或称山芋、红薯、白薯、地瓜)等。其中六十黄,往往在圩田地区由下种至变为黄色,收割日只要60天。早白稻夏初种夏末收,每亩割约收两石余。到20世纪30年代,全县每年约收四十万石,稻每石能做米五斗三升,米每石值洋六元,主要是本县销售。大籼稻,夏初种,秋初收割,每亩约收三石,到20世纪30年代全县约二百万石,销往本县及芜湖,每石能做米五斗四升。米每石约值洋六元,稻每石值洋三元。羊脂糯,夏初种,秋初收割,每亩约收二石,到20世纪30年代全县约八千石,主要销往本县,每石米值洋七元。虎皮糯,夏初种,秋初收割,每亩约收二石,全县约一万石,主要销往本县,每石米值约洋七元。合肥全县有稻田三百万亩左右,内有主要濒临巢湖的圩田约五十万亩,其余为岗田。岗田因较圩田为瘦,每亩平均可收获米两石左右,往往"种花生、山芋、豆类,或于割稻之后,复可继植大小麦及口苕、蚕豆、豌豆之属,农民依此为食"②。大麦,秋季

---

① 东亚同文会编:《中国省别全志·安徽省志》,日本大正八年(1919)东京铅印本第12卷,安徽省图书馆藏,有佚名译本,无页码。以下该书引注,凡日文原著均注页码。

② 《合肥风土志》,《学风(安庆)》,第9页。

种,夏初收割,每亩约收两石,到20世纪30年代全县三十余万石,其中销往本县,每石麦值洋三元;小麦秋季播种,夏初收割,每亩约收一石五斗,到20世纪30年代全县收二十余万石,其中本县及芜湖,每石小麦值洋六元;荞麦是秋初播种,秋末收割,每亩约收两石,到20世纪30年代全县五千余石,主要销往本县,每石值洋四元;高粱(俗名庐粟)春末播种,秋末收获,每亩约收三石,全县十余万石,主要销往本县,每石值洋四元;玉蜀黍,春末播种,秋末收获,每亩约收两石,全县十余万石,每石值洋五元;蚕豆,秋季播种,夏初收获,每亩约收两石,全县二千余石,每石值洋五元;黄豆,夏初播种,秋末收获,每亩约收两石,全县二十余万石,每石值洋五元;绿豆,夏季播种,秋初收获,每亩约收两石,全县三十余万石,主要销往芜湖,每石值洋六元;山芋,夏季播种,秋季收获,每亩收十石左右,全县六十万石,主要销往本县,每石值洋一元五角。

经济作物如棉花,春末播种,仲秋收获,每亩收六七十斤,到20世纪30年代全县收十余万石,其中销往南京、芜湖三四万石。油菜是秋末播种,夏初收割,每亩约收两石,民初日本人作调查,"其水田冬季种菜子,每年可出菜油一千石,除供本地消费外,岁有五六百石出口云"①。其说虽然不准确,据地方实际调查,到20世纪30年代全县约收十万石,主要销往芜湖。芝麻,春末播种,秋仲收获,每亩约收二石,到20世纪30年代全县约收五万石,主要销往芜湖、南京。落花生,夏初播种,秋末收获,每亩收五六石,到20世纪30年代全县收三四十万石,主要销往芜湖,每石值洋三元。②

合肥县民播种园蔬,主要有白菜、乌菜、芥菜、萝卜、菠菜、苋菜、韭菜(宿根)、冬瓜、王瓜瓠。本地果品主要是桃、杏、梅、梨、枣、栗、石榴、柿、莲芮、藕、枇杷等,西瓜以出自店埠最佳,到20世纪30年代全县每年产十万余石,本地之外主要销往巢县、芜湖。另有藕及莲子、

① 《中国省别全志·安徽省志》,第561页。
② 《合肥采访册》。

菱角之类及瓜之属果品类如香瓜等。养蜂如李瑞之、龚怀西等大户，用新法养蜂制蜜每年四十至五十箱。合肥县林业基本处于农民自由种植状态，到20世纪30年代政府才在城内北门建有苗圃，植有洋槐、大叶柳、杨柳、冬青、柏树、乌桕、香椿、梧桐、槐柳、梅桃、杏柿等树种。渔业主要分布在环巢湖流域和县内河流两岸，全县濒临巢湖之滨有千余家渔户，主要用旧式网罟打鱼。大潜山周围，以旧式火枪狩猎户二三百家。

农民家庭经济畜类有牛、羊、马、驴、猪、鸡、鸭等，其附加物如牛皮，是民初合肥农牧主要出产，到20世纪30年代，每年有两万条左右，主要销往上海、南京等地。据日本东亚同文会民初在合肥的调查，合肥销往外地的农产品价格如下：

20世纪30年代初合肥地区粮食作物及畜类价格[①]

名称	单位	价格	备注
米	一石	五元五六角	
豆	一石	五元五六角	
小麦	一石	五元五六角	
大麦	一石	二元余	
鸭毛	一担	二十元	
白(鹅)毛	一担	四十元	
黄牛皮	一担	四十元	
水牛皮	一担	二十五元	
土布	一疋	七八角	

（三）合肥的工业、手工业

民初合肥是一个工业严重欠发达县域，近代化机械工业很少。

[①] 《中国省别全志·安徽省志》，第589页。

"本地之工业虽不发达,但因附近产棉花及麻甚多,故有毛巾制造厂及麻布织造厂,竹器、铁器尚可观,其中最发达者厥为织布业,每年出品有十七万疋云"。① 到20世纪30年代,从事冶业的全县二百余家,主要使用洋铁进行农器及家常日用之器的加工。全县进行土泥、砖瓦、黄土量罐加工烧制的土窑十余家。

城中比较有名气的是设在县桥街的革昌织袜厂,该厂用日本出产的棉纱加工袜子和棉布,资本一千元,有男性工人数十人。生产的棉布,一疋上等者价格七元,中等棉布四元,下等棉布一元五角。加工的袜子,上等一双三角,中等袜子价格二角,下等袜子一角五分。设在县桥街的龙黄毛巾厂,有机器六架,职工二十人。生产的毛巾,大毛巾一打价格二元四角,中等一打价格一元二角,小毛巾一打七角,极小的毛巾一打价格六角。县桥街还有一处纺织厂,有纺织机四十架,可供平民学习纺织手艺。小东门外有华阳织布厂及民新工厂,东门外有杨裕发织袜厂,各家皆有普通织机十余架,职工数十人,这些工厂所用原料皆日本棉纱。

"民国初,上海、广州等大城市及英、德等国生产的斧、凿、刨刀、锯条、钢丝钳、电工刀、铁丝、圆钉等五金交电商品陆续流入合肥"。这些五金工业产品,合肥自身没有机械化生产厂家,"合肥市场经销的五金商品多来自所在地手工业者的前店后坊"。②

(四)民国初期合肥商贸经济及金融业

合肥虽以农业著称,由于其地理位置位于沟通皖北—皖南、皖西—皖南的交通要道,加之本地农产品、油类等产品输出芜湖,再由芜湖换进杂货输出四乡各地及六安、霍山等县,此外本地织造之棉布、毛巾等分销各乡镇,三个方面的原因使得合肥成为江淮之间重要的商贸中心。

---

① 《中国省别全志·安徽省志》,安徽省图书馆藏佚名译本。
② 合肥市地方志编纂委员会编:《合肥市志》,安徽人民出版社1999年版,第1243—1244页。

民初合肥县城的商业机关即有商会、布业公所、钱业公所等。据总商会之调查，城内商家共 500 户，其主要商户布业类 80 户，广货业 17 户，纱业类 30 户，杂货业 80 户，钱业 4 户，米行 30 余户。其中资本最雄厚者推杂货商及钱店，当地集中在东门外米店粮行资本相对较少。民初著名商号有"杨裕发""沈德丰""沈鸿昌""厚丰""鸿福兴""益兴隆""永康""沈余庆""同宏泰""杨丰泰"等。[①] 1927 年合肥县商会改组，由会长制改为委员制，由会员代表票选执监委员，由执行委员互推常务委员，由常务委员推举主席一人。"设 18 个同业公会。入会商店 400 余会，加上商贩和自产自销户，从业人员约 5000 人"[②]。到 20 世纪 30 年代，合肥的商业社会组织已经成一定规模，其中有钱业公会（在东门大街）、布业公会（在文昌宫街）、广业公会（在十字街西）、杂货业公会（在东岳庙巷）、染业公会（在县桥东）、纱业公会（在东门大街）、炭业公会（在东门）、木业公会（在东门外）、粮食公会（在东门外）、毛业公会（在九狮桥）、纸业公会（在古楼西街）、烟业公会（在古楼大街）、酱园业公会（1927 年成立，在县桥口）、药业公会（在东门大街）、杂货业公会（在东门大街）、磁业公会（在东门大街）、布行公会（在东门大街）、商团（1928 年成立，在东门大街）。

合肥是江淮之间重要的粮油集散地，号称"皖中粮仓"。据清末民初的不完整统计，年均产稻米 50 万石，麦 10 万石，菜油 1000 余石。合肥周围相邻县在此集散的稻米约 100 万石。这些稻米除供合肥居民食用及仓储外，大多数被商人运销至芜湖、无锡等城市。"1919 年，合肥县产稻米 246 万石，麦 47.8 万石。设在东门坝上街的裕发、德丰、鸿昌等 3 家米行，各家年购米、面、杂粮 4—6 万石，销后获利颇丰"[③]。合肥圩田之米，为出口之大宗，巢湖岸边以及南乡、三河、双河、新仓一带乡镇，为合肥、舒城、庐江三县交界地，秋丰之年，

---

① 《中国省别全志·安徽省志》，第 424 页。
② 《合肥市志》，第 1231 页。
③ 引见数字见《合肥市志》，统计的数字无年代，当为不完全的准确数字。第 1292 页。

用小轮运输稻米直达芜湖,"故由京芜等处来此采米之船轮轴相接,盖以三河附近为产米最盛之区也"。① 据东亚同文会民初调查统计,芜湖地方集散之货物内中有大半系在合肥经巢湖运至芜湖,数量每年米大约有 300 万担,豆类四五万担,毛皮 30 万张左右。

到 20 世纪 30 年代,逐步形成县城之外,地方以中心乡镇为聚集地的集市贸易形态。梁县镇的店铺有四五百家,人口 5000 余丁,主要转运布匹杂货。三河镇店铺千余家,人口约 2 万人,为舒、六米粮外运芜湖出口之地;店埠镇商铺及居户 400 余家,人口约 5000 人,蚌合、巢合两个线路汽车均由镇内经过,镇设有代办邮局。排头镇商铺及住户 300 余家,人口 4000 余人,主要经营木竹业,每年运往定远县、凤阳县约 30 万元。撮城镇商铺 400 家,人口约 5000 人,由施口至撮城镇,帆船可达淮南,后来轻便铁路由合肥城经过镇内,东南至巢县。官亭镇店铺 200 余家,人口千余人,合肥城至六安,汽车路经过镇内。青阳镇店铺 300 余家,人口 2000 人。圆疃镇店铺百余家,人口千余人。长甯镇店铺及居户 300 余家,人口 4000 余,因滨巢湖边,小帆船可达芜湖。长城镇店铺 200 余家,人口 2000 余人。上派河镇店铺 300 余家,人口 3000 余人,自合肥城至安庆汽车路经过镇内。石塘镇店铺约 300 家,人口约 4000 人。青龙厂镇店铺 200 余家,人口约 2000 人。左路镇店铺百余家,人口千余人。丰乐河镇店铺 300 家,人口 3000 余人,三河水路经过可达界河。界河镇店铺百余家,人口千余人。金桥镇店铺约 200 余家,人口约 3000 人,有合六汽车路经过。吴山庙镇店铺 400 家,人口约 4000 人。

合肥是安徽产棉主要县区,从事棉花种植和加工的纺织类商户众多。民国十六年(1927 年),"合肥布业公会有成员 78 家,资金约占县城 18 个同业公会资本总和的 20%"②。到 20 世纪 30 年代,城内及四乡纺织 3000 余家,主要出产土棉及洋纱、土布、洋布、毛巾,每年约

---

① 《合肥风土志》,《学风(安庆)》第 9 页。
② 《合肥市志》,第 1239 页。

出百数十万疋,主要销往本地及舒城、寿县、定远等县,价值约一百数十万元。①

清末合肥城内已经设置不少如美孚、亚细亚、德士古等煤油(民间俗称火油或洋油)商号。民国年间,随着城市将煤油用于照明者较为普遍,经销煤油的商号带着各种灯具走乡窜村销售煤油。批发商以舒城、庐江、六安、含山、无为县等为主要销售区,用代销、赊销方式销售煤油,有的还送货上门。②

清末合肥"洋漆"开始使用,但传统的山漆和棉织物染色用的植物色素依然是大众使用的主体。民国十年至二十七年(1921—1938年),合肥经营化工商品的商号日渐增多。市场既有德、美、英、法、日、荷、意等国家输入的化工商品,也有国产的化工商品,品种达100余种。其中购进的进口货有"狮马"靛、"牛头"靛、"单B字"牌硫化青、"狮牌"黑靛、"天官"红、"吹箫"蓝、"打虎"青、"孔雀"吊灰等。国产油漆以"帆船"牌居多,"飞虎"和"长城"次之,"双峰"和"永尧"较少。碱粉以"永利"牌的市场占有量为最多。③

杂货类商户在民初合肥百姓日常生活中扮演了重要角色,合肥县土产日杂行业,有大德昌、鼎盛和、鸿鑫发等商户;规模较小的席行、杂货铺等在街头巷尾随处可见,多达百余家。"刘东泰、柏树泰、镕昌隆、庆和、刘宏兴、张顺兴等较大的杂货店(坊),展开了以销售糕点为中心的竞争,促使糕店质量迅速提高,品种不断增加。至民国十年(1921年)前后,合肥产的麻饼、烘糕、寸金、白切、方片糕等精细糕店已享誉大江南北"。④民初合肥自产瓜果种类较多,干果类主要有红枣、蜜枣、柿饼、核桃、瓜子、板栗、白果、百合、桂圆干、葡萄干等种类,"干菜类主要有黄花菜、香菇、木耳、笋干、霉干菜等。干果多由杂货店兼营;鲜果多由农家自产自销,干鲜果品批发市场位于坝上街。

---

① 《合肥采访册》。
② 《合肥市志》,第1248页。
③ 《合肥市志》,第1250—1251页。
④ 《合肥市志》,第1253页。

民国十六年（1927年），合肥'镕昌隆'号除经销本地的干鲜果品外，还从山东、江西、南京、蚌埠等地采购一些果品和罐头应市"。①

合肥是盐业销售区，历来行销淮盐。1920年之前每担盐约7元，到20世纪30年代大约12元。民国初，当局在大通设皖岸榷运局。票商在办理手续后，仍从水路运原盐入合肥。民国四年（1915年），全国盐运改制，统一按8担（每担100斤）为1引计数。民国十年（1921年）以后，因淝河河道淤塞日益严重，盐商们只得从浦口、蚌埠、临淮关等地用肩挑马驼的方式将盐运入合肥。至民国二十五年（1936年），合肥、舒城一带从事食盐经营的商号有18家，63名从业人员。②

民初合肥即有烟叶种植，城乡内有黄烟铺，加工上等黄烟丝（俗称皮丝烟）销售。有的黄烟铺开始用木制卷烟机自制卷烟销售。"洋烟"清末在合肥销售，民初即有商家率先推出有奖销售方式。但是鸦片种植及其行销，依然以扭曲之态在合肥重演晚清时期弛禁故事。虽然合肥自清末即提倡设立禁烟会③，民国成立之后，柏文蔚主政时三令五申禁种鸦片，其后的安徽地方军阀以军董政，禁烟流于形式，而且军阀直接推动合肥鸦片种植。1922年5月《申报》报道："皖省本年皖北、皖中各县，大种烟土。皖北约占十分之七，皆由各地军队、劣绅包庇。合肥县杨知事，每亩竟收烟税洋三元，省委道委查禁烟苗员仍逗留县境，希冀收浆时均需利益。"④更为荒谬的是，当地官员和图谋暴利的军阀沆瀣一气，1922—1927年前后合肥变成鸦片烟税的包税利源。当时的报章登载："芜湖快信：合肥县知事蔡焕颺，因弛禁种烟案，经该县教育界晋省控诉，刻闻许省长已将蔡撤任查办。"⑤"合肥县本年遍种烟苗，该县知事左海涛，因军队劣绅朋比，不能实行铲除，

---

① 《合肥市志》，第1282页。
② 《合肥市志》，第1265—1266页。
③ 如《申报》记载《戒烟会禀请立案》，"日前合肥县刘某来省，禀呈抚宪在该地方设立戒烟会，请札行该县准予立案。当经恩中丞批，谓所禀捐赀设立戒烟会，尽心公益，诚属可嘉。惟药方效验，未经抄呈所请札行之处，未便照准。"1907年3月4日第9版。
④ 《芜湖快信》，《申报》1922年5月18日。
⑤ 《芜湖快信》，《申报》1922年5月29日。

已辞职他去。"①上海报章《申报》等媒体,时有合肥县鸦片种植和官僚、军阀税利争夺的报道:"年来吾皖官厅放任毒卉,渐滋不禁不铲,视为奇货,事实昭彰,无可讳饰。吾肥人民守法,向不种烟。近因袁斗枢勾结武人,包种庇贩,而武人复利用斗枢勒捐烟税。斗枢伤天害理,忍心为虎作伥,以害桑梓,迎合军阀意旨,承包至二十万元之多。回肥曾同武人、官僚,召集二十区团长,勒令出具切结,照数均摊,稍一拂意,拘禁不贷。"②

再如《申报》1923年国内要闻栏报道:"皖省今年开放鸦片烟禁,种植最多者皖北为阜阳县境,皖中为合肥县境。其次则为凤阳、蒙城、宿亳等县。现在各县鸦片,均已收割守罄。所闻者皆税款分赃问题也。马联甲预定全省征收一百五十万,报效保曹为大选费。已否如数解缴,固非外人所得而知,然各县办理督查人员,剥削人民脂膏,不啻倍蓰。阜阳除缴马联甲正项外,吕调元分得十万,由第四旅长高世读当众宣布,曾志报端。据闻合肥解蚌正额四十万元,业已陆续由袁斗枢解送蚌埠。而袁斗枢已借此,换得芜湖警察厅长矣。日前合肥驻军曹锦当团长,代理知事汪良模将烟税征收余款十八万五千元分别支配,作最后之结束。召集劝学所长杨午樵、商会长李次岩、农会长王缉甫、城绅许用午、周芝香、谢干臣兼县署第二科长高慧臣等多人,在县署大开会议,由曹团长说明开会宗旨,并出示一长单,计开本年征收烟税,尚有十八万五千元。刘大员朝望洋三万元,大员行署职员洋五千元,共三万五千元,由袁斗枢经手带交,现解吕省长二万元,商会一万元,劝学所一万元,津贴各公转二万元,其余仍悉数解蚌云云。散会后乃为学生会闻悉,次日约集学生二百余人,结队拥至县署,请汪代知事截留吕调元分得之二万元,补助地方教育经费。"③尽管此类报道显现安徽地方关系扑朔迷离,但合肥地区鸦片种植泛滥,

---

① 《芜湖快信》,《申报》1923年5月16日。
② 《合肥县逼征烟税之电吁》,《申报》1923年7月9日。
③ 《皖省鸦片烟税分赃纪合肥解蚌四十万元吕调元又分两万元》,《申报》1923年10月7日。

扭曲商贸获取暴利的严重性则是不争的事实。

合肥出产丰富,地方酿酒业虽无名号,但糟坊众多。糟坊多以自产自销方式经营白酒(俗称烧酒)。① 到 20 世纪 30 年代,据地方调查统计有糟坊千余家,以大麦、高粱为原料酒酿,价值百万元。另有油坊百余家,加工油菜籽、花生、棉种,生产香油,销往本县及芜湖,价值 80 万元左右。粉坊千余家,以绿豆为原料加工豆粉、粉丝,销往本县及芜湖、南京、上海,价值十余万元。②

合肥不是皖中产茶大县,只是茶叶贸易的一个活跃地区。民初著名产茶区六安茶叶,除了由六安—正阳关、六安—镇江茶叶线路之外,六安—合肥是其主要的陆上运输线之一。运费"由六安至合肥,陆路一百八十里,每担大洋五角"。③ 转口运往芜湖;城乡茶叶店售卖是本地贸易的主要方式。

合肥虽然稻米市场比较发达,"然除米、麦以外无大买卖,故金融机关不见发达,中交两银行皆只设一代办所。通用货币为本洋、鹰洋、龙洋及小银角,辅以铜圆,惟纸币不通行"。④ 辛亥光复前后,省、县军政府均指令钱庄业唯服务政权稳定,滥用票证,致使钱庄大多倒闭。1915 年,合肥有 4 家钱庄。1916 年 11 月《申报》刊载合肥县钱庄李承德堂启事:"敝堂前于安徽省芜湖长街开设同茂钱庄,于合肥县城内开设同泰钱庄,于合肥县之三河镇开设同大有钱庄,于亳县前庄关外开设同仁钱庄,民国元年一律收歇,凡各庄官欸公欸以及往来户存欸,均有各庄经理陆赓如数还清,讫所有各庄大小同人,现已一律解散。至往来各户所欠以上各庄之欸,尚有未曾溥结者,由敝堂另行派人办理,特此登报声明。"这就不难理解"在民国八年县知事李振远在呈报的合肥金融机构调查表中,钱庄一项只列'德和庆'一家(资本 8000 元)。民国九年,由万竹之、杨焕安等合资经营的慎孚钱庄开

---

① 《合肥市志》,第 1610—1611 页。
② 安徽省通志馆:《合肥采访册》。
③ 《中国省别全志·安徽省志》。
④ 《中国省别全志·安徽省志》。

业,地址在十字街"。① 北伐战争前夕,驻扎合肥的军队哗变,为县商会垫资的"德和庆"钱庄难以为继被迫停业。1919 年,合肥邮政局开始办理储金业务。

合肥银行业银行少,规模小。1912 年柏文蔚主政时设立安徽中华银行,在合肥、三河分设分行,"二次革命"不久即倒闭。1916 年中国银行在城内设汇兑所,1919 年改为支行,但 1927 年又被裁撤。1916 年交通银行在芜湖支行下设合肥汇兑所,到 20 世纪 30 年代太平银行设办事处,资本 4 万元,服务范围为六安及合肥县县四乡;上海银行设立办事处,办事处属于总行,服务合肥县;此时旧式钱庄有久康钱庄,资本 2 万元,服务范围六安及合肥县四乡,维持营业殊为不易。

北洋政府统治时期,合肥经济不仅没有大的起色,实际处在下行坠落状态。如果排除自然灾害等自然环境因素,导致民初合肥社会经济下行的主要社会性原因有三:

一是军阀专制,政局动荡,县知事更换频繁。合肥县民元以来的议会代议制试验,"二次革命"后即停止。倪嗣冲上台后,即全面推翻柏文蔚主皖时期的政策,以军董政,加之新旧安武军军阀之间内讧和利益争夺,地方根本没有发展经济的政治环境。合肥县知事前后十多人,有的任职未及一年即走。

二是在省、县地方财政严重困顿,难以为继的情况下,无法支撑所驻军费开支,更谈不上财政对发展地方经济的支持。"警察及军队,此地有安武军第二师司令部司令官为陆军少将,驻在本县之军队计二团,人数二千内,二营驻城内,二营分驻各乡镇,此外有巡防队(五百人),系幕地方壮丁编成者。警察署专管警察行政,不理诉讼。轻微之罪犯容有由警署处分者,但重罪统归审判厅办理,县内巡警总计有二百名云"。② 如果说地方警察尚能起到维护地区治安的基本功

---

① 《合肥市志》,第 1255 页。
② 《中国省别全志·安徽省志》。

能,安武军第二师不仅占据城中优势位置办公,主要的自民元开始,军队开支用费成了地方财政背负的大难题。

三是1912年后,社会动荡和社会扰乱,严重摧毁合肥地方百姓的社会生活。社会动荡和社会扰乱是指政府治理失范,出现无力抗拒和避免的社会性骚乱,百姓遭受生命和财产重大损失。例如1914年造反起事的白朗军攻入皖西地区,累及合肥地区。"徐州电:白狼自攻陷六安后,庐州……同时纵火,饥民乱党附会其间,抢掠杀害惨不忍闻。现在前敌各军不敷分布,已由鲁直两省抽拔二旅开赴协勤。""庐州电:顷据巡丁黄邦发探称,昨敝辖交界处遇六安由城逃出避难商民,据称敬日下午有服灰色军服皮帽军队三百余人,假充寿州军队入城,是夜先由西门放火,南门旋又火起,王营长出城弹压,见附近山坡尽皆是匪,服装如前。王遂退却,城内秩序大乱,匪以红绿为号,或扎红巾或衣红领,或红系腰,数约二千,连截得六州枪约一千有奇,该匪首为杨姓曹姓等情。"①而前往镇压的军队,给百姓留下更坏印象:

字林报载,二月二号六安州访函云,今日黎明王司令率兵数百名开往距六安州西一百四十里之某处附近,迎击白匪。闻倪嗣冲之弟所统兵一队,已在该处与匪开战。星期日由南宿州开来之兵三营亦于日中出发,并随有四日前抵此之安庆兵一部分。星期日晨间,余兵亦出发。城内之轿悉为搜去,并勒令民人为之服役。余(访员自称)由河西隔沙望之见兵士之乘轿登程者实繁有徒。余于三日前定轿二乘,至是仅得一乘,且须三人共之。然即此已非易,余等向庐州府行约三十里,遇大通兵六百名之先锋队,乃入道旁小室略进干粮,忽有一兵来语,□等不得宿此,因彼等需屋暂驻也。观其状大有唯我独尊之势,余等果腹后,复行数里又遇兵士数百名,及担负行李者多人,余兵已有驻于距六安五十二里半之金家桥者。若辈陆行仅一百三十

---

① 《徐州电》《庐州电》,《申报》1914年2月2日。

里,已多有委顿,不能成行者,往往距其队伍数里之逾,甚至有扶杖为助者。翌晨(星期三日)上午十时始止,余等仍前进,且于程中进早餐,十一时左右复遇芜湖兵踉跄而来,大通、芜湖之兵均由一鲍姓旅长统带,惨败之状非笔墨所能形容。是日所遇之兵,较前一日更形不堪,或乘小车或坐肩舆,盖皆沿途攫得者也。观其形状,全无军人气概,且暴戾成性,无理可喻。余妇是日步行,稍前沿田半小径而进,忽有一小兵官,故纵其辔驰入田畔,以惊余妇。盖以此径,为军队所独用也。余等同伴中有一老者,拟取道回汴省故里,初为二兵捉去,勒令拉车,称为洋狗,旋有一乘轿之军官,令即枪毙之。若辈绝不敬礼,外人设不严加约束,将来必贻政府,忧今补救之法,当令每队军官对于其属下兵士之行为,担负责任或加以刑罚,庶几有济也。"①

再如1917年7月,合肥县发生因军阀内讧,导致城内百姓大批被迫出逃事件:"是年七月间,因试图复辟,调动军队致有本地之扰乱。其在蚌埠之各银号及商店,因惧抢掠,贸易遂停。五河县及泗州两处则于七月二十二日及二十六日先后被抢,庐州府及滁州人民均因恐慌,成帮逃往各埠。由是日起至十月底止,省城军队咸因军事开往湖南,本省自庐州府以北,均在无政府状态之中。多数盗匪因而发现,并于寿州、庐州、凤阳之间,时与军队冲突。九月二日安武军某师哗变,司令被戕,城内外商店均遭抢掠,维时城门已闭,并在秩序未经恢复之前,邮件均自城垣缒递。是年水路邮班间断致有暂组旱班之必需,一与他省无异。复因大雨暂组之旱班亦须停止,其结果仍不免于耽延。"②

地方绥靖问题,一直是困扰合肥县和环巢湖地区百姓社会生活的重大问题,没有稳定安顿的社会环境,自然谈不上社会经济的发展和生活质量。

---

① 《勒匪军骚扰六、庐记》,《申报》1914年2月6日。
② 《民国六年邮政事务记述(三续)·安徽》,《申报》1918年1月10日。

三、交通、邮电

(一)民国初期合肥交通

民国初期的合肥,在北洋政府倪嗣冲等军阀政权主导下,民生凋敝,社会经济缺乏生机,加上社会扰乱,谈不上交通建设。"合肥地理位置本来居占皖境之中,水陆东南至芜湖约360里,陆路西距六安180里,北至寿州210里,西北到正阳关270里"。① 此时期交通状况,基本上继续沿用晚清以来传统驿站为主的陆上交通路线,水运则主要是依赖南淝河巢湖至长江等航道。

1.对外陆路交通

合肥至定远。合肥东门经向北的旧时官道,经二十里铺、店埠镇、梁园、王子城,渡新塘河,至江家湾、高原,过张桥经高塘埠到定远县城。循此路线可至北方徐州方向,只是路径不理想。例如"出合肥东门渡淝水而至东门外街,由此往北有官道,但道路已破坏不堪,路两旁有四五尺之阔,每降雨路化为川……离县城二十里有二十里铺,由此更东北进四十里,地势徐渐增高,路两旁悉属水田,阡陌相连,一望无际,其地势自西南向东北倾斜,一路有塘,四十里之间共有塘六十四处"。

合肥至六安。先后经三里店、八里店、吴山镇、油坊岗、城西桥、李麻店、欢墩、官亭、金桥、五镇店到六安。此路"出合肥西门至李麻店其约六十五里,为一望无际之平原,所谓六安大道仅泥土中印有车辙之路耳。且沿路皆赤色土地,降雨则泥泞不堪,天晴则土块坚硬如石,凸凹不平,平均每五里有一小村落,沿路土地百分之五十为棉花地,百分之二十为田,百分之三十为荒地"。两地之间有轿子、小车、

---

① 东亚同文会编:《安徽省志》日本大正八年东京铅印本第十二卷,安徽省图书馆藏佚名译稿。

骡马等交通工具,但马匹少,骡车不赴远路,货物运输以挑夫为主。

合肥至正阳关。此路出合肥城西门后一分为二:"其一系通六安正阳关之道路,一则通北方寿州之道路。取道北进经高墩铺、成子铺、定林铺等乡镇而达吴山庙,由吴山庙分路一往寿州,一为六安通道,登六安通道中途分路而往正阳关。自吴山庙起地势稍稍低降,东有迎河集,由迎河集西五里而达溯河。溯河发源于庐州西之官亭附近,北流注瓦埠湖,河面不及十丈,无桥梁亦无提防,遵道西北行而至双庙集,其间道路平坦,但曲折甚多,并无大集镇。由双庙集更西进而至老庙集为稍大之集镇,临安豊湖畔,湖脚有安丰疃湖之周围有六十里,但水涸,则水草蔓生化为牧场。道路自庙集起即登大道,沿湖边之大道而进经新巴店子、田家洼等集镇乃达正阳关。"

合肥至寿县。主要通道之间一部分之地丘陵岗地,多系平原。在寿县之东南五十里有瓦埠湖,有溯河注入,过焦岗湖入淮河。道路较为平坦,自瓦埠湖及溯河之下通民船。合肥、寿县间每隔九里或十里有集镇,沿途乡镇主要有五里店、筑城铺、十里铺、高墩铺、杨小店、三十里铺、四十里铺、五十里铺、西凤林、吴山庙、官丰镇、合寨铺、枣林铺、郑家集、孤龙岗、陶冈铺、梅冈铺、铁佛铺、瓦埠镇、四十里铺、曹村、陡涧铺、南十里铺、寿县城,大约八十五公里。其中合肥县城至吴山庙(杨小店)间,为赴正阳通道,多丘陵岗地,小车往来稍感困难。自吴山庙以北道路平坦,交通方便,沿途沟渠上多有石桥。瓦埠湖水深处约二十五尺,南溯河过寿县而入淮河。由瓦埠湖至寿县之水道平均有二十尺深之水,该湖沿岸及溯河、阎涧河流域各地以及寿县均通民船。因此,由合肥到瓦埠湖再至寿州可坐民船,是交通比较便利之路。

合肥至滁州。滁州在浦口西北九十里,县城距火车站半里,津浦铁路由此过往,铁道交通频繁,滁州以西的物产在此由铁道运往浦口或天津。滁州至全椒间计程约五十里,合肥到全椒之间的陆路,分为两个方向:由全椒往合肥有向南取道卓庙集,再向西,以及由全椒往西再折而向南。由全椒向西九里有石桥曰真隆桥,十里有白酒关,白酒关二十里有小集店,又六里经六丈市更六里有黄家巷,由黄家巷二十里至大野街,镇市稍大,由大野街二十三里至章辉集,系属大道路,阔丈余,平坦少曲折。由章辉集分路,北往定远,西南通合肥,西南行三十里而遇小河,由去章辉集六十里而值滁河上游之沙河,有荣山峡,越过此峡乃至巢湖岸之平野,在石塘桥与通全椒之道路相会。到店埠后大道在此处分途,一为北往定远,一则西赴合肥。由店埠而达合肥,全合间计程约二百二十五里,交通多用骡马,小车很少。

合肥至安庆方向。在省会安庆与合肥省道修通之前,合肥到安庆陆路分为三段。先是合肥至舒城间,大约一百二十里。历十三里庙、二十里铺、桃花镇、上派镇、五十里铺、董家岗、花子岗、头家店、桃城镇、三沟到舒城。其中舒城附近土地平坦,路阔十二尺。自头家店以上道路稍坏。此间之间河流及桥梁多,如三河发源于楮皮岭、小霍山注巢湖,在桃城镇水深八尺,设有浮桥。派河发源周公山、李陵山注巢湖,在派河镇水宽阔十二丈,深约一丈,上面建有派河大石桥,长三十六丈六尺,阔一丈二尺。由舒城往合肥原系旧时省会安庆到舒城到合肥官道,东北行渡三河、派河到达合肥。

再经舒城到桐城间陆路,距离约一百一十里,沿途山岭起伏,道路系经由山间之盆地,其中庐州、安庆两府交界处的北峡关段较险。交通运输工具主要为小车、轿子两种,或者由挑夫直接肩挑担运。货物运输以用小车者为多。历经舒城县城、七里河铺、糕粑店、南蒋、山口、北水岭镇、三十里铺、小胡家铺、胡家铺、杨家小镇、山埠、小关、亭铺、大关、唐家铺、张阳古镇、吕亭镇、十里铺、五里铺到桐城县城。

再由桐城县城到安庆城,两地间距离约一百四十里,据邮政地图则为一百五十里。运输可用小车、轿子、挑夫等。历经乡镇桐城、张家山、天林庄、张家嘴、黄家铺、张家铺、平本山、练潭、山西铺、源潭铺、沼山铺、冷水铺、二十里铺、十里铺到安庆城。其中由安庆往北六十里到练潭镇,安庆练潭之间只有三四乡镇,山峦起伏,道路狭窄。旅客往来多由水路,走枞阳,经过旧陆路。由练潭至桐城之间多平坦大道,每隔七里或十里有一镇市,行旅交通较便。其间练潭东南的鸭子湖,每年六七月之交往往水患为灾,影响交通。

2.水运交通

合肥拥抱巢湖,距长江不远,是水运交通发达地区之一。水运可通江达海,是通往芜湖、南京、镇江、上海及上游安庆、九江、武汉等全国通都大邑口岸的主要运输路径。

由长冈店等水形成的南淝河流经城东码头,由此乘民船、轮船经施口过巢湖,经巢县、无为,出长江可至芜湖及其他长江口岸,涨水时小轮可直通芜湖,所以巢湖岸边各地的交通,往往主要利用水道。

巢湖沿岸与芜湖之间的民船航线,主要由芜湖段过长江,经裕溪口入三汊河(内河),经巢县县城过巢湖,由施口或沿店埠水,自三汊口入长冈等地,以达合肥口岸;或不经裕溪口,由芜湖过江到达对岸,走雍家河,入巢湖,到达合肥。

该航道途径为裕溪口,到巢湖、合肥。裕溪关,是长江与裕溪河的会合点,水深可避风波之险。由巢湖运米东下的民船往往在此地寄宿,然后再开往芜湖,沿运河两岸皆多民船。设有厘金局,小轮码头之一附近可以停泊民船。雍家镇是小火轮码头之一,距雍家镇三十里的三汊河,有旧关小轮来往靠埠,也是附近米粮及杂货的集散地。距三汊河十五里的运漕,是米市集散地之一,停泊民船,其中竹筏为多。距三汊河不远的黄雒河,有小轮来往靠岸,是竹木集散地。黄雒河上三十里的东关,在东关上十五里的淋头镇,皆设有小轮码头。

巢县城距淋头镇三十里,距芜湖、庐州合肥县皆一百八十里,由芜湖乘小火轮时间大约八小时半。航行合肥、芜湖间的小轮,水位高时在此地寄宿,水位低就在此为终点站,这里也是三河稻米的集散地。巢湖北岸的忠庙(亦称中庙),距巢县县城九十里,设有小轮码头;距忠庙三十里的施口,也是小轮码头之一,来往巢湖的民船往往在此短暂停泊。

从事航行的民船,主要是小火轮及普通民船,民船又以摆船、江船、划子船最多。民国初期以来在长江与合肥之间从事小火轮运输

20世纪20年代冬天合肥与芜湖水道中的施口段,枯水季节轮船运输以牛拖轮船

的主要有戴生昌轮船局、泰昌轮船公司、源丰轮船公司及无为商会船局等,吨位不大。民船中大的摆船,可装货六七百担,通常以装四五百担之船居多,所装货物以合肥、巢县及三汊河等地所产稻米为大宗,与其他农作物一起,输送芜湖;或由芜湖换进杂货、煤油等物分运内地。

小火轮多坐行旅,坐民船者不多,支流沿岸的各地产竹,往往用竹筏运往芜湖。客货运输有较大利润,航运从业者不断增加,例如1916年"芜湖洋广货帮商人,集股组织裕商公司,置备轻快小轮两艘,行驶芜庐,不载搭客,专运芜湖庐州两地往来之客货,现禀请立案,秋间即可开办"。"芜湖行驶庐州小轮公司,向有泰昌、源丰、戴生昌三家,搭客拥挤,获利甚巨。去冬添有镇江泰丰公司小轮一家。亦行驶芜庐航路。刻又有粤商小轮合益公司,发现已于六日开班矣"。①

民国初期合肥为中心的交通发展,在全省位置居于中等水平。②主要缺陷表现在陆路交通线路陈旧,"唯各处陆路皆破坏不堪,雨天

---

① 《芜湖快信》,《申报》(上海版)1916年8月9日。
② 本节参考文献有周昌柏主编:王发明等编写《安徽公路史》(第1册),安徽人民出版社1989年版;马茂棠主编:《安徽航运史》,安徽人民出版社1991年版;王红丽、陈恩虎:《民国时期巢湖流域陆上交通与区域经济发展》,湖北经济学院学报(人文社会科学版),2010年2期,第51—52页;杨立红、朱正业:《民国时期淮河流域汽车运输业探析》,阜阳师范学院学报(社科版),2010年2期,第113—117页。

则泥土没胫,车不能行,晴天则土块坚硬如石,凸凹不平,交通困难。而当地所资为交通机关者又仅有轿子、小车两种,骡马牲口皆不应雇远方,轿子每里路十文,小车每里五文上下(光绪末年之价目)。陆路交通如是之不便,故合肥与六安相隔仅一百八十里而有名之六安茶叶运合肥者殊甚稀少,大抵由水路运正阳关,由正阳沿淮河之便,运往清江浦或由蚌埠运津浦线,或走运河用民船运至外省。合肥与六安商业上之往来不过为麻之输入与杂货之输出而已"。到1923年,即有李克贤等人,提出兴修六安与合肥县城之间的公路,"六安出产以米、谷、竹、木、茶、麻为大宗,每至一保,率皆杏木葱茏,町畦衔接,无尺寸之隙地。而土产所输出者,质量较美,价目较底,居民幸获小康,亦未获大利。则以由六至合遵陆而行,肩挑背负,转运维艰耳。论六安所处之地势,与六安应得之地利,自非通行汽车不可,试进而言之:由六至合计合一百八十里,一往一返最少需四日,遇有风雨,更无定期。通汽车则一日可以往返,人民即以多余之时间,仍尽力于畎亩,而物产益以富饶,其利一……"①只是提议的实行,则到国民政府成立之后。

水路航运一则受制于水位,即使水道便利时期,合肥东门外码头的"轮船及民船码头在东门外,每日进出之民船平均有二十只,在米市盛旺时有五六十只"。② 二是受季节影响大,往往冬日严寒导致停运。例如,1917年1月连日大雪,导致合肥、巢湖到芜湖的内河交通断绝。"芜湖连朝大雪,本月二日始晴,天气严寒为近十数年所未有,寒暑针已降至十八九度。……芜湖泰昌小轮公司之元利小轮,于五日由下午二时庐州启行,追驶至蟹子口附近,该轮水手以寒气极重,河中行将结冰,随拟停轮。搭客大哗,几至用武,于是继续开行。不料巢湖内之冰块,顺流而下如万马奔腾,迎头猛击之势,该轮迅即靠岸,然船身已被冰冲坏,旋即沉没。闻搭客虽不溺死,然已冻毙多人。

---

① 李克贤:《合六长途汽车公司创办理由书》,1923年3月31日。
② 东亚同文会编:《安徽省志》日本大正八年东京铅印本第十二卷;引见安徽省图书馆藏佚名译本。

该公司得讯后,七日晨特派升福小轮驶往救护,小轮上特备大铁锚一对,铁锤多件,大约系敲冰之用。闻顺安、顺益、巢湖三小轮,俱在巢湖中为冰所陷,不能行动。其争笛浦等小轮被冰所阻,均停泊巢县,须待天气温和,始克起椗来芜。芜湖至庐州之小轮,仅能至运漕,不能再进。日来各公司小轮,行驶内河,异常困难。究其原因有二:一则际此隆冬,河水低落,偶一不慎,即有搁浅之虞。一则天气极寒,巢湖及各内港,多半结冰。故芜、庐之班,均已暂停开驶矣。此次巢湖结冰,交通阻塞,芜、庐两地商业大受影响。芜湖各业前派司伙赴合肥、三河等处,收集账欵二万余金。昨闻该司伙等搭轮返芜,行至巢湖,轮被冰陷,故抵芜之期,一时尚难预定云"①。同样到1918年1月,"芜湖快信:芜湖前两日寒暑表温度已降至十八度,巢湖中庙等处皆结厚冰,芜湖至庐州小轮仅能抵巢县"②。

  影响合肥交通的还有另外一些社会因素,例如,乡民对道路建设意义缺乏了解,以旧式传统观念看待道路建设,甚至攻击测量人员,捣毁仪器。"乡民捣毁测量仪器,安徽陆军测量局三角课员王继乾,日前测量至合肥县属之丙子舖地方,正拟安设标旗之际,忽有该处聂姓乡民出为阻止,谓与风水有碍。该员先以好言开导,乡民不服,竟纠集多人将该员标旗仪器等件一齐捣毁"③。再如1923年,芜湖几家从事芜湖、合肥之间航运的公司发表声明"径启者,敝公司各轮船往来芜湖、庐州等埠,向蒙各行号、钱庄惠顾,委托运带锞欵。敝公司等深知关系重大,无不格外慎重,惟现在时势多艰,深恐事出非常,如水、火、盗、刼之类,无力抗拒。敝公司等不能负赔偿之责,除去年敝公司等已登沪、芜各报声明,并函请各埠商会转知外,今再通告仰乞公鉴。芜湖利济、生昌、泰昌、源丰小轮公司仝启"④。又如1926年芜湖6个公司小轮,全体停班,其原因竟因查票员与本地揽客者的冲

---

① 《要闻二》,《申报》1917年1月10日。
② 《芜湖快信》,《申报》1918年1月10日。
③ 《要闻二》,《申报》1917年4月11日,第7版。
④ 《芜湖利济、生昌、泰昌、源丰小轮公司声明》,《申报》1923年12月15日。

突。"本月二十二日,芜埠各客栈旅馆附轮接江者,因利济公司查票员潘学孔平时对待若辈过严,以致聚众械斗,乃于二十四日因此竟致全埠小轮完全罢工停驶。缘述此事详情于下:芜埠共有小轮公司为利济、泰昌、源丰、戴生昌、泰丰、扬子、六家小轮二十余只,每日分班开行南京、铜陵、大通、南陵、宣城、庐州、巢县等处。客货众多,不亚江轮,因是各栈房、旅馆均派接江,登轮揽客。其后接江者,乃扩充其防线,多乘轮而下,俾直接到地兜揽。小轮公司亦予以特殊之便利,给予免票,不意若辈竟以免票转售,搭客本身仍以接江资格,乘轮来往,此举与小轮公司,迭起争端,虽屡经官厅定章限制,而彼辈以为人多势众,不难将公司压服也,于是竟有在岸上及新关等处,减少、私收搭客票价,然后护之乘输者。公司方面得悉此情,遂各派稽查专查此辈之舞弊情形,一经察觉,即逐之不准附轮接客,若辈受此打击,遂集议以武力将查票员征服,此所以集众凶殴利济公司查票员潘学孔之原因也"。①

(二)民国初期合肥的邮电、通讯业

晚清以前,在邮政之前,文书投寄主要是驿站办理,芜湖海关设立后,有寄信局建立,1896年后,海关把寄信局改为邮政局,安徽有口岸芜湖、大通两个属于海关管理之下的区域邮政总局,划分邮区,进行邮政管理。②清末大清邮传部接管海关税务司管理中国邮政,以行政区划作为邮区设立的主要依据,共设50个邮区,晚清时期,以合肥县为首县的邮政事业,属于南京邮政司署芜湖总局下庐州分局管辖,包括舒城、无为、巢县、柘皋、三河、运漕等,庐江县属南京邮政司署大通总局管理。1893年,电讯方面合肥设电报局。

1912年,中华民国交通部下邮政司,以"中华邮政"作为各地标识。南京邮务总局安庆府邮政分局管理全省邮政。1914年,安徽作

---

① 《芜湖快信》,《申报》1926年1月27日。
② 曹觉生、龚光明:《安徽交通之一瞥》,《安徽建设月刊》1931年第3卷第4期,第19—37页。

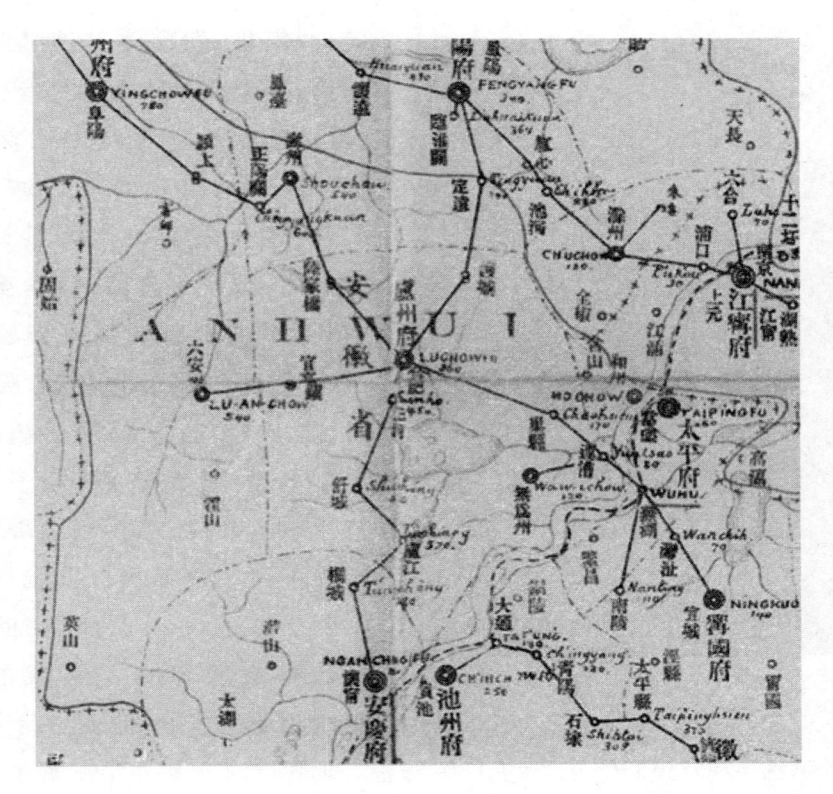

第一章 北洋政府时期合肥地域政局与社会

清末庐州府合肥县邮政图，引见《大清邮政公署用舆图》

为新邮区划分下的邮政管理，属在安庆的安徽邮务管理局（1914—1930年）管理，设芜湖一等邮局，巢县、柘皋、下塘集、庐州府为二等局，合肥境内的下塘集、长临河、中派河、丰乐河、庄墓桥、忠庙等设代办处，从事邮政递送业务。①

讫至国民政府成立，合肥县城内设有二等邮局1所，三等邮局长临河、三河、梁园共3所。邮寄代办所分别有"忠庙，桥头集，店埠，撮镇，刘家集，长乐集，六家畈，大兴集，小兴集，圆瞳镇，双墩集，吴山庙，官亭，金桥，大柏店，雷麻店，花子岗，新仓镇，丰乐镇，董家岗，中派河，上派河，汤家店，施口，养成集，义兴集，三十头，众兴集等处"。设在各村镇的村镇信柜有：二十铺、磨店、五十头、铺子里、青龙厂、吴

---

① 安徽省地方志编纂委员会编：《安徽省志·邮电志》，安徽人民出版社1993年版，第5—15页。

店、罗家集、陶家楼、高塘集、高刘集、北分路口、烟墩集等处。村镇邮电所经之处以西南为多。有线电报则南通舒城、安庆，西通六安，西北通寿县。长途电话：城乡线自城门起，至各乡止，城内则重要机关皆备话机，西乡到拐岗、雷麻店、吴山口、周老圩、防虎山等各镇；南乡到上派河、董家岗、花子岗、三河镇等各镇；东乡到店埠、梁园等各镇。合巢线自合肥汽车站到巢县止约 40 公里，中间经过店埠、拓皋等地；合六线自合肥西门至六安止，经过三十岗、官亭镇约 65 公里；安合线约 180 公里，线路与汽车路同，皆属单线。无线电则城内设有合肥电台，呼号为 XHF，波长 66 米，电力 15 瓦特，为直流式，所用经费由省财政拨支。与无线电相关的是合肥县域内建有电灯厂共两所，城内名耀远公司，发电量为 110 克维瓦特；设在三河的远大公司，发电量为 20 克维瓦特。①

今日长临河镇老邮局

民初合肥县邮政通讯业在全省处中等偏上水平，只是受时局影响较大。例如 1917 年受张勋复辟前后政局影响，合肥县城邮件一时竟然自城垣缒递。

---

① 李絜非：《合肥风土志》，《学风（安庆）》，第 18 页。

第三节 北洋政府时期合肥地域文教卫事业

一、北洋政府时期的合肥教育

北洋政府时期,是合肥教育起伏较大的一个历史时期。民初共和制度伊始,合肥教育曾经有较快的发展,"民国纪元,中学改为庐州中学校;旋奉省令改为省立第三中学校,未几又令改为省立第二中学校。至民国七年,始完全用省有经费,原有校产则由旧五属省议员另组校产经理处管理之,同时小学教育亦极蓬勃之盛,城乡增至八十余校,是为合肥教育发育时期"。袁世凯专制统治及其在属下倪嗣冲治政时期,合肥教育遭受很大挫折,城乡学校一度折损一半,"停学办团,弦诵中辍,校舍萧然"。1924 年前后,有较大起色,开始复苏。到 1927 年北伐时期,又遭折损,一度城乡学校停课,"全县学校停闭"[①]。巢县民初学校教育则是一个低潮期,清末二十多所小学及县城高等小学,在辛亥光复前后,"各校一律停办"。1913 年才有一所中学复设,"各区小学廖若晨星"[②]。次年中学停办,到 1918 年前后才有所规整起色。庐江县亦是到 1918 年县劝学所成立前后,"是时计有县立小学五所,私立国民学校数十所,教育行政粗具规模,学校亦由城市及于乡村矣"。[③]

(一)合肥县教育行政及其概况

1911 年 11 月 8 日安徽光复后,省级教育行政机关多次变更,通

---

① 《合肥县教育沿革》,安徽省政府教育厅编译处:《一年来之安徽教育》,1930 年版。
② 《巢县教育沿革》,安徽省政府教育厅编译处:《一年来之安徽教育》,1930 年版。
③ 《庐江县教育沿革》,安徽省政府教育厅编译处:《一年来之安徽教育》,1930 年版。

常是由教育司管属,只有1913年把持安徽军政政权的军阀都督倪嗣冲致电国务院,在全国最早提出要把都督府行政公署原属教育、实业两司,改并为内务司内设的"教育、实业两科"。① 县级教育行政机构的改动和创设,颇为不易。民国建立后一段长时期,安徽县级地方教育行政机构沿用清制,县设劝学所。1913年7月,教育部通知各省"一律暂留劝学所",并"照旧设视学一职,以资补救"。② 1915年8月,教育部拟订《地方学事通则草案》,12月公布《劝学所规程》,规定"各县设劝学所,辅助县知事办理县教育行政事宜,并综核各自治区教育事务"。③ 1916年1月,教育部公布《地方学事通则施行细则》,对自治区里学校设立、分划学区及区董职务管理事务事项、经费管理等,都做了详细规定。4月,《劝学所规程施行细则》《学务委员会规程施行细则》颁布,对县劝学所的职能范围,劝学所所长产生办法,学务委员会组成办法及职能管辖内容均有翔实划分及具体执行规定。1918年4月,教育部颁布《县视学规程》。1922年教育部召开学制会议,决定县劝学所改为教育局。1923年,教育部正式公布《县教育局规程》后,安徽省教育厅随后制发《县教育局规程》,全省各县一律改为县教育局。"县教育局由局长一人,视学及事务员若干人组成。另设董事会,为全县教育立法机关。"④但实际的情况,安徽各县由劝学所改为县教育局,教育行政权力的置换运行,殊为不易。如合肥县,民初由县公署中设第三科主管全县教育,1918年复置劝学所,县督学兼所长,所内成员为教育界推荐。实际上还是县署第三科管束,劝学所无实际权力。1924年合肥县教育局成立,"由局长1人,指导员2人,事务员3—4人组成。其时,地方教育仍多为各区学董把持。教育局长徒有虚名,而教育行政权实操地方豪绅之手;教育局长之任免,名义上由县长主持,实际上随地方豪绅意愿为转移。因此合肥地方教育

---

① 《中国大事记》,《东方杂志》1914年第10卷第12期,第2页。
② 陈翊林:《最近三十年中国教育史》,上海太平洋书店1932年版,第214—215页。
③ 《第一次中国教育年鉴》甲编,开明书店1933年版,第39—41页。
④ 王世杰:《安徽省教育大事记》,安徽教育出版社1999年版,第43页。

十余年未有起色"。①

由于对县级地方教育权力资源的争夺,各地方呈报的局长人选,让省教育厅难以选择任命。而且"地方教育当局,昧于教育原理,因循苟且,不事振作,甚且党同伐异,舞弊营私,劝学所长,遂亦公然厕干劣绅之林矣,百年之计,宁复顾及耶。此所以酿成自十三年迄今日教育奄奄不振之状,教育经费紊乱而无整理"。② 截至1926年底,全省各县教育局长人选选任"仍然风波不断"。③ 国民政府相对稳定之后,1928年1月,省教育厅制定并经大学院准予备巡查,公布《安徽省县长办学考试暂行条例》,规定"县长在任满一年后,依本条例之规定,由教育厅长考核办理学务之成绩"并"奖励"或"惩戒"。④ 同时公布《安徽省县督学暂行条例》以及后来的《安徽省教育局组织规程》(1929年)才基本规范了安徽县级教育行政机构的职能范围和运作方式、方法。县立中学校长由县呈报省教育厅委任,省立中学、小学纳入教育厅管理,私立中等学校也需省教育厅立案并报教育部备案。

(二)民初以来合肥县域教育概况

民初合肥县域普通教育中幼儿园教育基本空白,直到20世纪30年代才起步。小学教育在清末教育基础上,略有进展。1912年1月,教育部发布"普通教育暂行办法",把前清时期的学堂,改称"学校";管理人员由监督、堂长,一律改称"校长"。9月公布的小学校令,规定小学校分为初等小学校、高等小学校两种以及城乡各校名称的命名方法。初等小学校与高等小学校并置一处的,以初等高等小学校命名;凡由城镇乡承担经费的,以"某县立高等小学校"称名;凡由私人

---

① 《合肥市志》,第4册,第2538页。
② 《合肥县教育沿革》,安徽省政府教育厅:《一年来之安徽教育》,1930年版。
③ 谢国兴:《中国现代化的区域研究·安徽省 1860—1937》,台湾中央研究院近代史所专刊1991年6月出版,第562页。
④ 多贺秋五郎:《近代中国教育史资料》民国编下,(台湾)文海出版社1976年版,第462页。

或法人担任经费者,"名私立初等小学或高等小学校"。学校的设置,初等小学校由城镇乡设立,高等小学校由县设。学习年限上,规定"初等小学校修业期限为四年,高等小学校修业期为三年"。1913年后重新修订学制系统,即"壬子癸丑学制"。新学制掀起的教育变革,对初等教育的兴办,尤其是公立(包括县立,城镇设立)和私立的提倡,是民初一段时间合肥县城乡教育达到80多所的一个重要原因。1914年前后,北洋军阀派系的倪嗣冲挪用教育经费支撑驻扎安徽的安武军,在此情况下,合肥县到1916年,有县立高等小学校3所(县立第一、第二及县立启明初等高等小学校),公立高等小学校、国民学校等5所,合肥县东乡公立群英初等高等小学校、私立贞英小学校等。开办了一所县立女子高等小学校。1920年合肥县省立第六师范学校成立附属小学,也是合肥首个省立小学。1924年前后,合肥县初等教育中主要是小学校等逾百所。初等小学校设置修身、国文、算术、体操、手工、图画、唱歌等课程,高等小学另有读经、本国史、地理、农业、商业、英文等课程,1915年后高等小学取消讲经、本国史,增设理科课程。新文化运动兴起后,遵照教育部令,改文言文为国语,课本用语体文。1922年后,读经课被废止。

民初最早的合肥县中学教育,也是在清末庐州中学堂基础上改良的,1912年改为庐州中学校,1914年改称安徽省立第三中学,后又改称省立第二中学,原因在于全省中学校的调整。依据教育部所颁《中学校令》《中学校令施行规则》等一系列条规,中学以"完足普遍教育,造成健全国民宗旨",规定"中学校修业年限定为四年"。中学校根据经费来源,分为省立、县立、私立三种,学校的编制、设备、设立变更及废止,乃至学生入学资格、课程科目等都有详细规定。对男女平等受教权利的肯定和女子中学学校的兴办,也有规制条文出台。例如1912年安徽省即在省城安庆"创设皖省中学与务实中学两校",1913年又把两校合并,改称省立第一中学。在同年教育整改中,把清末徽州府在歙县的新安中学改为省立第三中学,原凤阳府中学堂改为省立第四中学,所以原庐州中学堂再改为省立第二中学。1918年开始,经费由省库拨出,即为政府公办学校。以史料较为完整的1922年合肥城乡学校教育来分析(详见下表),首先合肥县女子教育状况很差。"惟女校仅高小一所,办理不合法,女生皆裹足不前。不平均之事,莫不甚于此"。其次是教育管理和教师水平问题。"即以男校论,认真办理者,寥若晨星,敷衍塞责者,比比皆是。不失之编制、设备未能合宜,即失之于教授、管训,拘守旧法。推原其故,由于师资缺乏"。很多国民学校管理中如同私塾腐旧习气,教师中师范生毕业少。"近年来,毕业于师范者,固不乏人,然类皆以岁入薪金之微,不甘居小学教员。其一般冬烘先生,滥膺教师之职,种种不合规则,即苦口指示,而顽固自若"。①

1922年合肥县教育状况一览表②

学校名称	学校概况
县立第一高等国民学校	高等、国民各四班,编制整齐,教员教授认真。学生300余名,校舍狭窄。
县立第二高等国民学校	高等四班、国民一班。有学生200余名,授课教员认真负责,英语、国文、管理等方面成效可观。
县立女子高等国民学校	高等、国民各一班。每年经费约800元,课程教授、设备等方面急需改良整顿。
城立第一高等国民学校	高等三班、国民二班。设备、编制均未妥善。原有学生103名,正常上学者仅70余名,平时管训松懈,成绩平平。
城立第二高等国民学校	高等三班、国民一班。有学生114名,设备虽简单,成绩尚可观,修身、国文、英语等课程均合教法,校长龚益实心任事、不辞劳苦。
城立第三国民学校	国民二班。校舍前后空旷,必要设备具备,各科教员均认真。教员大多未经检定,须遵章补报审查。

---

① 《合肥县视学员张耀斗缮具全县教育意见书》,《安徽教育月刊》1922年第50期。
② 本表据《合肥县视学视察报告》制作,《安徽教育月刊》1922年第50期。

(续表1)

学校名称	学校概况
城立第四国民学校	借福神祠为校舍,国民一班。校舍狭窄,光线昏暗。校内大量贫民居住,环境污秽不堪。学生兼理生业,不能专心就学。
城立第五国民学校	暂借钱业公所为校舍,房屋不适用,设备简陋,学生大多来自私塾,程度不齐,课本未能划一。
城立第七国民学校	暂借校长私宅办学,学生少。正课用教科书外,尚用旧本补习,设备简陋,成绩平平。
北附郭区区立第一国民学校	校舍借用校长私宅,多不适用。学生一个班,人数寥寥。设备简略,急需要整顿。
东一镇区区立第一高等国民学校	高等、国民各一班。空气、光线合度。设备简陋,学生少。各科课程教授纯粹用旧式,亟需整顿。
东一镇区区立第二高等国民学校	高小二班、国民一班。共78名学生。设备简陋。校长王梦龄纯用旧学授课方式,偏重国文、经学,其余视为点缀,管训不合法,教员也未经检定,亟需遵章切实办理。
东一镇私立佑贤高等国民学校	高等、国民各一班。成绩平平,设备简陋,教授国文、修身等科均属合法。办学经费纯由校长王佑丞弟兄捐助。开办已有9年。
东二镇区区立第一高等国民学校	高等二班、国民一班。有学生52名,编制尚不合法,设备大致齐全。各科教员教授国文、经学、手工等方面均属成绩可观。该学校管训由各教员轮流承担,无丝毫之松懈,为该区其他学校所不及。
东二镇区区立第二高等国民学校	高等、国民各一班。均属复式编制,学生少,设备简单,成绩平平,各科教授多不合法,亟需聘请师范毕业生授课。
东二镇区区立第三高等国民学校	该校高等一、二合班。学生少,国民一、二合班,学生少。设备简陋,卫生事项,未见讲求。
东北三镇区区立第一高等国民学校	以法华寺为校址,交通不便。各科教员尚能胜任,成绩可观,不断有进步。
东北三镇区区立第三国民学校	国民学生一班。设备简陋,教授少启发功用。检查课程表发现,每周经学课程8小时,与部令不合。

(续表2)

学校名称	学校概况
东北二镇区区立第二高国学校	学生少,校舍狭窄。设备简陋,教授训育均尚认真,各科成绩亦尚可观。
东北五镇区区立第一高等国民学校	高等、国民各一班。校长极勤恳,但对于管训教授等方面不能顺应潮流。
东北四镇区区立第一高等国民学校	高等、国民各一班。设备、编制均不合法,学生程度亦幼稚,教员多是高小毕业生,难胜任。
北一镇区区立第一高等国民学校	校址暂借校长私宅,离众兴集1.5公里许。招生相当困难。高等、国民两班学生少,宜将校址迁至众兴镇,努力刷新。
北一镇区区立第二国民学校	现有国民学生24名。设备简陋,教授纯用注入式,偏重国文、经学。
北一镇区区立第三国民学校	校长对于教育多有隔阂,所有内部事务均由李、王二教员主持。现有国民学生一班,复式编制,教授尚合法。
北二乡区区立第一高等国民学校	高等、国民各二班。原有学生111名,平日管训不无松懈,除英、算教员尚合教法外,其余皆泥守旧法,不足以启发学生。各科教员多未经呈请检定。
北二乡区区立第二国民学校	国民二班,俱复式编制。校长杨庆森朴实耐劳,学生国文成绩,多有超过国民学生程度者。
北二乡区区立第三国民学校	国民一班。现有学生少,校舍狭窄,光气均属不良,校长许学矗勇于任事,无如地方风气闭塞。
北二乡区区立第六国民学校	国民二班,复式编制。现有学生48名,校舍适用,学生服装整齐,各科教员均能胜任。查授课表,有英文、理科等课,与国民学校功课不符,应即删除。
西北镇区区立第一高国学校	该校原办国民,今春因学生升学不便,添设高等一班。编制设备尚知加意整理。查阅成绩无多足观。各科教员未受检定,应遵章补报,听候审查。
西北镇区区立第二国民学校	该校原称第一国民,现在因第二国民与第一高小合并,定名第一高国,应将该校改为第二国民,以免混淆。校舍暂借校长私宅,环校村落稀少,招生困难,查阅学生各科成绩,均亦幼稚。
西北镇区区立第三国民学校	该校舍暂借团防局后进房屋,学生出入不便,教员学生作息纯是私塾习惯。至于成绩设备更无足论,应令加速整顿。

1923年,安徽省教育厅学制讨论会议,对省立中等以上学校进行了较大的改组。在省城安庆开办高级中学校1所,把原安庆的省

立第一中学改为省立第一初级中学校，原合肥省立第二中学改为第二初级中学校……各中学按教育部所颁《中学课程标准纲要》，重新组织课程设置，改课时制为学分制。合肥县随之做出变动。

  1917年基督教会出资创办私立三育女子中学，是合肥最早兴办的女子中学校。同年又有三育中学成立。1920年刘君尧创办私立正宜初级中学，1922年合肥公立女子中学成立。1923年，吴仲英创建私立湖滨初级中学，1924年，刘建文创办私立庐阳中学（一年半后停办），1927年私立三育中学因故停办。1912年庐江县在潜川学堂等清末学堂基础上兴办中学教育，但是县立初级中学直到1923年才在庐州中学学产分割后建立。巢县的中学教育原前清宣统三年（1911年）有县城高小改组一所，1913年县城复设。"民三中学奉令停办。是年清查各区庙产，统一教育经费，收归地方财政局经营，全年收支不及万元。民四县城设立高等小学一所，区立初小一所，柘皋、炯炀两镇，各设县立高初两等小学一所，其余各乡区共设区立初小六所；（每区一所）其时学校虽少，而办理认真大有蒸蒸日上之势。民六教育经费独立，设专管处经管；民七劝学所成立，移归该所经营；民十五改组教育局。近年以来，各区公私立学校，虽逐渐增加，唯成绩方面，则颇少进步"。[①] 中学教育更是如此。

  民初安徽依教育部条规，将清末的师范学堂改称为学校；且划全省为6个师范区，分别在省城安庆设立省立第一师范学校、省立第一女子师范学校；歙县、阜阳、宣城、芜湖等均有师范学校。合肥县则到1919年才有省立第六师范学校创立。"九年秋，增设附属小学校。十二年冬，许辞职，黄炎昌，载曾锡，相继为校长。学制改革后，遵省令开设后期师范三班，前期师范三班，统计前后办理毕业者约八班，毕业学生数约三百人。……十六年秋，省令恢复二中，而以六师学生附属二中授课。十七年春，省令改组为第六中学，委谭馨丙为校长。依据中等学校改造方案，设高初中部及实验小学部。以前六师范校舍

[①] 《巢县教育沿革》，安徽省政府教育厅：《一年来之安徽教育》，1930年。

为第一院,设高中部,及实验小学部;高中部设师范科及普通科;以前二中校舍为第二院,设初中部。收纳前六师二中旧有学生,重新编制。现有师范科三班,普通科两班,初中五班。十七年夏令师范科第一届毕业。十八年夏,第二届毕业。毕业学生服务社会者约十之五,其余大半升学。十八年秋,谭校长辞职。省令刘兆宾接办"。[1]

培养实业人才的职业教育在民初也有起步,如1918年创立庐州公立甲等工业学校。到1929年,创立县立女子职业学校,次年由省补助2000元。[2]

二、新闻出版与图书馆

(一)报刊媒介的兴办及其特点

民国初期是合肥报业等新闻出版兴办的一个重要历史时期。虽然与安庆、芜湖等省会或口岸相比有较大差距,但就其自身发展历史来说,确是一个向现代报业发展的历史阶段。所办报刊新闻媒介主要有:

《庐阳日报》,辛亥革命期间的油印小报,吴子贤主编。

《安徽第六师范周刊》,1921年9月26日创刊,"创办人的初衷一是为了在合肥宣传新文化运动的思潮,二是为了反映该校在新文化运动中的实际情况。它也是一份4开4版的小报,现可查阅到的原件有第一号(9月26日)、第三号(10月10日)、第八号(11月14日)和第二十一号(为劳动节专号,1922年5月8日),从这四份原件中可看出,这份报纸所设的栏目大致有评论、讲演、文艺、专件、校闻、布告、思潮、读书录、随感录等。在第二十一号的专号里,刊登了一部四幕短剧的文学剧本《芜湖底劳工会》,充分地展示了新文化运动时文

---

[1] 《合肥县教育沿革》,安徽省政府教育厅:《一年来之安徽教育》,1930年。
[2] 安徽省教育厅:《安徽教育》第1卷22期。

艺作品与工农结合、为现实服务的社会功能"。①

《自治日报》，合肥县自治讲习所毕业学员 1922 年所办，后由刘海峰、刘抱冰兄弟接办，1923 年停刊。

《新合肥报》，1923 年创刊，报社设在合肥县城的卫衙周昭忠公祠内，4 开 4 版。②

《淝声报》，1924 年创刊，主办人方焕成，张汇六等编辑，不久即停刊。

《合肥日报》，原启新印刷社印行，龚啸云主笔。据《安徽省志·新闻志》所记，创刊于 1925 年③，有国民党合肥县党部背景所办，1935 年改为《皖中日报》，抗战期间又恢复《合肥日报》之名接办，地址在合肥县西乡（今肥西境内）合肥县政府所在地。合肥光复后一段时间改为《合肥新闻》，再改回《合肥日报》，到 1949 年初停刊。④

《民声报》，1926 年 8 月创办，为民办性质，创办人戴学同、郭叔平、唐润平等，铅印，4 开 4 版。一版为广告，二版电讯，三版地方新闻，四版新闻及广告。前后时间约 10 年。

《皖商周刊》，1927 年合肥县商会主办。油印 8 开，编纂人有商会常务理事杨力蹉、丁利坤等，主要面向商会会员。

民初合肥县的书店较少，有大酉堂（1915 年）、台记书店、大智堂（1919 年）书店等。

由上述报刊兴办资料可以看出，合肥县域民初新闻报刊媒体，有一定的起步。就其总的特点来看，一是相较于安徽政治和文教中心城市安庆、新兴口岸城市芜湖等省内报刊发达地区，合肥县域有明显差距。例如安庆、芜湖出版有面向全省的《安庆日报》《皖江日报》《民

---

① 汪杨：《新文化运动的地域展开——以安徽地区的书、报、刊等媒介为例》，《安徽大学学报》（哲社版）2010 年 3 期，第 149—156 页。
② 《合肥市志》第 4 册，第 2945 页。
③ 安徽省地方志编纂委员会编：《安徽省志·新闻志》，方志出版社 1999 年版，第 16 页。
④ 此处办刊日期，参见郑希侨《合肥报业寻踪》，安徽日报社新闻研究所：《安徽新闻史料》1990 年第 4 期；《合肥市志》第 4 册，第 2945 页。

邑报》《工商日报》等,成为省内报刊媒介的传播源,合肥县、巢县、庐江县多为信息接收地。二是相较于其他县域,合肥县则较为发达,例如临近的全椒县仅有《改良浅语》(1916—1921 金作励主笔,在全椒县城)。皖西的潜山县仅有当地出版的《潜报》(1924 年出版的 3 日刊)。三是民初合肥县域报刊的创刊,民办性质较多,如商会的《皖商周刊》、私人集资合股的《皖商周刊》等。四是日报性质的少,多为定期较长的媒体,且印刷技术较为落后,油印、石印多,铅印不普及。

(二)图书馆的设立

清末安徽一些旧式藏书楼,开始在新政改革中向近代图书馆转型或设立新式、面向大众的公共图书馆,如安庆原敬敷书院藏书楼的转型。民国时期公共图书馆的建立,属社会教育范畴,往往为教育部门办理和管理。安徽县域由社会出资设立公共图书馆,合肥是第一家。

1923 年冬天,合肥县立公共图书馆,由中和局从其经管的旧庐州府文庙祭祀羡余积存款项上拨出 3000 元创办,地址在尚节楼街,名称为县立中和图书馆,为合肥第一所对民众开放的公共图书馆。馆藏千册图书杂志,专设图书报刊阅览室。馆用经费,主要依靠社会捐助。1927 年初迁至府学的明伦堂,不久因合肥地区军事变动,停止开放。1928 年,安徽省政府颁布制定的《图书馆规程》,对公共图书馆进行整顿,中和图书馆依照规程,迁回尚杰楼街于次年重新开放,计有馆舍 14 间,阅书室 3 间。

三、医疗卫生与民间体育

民国初年,安徽在省都督府民政司内务局、省巡按使公署政务厅下设省级卫生管理机构,1915 年 12 月改由省民政厅下科室管理。袁世凯政府倒台后,"各地方军阀割据和混战的加剧,安徽省级卫生行政管理空壳化,这种状况一直延续到南京国民政府在安徽统治地位的确立。在此时期内,安徽人民深受疫疠困扰,民众的医疗卫生只能靠教会医院、私人医院和个体行医者来保障,市县地方政府对医疗卫生的重视与否,也只能视地方官员的个人素质"。①

民初合肥,官办近代化医院缺失,大众医疗主要依靠行医的中医,或中医堂铺坐堂问诊,乡村草医等。具有近代医疗特色的是清末教会眼科医生柏贯之兴办的合肥基督医院。基督医院地处四牌楼南,1914年"南京基督教总会派美国传教士医生韦格非接任院长,并将医院改名为合肥基督医院。1918年韦氏与博医会联系,得罗氏基金会及基督教美国总差会的大力支持,添置一些医疗器械,自备了发电机,并使床位增至70张。时有医师6人,护士10余人。外科能进行阑尾切除等一般性腹部手术;内科可诊治一般常见病及较疑难病症;妇产科能做剖腹产及子宫卵巢肿瘤切除等手术治疗。平均日门诊为200人次"。②

教会医院的医疗水平在合肥境内水平先进,诸多外籍医师有传教身份,在传教施医过程中,他们积累了丰富的急性传染病治疗和预防经验。特别是比之中医,西医治疗对诸多急性传染病如流脑、白喉等时疫的控制作用比较明显。1929年,该医院还附设护士学校。该医院于清光绪末年(1908年)开设。到1930年初,该院有"医学生二十余人"。③

以赈灾赈粮、施药救护为内容的慈善救援组织红十字会,也是民初合肥地区水旱灾害和社会扰乱民众遭伤受害时,得到救治的另一渠道。1911年,红十字会在安徽分设6处分会,庐州(合肥)分会为其中之一。

1912年12月,黄锡侯、杨栋臣、夏玉峰代表庐州(合肥)分会参加

---

① 陆发春、王瀛培:《北洋政府时期安徽疫病流行与社会应对》,《安庆师范学院学报》2012年第1期,第118—121页。

② 陆翔、陆义芳:《安徽省近代几所教会医院概述》,《中华医生杂志》2000年10月第30卷第4期,第228—230页。

③ 安徽通志馆:《合肥采访册·耶教》。

在上海召开的中国红十字大会,"中国红十字会前月……全体大会,月初间恳亲会均极一时之盛,现又定于阳历十月三十号,在徐家汇路七号红十字会总医院内开各分会统一大会,以期一致进行……红十字会为全国唯一慈善事业,力任维持……庐州分会黄锡侯、杨栋臣、夏玉峰,长沙分会聂潞生,四川分会举石省斋,重庆分会举廖焕翁,均先后到沪。届期各分会代表到齐,公同讨论,必可为中国慈善界放一异彩也"。① 会后,中国红十字庐州分会得以正式成立开展活动,并在1914年白狼起事前后,开展医疗救护。"红十字会总会总办事处于辛癸战务救伤瘗亡,救渡难民,留养子道,拯恤善后,又复推广地方善举种种设施,耗费四十余万。近自蒙古告警,张口医队尚未撤回,而白狼猖獗,光山、商城、潢川相继失陷,六安、寿州匪势益张。所过之处,奸淫焚杀,惨无人道沈副会长以救济拯恤为红会天职,业已分电固始、颖州、庐州、正阳临淮红十字会分会,星夜派员前往救济。"② 1926年后还开办施粥厂,每年用款3000—7000元,散放赈米等;巢县分会则于水旱荒歉开展施米、施粥,仅1926年施米用费即百石用洋千元。③

地处南门沙大巷的道院也在民国时期开设慈善性质的医疗救护,"经常慈业……牛痘局"。④

民初合肥的体育状况,主要是民间武术的传授习练。1920年合肥县城城隍庙唐殿卿开设拳场,教习石头拳、查拳等,1925年拳师马小胜在南门外开设拳场,1917年拳师贾荣恩在东门三里街开设教习洪拳、二郎拳等拳种的拳场。⑤

---

① 《红十字开会忙》,《申报》1912年10月16日。
② 《救济兵祸之急迫》,《申报》1914年2月4日。
③ 李焱:《北洋政府时期安徽地区的灾荒救济》,《江淮论坛》2008年第2期,第106—111页。
④ 安徽通志馆:《合肥采访册·道院》。
⑤ 《合肥市志》,第3049—3050页。

四、历史遗存与社会礼俗

（一）历史遗存

民初合肥保存有大量历史文化遗存。古代城镇楼台遗迹有古慎城，在合肥城东北七十里梁乡，为刘宋时建置。原名胜志记载，弘治初店埠民众修桥时，掘得小石碣，工镌"慎县界"三字，背刻"少避长贱避贵"六字。城有遗址，内有古峆塔，高九丈九尺，为梁武帝时建。

逡遒城，在城东五十五里，据合肥旧志记载，汉属九江郡，曹操伐吴国时重修，又称曹城，民初废改为龙城集，龙城集四周有古城遗址，即逡遒故城。新城在城西鸡鸣山北，《太平寰宇记》记三国魏将满宠在城西三十里依山筑城，谓之"新城"，一名金斗城，民初遗址犹存。

小岘城在城东七十里，合肥旧志记载小岘城为萧齐所筑，在小岘山侧，民初小岘山麓尚有遗址。

滁阳城在合肥县城东北百十里，城在慎县东北三十五里，合肥旧志载吴赤乌十三年遣兵，断滁作堰，以淹北道，遂筑此城。

桃花城在城南二十五里，民初南乡桃花镇即桃花城旧址。镇淮楼在合肥城中，楼为合肥古城北门，旧址宋郭振拓城基，改为谯楼。明万历三年，知府吴道明重建，题曰江淮保障。中设铜壶滴漏，以核画夜时刻，有名流题咏。民国之后日渐颓败，到20世纪30年代乡人共议拟拆。

四牌楼在镇淮楼西，旧称魁楼。乾隆二十四年（1759年）知府王烒重建。1928年毁于火灾，二年后重修，增建楼上马、王二公祠（民国驻军马祥斌军长，王金韬师长）。

子胥台在城内镇淮楼西北，唐五代著名道教思想家杜光庭《录异记》记庐州城内肥河岸上，有子胥庙，每朝暮潮涨，肥河之水鼓怒而至其庙，民国改为玉虚观。

教弩台在城中东隅，相传魏武帝筑台，教强弩五百人御孙权擢船，唐代大历年间因得铁佛，高有一丈八尺，刺史裴绢奏请为寺，即为明教寺。台高数十级，广数亩，有井居其上，百姓俗称屋上井。旧多松荫，为民国旧称的庐阳八景之一。

明远台在城东北七十里，梁县故城西南隅，《合肥县志》记载：台为刘宋时鲍照（明远）读书处，又称赵宋张持正，即其地建俊逸亭，民初梁县镇西南隅有一洲，周围皆水，即明远台旧址。

节妇台在城中镇淮楼西南，《合肥县志》记载，包拯，冢于缱逝，媳崔氏守节，故名，民国改为尚节楼。

民初合肥历史遗存的陵墓遗存，有吴王杨行密墓，在城西北六十里吴山庙集东。据《舆地纪胜》载，杨行密墓在合肥铁索涧，尝见涧侧有古坟，石板上刻有龙凤，相传为吴王墓，民初有隧道遗址。

马忠肃公亮墓在城西七里，是宋朝庐州府人马亮（先后任职工部侍郎、兵部侍郎、尚书右丞、工部尚书、太子少保，死后获赠尚书仆射，谥忠肃）之墓。

包侍郎令仪墓在合肥城东七里，《合肥县志》《包氏家乘》有记载，民初墓下尚有翁仲及华表。

包孝肃公拯墓，在合肥县东十五里双阙村，孝肃墓在东乡大兴集侧，自子包缱以下皆附葬墓处。

葛学士闻孙墓，在合肥城南六十里，原《合肥县志》称在水西门外属误记，民初存有元余阙所作墓表。

都督佥事瞿通墓，在合肥城西土山西南七里，瞿通为合肥人，明朝开国功臣，曾辅助朱元璋建立大明王朝，官拜至凤阳卫指挥使，大都督府佥事。

明朝初期武德卫指挥使王瑛墓，在东乡店埠镇东冈上，《合肥县志》有记载，洪武中谕葬。追封郑国公明宋

清末民初合肥包公墓园图景

朝开墓在撮镇西,《庐州府志》记载,明朝初期西宁侯宋晟之父,宣德中敕葬,民初存大学士邱濬所写之铭。

明朝宋忠烈公瑄墓、忠顺公瑛墓,在威武门外三里冈。《合肥县志》《宋氏家乘》均有记载。追封平江侯陈同墓,在大蜀山前,《合肥县志》有载,平江伯陈瑄父,永乐中谕葬。民初存大学士杨士奇所写之铭。

明朝初期官员合肥东乡人徐用墓,即"赠蔡国公徐用墓",在撮城镇东。《合肥县志》记载永康侯徐忠,"宣德中谕葬",墓前有民初徐氏后裔重立蔡国公墓碑。都督同知郭昌墓,在排头镇东,民初有大学士杨士奇铭。尚书蔚绶墓,在时雍门外李花桥侧。明朝蔡文毅公悉墓,在合肥县东八里冈。蔡悉在明朝历世宗、穆宗、神宗三朝,为宦50年,官至南京吏部主事,南京尚宝司卿、国子监祭酒,是合肥东门一处著名墓葬。

布政使窦子偁墓,在城西千字山。

广西巡抚许如兰墓,在青阳山西三里,民初尚存墓前有石鼎、石蜡台等石器。

赠尚书龚孚肃墓,在城西桃花城镇,清嘉庆《合肥县志·古迹》载:"国朝赠兵部尚书龚孚肃墓,在城南桃花城。"民初墓前尚有翁仲。

礼部尚书龚鼎孳墓,在民初巢湖巷后。

李文定公馥墓,在东门外白衣巷东南一里,民初墓前有华表翁仲。

李编修孚青墓,在城西四十里铺山影塘东三里。许督学孙荃墓,在城东梅子山。

三黄墓在城东郭外五里,《合肥名胜杂咏》记载,三黄墓为明末黄道年弟道月、道日之墓。古烈女墓,在西门外一里许,民初墓前有碑字。

蒋小娘墓,在梁县,为清嘉庆七年,知县左辅为之修墓,民初有碑碣铭。

李文忠公鸿章墓在城东大兴集,民初墓前有享堂,陈列有李鸿章甲午年为日浪人所刺血衣。

民国时期合肥县城东大兴集李鸿章墓

陇西公子墓,在城东三十里许四部,据《合肥名胜杂咏》记载,城东三十三里许如兰,别业香雪巷,遗址葬李家孚、张文运诚其封曰鸣呼,"陇西公子李家孚之墓"。①

民初旧志记载的历史遗迹已经圮废,如在合肥城县署内悬鱼堂,在城西门上威远亭,在城西大潜山下清刘铭传所筑以位虢季子白盘的虢亭,在城东龙泉山南清邑人徐子苓隐之所的龙泉精舍,李翰章别业在城东三十五里东乡小浏河的橘洲别墅。《续搜神记》所载云"云浦中昔有大船覆水内,渔人宿于旁,夜闻筝笛声传为",曹操载妓覆船,原在水西门谢家坝侧筝笛浦;在时雍门内小史港在威武门内飞骑桥、在南薰门内赤阑桥、在时雍门内万寿寺院中的万寿井等,均圮废。尚存遗迹只有在城内古金斗门外藏舟浦,该浦为魏将张辽袭吴藏战舰处,民初为城内城河坝,浦中有金沙滩,为时人风景绝佳去处;另一景观为在城南濠水中香花墩,墩为城南梵宇。史载明弘治中,宋太守鉴改为包公书院,命公二十四世孙大章读书其中。嘉靖乙亥御史杨瞻按庐修葺书院,建包公家庙,遂为包公祠,清李鸿章等捐建修葺。包氏后裔藏公遗像并摹刻碑石藏壁中。该地四面环水,十里荷花,为民初人群好去处。

民初坛庙类历史遗存有在合肥城内县署东孔庙(原名府学),旧

---

① 《合肥采访册》稿本。

时每年孔子诞辰,奉令致祭用,极隆重祀礼。孔庙内有尊经阁、明伦堂,民初改为县立女子职业学校。城内洛水桥东学宫(原名县学),民初为省立庐州女子中学。孔庙东面的名宦祠,民国后为合肥农会和皖中日报社办公处。孔庙西边的乡贤祠,民初为道教徒改为慈善堂。城内和平桥东北的关帝庙,清代每春秋仲月及五月十三日致祭处。城内四牌楼东南的县城隍庙依旧存立,城内庙街北府城隍庙,民初改为合肥县道教会址。威武门外刘猛将军庙、威武门外坝上的八腊神庙、时雍门外的大王庙、在巢湖姥山上的圣妃庙依然存立。西门外社稷坛、东门外先农坛,都圮废。

(二)社会礼俗

合肥民风淳朴,崇俭重名,地据江淮之间,山川衍沃,风气完密。百姓之家多务农,事稼穑,务俭约。婚嫁以特,丧葬以礼,家有弦诵之声,人多朴茂之谊。妇女纺织操作,勤于农事,久无缠足之习。百姓赋性果毅,勇于任事。社会习尚,昔有余阙在旧志评合肥民性"其民箕直而无二心,其俗劝生而无外慕之好,其材强悍而无孱弱可乘之气"。自晚清李鸿章等淮军集团在中国社会崛起,人才辈出,士大夫重名务学,提倡教育,无论武功文业皆予重视。

民间旧俗三大礼俗,其一婚礼。子女自幼时即由其父母预访门第清白之家,托媒人说定后,纳采纳币。"将婚时,媒氏预申吉期,临期亲迎。婿如不亲迎,往须将婿之冠、鞋,置彩舆中,如亲迎之仪。新娘将嫁之日,自沐浴、穿衣、梳头、戴花,由福寿齐全、年老长亲为之咏诵,每做一事,即有一番祝福语。彩舆至女家,负女登舆至男家,自轿门入祠,房足不粘地,以米袋席地,递传而过,名曰传代。至堂前,先拜天地祖宗,次交拜。毕,执烛者导新郎新娘入洞房,饮交杯酒,是名合卺。复有青年数人笑言说好,俗称闹房。新婚日赠客礼物有花生、喜果之类,祝其子孙昌延也。翌晨妇见舅姑,参拜亲友。三日晨入厨治馔献翁姑,行盥馈礼"。民国后,一些对近代文明接纳人家,青年亦采用新式婚礼。

其次是丧礼。"遭丧之家，子号哭擗踊，诸妇子女去笄、去首饰，皆易素服治棺、治丧具。清寒之家即夕殓，越日即出厝。富贵之家初终迁入正寝，亡者袭舍。越日小殓，三日大殓。成服后护丧者使人讣告于亲友，设灵位于棺前，朝夕奠。择日发引，铭旌功布。孝子麻衣跣足，扶棺出郊，延术士择穴安窆"。

第三是祭礼。"父母殁，孝子家祭，仍匍匐稽颡，行三献礼。由司仪者宣礼，献香、献爵、献花果及羹馔，如豕、曰刚鬣羊、曰柔毛鸡、曰翰音雉、曰疏趾脯、曰尹鱼、曰鱼饭、曰粢盛，以及寻常肴馔、曰献馔。献时食之类。祭祖先多以清明、冬至。祭父母则以忌日，均行跪拜礼"。

岁时礼俗则有："元旦拜贺毕，饮屠苏酒。次日往，亲友贺岁。上元食元宵，张灯，杂百戏。有迎神卜蚕桑农事。社日乡村结社，祀土地神。上巳踏青，修禊。清明门插新柳，扫墓。端午食角黍，饮菖蒲酒，簪艾虎佩辟兵符，为竞渡之戏。六月六日，谓之过半年，女偕婿归宁。七夕妇女结綵缕穿针，陈瓜果以乞巧。中元作盂兰会。中秋鼓吹布月，食月饼。九日登高，佩茱萸，饮菊花酒。冬至祀祖先。腊八食腊八粥。腊月二十三日，祀灶神。除夕换桃符，书春帖。祭五祀及先祖，迎灶神，守岁有彻夜者。"①

五、新文化先驱蔡晓舟与五四新文化思潮传播

（一）合肥地区新文化先驱蔡晓舟

合肥人蔡晓舟（1885—1933年），是安徽新文化运动时期的重要组织发动者和先驱人物。他早年参加马炮营起义等反清辛亥革命，陈独秀任北京大学文科学长后，被陈独秀邀请到北大工作，追随蔡元培、陈独秀、胡适等新文化运动领袖人物，宣传民主、科学为主要内容

---

① 《合肥采访册》稿本。

的新文化,反对文言文,宣传白话文,并整理出版国语文法。蔡晓舟对新文化、新思潮的宣传,主要有以下几个方面特点:

首先,最早归纳总结并宣传五四精神。他不仅积极参加起于北京1919年的五四运动,并在"五四"之后两个月时间,与其表兄杨量工(巢湖人),编撰出版《五四》一书,云"我北京学生,五四一役,涵有二义,一为国家争主权,一为平民争人格。前者所以使外人知吾民有血性,而杀其觊觎之心;后者所以使公仆知吾国有主人,而正其僭窃之罪。虽然是二义,不可以徒立也。非具牺牲万有之精神,莫启其端,非得前仆后继之实力,莫刈厥果。五四特启端耳,安可无明确记载,白其旨趣于人人。此敝同人所以不揣谫陋,而有五四之书也。"① 他和杨量工是最早对五四运动给予性质评价人之一。

其次,宣传白话文,探讨白话文法。1920年,蔡晓舟撰写出版以白话文为主体的《国语组织法》一书。该书为何而作?"世界上的万事万物,都有法则的。这法则却有两个:一个是自然的;一个是人为的。我们人类日日研究学术,为的是要发现自然法则,和改进人为法则的。自然法则发现了,那'趋吉避凶'的方针便有了;人为法则改进了,幸福也就增加了。现在文明各国的语言文字,都有法则的;便是人为法则的一种。这法则,在英国叫作Grammmaire。不过现在外国人语言和文字,多的是一致的。例如Grammmaire可以说是法国文法,也可以说是法国语法。日本《文典》,是有'文语''口语'两种的;但是他教授上的顺序,就先'口语'而后'文语'啦。唯有我们中国语言和文字,都隔有几十个世纪;而且向来并没有一个'语法''文法'专书;近年来,虽然有什么《马氏文通》啦,《国文典》啦,《汉文典》啦,但只可叫作'文法'书;与'语法'仍是不相干的。唉!我们中国人口有四万万,占人类四分的一分,能够懂得中国古董的文章有几人呢?这大多数人,并没有一种可作标准的'语法'书,不是一件大憾事吗?"蔡晓舟并有感于北京高校有志传播白话文的同人志士,没有合适的

---

① 蔡晓舟、杨量工:《五四·序》,北京同文印书局1919年版。

国语文法教科书可用,特此"创个草稿子"请大家慢慢的斟酌罢了。①该书读者对象,蔡晓舟定为面向社会普通大众,"这部书是教小学生和年长失学的。凡是认过五六百字的人,就可以教他这部书。这部书学完了:那许多用国语编的书报,就可以随意读了;那一封一封的明白的信,也就可以写了:这不是一件可喜的事吗?""凡是没有学过'外国文法'和'中国文法'的人,先把这部书看了一遍,再学那文法书,脑筋就省得多了""这部书采用的标准字,都是最普通的;但是学的人,如果把那法子都懂了,遇见什么'各地方''各行业'的特别字,也就可以类推了。"②他由词的分类法等讲起,对名词、动词、形容词、副加词、媒介词、承接词、语前补助词、语后补助词等分类介绍,概括九类词使用的语法和标点符号用法。最为可贵的是,蔡晓舟在"代名词"一节讨论中,基于前期新文化派对国语名词的讨论,在国语语法中,正式对"那""哪"进行了分别:

"疑问的""代名词":这已经知道的东西,固然可以用"你""我""他",这些字去代他了;若还没有知道的,要想问人的,该用什么字去代他呢?就是谁字,哪字,("哪"字读上声,同"那"字读去声有分别的。譬如:许多帽子放在一块,你若是对一个人说:"请你把我'那'顶帽子带来。"这个人如果不认得你的帽子,便要问你:"'哪'一顶是你的呢?"这便是"哪""那"二字的分别)什么字,怎样字了。

"五四"之前,有"那"无"哪"字,"那"既是指示代词,又是疑问代词,"一身二任"③,"哪"字的被发明④推广使用,蔡晓舟功劳大焉!

北大校长蔡元培对蔡晓舟这本开国语语法先河的书,予以很高的评价:

---

① 蔡晓舟:《国语组织法·做书的缘因》,泰东书局1920年版,第3—4页。
② 蔡晓舟:《国语组织法·告用这部书的人》,泰东书局1920年版,第1页。
③ 凌远征、吴嘉漠:《"哪"字的由来》,《语文建设》1992年第3期,第6—8页。
④ 最早说蔡晓舟发明"哪"字,见于安徽省图书馆主办的1933年的《学风》杂志《安徽文化运动先进蔡晓舟先生逝世》报道文章:"吾人所用之疑问代词,'哪'字,盖即蔡氏所发明。"

"用'国语'代旧式的'国文',这种运动,现在已渐渐有成效了。去年全国教育联合会,通过了'国语'教科书的议案;教育部已宣布国民学校试用'国语';书肆,也有'国语'读本出售;日刊,周刊,旬刊,月刊,用'国语'的也不少了。但是教授'国语',非常困难,因为没有专讲'语法'的书。我友胡适之、刘半农二君,都有编'国语'的计画,别人着手的当也不少。但都不知道:什么时候,才可以成书!蔡君晓舟为应这种时势的要求,著了这本《国语组织法》,可算是'语法'书的第一部了。"[①]

第三,提倡男女平等,推动女子教育和女子解放运动。1912年,蔡晓舟在合肥创办庐州女子师范学校,后因为经费缺乏,中途夭折。他曾经迎娶的北京大学第一位女大学生邓春兰,同时也是五四新文化时期男女均权的积极提倡者。1920年,他在《文化运动与理想社会》文中公开声明:

我们理想的社会,是男女有对等人格的:男女交际,是公开的;社会上所有的义务,是男女同尽的;社会上所有的权利,是男女同享的。但是现在我们社会里:是不承认女子有人格的;女子要"三从"是"防隔内外",不许有男女交际的;社会上的义务和权利,都是偏枯的:我们男女两性间,好像铸了一道铁门限,把他分成两个阶级的;所以我们要做女子解放的运动,来把这个阶级铲平;来把这个铁门限,打得粉碎。

蔡晓舟认为,推动女子解放运动要从几个方面下手,一是组织团体,而为有系统、有步骤的计划;二是作大规模的宣讲(五四后,天津女学界曾一度为逐户的家庭演讲,成绩颇佳;这种运动,是狠可推广的);三要多出印刷品:"我曾一游东京,看见他们有许多下女,都每人

---

① 蔡元培:《国语组织法·蔡子民先生的序言》,泰东书局1920年版,第1页。

手里拿一本什么《妇女之友》《女子世界》等书;这是狠可取法的。"①

1922年,回到安徽后的蔡晓舟,呈请安徽省教育厅将已经停办的庐州女子师范,改为庐州女子中学。其呈文曰:

"呈为恢复庐州女子师范学校改名庐州女子中学,请予备案事。窃晓舟于民国元年创办庐州女子师范学校于合肥,曾因经费困难断指募捐。嗣经皖神童挹芳等建议于第一届省议会,追认为省立第三女子师范学校。开办年余,复因省款支绌停歇。今晓舟默察本省女学供不及求,许多女生都感向隅之苦,甚为悯惜。此番回籍,特为纠集地方人士筹商恢复前项学校,佥谓省款既未经列入本年度预算,只得仍由地方先行筹款办理;又谓安徽女子师范、职业等校虽经省立数校,而女子中学尚付阙如,并拟将前项庐州女子师范学校改名庐州女子中学。现在经费校址等事业,经筹议就绪,理合先请备案。一俟组织完竣,再行详细陈报。是否有当,即希批示只遵。此呈。"②

庐州女子中学被批准建设后,蔡晓舟联合教育界刘振乾,虞梦麒、童汉章、陈西坪、王先强、汤葆明、丁镜人、李仲实、高尚志、谭燮卿、陈东原等人士,筹集经费。后又联名合肥乡绅等,保举北京女子高等师范毕业生高晓岚为庐州女子中学校长,③为民初合肥女子教育,做出了重大贡献。

第四,反对军阀专制,推动安徽社会民主运动。1921年,《民国日报》先后刊载反映安徽学界和教育界与蔡晓舟紧密相关的两篇报道:

"蔡为专门法校教员,又任新安徽杂志总编辑。该报在安徽素持公论,不畏强权,对于加收八分米厘一案,反对最力,因而触怒军阀,致遭封禁。蔡既被指为过激派,其所办之新安徽,恐不日亦将停版。"④

---

① 蔡晓舟:《文化运动与理想社会》,《新人》1920年1卷4期,第116—126页。
② 《公牍》,《安徽教育月刊》1922年第51期。
③ 《指令合肥旅省代表等七五四四号》,《安徽教育月刊》1922年55期,第17—19页;《指令庐州女子中学发起人蔡晓舟等第五四二号》,《安徽教育月刊》1922年55期,第48—49页。
④ 《安徽摧残文化之沪讯》,《民国日报》1921年4月27日。

"皖省此次党案，罗织至十余人之多，就中如孙养癯为《民性报》主任。该报为纯粹民意机关，反对一五附加、八分米厘最力。孙又为民治运动中，旗帜最鲜明者。蔡晓舟为法政专门学校教员，主持新安徽月刊，对于旧社会抨击最力。因此孙、蔡二君被指为过激派，两报亦相继停版。"[1]

报道所呈现的是1920年下半年后到1921年，北洋政府时期军阀统治安徽，强行加征米税等，横征暴敛，维护新安武军和军政既得利益集团。蔡晓舟因此被通缉，但此次事件对安徽民主运动的推进有着巨大影响。胡适、高一涵、陈独秀等旅居北京、上海等地的皖籍进步人士，均积极参与。此前蔡晓舟发动反对安徽军阀倪嗣冲的斗争，就曾引起军阀对他的镇压。

不好了！不好了！奴颜婢膝，省议员们又跑到蚌埠去会议了！他们会议些什么？就是要运动他们那个小豢主倪道烺，复辟安徽省长。诸位试想：倪嗣冲做了几年的安徽省长，便把我们安徽三千万人监禁了几年！（剥夺人的言论、出版等自由权，不就和把人监禁起来一样？）我们许多稍微有点志气的青年：如李孟洲、方勃言、史翼如、水巨汇诸人都被他枪毙了！诸位试想，倪嗣冲的作孽大半是他的子侄倪道烺主持的，现在倪道烺又来了！我们不又要进那妖雾沉沉惨无言的地狱里去了吗？诸位呀！赶快起来罢！这种大逆不道的东西，我们应该要同声连气一致去反对他呀！有他就无我，有我就无他，我们是同他不能并立的，诸位呀！赶快起来罢！我们联合会昨天已经发出去一个专电，一个通电了。现在抄来给大家看一看，盼望大家一致进行！[2]

五四运动后，安徽人民反对北洋军阀统制安徽运动风起云涌。

---

[1]《皖省党案之源源本本》，《民国日报》1921年5月23日。
[2]《安徽各界联合会反对倪道烺长皖传单》，引自《民国日报》1921年3月9日。

上揭蔡晓舟署名发表的电文,即为动员安徽人民,驱逐新军阀倪道烺在安徽黑暗统治,实行民主政治吁求。

第五,积极提倡安徽自治运动。1922年前后,国内自治运动风起云涌。1923年7月26日,由蔡晓舟等组织领导的安徽国民救国大会开会,蔡晓舟提出皖省自治4条办法:"1.主张由全省六十县各推举代表两人,常川驻省,筹备省宪进行事宜。2.省宪起草,拟敦请名流,仿照天坛约法起草,或照湘省岳麓山起草省宪法办法,择一名胜地点,以襄盛举。3.总投票决定省宪法,应如何分区办理。4.实行省宪,组织新省政府一切筹备云云。"①

"五四"前后属于合肥县籍的在全国卓有影响的还有刘文典。刘文典(字叔雅),原名文聪,1889年"生在安徽合肥县"②,早年在合肥基督教会医院里跟从一位美国的教士学习英文,对西洋文化有初步了解。1905年在芜湖安徽公学学习时,深受陈独秀和刘师培反清革命思想影响,开始参与辛亥革命运动。民国建立后,不满袁世凯北洋政府倒行逆施,投身反袁革命行列,并在日本参加孙中山中华革命党,担任英文文秘事务。陈独秀任北京大学文科学长后,受邀到北京大学任教,辅助陈独秀办《新青年》,是《新青年》杂志社编辑部的英文编辑。刘文典不仅是《青年》杂志的早期撰稿人,还在《新青年》杂志发表了大量介绍进化论等包含新思想、新意识的文章,支持陈独秀、胡适倡导的白话文学革命。在北京大学课堂上,他对反对新文化新文学的林损等言论,公开予以驳斥,是五四新文化运动时期新文化阵营的重要成员。

(二)新文化新思潮在合肥地区的呼应

北洋政府统治时期,政局多变,社会思潮由萌动到流行,始于京、沪等国内大都会和沿海沿江口岸城市,渐进向合肥等内地城镇渗透。

---

① 《皖人拟组省宪筹备会》,《申报》1923年7月27日。
② 刘叔雅:《我的思想变迁史》,《新中国》杂志1920年第2卷第5期,第154—162页。

随着新思想、新文化蔚然成风,也得益于像蔡晓舟等一些新文化先进者的鼓动和宣传,合肥地区社会思潮的趋新意识在1920年前后,与国内时代大潮,合拍共振,成就民国时期合肥历史的新篇章。

首先,对全国重大事件北京五四运动的响应。北京学生五四运动爆发后,安徽的芜湖、安庆很快成为最早响应的两个中心地。"芜湖、安庆学生斗争的消息,很快传遍了省内各个城市。1919年5月8日,合肥学生推出代表三十余人,在县二中召开筹备会议,成立学生联合会。议决立即游行示威,响应北京学生的爱国斗争"。5月15日,全市学生一致罢课,上街游行同学高呼"全国一致反对卖国外交""惩办曹、章、陆三个卖国贼""释放被捕的爱国学生代表"[1]等口号。在经过的通衢要道张贴标语,散发传单。还捣毁了后大街(今安庆路)嘲讽游行学生并且售卖日货的大隆商店。16日,学生们开始组织演讲团深入街巷和乡村,宣传力争青岛,反对出卖主权的爱国精神和抵抗日本侵略的意义,动员市民和工人参加。18日,学生联合会和市民、商人团体等在卫衙大关的公共操场召开大会,议决通电全国,禁用日货。[2]"当时全县中小学校都选派了自己的代表,省立第二中学学生李懋烟、裴文英(即裴济华);省立师范学校学生李广坤、阚培霖、范毓杰,教会办的三育中学学生夏钟杰,三育女中学生娄锦芝;基督医院代表方辰(即方南针)、黄虚如,刘巨卿、李萃林;城东小学教师徐文衍、戴子瞻、张叙九、金慕一、鲍哲文、校长金巽甫,学生葛克瀛、蒙晴峰,城西小学学生刘天德,城北小学教师李净生;启明小学学生戴尚源、张家怀,县立女小学生夏凌仙、金希平等"。他们组织了学生会,还进一步与商界合作组织了"商学联合会",周辅卿担任该会的会长,开展查抄日货工作,曾将查获的大批日货运到合肥江西会馆门

---

[1] 合肥师范学院历史系等:《"五四"安徽青年运动史料》,《安徽史学通讯》1959年第2期第28—35页。

[2] 1919年5月27日《时报》报道。引见中共安徽省委党史工作委员会编《安徽现代革命史资料长编》第一卷。安徽人民出版社1986年版,第162页。

前空地烧毁①。24日,在县城东门外,学生联合会还联合码头工人及市民,在抵制日货斗争中,把收缴的假冒福建产糖,实为日货二百斤重的糖包约四百包抛入河中。合肥地区以反帝爱国为主要内容呼应五四运动事件,参加者遍及城乡学生和工人、市民,对长期以来死水无澜的合肥旧秩序和沉闷的社会风气,予以极大冲击。1920年4月,合肥学生即发生呼应全国学生联合会电请北洋政府驳回日本政府提出的有损中国主权的"山东问题交涉案",通电号召全国学生罢课抗议事。他们认为应该效仿南京、苏州和浙江学生先后罢课办法,29日,"合肥学生联合会……齐集会内,首由葛君克瀛(系县立第一高等学校学生)主席报告芜湖学生联合会来函之情形。旋谓苏浙各省及各处学校学生渐次罢课。吾辈既属国民一份子,应当同苏浙及各处学生取一致行动,切不可虚以委蛇,以贻笑于外人。但罢课日期暂定以明日起至初十止。这四日内(一)联络商界。(二)散布传单。(三)游行演讲。(四)电达上峰。"②

其次,合肥学生在新文化思潮影响下,产生了进步的自觉意识。1920年12月29日,合肥县在省城安庆读书的学生,公开在《民国日报》上发表宣言,以提升合肥人的人格为号召:"我们以为有人骂我们合肥籍的军阀祸国殃民不足忧,有人骂我们合肥籍的官僚贪赃枉法不足忧,因为这些人在我们一百多万的合肥人中,究竟是很少的少数,不足以玷污我们全体的合肥人,惟有我们合肥人里十之八九,不但不以此等军阀官僚为非,而反而羡慕他们这种强盗人生活,以为极有价值的生活,这真是我们全体合肥人的人格问题了。我们以为要想提高我们合肥人的人格,第一当从改造此等虚伪的不合理的人生观下手。其次,我们所谓提高人格,不是仅仅把这个不正当的人生观改变了就完事,我们还要把世界最有价值的学理灌输到我们合肥人

---

① 李云鹤、翟宗文、李仲宾:《现代安徽学生民主运动初稿》,《安徽史学通讯》1957年第1期。

② 《合肥各校一致罢课》,《民国日报》1920年4月30日。

的脑筋了,世界上最有价值的制度,先自我们合肥地方上试验起,要把中国人对于我们合肥人所有的厌恶的、恐怖的、鄙薄的态度,尽变成亲爱的、推崇的态度,这便是我们最终的欲望。"①合肥籍学生不以出了李鸿章、段祺瑞等官僚武人名区为荣,而以提高合肥人的个人人格为号召的举动,被《民国日报》的编辑称赞为"必要的而且适宜的""希望全国学生,都有这种抱负嗜好"②。

第三,把社会思潮与地域社会改革相结合,勇于走在社会前列。1920年11月,合肥三育学校的女生演出新话剧《新家庭》,为遭受天灾的难民募捐。"这回三育女学生于本月六日,在礼拜堂里演起新剧来,也算是破天荒了。他们虽然是一概屏绝男宾,但是能牺牲色相,抛却向来害羞气息,为灾梨呼号女界同胞之前,也就是难得了。剧本是吕某、刘某二女生合编的,名叫《新家庭》。据看的人对我说,也很能动人了。而末一幕饰灾民苦状,尤其悲惨。演者竟能设身处地,迸出自己底热泪的,所以观者亦有很多泪滴云"③。同月,合肥教育界和学生团体,用新的社会游行方式,举办赈灾。"合肥学界日前开会,筹议赈捐事情,当时各校认捐有两千元光景。三育男学校,又建议于旧历二十三四,各校演剧助赈。又去年夏季合肥学生会为组织义务学校,演剧所得之款,有四百多块钱。至今义务学校未办,此款未用,现议提作赈款。后来又因自下各界虽都组织筹赈,但一般平民,恐怕都未能感到。所以特地于十六日各校联合,大队游行街市,唤起一般平民底同情"④。

20世纪20年代合肥地区新思潮的社会传播及其成效,更多表现在此时期接受了新文化新思潮的社会团体等进步力量,主要是教育界和社会各阶层,共同与军阀反动势力的社会抗争和反帝爱国行动。例如1921年,省城安庆发生"六二"惨案后的声援安庆死难学生活

---

① 《合肥学生提高人格宣言(安庆)》,《民国日报》1920年12月29日。
② 《介绍合肥学生底宣言》,《民国日报》1920年12月29日。
③ 《破天荒的女学界演剧(合肥)》,《民国日报》1920年11月16日。
④ 《学界劝赈大游行(合肥)》,《民国日报》1920年11月23日。

动;再如1921年4月,合肥教育界对倒行逆施的新安武军随意拘禁支持学生阅读新思潮刊物《自由魂》的合肥省立第二中学校长王蔼如事件;尤其是1925年反帝爱国的"五卅运动"中,合肥学界和商界,冲在最前面。6月初,合肥学生会很早就致电《申报》,"噩耗传来,不胜悲愤"(《申报》1925年6月6日)。合肥商会致电申报馆,"五卅惨剧,噩耗遥传,群情愤慨。吾肥于本日罢市援助,并电政府严重交涉。"(《申报》1925年6月13日)合肥人们以商人罢市、工人罢工、学生罢课与全国人民同心同德,起而抗议。不仅城乡结队游行以唤醒民气,而且实行查禁敌货办法,以示"经济绝交"(芜湖《工商日报》1925年6月17日)。合肥人民还成立了检查仇货组织以及沪案后援会,募捐接济沪案中的失业工人。三河镇舒、合二高小邀集附近各区学生三百多人集会游行,"商界亦为义愤所激,于同日一律闭市,与学界取一致行动,以为沪案之后援。我国虽弱,人心尚未死,强暴之邦,当亦猛醒也"(芜湖《工商日报》1925年6月26日)。并募款交钱庄汇往上海,接济沪案中的工人。巢县拓皋镇绅商学农工各团体于6月18日在城隍庙鸣锣开会,冒雨参加集会者有一千多人,当场成立后援会募款。20日参加游行的学生既有公办学校,也有私立学校的,甚至各私塾学堂学生也踊跃加入,赤日当空之下,奋起高呼"奋起救国""誓雪奇耻"等口号(芜湖《工商日报》1925年6月22日)。6月19日巢县各界在大书院一千多人大会上,成立沪案后援会,分成干事、文书、募捐、宣传四股办事。21日,二万多人冒着酷暑开市民大会,会后上街游行,并派人到各城乡,奔走呼号,力竭声嘶做宣传。"是巢县各界此次抱最大之牺牲者,意在援助政府,博交涉最后之胜利。国家安危,在此一举额,尚望全国人士督促政府,严重交涉,务达圆满目的而后已。本会誓为后援,义无反顾。"①合肥地区城乡大众在反帝爱国运动中的表现,与1920年五四前后新思潮新文化的传播和影响,有着直接的联系。

---

① 《巢县沪难后援会声援沪案之东电》,芜湖《工商日报》1925年7月5日。

第二章
南京国民政府时期的合肥

1926年7月初,国民革命军在广州誓师,出兵北伐,连克长沙、武昌。北伐胜利进军时,安徽地区的共产党员和国民党左派人士共同开展反对军阀统治的革命斗争。共产党员蔡晓舟领导的合肥北乡吴山庙起义,接应了北伐军进军安徽。

1927年初,国民革命军占领安徽。安徽战场的胜利,有利于加速北伐战争在全国的胜利。

北伐胜利进军中,蒋介石建立了南京国民政府。国民革命军进军合肥地域。北伐期间合肥县国民党新政权建立。南京国民政府时期合肥社会经济建设逐步发展。由于20世纪30年代前后天灾人祸影响,合肥经济社会一蹶不振。

抗战全面爆发后,合肥县城于1938年5月沦陷,县政府迁西乡鸽子笼镇(今属肥西县)。

南京国民政府十年建设时期,各地教育事业迅速发展。由于政治、经济发展水平的差异,合肥县教育事业相对落后。庐江县教育及巢湖地区教育在教育经费、师资配备、课程设置方面有所发展。

20世纪30年代的新生活运动及"卫生现代性"教育,有利于卫生运动的宣传和推广。南京国民政府成立之后,合肥公共卫生事业开始起步,图书馆的设立与新闻报刊发行及群众文化活动逐步开展。

第一节 国共合作北伐时期的合肥

一、蔡晓舟与吴山庙武装斗争

中共党人蔡晓舟领导的吴山庙武装起义虽未取得胜利,但在合肥地方革命史和地方党史上的历史功绩重大,它震慑了地方反动军阀,呼应了顺利进军的北伐战争,是第一次国共合作在安徽开展革命活动的重要体现。

蔡晓舟，近代安徽早期民主革命的领导者，中国共产党党员。自幼才思敏捷，聪慧好学，胸怀远大的救国抱负，1908年参加了熊成基领导的安庆马炮营起义，失败后回到家乡合肥创办了新式学堂，宣传新思想。因感到才能得不到更好的施展而投靠了晚清著名将领聂士成的女婿龚庆霖。1914年因龚拜把兄弟张广建出任甘肃省都督，龚因缘际会担任了甘肃省政务厅的厅长，而蔡晓舟也随同前往。在甘肃期间，蔡晓舟担任过盐运官，并于1916年首倡冲破大学女禁，与我国国立大学最早的男女同校的女大学生之一的青海女子邓春兰结婚。婚后不久，蔡晓舟因感官场腐败而痛心疾首，于是辗转来到北京，在北大总务处任职。后经安徽同乡、北大总务长李辛白推荐，到由李大钊主持的北大图书馆工作。时值五四新文化运动正如火如荼地进行着，所以蔡晓舟受到了五四新文化运动的洗礼，思想比较开放，并为五四新文化运动的开展贡献了自己的一分力量。与此同时，蔡晓舟十分关心家乡安徽的建设和发展事业，如前所述，在近代安徽早期的民主革命运动中，他也做出了较为突出的贡献。北伐战争胜利进军时，安徽地区的共产党员和国民党左派人士也共同携手开展反对地方军阀统治的武装斗争。共产党员蔡晓舟领导了著名的吴山庙起义。

1926年，国民革命军于7月初从广州誓师北伐，接连克攻长沙、武昌，势如破竹。革命军占领武汉后，立即挥师沿江东下。为接应北伐军顺利进军安徽，共产党员蔡晓舟、郑鼎（李云鹤）和国民党左派许习庸、进步人士聂鹤亭等人，于1926年11月在合肥北乡吴山庙（今长丰县吴山镇）小营盘成立了"安徽讨贼军第四路军"司令部，组织了有300多人参加的武装起义。

早在1924年冬，孙中山先生号召各省滞留广州的党员回到自己家乡去开展革命工作。老同盟会员许习庸奉柏文蔚军长之命，响应中山先生号召，乘海轮离穗北返，为开展国民革命进行思想酝酿和组织准备。

许习庸返回合肥东乡不久,即于1925年春专程赴北京,谒见他的老上级、时任国民党中央执行委员的柏文蔚将军,谋求在安徽建立革命工作的地下机关。经由柏文蔚介绍,通过安徽实业厅长陈耀远的关系,许被委派为合肥县实业局局长。他召集了朱玉山、孙柱成、沈子英、董柏荣等一批革命人士,委以实业局劝业员职务,表面办公,暗地进行武装起义的筹备、联络工作。他们计划广泛联系合肥各乡区民团武装,争取合肥城内民团排长等下级军官,孤立合肥民团营长王传柱,然后从吴山庙小营盘集中武装力量,里应外合,占领合肥,接应国民革命军进军安徽。

　　1926年秋天,北伐军占领武汉,北伐经过之地,国民革命运动高涨。许习庸等革命人士分析形势,认为武装起义时机成熟,遂派董柏荣前往上海请示北伐总司令部委派的安徽宣慰使常恒芳(藩侯),请其指导制定合肥方面革命工作的组织、宣传行动方案和具体步骤,并约时在上海做地下革命工作的共产党员蔡晓舟返回安徽,共同举事。

　　常恒芳了解了合肥地区武装起义准备工作后,即派蔡晓舟为"安徽讨贼军第四路军"司令,许习庸为副司令;指示他们按原定计划在吴山庙发动武装起义。

　　11月5日,许习庸只身前往北乡吴山庙小营盘,策反合肥县衙门派出驻防的防军官兵一个连。该连拥有约120支毛瑟式步枪。连长朱质卿与许习庸有亲戚关系,朱部下两个排长也是许的熟人。经许晓以大义,朱发誓投身革命,参加起义。11月6日,许习庸返城。这时,蔡晓舟和董柏荣已从上海抵达实业局。次日,为加强起义的领导力量,驻汉口的安徽临时省党部为起义部队派来的政治委员郑鼎(李云鹤)及聂鹤亭、谢持等3人亦迅速赶到。

　　11月8日至10日,参加武装起义者出发前往合肥北乡。蔡晓舟和郑鼎到寿县古渡岗分别行动,蔡晓舟联系了民团李雨村部约800人,长短枪数百支,待命集中。郑鼎在古渡岗协助蔡晓舟、李雨村整编部队。11日清晨,许习庸在吴山庙与朱质卿商讨起义具体日期时出了意外,合肥县衙门忽然派来一个骑兵连,荷枪实弹,命令朱质卿立即率部移防回城，朱开始动摇，自食其言，率部随骑兵连回城。许习庸只身急往古渡岗，向蔡晓舟、郑鼎报告了小营盘变故。大家在判断敌人已侦知起义方动态后，认为事不宜迟，决定立即宣布起义。

蔡晓舟根据事态发展当机立断，火速集中全部人员，率领经整顿后选留的李雨村部约300人枪，以及东乡、西乡零星参加的数十人枪，星夜开赴吴山庙小营盘驻扎。

11月12日清晨，"安徽讨贼军第四路军"司令部在吴山庙宣布成立。蔡晓舟任司令，郑鼎为政治委员，副司令许习庸，参谋长聂鹤亭，总参议李雨村。

革命党人在吴山庙公开举义之后，合肥城内县长宁继光，豪绅李次岩、季雨农等急电安徽军阀首领陈调元，调兵增援。救兵来到，宁继光携巨款潜逃。豪绅们紧闭城门，派陶雨亭前来谈判，遭革命党人拒绝。

按照预定行动计划，起义军于11月23日凌晨4时许整装出发。天刚拂晓，陈调元派来的刘凤图旅已经把炮位安设到四十埠，连续向小营盘方向轰击。起义军在枪林弹雨中奋勇前进，迫近五十埠，与敌军短兵相接。敌方调动了全旅3个团的兵力和炮兵连，激战终日，在敌我力量悬殊情况下，起义队伍退至古渡岗。

"安徽讨贼军第四路军"司令部开会决定，部队化整为零，待机再起。蔡晓舟与许习庸前往汉口向常宣慰使复命，报告起义失败经过。郑鼎于3日后化装只身潜回城内察看情况，旋与聂鹤亭返武汉，分别加入了北伐部队。

二、北伐军进军合肥地域

北伐战争中，安徽不是主战场，但是，北伐后期，安徽战场的重要性日益突出，1927年初，安国军成为国民革命军的主要对手。由此，国民革命军与安国军在安徽战场展开了长达9个月的殊死战斗，安徽成为北伐重要战场之一。经过与安国军的激烈作战，国民革命军驱逐了安国军在安徽的势力,取得完全占领安徽的胜利。安徽战场的胜利,对于加速北伐战争在全国的胜利,起到了非常重要的作用。

处于皖中的合肥亦经历了北伐战火的洗礼。

以"四一二"事变为分界线,国民革命军占领安徽的进程分为两个阶段。第一阶段进展比较顺利,没有发生比较激烈的战役。国民革命军基本没有遇到大的抵抗,就占领了皖南等地。第二阶段相对曲折,经过反复争夺,国民革命军才最终打败孙传芳军和直鲁军,攻占皖北等地,完全占领安徽,顺利结束了北伐战争在安徽的战事。

第一阶段(1927年2月—4月),国共尚处在全面合作时期,国民革命军士气旺盛,东南诸省志在必得。在安徽,国民革命军的江左军和江右军对阵孙传芳的皖军和张宗昌的直鲁军。

自1926年7月正式出师北伐以来,国民革命军势不可挡,从珠江流域打到长江流域。1927年2月21日,国民政府正式在武汉办公,武汉一时成为革命的中心。当时,国民革命军已控制两湖、江西、福建和浙江一部,开始向安徽、江苏、上海等地进军,想一举消灭孙传芳势力。

1927年1月初,国民革命军在南昌召开军事会议,蒋介石、唐生智、李宗仁、程潜、朱培德、张发奎等出席会议。会议部署了进攻长江下游的作战计划,具体部署:国民革命军一部进军杭州、上海,一部沿长江而下,进军皖南,一部进入豫西、皖西,牵制皖北和河南之敌,策应内外两部作战。会议还将国民革命军改编为东路军、中央军和西路军。担任安徽战场作战任务的是中央军,总指挥是蒋介石,程潜和李宗仁分别担任总指挥的江右军和江左军。

吴佩孚在丢失了两湖之后,其主力基本被消灭,他退守河南,整编残余部队,伺机反攻。奉军向京汉线南段移动,张宗昌的直鲁军一部南下,开进苏、皖,支援孙传芳部队。"孙传芳在闽、赣两省大军全部进驻浙江、江苏、安徽后,他认为在江西虽然损失了几千人马,但自邓如琢走后,冯绍闵师、刘宝题师、李养斋旅,都变成自己亲自掌握的军队,实际上不仅实力未减,而且更加雄厚"。① 于是,他在江浙皖地区集结兵力,不但要阻止国民革命军进军,而且还要夺回其江西、福建的地盘。1926年12月21日,孙传芳、张宗昌、陈调元在南京召开军事会议。会议决定陈调元负责安徽防务,阻止国民革命军东进,直鲁军由皖北向国民革命军进攻,孙军主力在浙江全力对付国民革命军。安国军作战方针:"拟集中联军主力于苏、浙、皖交界一带,一部集结于蚌埠、明光、滁州等处,求敌军主力击破之,然后次第平定浙、皖,为协攻鄂、赣之基本。"②一场大战似乎在所难免。

孙军陈调元的第六师主力驻大通、贵池、至德及安庆一带,刘宝题的第十五师驻徽州一带;湘军叶开鑫部驻广德、宣城一带;粤军谢文炳、陈修爵的残部驻宁国一带;直鲁军孙宗先的第四军及白俄兵的一团驻当涂、采石矶、秣陵关一带;褚玉璞部王翰鸣的第十五军驻寿县、正阳关地区;刘志陆部第六十一师驻柘皋镇,第六十二师驻巢县,混成旅宫桥峰部驻含山。

按照之前作战会议的部署,李宗仁担任总指挥的江左军和程潜担任总指挥的江右军负责安徽战场的作战任务。江左军下辖3个纵队:第一纵队是李宗仁的第七军,在黄梅、广济一带集中;第二纵队是王天培的第十军,在罗田、黄州一带集中;第三纵队是刘佐龙的第十五军,在汉口附近集中。江右军也下辖3个纵队:第一纵队是程潜的第六军,在马当、彭泽湖口一带集中;第二纵队是鲁涤平的第二军,在常山、德兴一带集中;第三纵队是贺耀祖的独立二师,在景德镇、乐平一带集中。国民革命军共有5个军又1个师的兵力,8万余人。

1927年2月,江左军和江右军的各部队集结完毕后,开始向皖西和皖南进军。由于刘宝题、陈调元、王普、叶开鑫等部的归附,国民革命军未遇激烈阻击,顺利占领了皖南地区和皖中地区。其中,江左军

---

① 杜春和、林斌生、丘权政:《北洋军阀史资料选辑》(下册),中国社会科学出版社1981年版,第313页。

② 中共安徽省委党史委员会、安徽省档案馆编:《国民革命军北伐进军安徽》,1988年版(内部资料),第8页。

攻占六安、合肥等地，江右军占领安庆、芜湖、当涂等地，这样，大半个安徽已经掌握在国民革命军手中。

2月中下旬，中央军之江左军和江右军开始了在安徽战场的战斗。2月20日，江右军由九江向皖南进发，孙军刘宝题部在徽州宣布起义，就任国民革命军新编第三军军长兼江右军第四纵队指挥官，并率部向芜湖、宣城方向移动。江左军由鄂东向安庆地区进军，战略目标是安庆。3月4日至7日，江左军之第一纵队、第二纵队、第三纵队分别推进到潜山、英山、黄梅一带，对安庆形成了战略包围。此时，直鲁军为扩张势力，4个军3万余人向皖中和皖南移动，挤压皖军。皖军陈调元在安庆宣布加入国民革命军，并就任国民革命军第三十七军军长，王普在南陵就任二十七军军长，在广德、宣城驻军的叶开鑫就任新编第五军军长。之后，这3个军合编为国民革命军北路军，陈调元任总指挥。这样，国民革命军兵不血刃地就占领了皖南地区，安徽的政治军事形势开始有利于国民革命军。

芜湖、当涂是安徽重要的水路交通枢纽，也是南京西南方的大门。2月27日，江右军总指挥程潜下令部队向皖南推进。① 3月6日，程潜率领第一、三纵队分左右两路向芜湖进发。左路，程潜率领第一纵队主力从贵池、铜陵、繁昌向前攻击；右路，贺耀祖的第三纵队从太平、陵阳一带攻击前进。当江右军的前锋部队到达芜湖附近时，驻守芜湖的直鲁军不战而逃，向当涂方向逃窜。3月8日，江右军轻松拿下芜湖。3月中旬，北伐军第七军一、二师抵达合肥。3月15日，程潜指挥一、三两个纵队进攻当涂。3月17日，江右军占领当涂。直鲁军向慈湖一带逃跑。

3月18日，江左军全部推进到六安、合肥一线，迫使驻守六安、合肥的直鲁军之十一军一部向北退却。在国民革命军会攻南京的时候，江左军联络陈调元部，主力攻蚌埠，以切断安国军交通，策应友军

---

① 沈云龙：《近代中国史料丛刊（第七十九辑）·国民革命军战史初稿》（第二卷），（台湾）文海出版社1971年版，第396页。

作战。之后,江左军控制了津浦路南段及合肥、六安等重要城市。

第二阶段(1927年5月—11月),全国的政治军事形势发生了重大变化。蒋介石、汪精卫先后发动"四一二"事变和"七一五"事变,第一次国共合作全面破裂。全国形势的变化,对安徽战场产生了一定的影响。此时,国民革命军和安国军尚处于对峙之中。安国军乘蒋介石"清党"之机,南下进攻皖中和皖南地区,企图夺回南京。国民革命军进行了两次渡江北伐,经过反复争夺,打退了安国军的进攻,并乘胜攻占了皖北地区,进而占领了整个安徽。

在国民革命军占领上海、南京后,蒋介石发动了"四一二"事变,开始"清党",并成立南京国民政府,与武汉国民政府分庭抗礼。国共两党分裂,革命实力严重削弱。之后,汪精卫步蒋介石后尘,于7月15日召开"分共"会议,国共合作全面破裂。然而,北伐的脚步却没有停止,安徽战场的战斗也没有结束。

经过第一阶段的战斗,安国军丢失皖南、皖中大部分地区。自孙军和直鲁军败退江北后,沿江自六合以下归孙军防守,以上归直鲁军防守。安国军乘国共分裂、国民党内部矛盾重重之际,渡江南犯。张宗昌率领直鲁军第三、五、七军及白俄部队进攻滁州,击退守备滁州的独立第四旅,并分兵袭取寿州、六安等地,围攻合肥,企图攻占安庆。国民革命军独立第五师师长马祥斌、先遣支队长王金韬合力死守合肥逾月,江左军集中在安庆、芜湖时,张宗昌令白俄兵铁甲车直薄浦口,双方在狮子山、幕府山炮营隔江互相炮击,沿江上下枪声不绝。安国军军舰出没吴淞口外,江北方面自和县以东不下千里均为安国军控制之中,态势严重,国民革命军"乃于大江南岸配备重兵扼要防守"。①

为巩固江防,国民革命军在长江南岸部署重兵,扼要防御,在江北仍占据安庆、六安、合肥等战略要地,整军备战,以图继续北伐,占领整个安徽。据李宗仁回忆,"四月下旬,南京方面军事委员会乃决

---

① 《近代中国史料丛刊(第七十九辑)·国民革命军战史初稿》(第三卷),第6页。

定继续北伐,以减除江北敌军的威胁,并解合肥之围。五月一日,军事委员会正式发布命令,将东线各军分编为三路,继续北伐"。① 第一、二、三路总指挥分别是何应钦、蒋介石(白崇禧代行)、李宗仁,此期作战计划的总方略是以第二、三路为主力,由皖北进攻津浦路沿线之安国军,第一路军配合主力作战,待主力作战顺利后,再渡江北进,歼灭苏北的安国军。

第二阶段的前期,国民革命军作战的主要对手是直鲁军,"约15万人"。②

后期,国民革命军作战的主要对手是孙传芳的军队,"共6个师、6个混成旅"。③ 这些军队驻扎在明光、临淮关、蚌埠一线。

这一阶段与安国军作战的主要是隶属于南京国民政府的国民革命军。按照5月1日南京国民政府军事委员会发布的继续北伐的作战命令,集结各部部队共约13个军。

这一阶段,国民革命军进行了两次北伐,时间分别在1927年5月和1927年11月。1927年5月中旬,隶属于南京国民政府的国民革命军先后攻占定远、全椒、滁县、蚌埠等地,后安国军反败为胜,向国民革命军发动猛烈进攻,国民革命军各部队损失惨重。8月中旬,国民革命军在淮河附近作战失利,南京国民政府军事委员会被迫决定前方所有部队撤退至长江南岸,利用长江天险,扼险据守。龙潭战役胜利后,国民革命军于9月14日攻占滁县,固守涟水、滁水、定远一线。11月初,国民革命军进行第二次北伐,发动蚌埠会战。经过激烈战斗,国民革命军占领明光、凤阳、马鞍山、蚌埠、怀远等地,乘胜肃清了皖北的安国军,完全占领了安徽。

国民革命军在安徽战场进行了近9个月的战斗,期间,进军合肥

---

① 李宗仁口述,唐德刚撰写:《李宗仁回忆录》,广西师范大学出版社2005年版,第343页。
② 安徽省地方志编纂委员会编:《安徽省志·军事志》,安徽人民出版社1995年版,第480页。
③ 《安徽省志·军事志》,第480—481页。

地域，发动了合肥之战。3月中旬，北伐军第七军一、二师抵达合肥。他们进城后分头派人组织工人协会、店员协会、妇女协会，并在卫衙大关召开群众大会，宣传反帝反封建，动员群众行动起来，支持北伐。4月12日离开合肥，向定远、凤阳挺进。

1927年4月中旬，张宗昌率直鲁军10万余人南下，袭击合肥。当时，驻扎在合肥的是国民革命军独立第五师阎统贯的第二旅，而师长兼合肥城防司令马祥斌率第一、三两旅在六安、霍山一带驻防。阎统贯见直鲁军来攻，一面布置防御，一面电告马祥斌。马祥斌急率所部回师合肥。时国民革命军在合肥的兵力为马祥斌的独立第五师和正在招募的第三十三军，加上县自卫团，共万余人。因此，马祥斌做好了长期防御的准备。

4月18日晚，直鲁军先头部队开始向合肥城发动进攻，被国民革命军击退。19日，直鲁军10万人将合肥重重包围，并连续发动两次进攻，均被马祥斌部打退。马祥斌一面向南京国民政府军事委员会请求支援，一面召开主要军官紧急会议，并让所有团、营长一律进入阵地指挥作战，誓与合肥共存亡。27日，直鲁军借滂沱大雨，在炮火掩护下，发起全线猛攻。马祥斌指挥全师官兵奋勇反击，直鲁军终未突破国民革命军防线。国民革命军苦战10天，虽然没有丢失阵地，但是伤亡惨重，弹药将尽，后在当地士绅和百姓的帮助下，弹药才得以维持。

5月初，马祥斌再次急电南京催援，南京却电示弃守合肥。马祥斌认为合肥城高河环绕，利于防守，如合肥失守，舒城、桐城、安庆均难久守。故他决定死守合肥，并屡创直鲁军主力。后直鲁军攻占木桥、东门大桥附近，兵临城下，被王金韬的独立第四旅击退。正当直鲁军和国民革命军僵持之际，国民革命军第三十三军张克瑶的第二师、岳相如的第三师奉命由六安驰援合肥，直鲁军稍退。随后，国民革命军第三路军第七军的两个师及王天培的第十军分由芜湖、安庆支援合肥，击溃占据巢县、合肥交界的东山口一线的直鲁军，切断了围攻合肥的直鲁军的后路，并向直鲁军发动猛烈进攻。5月15日，

"马师长祥斌乃会合友军全线反攻大破之,敌军遂向西北溃退,马即率部分向下塘集、吴山庙追击,会二十七军二十九师三十师教导三师自芜湖水道进至合肥,军势益甚,敌人望风崩溃,遂解合肥之围"。①此役"杀敌数千人,夺获野炮两门,汽车一辆,步枪及军用品无算"。②

安徽战场是北伐战场不可或缺的一部分,尤其是1927年下半年(即"四一二"事变至1928年蒋介石再次控制权力中枢)这段时间,安徽战场是主战场,是国民革命军与安国军对抗最激烈的地方之一。安徽战场的胜利,对巩固北伐前期成果,对以后的北伐大业的顺利进行具有巨大的影响力。

三、合肥县国民党新政权的建立

安徽最先建立国民党党部的是芜湖和宿县。"芜湖国民党的组织于民国十二年在省立第二农业学校、职业学校即有组织活动,当时因军阀马联甲之压迫不能公开,即思想幼稚的青年,亦认为捣乱分子,是以异常秘密"。③

1926年1月国民党二大召开前,安徽已有两个市党部(芜湖、安庆)、3个县党部(宿县、铜陵、寿县)、4个临时县党部(英山、郎溪、绩溪、凤阳)。此外,滁县、合肥、盱眙等也有国民党组织。当时,安徽的党务以安庆、芜湖为中心。党员有1700余人,主要分布在学生界,其次是工界和教育界。

1926年春,国民党安徽临时省党部在安庆邓家坡成立,光明甫等人组成执行委员会,光明甫、周松圃、朱蕴山3人为常务委员。临时省党部成立后,各市、县逐步完善基层组织。1926年夏,"省党部分

---

① 《近代中国史料丛刊(第七十九辑)·国民革命军战史初稿》(第三卷),第25—26页。

② 中国第二历史档案馆编:《中华民国史档案资料汇编(第五辑第一编)军事》,江苏古籍出版社1991年版,第391页。

③ 《工商日报》1927年4月20日。

别派员赴皖南贵池、绩溪、广德、潜山、霍山、六安等县视察并推动'民校'工作的开展。到一九二六年底,全省已有三十余县建立了国民党(左派)市、县党部组织"。① 其中,皖南地区有贵池、旌德等,皖北地区有宿县等,皖西大别山区有寿县、霍邱、六安、霍山、太湖等,皖中地区有无为、舒城等。

在国民革命军占领两湖、江西等地后,安徽的革命形势日益高涨,而陈调元等却加紧镇压革命势力。他先将国民党安庆市第一区党部常务委员杨兆成杀害,后将国民党在安庆举办的法专、建华中学等查封。于是,国民党安徽省临时党部被迫迁到上海。1926年10月,国民革命军占领武汉后,又迁至汉口联堡里。

南京国民政府成立后,为统一中央,国民党于1928年8月召开了二届五中全会,蒋介石在开幕词中宣布:军政结束训政开始。主要措施:整顿军务,设立五院,设建设、设计、侨务、蒙藏委员会。确立了实施"训政"、整顿财经、整编军队、改订新约等内外政策。安徽省政府按照中央要求进行政治调整,进入军政分治时期,改变了民国以来安徽以军董政的状况。省政府分设民政、财政、教育、建设4厅,省政府秘书处1处,开始各项事业建设。

1929年,安徽省分设行政督察专区,合肥县划归第三专区辖隶。1940年改属第二专区辖隶。至1949年1月合肥解放,合肥县府机关被废撤。

1931年1月,合肥县政府依据《区自治施行法》,划县境为10个区,建立了10个自治区公所。各区设区长1人,由省民政厅委派经过自治训练者充任。区长秉承县长之命,监督指挥保甲人员执行职务,每区配助理员2人,辅助区长办理本区自治事务。区长就职,首要任务是划分乡镇,筹组乡镇公所。是年6月,自治区公所裁撤,成立县地方自治协会。

---

① 中共安徽省委党史工作委员会编:《安徽现代革命史资料长编》(第一卷),安徽人民出版社1986年版,第410页。

1932年，合肥县撤销县地方自治协会，将原10个区改设10个自卫区公所。区公所设区长1人、区员2人。区长由县长遴选行政督察专员加委。区长秉承县长之命，负责办理地方自卫事宜，宣达法令，调查报告本区情况，监督指挥保甲人员执行职务。1935年，自卫区公所改为区行政公署。是年，合肥县政府遵照省府颁布的《各县分区设署办法施行细则》，将县辖10个区改划为6个行政区，称第一、二、三、四、五、六区。原自卫公所撤销。区署设正、副区长各1人、指导员2人、事务员1人、录事2人。区长秉承县长之命掌管区内保安、调查户口、训练民众、指导合作、清丈土地及农村水利建设、卫生、公安、交通、经济、财务等一切与管、教、养、卫有关之政务。① 1931年，合肥划定326个乡、136个镇，并各自成立自治乡、镇公所。乡镇各设乡、镇长，副乡、镇长。乡镇之下设邻、闾。5户为邻，5邻为闾。乡、镇自治事项分委办和自治两类。委办事项由县政府交办；自治事项包括户籍调查登记、基本教育和社会教育、卫生保健、交通、水利、农林牧渔、手工业及小手工业、财政捐税及粮食储备调节、地方自卫、公产、公益慈善事业及民中调解等。

1932年秋，合肥县政府遵照《安徽省编查保甲户口暂行办法》，撤销自治乡、镇公所，各保直接隶属区公所（署）。

1933年，因区辖保数过多，不便领导，故在区与保之间增设联保，并设联保办公处。合肥全县10个区，组成201个联保，共辖2151个保。1935年，联保并为137个；1937年，又并为80个。各联保设联保主任、书记各1人，保丁2人。联保主任地位与保长相同。

1939年1月，合肥县府遵照《安徽省战时施政纲领》，撤销联保办公处，建立92个乡公所、13个镇公所。翌年，增设22个乡公所，确立乡、镇公所为基层政权。乡、镇公所设正副乡、镇长、助理员各1人。

1941年初，合肥始行新县制。规定乡、镇公所设正、副乡、镇长各

---

① 1939年，新桂系在安徽实行"新政"，改编区、乡镇、保甲，确立乡、镇为县下一级政权。区署改为县政府督导机关。

1人,下设民政、警卫、经济、文化4股,各设主任1人、干事2人。

1927年,鉴于合肥毗邻京畿,地势冲要,人口稠密,工商业繁盛,省府决定设立特别警察组织,即特种公安局。合肥县警察署改为公安局,直属省警务处。局内设秘书、督察两室及总务、行政、司法股。外部设警备队、侦缉队、巡逻队、临时卫生消防队。下设三河、梁园、长临河3个公安分局。1931年,为"剿共"所需,将警备队改为警察队,系武装警察队伍,编制200人。1932年6月,安徽省政府第七次会议决定整顿各县警察机关,裁局为科。合肥为全省重要县,继续保留公安局建制,编制240名。1937年初,根据国民政府通令,合肥县公安局改称合肥警察局,内设总务、行政、司法、侦缉股,还编练了警察队,直到1938年合肥沦陷。

第二节　合肥财政体制与经济社会

一、合肥县财政体制的建立

民国建立之初,地方顽劣士绅把持财政,各地财政紊乱,各自为政。[①]为统一各地财政机关,省政府颁布了《安徽省各县地方财政管理处暂行章程》。1930年合肥县地方财政机关改为地方财政管理处,设主任1人,处员2人,雇员3人。主任由县长就合格人员中遴选3人,呈请财政厅核定1人充任,为无给职,仅酌支兵马及办公费。1931年仍改为财政局,内设2科,并设监察委员会,委员5人,为无给

[①] 清末,为了配合清政府的"新政"举措,各地掀起了兴办教育、实业、警察等地方事务的热潮,教育局(所)、实业局(所)等应运而生。以往县公益事业,大多由地方人士捐资兴办,但县地方兴办新政的收支数额较大,为了有效管理地方事务的收支,各地财政局(所)纷纷自发成立。

职。1933年3月24日,县财务委员会成立。财政厅通令,各县财务委员会成立以后,原有之县地方财政局及监察委员会即行撤销。此时的财务委员会是给薪的。① 委员中除担任委员长、主任及住居县城者外,其余的按路程远近、日期多寡,酌给必要旅费,其数目由县长核定,在办公费内支用。

1934年12月底,为了集中县政府权力与责任、充实县政府组织、增进县政府效率,南京行营颁布了《剿匪省份各县政府裁局改科办法大纲》,将县地方各局统一至县政府的管理监督之下,更是将财政局并入县政府财政科。安徽各县根据自身情况执行了大纲内容。合肥当时仍旧设立财务委员会,但此时的财务委员会已由原来的"凡县有之教育、团防、自治、慈善各款以及其他一切县有之公款公产均属之,原设之公款收支及公产管理之机关概由财务委员会接发"②的地方财政实体,转变为"专任审核县地方岁入岁出预算机关"③。财务委员会的大部分职能被并入县政府财政科。

清末至北洋政府时期的县地方"四局"(财政局、教育局、公安局、建设局)是独立于县政府以外的自治机关,其利用本地财力办理国家行政范围之外的地方公共事务。

"四局"具有自治性质,并具有以下几个方面的特点:首先,"四局"的建立和运作始终处于县署之外。其次,"四局"的职权仅限于处理清末新政后出现的地方事务,而对于向来由县署执掌的国家统一行政毫不介入。例如在财政税收方面,属于国家"正供"的田赋、杂税仍由县公署征收,具有自治性质的财政局只负责征收各种正税下的附加税、地方公产公款等。再次,"四局"首长是以"绅"的身份担任地方公职,既非国家官员,也非(州)县官员的掾属。第四,"四局"自身

---

① 朱兴良:《合肥县财政之收入支出及财务行政论》,《二十世纪三十年代国情调查报告》,210册,凤凰出版社2012年版,第43页。

② 舒嗣芬:《合肥县财政之岁出岁入与田赋篇》,《二十世纪三十年代国情调查报告》,209册,凤凰出版社2012年版,第209—305页。

③ 安徽省政府秘书处编:《安徽政务月刊》1936年第20期,第186页。

的办公经费以及它们所经理的地方事务之所需经费,国家财政一概不予负担。从民国时期合肥县财政机关的演变趋势中,可以窥探国民政府对"四局"的态度明确,即将地方"自治"的各局纳入"官治"的轨道上来。

合肥县地方财政机关被纳入"官治"范畴的具体过程是,第一,成立之日起就借用庙宇、祠堂、书院、社学等地方公共场所独立办公的财政局,发展到财务委员会,经历了国民政府的"裁局改科",最终县政府财政科吸纳了财务委员会的大部分职能,负责办理各县应征之省县正附税捐。这是国民政府集中事权,将地方财政纳入国家财政系统的重要体现。第二,财政机关人员的薪资已经从以前的"无"发展到"有",同时也增加了适量的办公经费。这在一定程度上说明合肥县地方财政机关逐渐脱离"自治"性质。

以上情形不仅仅是县地方财政由"自治"走向"官治"的表现,而事实上国民政府如此做法有很强的现实考虑,在国民政府《剿匪区内整理各县地方财政之要旨》中有集中体现。要旨中明确了整理地方财政的目的:1.统一各项公款机关。"现有县地方公款机关大抵由县地方团体任意计置,不同一县境内不相统属,即一区一乡之内亦皆人自为政,机关歧出、百窦丛生几成为普遍之现象",整理地方财政可改变从前各机关散漫无稽的弊病,使各项公款机关归于统一。

2.矫正自收自支旧习。"从前县地方公款大抵由地方自收自支,其所收入固不遵守政府之规章,其所发出亦不经过正当之审核,遂致无论个人或机关团体,皆可自由筹款、自由付款",土豪劣绅更是操纵把持财政机关,以此自图私利,因此急需消除此种积习,使法令成为公款收支的依据。

3.厉行预算决算制度。"无预算则收支适合无由决定,无决算则收支是否正当亦无自知。故整理财政必从预算决算制度始,从前地方收支各公款大抵仅有随时记载之账簿,或并账簿而无之,此地方争讼之所由多,而民众不满之所由起也,是必厉行预算决算制度以纠正之"。

4.提高地方行政效率。"从前县地方之各项公款由收支各机关自行收付,从未全部通筹预为计议,其收入是否苛细或重复,其支出之是否必妥或可省,乱不堪莫可穷结,遂令民众之负担不能,政务之效能为比例的增进而地方公款之虚耗于无益之事者亦随,无从详尽",所以欲提高政务效能,必须集中其收支,使之有计划有程序而后可。①

孙中山倡导实行地方自治,作为民主共和国的基础。民国以来,大小军阀为巩固地盘、维护其既得利益,以实行总理遗教的口号实行地方自治。国民政府统治时期,继续推行地方自治,但当时在县及以下的区公所所推行的地方自治,多为土豪劣绅把持,"所聘财务委员会委员,亦多系地方之豪强,不与县长摩擦者,即与县长狼狈为奸,不特不能监督县地方财政,反为地方之害"②。一些县政改革专家认为,只有让政府来指导人民、训练人民、不断提高政府的行政效率,才能实现地方自治。因此,具有自治性质的县地方各局所不断被纳入国家行政系统。

国民政府为了提高行政效率、集中力量对付所谓"赤匪"(即中共),而将县地方财政机关归并入县政府财政科。为了加强对基层社会的控制,采取"剿匪区"内"裁局改科"与"分区设署""合署办公"等举措。

财政主要包括收入和支出两项。民国时期合肥地方财政的收入以各项附加税为主,其中更以田赋附加为大宗。从收入税种的结构看,税收以田赋附加为主,税种单一,缺乏弹性;经济成分单一,以农业为主,工商业不发达;收入结构也在缓慢变化,例如屠宰税的不断增长。

财政支出范围及经费分布方面显示,民国时期合肥财政支出结构不合理,占据大部分支出的是行政费和警察保安费。

---

① 舒嗣芬:《合肥县财政之岁出岁入与田赋篇》,第350—352页。
② 安徽省财政厅编:《安徽财政史料选编》,安徽省财政厅1992年版,第42页。

财政支出与地方事业建设关系密切,地方事业包括教育文化、经济建设、卫生治疗和福利救济。

民国时期,合肥县财政机关更迭频繁,这主要是由当时的社会现实决定的。财政机关的沿革,反映了政府为统一财政机关做出的努力,勾勒出政府的政治趋向,客观上促进了县地方财政机关运行的近代化步伐。

在地方财政方面,国民政府及省政府将西方的财政制度设计引进来,所颁布的法律法规皆全面、细致、合理,却最终未能真正实施,如时人记载"原或有剿匪区内整理财政章程可遵循,倘实际未能照行十分之一二"[①]。

合肥县财政机关的变化,是国民政府为统一县地方财政机关、提高行政效率、加强基层社会控制的过程。[②]

二、合肥经济社会的发展

合肥境内农业、水产、畜牧资源丰富,适宜稻、麦、棉、油料、菜、瓜、果、麻等多种作物的种植和猪、禽、渔业的发展。清雍正和乾隆年间(1723—1795 年),合肥地区农业有较大发展,但自清光绪十年(1884 年)起,由于清政府鼓动农民广种鸦片,合肥耕地"十居其一","地瘠粮减"现象严重。近代经历了太平天国、北洋军阀、北伐战争等多次战火,合肥人口锐减,耕地荒芜,农业凋敝。至 20 世纪 30 年代,"合肥县土地面积 18888 平方公里,人口 127.4 万,耕地 47.4 万亩,粮食总产 1.83 亿斤,人均占有粮 143.6 斤"。据 1947 年安徽田赋粮食管理处统计,合肥县产稻 2099368 市石,占粮食总产 27.6%;产杂粮(大、小麦)5502587 市石,占粮食总产的 72.4%。合肥地区以产杂粮

---

① 舒嗣芬:《合肥县财政之岁出岁入与田赋篇》,第 104 页。
② 至 40 年代初实行新县制时,由于处于非常的抗战时期,合肥县的财政体制与财政管理皆有进一步的变化。参见黄昊、武菁:《抗战时期安徽新县制改革研究》,《安徽史学》2012 年第 3 期,第 103—113 页。

为主。

合肥是安徽古今著名的商埠,早在战国时期,是马、牛、羊、皮革、铜器等大宗商品的集散地。隋唐时期,有丝绢、绸缎、花纱、竹席、茶、麻、糟鱼、酒器、铁器、腊制品等多种物品从这里输出。宋代,合肥城内设有官办的贩运铁、盐、茶等货物的"贸易榷场"。明代,金斗河沿岸货肆林立,商贾喧阗,绸庄、布店、酒楼、茶馆鳞次栉比。明清时期,在合肥市场上经销的商品,除有省内盛产的棉、麻、竹、木、畜、禽、鱼、皮革、茶叶、国漆、蚕丝、山珍、山货、舒席、宣纸、徽墨、歙砚、小五金、工艺品、扎花布、绫绸缎等货物外,还有省外输入的苏杭丝绸、金陵棉布、宜兴紫砂器、景德镇陶瓷、山东海货、西北皮裘、东北人参、云南白药、台湾食糖、粤闽杂货等。

近代合肥仅次于芜湖、安庆、蚌埠,成为皖中一座消费城市。合肥的东门大街(今淮河路东段)、后大街(今安庆路)和北门大街(今宿州路北段)成了繁华的商业街。在这些地方,杂货店、鞋帽行、绸庄、布店、裁缝铺、酱园店、刀剪店、饭店、酒楼、糕饼坊、纸行、成衣店、估衣行、线店、家具行、香店、皮张店、古董店、茶叶行、奢坊、糟坊、黄烟铺、麻行、绳行、画像室、裱画店、钱庄、当铺等与市民生活休戚相关的店堂应有尽有。这一时期,坝上街粮、油、棉、布专业市场、木滩街竹木专业市场人声鼎沸;官盐巷(今庐江路西段)、南油坊巷(今红星路西段)、北油坊巷(今寿春路东段)、马场巷(今七桂塘市场内)因市而得名;双岗、二里街、二道河处的牛行、猪行、羊行、禽蛋行购销两旺;卫衙大关(今霍邱路及其东北场地)因是江湖艺人卖艺的场所,故茶馆、酒楼、杂货店、鲜果摊、炒货坊的生意特别红火。

咸丰年间,清兵借镇压太平军之机明征暗窃,曾致使合肥多数商家破产,商品奇缺。光绪年间,合肥商业市场一度复苏。这一时期,东门大街、后大街、北门大街、坝上街、木滩街和三牌楼(今长江路与九狮街接壤处)、四牌楼(今长江路与宿州路交叉口)、范巷口(今安庆路与徽州路交叉口)、三孝口、西门一带的店坊生意兴隆,英、德、意、日、法、荷、美等国商人(或代理人)纷至沓来。大部分外商一方面收购农、副、土特产品,一方面以高价兜售日用工业品。他们中有的与达官显贵串通勾结,有的与市霸沆瀣一气,甚至贩卖鸦片牟取暴利。

光绪三十一年(1905年),合肥布业率先成立布业公所。不久,合肥县商会成立。县商会实行会长制,一方面维护商人的利益,一方面替县府向商人催征税费。

民国时期,合肥许多商店采取前店后坊的经营方式,边制作、边销售产品。在同行激烈的竞争中,"张顺兴号"生产的麻饼、烘糕、寸金、白切和"镕昌号"生产的方片糕,成为远近闻名的"合肥名点"。工商并举的"洪远记"号,受"洋货"启迪生产毛巾、丝光袜等产品迅速发迹,后在上海、芜湖、安庆设庄,还在许多县设立了分销处。1927年,合肥县商会改组,由会长制改成委员制,设18个同业公会。入会商店400余户,加上商贩和自产自销户,从业人员约5000人。

这一时期,因天灾人祸不断,合肥商业市场逐渐衰落。

1938年日军侵占合肥时,资本较大的商人纷纷携资离城逃难,县商会活动中断,商业一落千丈。日伪当局为掠夺资源开设了20余家洋行,实行"物资统配",垄断经营;民营商店多数成了经营小吃、烟酒和针头线脑的"夫妻店"。抗战胜利后,逃难商人陆续回归,县商会活动恢复,同业公会增至28个,商贸经营逐步恢复。但战后社会购买力仍然低下,一些当时的高档商品如自行车、手表、呢绒、绸缎、化妆品、山珍海味等,一般民众无力购买。

综观民国之际合肥经济发展状况,以下数种行业起着不可忽视的作用。

——手工织布业

合肥及周边地区盛产棉花,布业生意兴隆。咸丰年间,合肥坝上街、崇德街(今长淮电影院东)一带成了土布(手工织的布)集散市场。该市场日上市土布700匹左右,部分品种还被销往淮南、淮北及邻省。光绪年间,"洋纱""洋布"和国内机制针纺织品纷纷涌入合肥市场,城内较大的绸布店有朱恒泰、恒丰泰、庆丰等。

1927年,合肥布业公会有会员78家,资金约占县城18个同业公会资本总和的20％。自民国十八年（1929年）起，大批廉价日货流入合肥，引起商业危机，40多家布店衰落，有的甚至倒闭。后经"抵制日货"，布业有所复苏。1935年，合肥布业年销棉布（含土布）80多万匹，棉纱1万多件。1938年日军侵占合肥后，日伪当局对棉纱、棉布实行限额配给，在前大街（今长江路）设立裕华洋行掠夺棉、布资源，民营布店几乎全部被迫停业。抗战胜利后，县城有经营棉布的坐商近百家，仅东门一条街就有批零兼营的布店30家。

以上商品的购销——

民国以前，合肥的棉布行大都采用坐店收购的进货方式，由城乡机户常年送货上门。店家按每匹布的重量议价收购，其中大行除采取现货现款成交外，有的还用以纱易布、付料加工等方式进行交易。"洋布""洋纱"输入后，批发商开始到省外购货。

民国年间，刘寿康、鸿义发、中孚等较大的批发布庄在上海设办庄了解市场信息，办理购货业务。华康布庄采取勤进快销的方式，曾用1.2万元的资金一年做了15万元的营业额。

棉布业销售情况是，合肥布业行店大多采用现款现货方式将货批给商贩销售，有的还办理棉纱换布业务。

民国时期，合肥布业大户主营棉布，兼营丝绸呢绒。他们采用门市零售、内庄批发办法，将货物供给本地及邻县市场。中户主营棉布零售，兼营少量批发。因为各店家均采用现货现款方式或先货后款方式交易，所以赊欠货款者很少。抗战胜利后，合肥纱市被少数大商户操纵。在通货膨胀压力下，各行业均以棉纱代货币作筹码，导致社会存纱量较多。纱商趁机垄断市场，杀价购进，高价抛出。

——五金交电业

民国初年，上海、广州等大城市及英、德等国生产的斧、凿、刨刀、锯条、钢丝钳、电工刀、铁丝、圆钉等五金交电商品陆续流入合肥。这些货品价格较高，销售量不大。合肥市场经销的五金商品多系所在地及毗邻地区生产的手工产品，品种有斧、凿、锤、锹、锄、铲、锁、锯条、刨刀、钉吊、门铰、菜刀、剪刀、胡桃钳、枣核钉等数十种。1938——

1945年合肥沦陷时,日伪当局常常强行摊派百姓"出卖"所谓废旧金属,致使不少手工业者因原材料匮乏而歇业,造成市场中的五金商品奇缺。

抗战胜利后,合肥居民对五金交电商品的需求甚少,绝大多数居民因无力承付电灯安装费和电费,所以购买交电商品者更是寥寥无几。1948年,合肥市场专营五金交电品的商店有恒兴、惠昌、永鑫源3家,从业人员共13名,经营品种约300个。

——石油业

清同治年间,合肥市有几户南北杂货商号开始经销、代销进口的炼油(俗你"洋油"或"火油")。光绪年间,美孚、亚细亚、德士古石油垄断组织在芜湖设立分理机构,合肥市场经销、代销煤油的商号增至10余家。1937年,合肥专营、兼营煤油的商号达40余家,其中批发商号有德孚、福记、鸿义发3家。鸿义发商号有资金约40万元(法币,下同),雇工约70人,主要经销"美孚"煤油。德孚商号有资金约20万元(法币),雇工近50人,主要经销"德士古"煤油。

——化工原料业

早在清代,合肥就有了经营国漆(含虫胶)和植物染色素(俗称"靛")的商店。这一时期,国漆由手工业者开设的油漆作坊兼营,植物染色素由"汉坊"(洗染店)兼营。这种经营形式一直延续到民国初。

民国年间,"洋靛"(染料)、"洋漆"(油漆)输入合肥市场。最早的颜料店是洪远记,较大的是上海天泰颜料店在合肥开设的德和分店。民国二十七年(1938年),合肥颜料批发店有6家,资金达6.1万块银圆。因为合肥地区盛产棉布,所以颜料店生意十分兴隆。"洋漆"进入合肥市场后,因其不如国漆牢,且容易变色,所以销量甚微。至抗日战争前,合肥城无"洋漆"专营商店。日军侵占合肥期间,合肥城内除偶有商人贩运一星半点颜料外,原来经营颜料和油漆的商店全部停业。抗战胜利后,由于内战频起,导致民族工商业发展滞缓。至1948年,合肥专营颜料的商店只有仁丰、公兴、三泰3家,从业人员

19名;油漆由油漆作坊兼营。

以上商品的购销——

1921—1938年,合肥经营化工商品的商号日渐增多。市场既有德、美、英、法、日、荷、意等国家输入的化工商品,也有国产的化工商品,品种达100余种。其中购进的进口货有"狮马"靛、"牛头"靛、"单B字"牌硫化青、"狮牌"黑靛、"天官"红、"吹箫"蓝、"打虎"青、"孔雀"吊灰等。国产油漆以"帆船"牌居多,"飞虎"和"长城"次之,"双峰"和"永尧"较少。碱粉以"永利"牌的市场占有量为最多。日军侵占合肥期间,日伪洋行将化工商品配售给各商号。主要品种有"虎牌"靛青、"单B字"牌硫化青、硫化碱、青漆等10多种。抗战胜利后,合肥县化工商品市场无明显起色。

——糕糖烟酒业

民国初年,刘东泰、柏义泰、镕昌隆、庆和、刘宏兴、张顺兴等较大的杂货店(坊),展开了以销售糕点为中心的竞争,促使糕点质量迅速提高,品种不断增加。至1921年前后,合肥产的麻饼、烘糕、寸金、白切、方片糕等精细糕点已享誉大江南北。日军侵占合肥期间,日伪洋行垄断糕、糖、烟、酒商品批发业务,民营店铺只能接受其配给的货品零售。抗战胜利后,糕、糖、烟、酒店(坊)复业速度最快。其中鸿义发商号与英商颐中烟草公司挂钩,挂出合肥分销处的招牌,分别在上海设立德康烟行,在南京设立天成号,在蚌埠设立天和号,在重庆设立渝兴号,在芜湖设立鸿义兴号;新浮商号成了高尔富牌卷烟的专营店。其他主营糕、糖商品的较大商号有:张顺兴、镕昌隆、庆和、元大等。①

以上商品的购销——

民国前期,名烟、名酒、奶食品、糖果、蜜饯和汽水等商品走俏,杂货店预购、赊购、信购等方式频频出现,有的杂货店从本地作坊进货

---

① 1949年10月,国营合肥酒专宣告成立,并对酒类商品实行专卖。1950年,国营市百货公司直属营业部接收了皖北贸易总公司合肥办事处,同时也接收了其包括食糖、卷烟批发在内的业务。

往往只需打声招呼。日军侵占合肥期间,杂货店多以现货现钱交易方式从日伪洋行及作坊进货。直到抗战胜利后,才恢复了原有的进货渠道和购货方式。

近代合肥县经营糖、糕、烟、酒4类商品的杂货店多以现金现货方式交易,对官僚富户却以上折子或送货上门方式服务。糖坊主营麦芽糖,允许消费者先尝后买或用谷物换购产品。主要品种有:糖饼、糖稀、糖杠、糖果、欢团、芝麻糖、花生糖、糯米糖等十多种。一些民间艺人从糖坊批购若干糖稀做原料,捏制糖人、糖虎、糖龙、糖猴、糖老鼠等糖食沿街叫卖。糕饼坊的主要产品有:月饼、绿豆糕、金钱酥、麻饼、桃酥芝麻球(俗称麻雀蛋)、炸果、糖糕等二十多种。外包装多选用福、禄、寿图案,散装糕点皆用纸包装,油腻大的还用荷叶作衬,外加一小张红纸以示吉祥。黄烟铺生产的上等黄烟丝(俗称皮丝烟)形如青丝,色如赤金,味香带甜,油光透亮。糟坊多以自产自销方式经营白酒(俗称烧酒)。兑货分经销、代销、后一次兑货结前一次货款等方式;有些糟坊还以销酒数额提成方式雇佣劳力推销。

民国年间,经营"洋烟"的商家率先推出有奖销售方式,有的黄烟铺开始用木制卷烟机自制卷烟销售。一些糕饼坊生产的麻饼原料考究,刀工精细,甜而不腻,畅销不衰。

——肉食蛋禽业

民国之前,合肥市场肉类蛋禽业所占的份额很少。其中,经销肉食品的屠户时多时少,禽蛋行往往旺季增员、淡季减员或歇业。

1937年,培林、班达、茂昌、协和、恒记、华昌等8家商号组建了合(肥)舒(城)庐(江)及三河镇蛋业同业公会(该会事务所设在三河镇南岸新街),从事禽蛋收购运销业务。是年,合肥县共输出牛皮2万张,鹅、鸭毛1.6万担,猪75万担,禽蛋10担。1948年,合肥约有屠宰商50家,家禽商15家。除此,上海、天津、青岛、宁波等地的商人也来到合肥设茂昌、和记、协昌、大生等商行收购鲜蛋,商人吴成光等还组成了蛋业联合公收处。采取统价统购、按比率分配蛋品给各商行的办法,既避免了抢货源,又稳定了市场鲜蛋价格。

以上商品的购销——

民国时期,合肥屠商多采取走乡串户以"卸货还山"(卖完肉再付清本金)的方式收购牲畜。每逢旺季,来自郊县的农民、小贩营运家禽、禽蛋者络绎不绝,各商行多采取坐地收购或派员至产地设点收购的方式购进货物。因为农民普遍持有"养猪不赚钱、回头看看田,养鸡不赚钱、买个油和盐"的观点,甘愿低价(甚至亏本)售猪售禽,因此外地包括上海、天津、青岛等口岸城市的商人也纷至沓来购货。

民国时期,合肥县从事批发业务的商行,将收购的畜、禽、蛋等物按各自开辟的流通渠道运销至芜湖、南京、上海、青岛、天津等口岸城市,就地销售或转销国外。从事零售业务的屠户多在菜市场或街头巷尾设立肉案,将猪、牛、羊肉钩挂于一人多高的肉架上,任消费者指点选购。零售禽、蛋者大都没有固定的营业地点,如果在菜市场卖不完,则转至居民区流动叫卖。市场上注水肉、病畜肉、老母猪肉屡见不鲜;禽嗉塞杂,以坏充好,令消费者叫苦不迭。日军侵占合肥期间,禽、蛋批发市场转移至县辖三河镇,零售市场迁至北门双岗、西门二里街、东门二道桥等处,经营肉、禽、蛋的洋行主要为日伪军政人员服务。抗战胜利后,物价逐日暴涨,肉、禽、蛋零售商漫天要价,耍秤、注水、塞嗉等坑害消费者现象比比皆是。

1927年,合肥酱园业同业公会成立,并加入县商会。1935年,合肥城有19家酱园、55名从业人员。民国二十五年(1936年),流入合肥的外地蔬菜渐多,特别是位于大东门的几家瓜菜杂货行生意看好。合肥沦陷期间,农民挑菜上市者为数甚少。日本黑田洋行兼营酱油、干鱼等副食品。抗战胜利后,10余家酱园店复业,年产黄豆酱所需原料在210担上下,有时也从镇江、扬州、无锡购进酱油、香醋等调味品销售;豆腐坊年产豆制品用黄豆量40余万斤;蔬菜由杏花村、苗圃菜地菜农提供。

——新鲜蔬菜购销

民国年间,合肥市场上的新鲜蔬菜多由当地菜农和附近农民提供。应时上市的鲜菜品种有:白菜、乌菜、芥菜、菠菜、辣椒、黄瓜、豆角、茄子、冬瓜、韭菜、芹菜、瓠子、萝卜、莴笋、葱、蒜、雪里蕻、藕、茭白、扁豆、刀豆、荸荠等,还有舒城的蒜头、六安的姜芋(生姜)和皖西(南)的竹笋。淮南铁路通车后,沿线农民和商贩将当地生产的藕、萝卜、红辣椒、冬瓜、荸荠、姜芋、蒜头等运到合肥,有的还通过瓜菜杂货行运销至南京、上海等大城市。仅东鼓楼巷、范巷口菜市就有蔬菜摊位130多个。

——酱腌菜调味品购销

民国时期,酱坊经营的品种逐渐增多,专业生产趋势明显。地产蚕豆酱、黄豆酱、豌豆酱、麦麸酱(甜酱)、辣椒酱、米醋等色味俱佳,其中以黄豆酱销量最大。酱面筋、酱生姜、酱童子瓜(即乳黄瓜)、酱佛手萝卜、腌韭菜、腌雪里蕻、腌辣椒、糖醋蒜头、五香蒜苗、红(青)方腐乳的质量,亦属上乘。外来品种以安庆蚕豆酱、镇江陈醋、扬州酱菜等名牌货居多;来自山区的香菇、木耳、黄花菜、笋干等很受民众喜爱。有一些居民常年自制酱腌菜,自食有余者还上市叫卖。日军占领合肥期间,酱园店只经营一些"大路货",特色酱腌菜难得一见。直到新中国成立前夕,市场上精细酱腌菜品种仍然很少。

——豆制品购销

民国年间,合肥市场经销的以豆类为原料制作的菜类食品有豆腐、豆脑、千张、白干、酱油干、臭干、兰花干、蒲包干、绿(豇)豆饼、绿(豇)豆粉丝、粉炸皮(条)、豆腐皮、腐竹、红腐乳(俗称红方)、臭腐乳(俗称青方)、糟腐乳、绿豆芽、黄豆芽、油炸豆腐果、素火腿、素鸡等。这些豆制品多由本地豆制品作坊、酱坊及四乡农民制作上市,有的还批售或赊给商贩零售。

——盐业购销

民国初年,当局在大通设皖岸榷运局。票商在办理手续后,仍从水路运原盐入合肥。1915年,全国盐运改制,统一按8担(每担100斤)为1引计数。1921年以后,因淝河河道淤塞日益严重,盐商们只得从浦口、蚌埠、临淮关等地用肩挑马驮的方式将盐运入合肥。1937年,合肥、舒城一带从事食盐经营的商号有18家、63名从业人员。

日军侵占合肥期间，为控制原盐流入非沦陷区，日商"通源公司"独揽了食盐运销。抗战胜利后，国民政府颁布的《盐专卖条例》规定，盐商可在政府指定的销区内自由地做买卖。一时间，合肥崇德街、后大街、前大街、三孝口、十字街、北门街一带的盐店纷纷开张，在菜市设摊或肩挑沿街叫卖的盐贩亦应时出现。

民国年间，津浦铁路全线通车后，合肥盐商从蚌埠购进淮盐，经陆路运销合肥集散。日军侵占合肥时期，日伪当局对食盐实行垄断，常派出汽车从蚌埠进盐，然后由军警押运至合肥配售给居民，并规定有违禁将食盐运往解放区或国统区者，以"通敌治罪"。1947年，合肥县执行《盐政新法》，准许盐商在其运销区内自由进行交易。

——饮食服务业

民国年间，全城有饮食服务门点百余个。其中规模较大的酒楼有聚星和、佛照楼；设备较全的旅社有庆云楼、童心忆、长安；名气较佳的照相馆有留真、天云楼、容真；设施方便的浴池有飞凤、新生、裕德；技艺较高的理发店有大上海、新生、天天美、红玫瑰、大光明、曼华、曼胜；名气较响的洗染店有祥发益、大昌盛。另外，还有一些修理钟表、钢笔、瓷器、铁锅的匠铺，服务门类比较齐全。日军占领合肥期间，除日商开设的几家料理店和理发店外，其余店家多数歇业。抗战胜利后，多数店家陆续复业，新开店家亦有不少。至1948年，全城饮食服务门点达708户，其中饮食店540户，旅社45户，水炉39户，理发19户，洗染26户，照相23户，浴池16户。具体经营状况如下：

饮食——

民国时期，合肥早点的主要品种有：油条、狮子头、锅巴、糍糕、粑粑、煎油饼、油香、蛤蟆酥、春卷、生煎饺（包）、蒸饺（包）、大馍和与之配套的豆浆、豆脑、稀饭等二十多个品种。茶馆多属于早点店类型，所卖的点心质量较高；较大的茶馆设有雅座，供政客、商贾等富户专用。大众化饭菜馆多设于交通要道口，通常有红烧肉及卤菜等数种菜肴和大馍、包子、面条、米饭等主食供应。小吃店、夜宵店多设于商业闹市区，主营品种有水饺、小刀面、元宵、锅贴饺、生煎包、甜食及各式卤菜,兼营白酒和色酒。摊贩们经营的有汤圆、绿豆圆、豆糊、油炸臭干、卤鸡蛋等十多个品种,有的还用野鸡、野鸭、野兔、麻雀等制成的野味吸引顾客。

酒家(酒楼)以承办宴席为主,供应炒、熘、扒、烧各式菜肴,用料十分考究。其中五簋八碟宴有用山珍作头菜的高档宴席,也有用海味作头菜的普通宴席。此席上的22道菜点分4个冷碟,4个热菜,5个簋(或海碗)菜,6个烧菜,1只全鸡(或仔猪),2道点心;价格相当于4—5担熟米的价值。四海六中席共上10道菜:4个海碗菜,6个中碗菜。四盘一锅席共上5道菜:4个围盘菜,1个火锅。大小饭店皆实行"响堂"服务,并配有足够应付生意的"跑堂"为顾客服务。有的饭店还应顾客要求送菜肴上门,或派厨师登门做菜。

旅店——

民国时期,合肥县城各旅社不仅为旅客提供住宿场所,还为旅客提供存放车、轿场所,并代喂骡、马。较大的旅店设有会客室、议事厅,有的还兼营饮食或代旅客买早点、订饭菜业务。小旅店接待经济拮据的旅客,帮助旅客租被打地铺。这一时期,旅店系藏污纳垢场所,住店旅客中吸毒嫖娼者不少,故良家妇女除非不得已,不然是不住旅店的。旅店服务人员(时称店小二)地位低下,如遇地痞、劣绅骚扰或是强人住店,稍有不周即遭打骂。

理发——

1921年前后,待招开店从事理发业者渐多。增设的服务项目有:搽油、捶背、捶腿、拿酸筋、吹风(用白铁制成筒炉吹风器)、烫发(用发钳加热烫发)等。服务得到顾客满意的待招,除收取理发费外,还可收到小费。这一时期,男士流行的发型有"二分头""葫芦头";女士所理发型多系分头(俗称"二道毛"),少数理"东洋头"。1941年,天美美理发店购置了一张铁制靠背理发椅。1946年前后,较大的理发店开始为顾客提供电烫、电吹风服务,但收费很高。

照相——

民国初,合肥城始有照相馆。此时照相馆设备简陋,照台房顶用油布（后改为玻璃）遮盖，遇阴雨天摄影采光得撒镁光粉（增光剂）。1921年前后，每逢端午、中秋、春节期间，有的照相馆还派技师携照相机至四乡集镇为民众照相。这一时期，照"全家福"者较多，生活照、分身迭影照及洗印、放大服务很受民众欢迎。1931年前后，因手携式照相机已进入富裕人家，照相馆便增加代冲胶卷、代印照片等服务项目。1945年，照相馆始用座式固定相机并采用电光配合照相，有的还增设了照片着色业务。

洗染——

清代，合肥城"汉坊"（即洗染店）开办的业务有代客染布、染纱、染衣物、洗皮裘、洗绸缎等。有的染匠用独轮车载着炉灶及染锅，走街串巷为居民染衣物。

民国年间，多数"汉坊"增设了代客修补绸缎、皮裘、毛料衣物等服务项目。一部分"机坊"（纺织作坊）委托"汉坊"染纱、染布，成了洗染店的老主顾。

浴池——

民国初，合肥开始有男士公众浴池。浴池设大池供浴客共用，服务项目有擦背、捶背、修脚、擦脚、刺血、挖鸡眼、代客买吃食、擦皮鞋等。后来，浴池分雅座和大场座。雅座客房配木制躺椅、搭脚凳、茶几、茶具、拖鞋、浴巾、火盆等物件，服务特别周到；大场座客房只配长条木板凳，多用雅座间淘汰下来的毛巾和木拖鞋。

水炉——

清末，合肥城部分居民于街头巷尾门面房内砌炉灶（俗称老虎灶），烧开水出售。

民国前期，合肥经济比较繁荣，居民考究饮茶。为适应这一行情，水炉店多从护城河取水烧开水供应，原因是这种开水无陈味，宜泡茶。有的水炉店还将老虎灶中的锅改换成吊锅，并以干牛粪为燃料，民间传说用此法烧开的水沏茶更香。合肥沦陷时，只有茶馆赌场及人口密集区才有水炉店。1948年，合肥城有水炉店27家。

——粮油

合肥是江淮地区重要的粮油集散地,素有"皖中粮仓"之称。清末民初,年均产稻米50万石,麦10万石,菜油1000余石;邻县在此集散的稻米约100万石。这些稻米除供合肥居民食用及仓储外,大多数被商人运销至芜湖、无锡等城市。设在东门坝上街的裕发、德丰、鸿昌3家米行,各家年购米、面、杂粮4—6万石,销后获利颇丰。1935年,合肥有私营粮行10家,砻坊30家,碾米厂3家,年输出大米130万石,麦18万石,食油8万石。坝上街是合肥最大的粮食交易市场。

1938年日军侵占合肥后,粮行老板携资逃难,日军四处抢粮以应军需。是年,日伪当局垄断粮食,对居民口粮实行配售。配售之粮常常粗杂霉变,民众苦不堪言。抗战胜利后,加入县粮食商业同业公会的粮行、油坊近50家,其中裕发、德丰、鸿昌等粮行和阜民油厂、王太和油坊的规模较大。

粮油的具体收购——

民国初,粮商、米贩用"买青苗"的办法盘剥农民,他们预定粮价进行粮食预买,价格一般只有市价的一半或稍多一点。抗战前夕,合肥坝上街有专门介绍农民卖粮的"晓市行"。农民挑米,由"晓市行"介绍至米行或砻坊。资金雄厚的行店,除代客收米麦稻并收取购价3%的佣金外,还以大斗进、小斗出的方式,每石又可多得3%左右。资本不充裕的小行,除靠收取卖客3%的佣金外,还在量米的地方挖一个窠宕,将漏入窠宕之米占为己有。一些专从农村购粮的米贩子,则以压级压价、克扣斤两、掺糠兑假牟利。合肥沦陷时,粮食由日伪统制。日伪政权利用"保甲制"举办田亩登记,采用"就田问户、就户问田"的方式征收田赋;利用开设"洋行",发行"储备券",强收强购米麦稻等农产品。

1944年,国民政府借"抗战"之名,以"保障军粮"为由,进一步扩大田赋征收数额,当年合肥县的田粮征收数为60452石。抗战胜利后,政府加紧筹备粮草,合肥农民在被征收一份田赋后,还要被借征田赋数量1/3的粮食。

1945年,合肥县配购军粮数为12万石,并被限于2月内缴齐。合肥人民无法忍受如此重负,遂推派代表与全县22个县的代表同赴南京,吁请政府停购军粮。1947年,合肥及周围地区发生水、蝗灾害,115万人口倍受饥寒。县府为筹备军粮20万大包(每包200市斤),发动保甲长挨户催征,并调派武装士兵协助强征,以致因办军粮"民众被逼死者日有所闻"。在此情况下,市场粮源匮乏,粮价猛涨,民众恐慌争购粮食。

粮油的具体销售——

民国初年,合肥县多数粮油商取利有度,大行小店恪守其经营之道。1931—1932年,合肥县因连遭灾害而粮食歉收,粮商采取高价进、高价出的方式买卖粮食。1934年,合肥县旱灾较重,粮商从外地运粮油来合肥销售,把市价抬得很高,时有饥民死于街头。县政府为稳定社会秩序,曾采取限价销售粮油的措施,并对违者予以处罚。

合肥沦陷期间,粮行老板纷纷携资逃难,其库存余粮被日军掠夺并派兵看守。日伪当局封锁粮食贩运渠道,对粮食实行统配,规定由"洋行"为居民配售粮食。其配售之粮,多属劣质或霉变货。1944年,合肥地区发生旱灾,粮源匮乏,《新皖日报》报道:"四乡农民户绝盖藏,食菜粥秕糠,哀鸿遍野,饿殍载道,饥寒之惨状,使人目不忍视。"

1946年,当局强购硬派军粮,粮商乘机囤积居奇。翌年5月1—7日,合肥掀起居民抢购粮食风潮。18日,沈鸿昌、沈大生、信和丰3家粮行联手雇木船103艘,装粮1000石,由县保安队武装护卫外运。当粮船驶至桑树湾附近时,近千名饥民蜂拥上船抢粮。保安队随即开枪弹压,致民众亡3人、伤6人,还有4人被拘捕。

——对外经济贸易

合肥自晚清时期作为皖中农副土特产集散地,已有货物经巢湖水运达长江各口岸城市出口。

自1921年,英商曾在合肥设立"英商和记蛋品公司",低价收购禽蛋,运往南京"记洋行"加工冷藏,销往欧洲市场。据不完全统计,

1921—1938年,英商和记蛋品公司在合肥收购的禽蛋达1.4亿市斤。合肥沦陷后,日商在合肥设立洋行,低价收购牛皮、棉花、米、麦等进行经济掠夺。有的商人替外商零星收购杂皮、猪鬃、羽毛、肠衣、茶叶等,利用内地的廉价劳力加工拣选、打包成件,运往南京、上海、芜湖等地转口外销,换回纱、布、糖、煤油、纸张等日用品,从中牟利。

具体出口商品收购——

民国初,外国商人(或代理商)多在合肥地区收购农副产品,然后转运至芜湖、大通、上海等口岸加工出口。1921—1933年,英商韦恩典兄弟在合肥设立和记蛋品公司收购禽蛋,运往南京和记洋行加工、冷冻,继而运往英国及欧洲市场。其年均收购量1100万市斤左右。合肥沦陷期间,日本商人在合肥设立洋行,一方面倾销日货,推销鸦片;另一方面抑价收购皮张、棉花、大米、小麦、羽毛、茶叶等物品供应军需,或运回日本。抗战胜利后,因受内战影响,在合肥的出口贸易收购活动时续时停。数年中,合肥城内仅有上海永盛皮毛号合肥分庄和本地几家私营皮毛店收购羽毛和皮张,年收购鹅毛、鸭毛200担。

——各类税收

1928年,第一次全国财政会议决定,实行中央和省两级财政体制,但因县为省财政附属,没有明确收入款项,以致各种附加和杂捐不断出现,造成县财政的混乱。民国二十年(1931年)裁撤厘金,使此项在合肥征收长达70余年的恶税终于结束。裁厘前后,为了抵补厘金收入,合肥开征了棉税和营业税,后又开征了土酒定额税和土烟特税。1934年,第二次全国财政会议确定县为自治单位,将田赋附加及印花税的三成、营业税的三成、房捐和屠宰税及其他许可的税捐等,划为县级财政收入。

抗日战争爆发后,合肥县城于1938年5月沦陷,县政府迁西乡南分路口鸽子笼镇(今属肥西县)。国家税务机构撤离省境。从1938年5月至1945年8月,合肥日伪政权用税收形式和各种苛杂摊派进行疯狂掠夺,连小独轮车每月也征车捐1元,农民出售鸡、鸭、鹅,每只也要征牲畜营业税。

抗战胜利后，国民政府为发动和扩大内战需要，不断增加税种，提高税率，苛杂摊派层出不穷。安徽连续大幅度提高烟酒税率，实行营业税代征50%的保安经费，开征类似厘金的出口粮食自卫特捐。其他苛杂更是变本加厉，税收变成赤裸裸的搜刮。

土药税的征收——

1927年12月，国民政府规定至1928年止，所有鸦片烟类药品，一律按其价值的50%征税；1929年，税率改为100%；次年提高为200%。1932年5月，禁征鸦片捐税。

棉税的征收——

1930年，合肥设查验所（属巢县棉税局领导）负责棉税稽查任务。皮花每担征税0.32元，子花每担征税0.12元。

邮包税的征收——

1928年5月，合肥设立邮包税分局，开征邮包税。邮包税专征邮寄属厘金征收范围的商品，故又称包裹厘金，按厘金税率征收。此税开征后，对厘金局、卡难以检查的贵重物品及奢侈品，如人参、燕窝、麝香、银耳、珠玉、钻石、金银等税源的管理较为有效。

烟酒税的征收——

1926年4月，安徽省长公署通令整顿烟酒税收，合肥县支栈改组为烟酒事务分局。此后，合肥的烟酒公卖费及税、捐统由分局征收。当年，合肥分局烟酒税比额（核定应征税额）为28135元（银圆，下同）。烟酒税从量计征：烟叶每百斤出产税0.8元，落地税0.64元；烟筋每百斤出产税0.1元，落地税0.08元；黄烟每百斤出产税1.28元，落地税1元，上等皮丝烟每10包出产税0.3元，落地税0.18元；下等皮丝烟每10包出产税0.1元，落地税0.08元；绍兴酒每百斤出产税0.8元，落地税0.64元；高粱酒每百斤出产税1.2元，落地税0.96元；玫瑰酒（金波、虎骨、五加皮等）每瓶出产税1分2厘，落地税8厘；土酒每百斤出产税0.64元。

1933年7月，苏、浙、皖、豫、鄂、赣、闽7省试办土烟特税及土酒定额税,原征公卖费及烟酒税捐废止。土烟特税系专就土产烟叶征收。规定未经完税的烟叶,不得抽出烟筋计量。土烟每净重100市斤征收4.15元,于产烟地或起运区域一次征足,此后行销七省概不重征。土酒定额税,包括省内土酒及外省运来销售的土酒,每百市斤应征税额:烧酒、汾酒、各种药酒、色露酒3元,绍酒2.3元,土烧酒、小曲米烧、麦烧酒2元。

合肥县城沦陷时,烟酒税曾一度停征。1939年2月,安徽烟酒各税由财政厅接管代征。按财政部规定:土烟叶、土酒每百斤税额由4元(法币、下同)减为2.7元。1940年,由合肥县代征的中央烟酒税款总计:土烟叶税8749元,土烟丝税4348元,土酒定额税7581元,合计20678元。

土烟特税和土酒定额税,至1941年合肥实施《国产烟酒类税暂行条例》时,方废止。

第三节 教育改革与教育财政

一、教育部学制变动

1929年3月,国民党第三次全国代表大会正式通过了三民主义教育宗旨:"中华民国之教育,根据三民主义,以充实人民生活,扶植社会生存,发展国民生计,延续民族生命为目的,务期民族独立,民权普遍,民生发展,以促进世界大同。"[1]

1930年9月教育部颁布《三民主义教育实施原则》[2],以更好地

---

[1] 蔡鸿源:《民国法规集成》第58册,黄山书社1999年版,第33页。
[2] 《民国法规集成》第58册,第36页。

贯彻三民主义宗旨。根据三民主义教育宗旨,确立国民教育实施方针,提出教育要以养成独立生活之技能与增加生产之能力为中心,要求各地中小学校结合实际情况,使大多不能继续升学的学生有生活自立的能力,并且"养成学生的牺牲精神,服从团体精神,以及道德,智识体力,技能各方面之相当发展"①,推行新学制②。

二、安徽省教育普及

根据壬戌学制对于义务教育实施的规定,安徽省开始大范围普及义务教育。1932年12月,安徽省教育厅结合本省实际公布《安徽省短期义务教育实施计划》③,主要内容有:省实验区内短期义务教育由教育厅办理,其余各县由县长督同教育局及地方办学人员办理。省实验区,怀宁、休宁、阜阳、芜湖、凤阳、合肥6县各设一个;各县应择适宜地点各设2—4个实验区。省实验区推行3年,县实验区推行4年,其他各区为5年。各区至规定年限以后,凡区内因义务教育未普及而有年长失学儿童,应有受短期义务教育的机会。招收学生,应按照比例,优先招收年龄最大的失学儿童。

安徽教育发展,各区域发展不均衡。就初等教育投入经费而言,岁入经费在5万元以上的有泗县、盱眙、阜阳、宿县、寿县、凤阳、合肥、桐城、无为、歙县等10县。以桐城县最多,为101000元,嘉山县仅5216元,两者相差巨大,其原因包括两地面积大小、经济水平差

---

① 程天放:《三民主义与小学教育》,《安徽教育行政周刊》1929年第2卷第23期,第7页。
② 在教学实践中,壬子癸丑学制暴露出弊端,即学习周期过长,不适合刚起步的民国教育。自1915年后,教育界呼声改革学制,教育部于1922年9月通过了《学制系统改革案》,即"壬戌学制"。该学制最大的特点是采用"六三三制",将小学学习年限缩短一年,便于普及小学义务教育。中学教育从4年一贯制改成初级中学3年,高级中学3年,比过去延长了2年。
③ 《安徽省短期义务教育实施计划》,《安徽教育行政旬刊》1933年第1卷第1期,第4—6页。

异、文化环境诸因素。教育经费充足的10县,无论学校数、学生数、教职员数均高于其他县。呈现区域性发展的原因,在于各县的经济水平等多种差异。"一地方的经济状况,如土地之肥瘠,年成之丰歉,民生之难易,社会状况,如交通之便利与否,风气之开通与否,习尚之优良与否,政治状况,如县长之负责与否,物质建设之多寡,土匪势力之盛衰……都足以作教育进步之助力或阻力"。[①]

三、合肥县地方财政与教育行政

(一)地方财政系统

1927—1934年,合肥县财政依附于省,地方事业之税源基本固定,但纷繁复杂,并不统一。用合肥县的财政系统来概括事宜,它包括:财务委员会、教育局保管委员会、女子职业学校保管委员会、民众教育保管委员会、中和图书馆保管委员会,而后四者又可以归结为教育款产保管委员会。1935年安徽省令各县裁局改科,教育局被并入县政府第三科,教育经费由县政府第二科财政科统一经理。

1933年3月24日,遵照整理县地方财政章程,成立县财务委员会。章程中规定"县有之教育、团防、自治、慈善各款以及其他一切县有之公款公产均属之",另规定了财务委员会的组织。当时合肥被划为一等县,财务委员会的委员数是11人。11人中,"除当然委员外,其余委员由县长选聘各法团及城乡各区之公正廉洁负有声望者充任",财务委员会还设有审核组(负责办理文书、稽查预决算事项)和出纳组(办理收入、支出及保管事项)。[②] 5月间,财政厅通令各县财务委员会成立以后,原有之县地方财

---

① 《皖北十县教育鸟瞰》,《安徽教育》第1卷第5期,第2页。
② 舒嗣芬:《合肥县财政之岁出岁入与田赋篇》,第350—352页。

政局及监察委员会即行撤销。

1934年12月底,为了集中县政府权力与责任、充实县政府组织、增进县政府效率,南京行营颁布了《剿匪省份各县政府裁局改科办法大纲》,将县地方各局统一至县政府的管理监督之下,更是将财政局并入县政府财政科。安徽各县根据自身情况执行了大纲内容。合肥当时仍旧设立财务委员会,但此时的财务委员会已由原来的地方财政实体,转变为"专任审核县地方岁入岁出预算机关"。财务委员会的大部分职能被并入县政府财政科。

"合肥县地方财政至今(1933年)未能统一,大部分收支由财务委员会管理,教育款产由教育局管理"[①],即为教育款产,也有多个保管委员会,造成合肥县教育经费不统一。

1927年春,合肥县设立民众教育馆,下设款产保管委员会,以及中和图书馆款产保管委员会。各校及各社会教育机关设立的款产保管会,延续了传统的教育专款经营模式,以其应得之教育经费办理本校本机关之事业,具有一定的针对性,但其不利于教育行政机关的财政权统一,与当时国家政府职能不断扩大、教育由分散到统一管理的发展趋势不相适应。1935年,安徽响应南京行营《剿匪省份各县政府裁局改科办法大纲》指令,通令各县裁局改科。"各县政府部分等次,一律设置三科"[②],第一科掌民政,第二科掌财政,第三科掌教育建设。教育经费由县政府第二科财政科统一管理。

(二)合肥县教育行政机构及其财政职能

1928年,安徽教育机构实行停顿改组。整顿后的县教育局基本沿用旧制,唯指导员改为督学,局长改由省教育厅直接任免,并提高局长待遇。1927—1937年,合肥县的教育行政机构为教育局,教育局设局长、县督学、科长、科员、事务员、区教育委员等,其职责为,推行

---

① 冯有辰:《合肥县地方概况及财务状况》,《二十世纪三十年代国情调查报告》211册,凤凰出版社2012年版,第477页。

② 《安徽政务月刊》1935年第10期,第229页。

全县教育,普及全县文化,清理或筹划全县教育经费,并依照法令管理、保障、分配教育经费。

教育局长主持全县地方教育,关乎一县教育的兴废,是教育行政机构的灵魂人物。以往教育局长由县长推举合格人员3人,呈厅选任。1929年,安徽省仿照江苏等省办法,实行教育局长考试,"凡资格相合者均可应试,将来局长有缺额时即可以应试及格人员充任",这一加强局长考核的办法,一方面改变了以往由县长推举的具有较大局限的局长任职办法,扩大了局长的选拔范围;另一方面,也使"局长易得适当人才,地方教育亦有整顿发展之望"①。由此,合肥县的地方教育也渐有起色。县教育局长另外一项重要的职责就是筹划县教育经费,编造县教育经费预算决算,发放教育经费。县教育经费委员会协同教育局长管理及稽核教育经费。②

县督学对全县教育负有指导监督之责,具体职责有:定期视察全县学校教学及管训编制各方法,改进教学实施计划,必要时,调阅各区学校及其他教育机关各项簿册,并审查内部经济状况,将视察报告,改进计划等呈教育局呈县呈厅。③

这一时期(1927—1937年),合肥县教育行政发展,具有独立性、统一性、专业化、学术化的趋势:1."以前认教育为民政事业之一种,后虽设有专管机关,但是仍不能脱掉政治的羁绊,到了现在,极力发展独立化的精神"。2."最近教费统一,政令统一,全取集权主义"。就拿本省来讲,政令统一后,"县立中学也要受县教育局的指挥""以经费讲,自去年清理以后,至少名义上是统一了"。3."教育行政人员,本应为专门人才,以前无论政客劣绅都可滥竽充数,尽其把持操纵之能事"。现在有很大转变,就本省来说"不但规程上规定得很严,

---

① 《安徽省教育厅训令第三三一号》,《安徽教育行政周刊》1929年第2卷第8期,第5—6页。
② 《军政旬刊》,《安徽省县政府教育局组织规程》1934年第26期,第2162页。
③ 《安徽县督学任事成绩考察标准》,《安徽教育行政周刊》1928年第1卷第34期,第1页。

即是这次考试教育局长,投考的资格、限制亦很严,即是大学专门学校毕业,必有三年以上之教育经验方准与试",加强了教育行政人员的专业素质。4."以前教育行政机关办事例行公事,不讲学术,结果变成官僚化。现在教育行政人员应负研究和指导责任,故有教育机关学术化之口号"。①

1935年,教育局与原建设科一起被并入县政府第三科。合肥县教育行政机构历经北洋政府时期直至国民政府统治时期,其教育财政制度不断发展和完善,由具有自治性质的劝学所到政府职能部门的第三科,政府成为推动地方教育发展的主要力量。国家政权向基层渗透,教育行政人员专业化和教育筹款模式规范化相结合,地方教育财政制度也日趋科层化和制度化。这一时期,县教育财政管理制度逐步成熟,为以后教育财政的发展与完善奠定良好的基础。

(三)合肥县教育财政与教育概况

县级教育经费来源及教育经费的分布在一定程度上影响县教育规模和发展。1927—1937年,合肥县的教育经费在来源上多元化,在分布上呈现不均衡性,合肥县的教育水平在省内与其他县相比,处于相对落后的地位。

1.教育经费的筹措

1927—1937年,县教育职能逐渐扩大,教育需求也不断增多,教育经费筹措日益艰巨。

1927年12月,蔡元培提出《教育经费独立案》,通过颁布法令的方式来保障中央教育经费的专款专用。实际上,在很大程度上,地方教育经费并未做到专款专用。为了进一步确保教育经费不被挪用,1931年5月,行政院颁布由教育部制定的《地方教育经费保障办法》14条,作为全国统一遵守之法令,其对教育经费的用途做了硬性规定,并出台了惩戒破坏这一规定的条款,对经事教育经费的个人、保

---

① 杨月生:《县地方教育行政问题》,《教育行政周刊》1929年第2卷第21期,第6页。

管会和教育行政机关等给予了行为上的约束。①

安徽省教育专款的筹集更是困难重重。《第一次中国教育年鉴》中有论及,"安徽教育经费,向不独立,初由省库地方税项下拨给"。1928年1月27日,各界巩固教育基金大会更是举行了游行示威,并宣读请愿书,"安徽教育处于军阀及帝国主义者两重压迫之下,经费困难,毫无生气,自民国十年有教育经费独立之运动,牺牲流血,既已震耀国人。而历年之奔走呼号,亦复声嘶力竭,几经奋斗,始有定捲烟特税为教育专款之定案。去岁中央明令,改特税为统税,收归国有,后经安徽教育界,之竭力请求,财政部始允按月划拨岁收三成为安徽教育经费,不足之数,则由地方税收弥补"。② 中央既已将安徽久经定案之教育专款提归国有,则中央不能不为安徽教育妥筹补救之法。在各界人士的努力下,合肥县的教育经费来源有如下几项:学产租息、附加税、物产捐、省款补助、学费。其中省款补助和学费基本包含在下文各表格中的"其他来源"一项中。

1931年合肥县教育经费各项来源:③

(一)学产租息:包括田地租息和房地租息。田地租息洋二万三千三百元,即历来之学租、文庙租,每年由教育局自行收理;房地租息洋一千九百元。

(二)附加税

1.田赋附加,即民元年(1912)县议会议决,每正银一两,县地方附加四角,县教育费占十三分之四。又十七年(1928)经财政厅核准,照省正税,每亩税率附加义务教育费百分之十。1931年田赋附加洋一万六千元。

2.串票附加,即民国七年(1918)经省核准,田赋每号串票加收铜

---

① 张元隆:《民国教育经费制度论述》,《安徽史学》1996年第4期,第65—68页。
② 《风雨飘摇中之皖省教育经费问题》,《安徽教育行政周刊》1928年第1卷第1期,第21页。
③ 舒嗣芬:《合肥县财政之岁出岁入与田赋篇》,第41—42页。

元三枚,十七年(1928)经财政厅核准,改征洋三分,此款项皆由田赋经征处带征,由教局派员监督征收。1931年串票附加洋三千两百一十七元。

3.契税附加,即民九年(1920)呈准,照契税附加百分之一,典契减半,十七年呈准,印契加赠一成,合前数共百分之二,典契百分之一,派员在县府契税处监征。1931年契税附加洋四千元。

4.牙税附加,民国十七年(1928)呈准成立,初时比额洋一千零二十元,现改招商承办,已增至一千五百二十元。1931年牙税附加洋一千五百二十元。

5.屠宰税附加,民国十一年(1922)呈准成立,初收入甚微,十八年(1929)改投标法,即增至四千余元。1931年屠宰税附加洋四千五百九十二元。

6.牲畜税附加,民国十一年(1922)呈准成立,初收甚微,十七年改用投标招商包办法,始征有起色。1931年牲畜税附加洋九百六十元。

(三)物产捐

1.蛋捐,民国十一年(1922)由教育局发起,邀集士绅组织蛋行,每元抽鸡蛋两枚,以补助教育经费,初办收入甚少,十七年(1928)改投标招商包办始有起色。1931年蛋捐洋四千三百元。

2.米捐,此捐初由城区小学校于城东西南北各门来行内抽收,以补校费,自学款统一,始集教局经理,现改投标招商包办。1931年米捐洋一百四十五元。

3.棉皮捐,洋二十一元。

4.药捐洋八十元。民国八年(1919)肥东白衣庵自愿缴纳捐款,当时收数以钱计算,年捐钱百余串,现改洋八十元。

5.其他来源洋两千元,又打增一万六千八百元。

民国二十年至二十二年(1931—1933年)合肥县教育经费来源一览表:[①]

单位:元

项目	学产租息		附加税					物产捐				其他来源	总计
	田地租息	房地租息	田赋附加	屠宰税附加	契税附加	串票附加	牙税附加	牲畜税附加	蛋捐	米捐	药捐	棉皮捐		
二十年	23300	1900	16000	4592	4000	3217	1520	960	4300	150	80	21		60040
二十一年	6664	1427	15811	5500	4000	3200	1600		2000	155	80	21	12646	53104
二十二年	21888	1525	21894	6000	10000	3600	1400		1300	185	100	21	25782	93695

上表提示,1932年合肥县的总教育经费较少。这主要与当时的天灾人祸有关,如1931年的洪涝灾害,以及内战大军过境,需要大量物质供应,教育经费筹措困难。

另外,在学产租息中,以田地租息为主,其在1931年、1932年、1933年分别为23300元、6664元、21888元,分别占总教育经费的38.81％、12.55％和23.36％。在各种附加税中,以田赋附加为大宗。田赋附加经费在1931年、1932年、1933年分别为16000元、15811元、21894元,各占总教育经费的26.65％、29.77％和23.37％。总教育经费中,在学产租息、附加税和物产捐中,以附加税在3年中所占比重最大,学产租息退而求其次,改变了传统的以学产租息和地方士绅捐赠为主的教育经费筹集模式,各种附加税包括物捐税的开辟,增加了教育所需经费,为教育普及与发展提供了一定程度上的物质保障。

附加税在教育中发挥重要作用,但另一方面,附加税具有临时的性质,是附属于正税的一项权宜之计,因此不能作为独立的经费来源。总体上,由于经费渠道的多样性,合肥县教育经费的来源基本

---

① 舒嗣芬:《合肥县财政之岁出岁入与田赋篇》,第41—42页。

稳定。

2.教育经费的配置

安徽省县级教育经费主要分配于学校教育、社会教育、教育行政和临时项目。

1934年安徽各县教育经费岁出分配比例：

项目	经费数（元）	百分比（%）
学校教育	1278017	53.04
社会教育	172767	7.17
教育行政	226027	9.38
其他	155776	6.46
临时费	576967	23.95
合计	2409554	100

资料来源：谢国兴：《中国现代化的区域研究——安徽省》，台北中央研究院近代史研究所，1991年第557页。

从1934年安徽各县教育岁出经费统计中可以看出，县各项教育经费支出中，学校教育经费支出所占比例最大，达53.04%，其次为临时性支出（23.95%），再次为教育行政支出（9.38%），最后为社会教育支出（7.17%），其他支出（6.46%）。如上表所示，安徽各县教育经费支出主要用于学校教育一项中。

由于近代安徽各县经济发展水平不同，各县教育经费支出的总数与项目比例有所不同。

安徽省各县教育经费差距很大且分布呈橄榄形。教育经费最低的是嘉山县，仅7598元，最高的是寿县，高达102290元，相差近14倍。教育经费7000至2万的县有14个，在2万到5万的县有30个，5万以上的县有17个，这样就形成了中间大两头小的橄榄形教育经费分布状况。各县教育经费分布不均匀，主要与各县规模大小，经济发展水平和地方当局对教育的重视程度有关。如阜阳、合肥、寿县是当时安徽面积较大的几个县，且人口众多，因此教育经费较其他地方相对富足一些。宣城、舒城等县则是地方当局较致力于教育事业的发展。祁门、旌德、黟县等则是地区较小且经济发展水平有限而致教育经费投入较低。

各县教育行政费用(即教育局/科经费)在所有项目中的分配比例较高。61县中,有42县都出现了教育行政费用多于社会教育费用的情况,有些县份大大高出社会教育支出。

其他费用和临时费用也占了相当比例。如阜阳的其他和临时两费用占总教育经费的15%,合肥县的这一比例在16%,太湖的这一比例在35%,其他费用和临时费用在一定程度上占用了用于学校教育和社会教育的经费,影响到教育经费的使用效率。

3. 教育经费的分布

为厘清合肥县教育经费支出渠道分布及各支出部分所占比例,下面以1933年合肥教育经费分配情形为例,说明教育经费的用途与分布情况。

1927—1937年合肥县的教育经费支出主要包括:学校教育、社会教育、教育行政及其他支出。在此期间,合肥县教育经费支出主要用于学校教育,其次是教育行政临时性岁出等。

1933年合肥县教育经费分配情形

项目	学校教育	社会教育	教育行政费	临时岁出
经费	40680	5540	7368	28330
百分比(%)	49.66	6.76	9.00	34.58

上表所示,合肥县的教育经费也主要用于学校教育,其中教育行政费高于社会教育经费,1933年的教育临时岁出占据教育经费的相当比例。与安徽省各县教育经费支出配比所体现出的普遍性相比,合肥县各部分教育经费分配也有其独有的表现。

(1)学校教育经费

合肥县的学校教育经费主要用于中等学校教育、初等学校教育、义务教育和补助私立学校。1933年合肥县有省立中学两所,分别为省立第六中学及第六女子中学,其教育经费由省款开支。县立有女子职业学校 1 所（中等学校教育），完全小学 8 所（初等学校教育），义务初级小学 20 所（义务教育经费），其教育经费由县地方开支。另外，合肥县有 11 所私立学校需要补助。具体情形如下：

单位：元

项目	中等学校教育	初等学校教育	义务教育经费	补助私立学校	总计
经费	10264	12592	14464	3000	40680
百分比	25.23	30.95	35.56	7.37	100

注：城乡学校教育经费都包括在内

上表中，在所有学校教育中，义务教育经费所占比重最大，这与国民政府大力推行和倡导普及义务教育，提高国民素质有关，同时也反映了国家政策在合肥县得到了有力的响应。义务教育经费与初等教育经费加起来占据总学校教育经费的 60%～70%，合肥地方教育承担了大部分的基础教育职责。另外，补助私立学校的经费比例为 7.37%。

（2）社会教育经费

1933 年合肥县社会教育经费洋 5540 元，此经费分配于中和图书馆、民众教育馆、民众阅报室、民众学校四处。[①]

（3）教育行政费与其他各项用费

教育行政费洋 4960 元，主要是教育局经费。

其他各项费用

单位：元

女职教产保管委员会经费	教育经费保管委员会经费	学产经理人员薪资	田赋附加督征薪资	契税附加督征薪资	各项津贴	总计
1212	20	480	240	240	216	2408

---

① 临时政府在南京就设立了教育部作为中央的教育行政机关，蔡元培为教育总长，竭力提倡社会教育。并在草拟教育部官制时，特设社会教育司，与普通教育司、专门教育司并立。

根据其他各项费用的性质,如果将教育行政费和其他各项用费合并为教育行政费,二者共计7368元。

合肥县与安徽其他各县教育经费分布相同,教育经费主要用于学校教育、社会教育。

4.合肥县教育概况

1927—1937年,南京国民政府十年建设时期,各地教育事业迅速发展起来。由于政治、经济发展水平的不同,各地教育的发展程度也有所不同。教育财政支持下的合肥县教育事业与安徽省其他县教育相比较,则呈现出不甚发达的状况。[①]"民国十八年(1929年)春,学校渐次恢复,惟校舍、设备一时颇难完全恢复旧观,仅能勉强维持日常教学。此时县城有公、私办小学26所,其中省立1所,县立6所,城立17所,公立1所,私立1所;县立与城立小学中有女子小学。县城在校小学生1000余人,其中女生328人。教职工百余名"。[②] 1929年,桐城全县有小学140所,其中高小21所(县立8所、区立7所、私立6所),有高级班25个,学生556人;初级班27个,学生661人;初级国民学校52所(县立13所、区立25所、私立14所)58班,学生1591人;义务小学63所67班,学生1701人;县立女子小学4所16班,学生365人。[③] "至1938年,歙县全县学校稳定在100余所,学生4000余人。1939年至1949年,为躲避战争,外地学校纷纷迁入歙县,加之一些旅外人士回乡恢复、兴办一些学校,全县小学校由128所增至215所,学生由4915人增至16310人"。[④]

以上所引资料显示,1929年合肥县的整体教育水平远远低于桐城县和歙县。

1929年5月中旬,督学程宗潮视察合肥教育,对合肥教育提出批

---

① 合肥市政协文史资料研究委员会编:《安徽文史资料全书(合肥卷)》,安徽人民出版社2005年版,第494页。
② 《合肥市志》,第2571页。
③ 桐城县地方志编纂委员会编:《桐城县志》,黄山书社1995年版,第660页。
④ 歙县地方志编纂委员会编:《歙县志》,第21编(教育),中华书局1995年版,第865页。

评,认为"该县设学虽多,而成绩毫无"。要求合肥教育"自应彻底改造,以资补救"。从其督查后的合肥县教育改造方案中,或可了解1929年合肥县地方教育的基本情形。

程督学就合肥教育症结提出指导性的改革意见:

第一,合肥县教育经费多未统一,如城立一高二高年收木厘捐,三河小学年收米捐,改造之方为各校直接征收款项应详细调查,移归教育局接管。另外,文庙学产,中和局学产,亦应由教育局接受管理。并将各项经费,切实整顿,剔除中饱,以裕收入。各校去秋旧欠一万余元,亦应由教育局商承县政府拟具清理办法,限期偿还,以清手续……

第二,中等教育设县立女子初级中学(或县立女子职业学校),男子初级中学各一所。县立女子初中,应就合肥公立女子中学改组之。合肥公立女子中学,成立于1923年春,1924年春增设小学,1927年周校长视事,切实整顿,成绩为各校冠。唯查该校基金,全属庐阳书院县有学产,应改归县立,于学制系统,方为适合。董事会自有改组之必要……

第三,小学教育城区设中心小学两所,完全小学两所,初级小学六所。合肥县城区小学原有小学二十三所,岁支经费洋一万三千余元,视察所及,则以一校兼两校者有之,如成立第三高小内进即为第六国民,即现有二十二校中,利用民房有十二校之多,大抵均私人设学,向教育局支领经费。内除第十国民学校,原系私塾,应即取消不计外依照各校所填视察表二十一校,共计学生三十九班九百三十人,视察时,各校出席学生总数,约计仅七百余人,而此二十一校中,仍多私塾性质,及临时向私塾雇借学生者,扣实学生数,至多不过六百人,以六百学生为岁糜一万三千元,每生岁占经费当在二十元左右,实为不经济之尤。教师薪金,则二十一校视察表所载,一百一人中,除三十三人未填,八人不支薪,县立第二完全小学待遇较优(最多月薪三十元),成绩亦较好外,其余则最多者,年薪不过百四十元,最少者仅二十元,平均约在五六十元左右,经费一有不符教育局,即一律加以七折,教员生计,既无保障,安期进步。改革之道,首宜集中经费,设立规模宏大之学校,因择适当地点,议立中学小学两所,以资揩规……

第四,乡区分八学区,每区设完全小学一所,初级小学三所,合肥乡区小学,共计六十一校,岁支经费洋二万二千余元,设学地点,则东二镇区多至十校,而北一镇区南七乡区,西南二镇区,西南三镇区,均无一小学,即各校内容,亦多空挂校牌,或形同私塾者,应由县督学切实视察,严加取缔,就视察结果,将区城分配村落大小,交通状况,校舍设备,通盘筹划,拟具全部设学计划,将原有学校,分别裁兵,以节虚糜……

第五,社会教育机关设县立通俗教育馆一所。合肥社会教育机关,原有五所,经费达三千零四十二元,均在城内,其第一第二两通俗图书馆,均租用民房,毫无设备。儿童图书馆,附设于城立第四高小,亦极简陋,应即裁并,以节虚糜。周县长有志建设事业,拟将府文庙前隙地,及庙内广场,辟为社会教育场所,地点面积,两俱适宜,应由教育局将原有社会教育机关,分别接受,然后遴选专门人才,就该地筹设通俗教育馆一所,暂分图书讲演两部,依照预算,每年二千元当可符用……

第六,义务教育凡初级小学一律免费,并调查学龄儿童,拟具扩广计划,民众教育,应将原有民众学校,渐次推广。合肥学校教育着手之初,首在整理,整理完后,然后推广,推广计划,应由义务教育委员会就经费增筹情形,详细拟定。民众教育仅具雏形,应由民众教育委员会拟具详细计划,徐图推广,于初中及完全小学,先行附设民众学校……

改造方案中并附1929年合肥县城、乡校区、社会教育机关一览表,反映1929年合肥县教育概况。

合肥县城区学校一览表(1929年5月)

校名	班数	学生数	经费预算数(元)	经费实支数(元)	备注
县立第一完全小学	停	84	1614		
县立第二完全小学	4	84	19255	1348	
城立第一高小	2	40	685	480	
城立第二高小	2	46	520	364	
城立第三高小	2	51	520	364	租用民房
城立第四高小	2	76	520	364	女中校产借用为校舍
县立第一女子高小	5	106	1425	998	
县立第二女子高小	2	39	800	560	
公立小学校	2	48	520	364	
县立义务高小	2	56	660	462	
模范义务高小	2	42	520	364	租民房
城立第三国民	1	33	120	84	租民房
城立第四国民	1	21	240	168	租民房
城立第五国民	1	23	240	168	
城立第七国民	2	45	330	231	租民房
城立第八国民	1	32	240	168	租民房
城立第十一国民	1	23	240	168	租民房
城立第一女子高小		79	625	438	租民房
城立第二女子国民	3	27	300	210	
城立第三女子国民	1	25	300	210	租民房
城立第四女子国民	1	26	300	210	租民房
城立第五女子国民	1	46	300	210	租民房
城立第十国民			120	84	租民房
合计	39	968	13064	8017	

合肥县乡区学校一览表(1929年5月)

区别	校数	预算经费(元)	实支经费(元)	备注
东一镇	3	1090	763	内补助私立学校一
东二镇	10	3940	2488	
东二乡	4	1060	742	
东南六镇	1	200	140	
东北一镇	2	760	532	
东北二镇	5	3120	1484	
东北三镇	8	2410	1687	
东北四镇	1	120	84	
东北五镇	3	1000	700	
西南三镇	1	240	168	
西附郭	1	520	364	
西一镇	5	1260	886	
西二镇	1	520	364	
西北镇	9	2820	1974	
北二乡	8	2980	2086	
其他	4	1440	1008	
合计	61	22480	16806	

附注：该县乡区学校尤极紊乱，有学校地点教育局无从稽核者，是表系教育局交来以备考察。

合肥县社会教育机关一览表(1929年5月)

名称	所在地	预算经费(元)	年支经费(元)	备注
县立第一通俗图书馆	小东门	632	632	租民房
县立第一通俗图书馆	前街湾巷口	650	650	租民房
通俗讲演所	暂设教育局内	800	800	
通俗教育报	仓圣庙	720	720	附设义务高小内
儿童图书馆	中街屠公祠内	240	240	附设城立四高内
合计		3042	3042	

资料来源：《安徽教育行政周刊》1929年第2卷第20期，第30—34页。

这一时期的教育专款,一定程度上受制于急剧变革的社会环境。这一时期的教育专款制度是迫于外部压力而形成的一种自我保护措施,因而它需要独立的制度保障。这种教育专款制度一定程度上保障了教育经费来源可靠和经费支出不被挪移,但教育专款也存在一定的弊端。中央整顿税制,受到地方专款的种种限制,如"二十四年(1935年)各省废除苛捐杂税,减轻田赋附加,均受地方专款阻碍,尤以教育专款为最甚"。[①] 专款在一定程度上成为地方官员不配合中央整顿税务的借口。尽管如此,教育专款制度利仍大于弊。民国时期的教育专款制度一方面是承袭清制,使经费来源经常可靠,一方面是迫于外部压力而采取的一种自我保护措施,它有效地制止了各种形式的侵吞、占用,在一定程度上确保了教育的正常开展。

教育行政机构从清末的劝学所,到北洋国民政府时期的教育局,再到1935年的裁局改科,将教育局并入县政府第三科合署办公,政府在这一事业上逐渐占据主导地位。

随着新式教育的持续发展,教育经费的需求逐步提高。1927—1937年,县地方财政相对独立,县教育经费开辟了教育附加税,作为新的筹措渠道。"附加税有表示临时性质之意,使纳税人感觉此种负担,非如普通提高税率之为长期增加重税负,政府往往利用此种心理以减轻人民纳税负担"[②]。这样,附加税便成为人们容易接受且征税范围比较广的一个税种,而教育附加就有了全民参与的性质。尽管在某种程度上这种征税方式增加了广大人民的经济负担,但与以往教育经费来源相比,民国时期所开辟的教育附加税增加了教育的投资力度。

利用传统教育资源。县教育财政继承清朝时的各类文庙、学产等传统社会资源,并逐步将其转化为新式教育的财政来源。各种款产保管委员会的设立,也提高了教育经费的使用效率。

---

① 彭雨新:《县地方财政》,商务印书馆1945年版,第55页。
② 《县地方财政》,第86页。

开辟新的教育经费筹措渠道。普及促进教育事业的发展,教育经费必然随之增加,但教育资源仍不能适应社会需求。要解决教育资源的稀缺问题,需加强对教育经费的筹措和管理,提高教育经费的利用效率。1927—1937年合肥县教育经费很大一部分来源于附加税。附加税中包括普通附加税和义务教育附加税,而义务教育附加税中又包含田赋附加、契税附加、牙税附加等。除附加税外,物捐税、省款补助、学生学费等新的筹措渠道的开拓,亦有利于合肥县地方教育的发展。

日益完善教育经费管理制度。县级教育行政、经费管理、监督等制度的建立与完善,推动了教育财政制度的改革,逐步形成了新式教育所需要的教育经费筹措、管理与配置制度。

合肥县教育财政为地方教育的发展提供了资金支持,但仍不能满足教育发展的社会需求。近代县级教育经费多来自乡村社会,而近代中国农村日益贫困的环境,制约了教育经费的筹措、管理与配置。

庐江县小学教育。民国时期庐江盛桥镇有国立学校2所、家族小学堂7所、私塾39个。2所国立小学分别是庐江县第六完全小学、谷胜乡国民小学。

盛桥镇中心小学创办于民国初年,创始人孙业斋,地址为现在的盛桥供销社食品厂。第一任校长曾谷阳,计有6个班级,150名学生,校舍22间。1918年该校改为私立丛英学堂。1926年庐江县劝学所改为教育局,私立丛英学堂又改名为丛英小学。1928年再改为庐江县第六完全小学,校址即现在的盛桥小学。当时有教职工6名,学生103名。1932年,进步青年教师宛来光带领学生将隔壁三官庙菩萨打光,将庙改为学生宿舍,迫使三官庙选址重建。1935年,部分教师由于和校长不和,在集镇马家楼办了一个启智学社,将学校大部分学生挖走,学校被迫停课。后经政界调解,又合并到一起。1938年,由于区域变化,庐江县第六完全小学改为盛桥中心国民学校。校长由盛桥乡乡长李寿鹏兼任。

民办的家族小学堂在本镇有3家较为有名。孙氏家族小学创办于前清,校址在大明堂村,学堂内有本村文人孙维祺所作的长联。新中国成立前有6名教师,100多名学生。学堂内课桌椅子连在一起,桌面呈斜行。班级不同,学生服装也不同。

1928年,巢县组建民众教育委员会,旋即设立通俗教育馆一所。1929年,通教馆与县教育局、县立初级中学、第一小学、第一女小、民强小学、第一初小等单位共同筹备巢县教育成绩展览会。次年5月13日至15日,巢县第一届教育成绩展览会在通俗教育馆内举办,各校均有展品。通俗教育的展品有各种图书统计比较图表、照片,各种演讲词统计图表、照片,各种行政方面的比较图表、照片及个人著作。据1930年3月出版的《一年来之安徽教育》中的《巢县教育概况》称:通俗教育馆拟"内设图书馆、讲演所、阅报处、公共体育场、巡回文库及游艺室等类,尚在筹备中也"。可见通教馆建立之后,内设机构正在日益完备。1933年,改通俗教育馆为民众教育馆,馆址设在县城云雾街孔庙(当时为夫子庙小学)东隔壁,内设阅览、讲演、游艺、体育、陈列5部。馆长刘慰曾,馆员5人。馆长由县政府委任,报省教育厅加委;职员由馆长遴选,呈请县政府委任。当时施教区为一个市区、两个乡区。

1938年,因巢城沦陷,该馆一度停顿,所有书籍、陈列品皆荡然无存。翌年8月恢复,馆址迁至柘皋北乡包家坊。馆长阮贞渠(安徽省立六中高中师范科毕业),工作人员5人,3人主持馆内工作,2人轮流外出做流动工作。内设总务组,组长由馆长兼任,司文书、会计、庶务;教导组,司夜校、阅览室、体育场及出版民教半月刊、办理壁报;生计组,司职业介绍和指导,推广农业技术知识;艺术组,司各类展览、宣传和推行国歌运动,举办国民公约写读竞赛。总务组兼设弈棋室、娱乐室、台球室等。流动工作主要是专人轮流往各乡保小学实行辅导教育,借以提高民众知识及社会文化水准。当时年经费预算,紧缩后折实总数为1536元,均由县政府拨发。其中薪金占50%,事业费占40%,办公费占10%。据1933年报表统计:全县文教经费总数为

57244元,而社教经费(包括民教馆、图书馆及其他社会文化教育事业)仅4110元,占全县文教经费7.7%。

南京庐江试馆,常简称南京试馆,坐落南京市太平路和白下路的交叉路口。国民党政权建都南京后,为扩建道路,拆除试馆临街前幢房屋多间,太平路和白下路成为南京市最重要的林荫柏油大道,南京试馆与中南银行大楼,雄峙繁华路口。

1935年,庐江县政府曾派员在筑路后与承租各户签订租约。1937年12月12日,日寇攻陷南京,后来日军退休海军大佐占据试馆主要房屋大成旅馆,改营田中政吉旅馆。1945年日本投降,因大成旅馆已改称田中政吉旅馆,作为敌产,被国民党陆军司令部查封。是年10月,庐江县政府与县参议会联合派员赴南京,向该司令部交涉启封,索还产权并与原承租各户续订租约。后经多次往返,据理力争,终于迫使启封发还。当启封时,某军事单位还来争占,幸经在场宪兵制止,终于收回产权。至于其他承租各户,一致认为自1935年签订租约已逾10年,且1937年冬日军进城时,各户避乱下乡,留下看房人,已惨遭日军杀害。

早年留学日本、后曾任湖北枝江知县的清甲午科举人卢筱湘(字国华),为发展桑梓教育,和邑内士绅鲍捷三、吴子绳等合力,在庐江官立小学堂基础上创办了庐江中学堂。光绪三十一年(1905年)校舍建成,校名由当时县内知名书法家徐道周书写。"庐江中学堂"横匾高置门楼上。是年秋,庐江中学堂正式开学招生,学生30余人,桐城古文家马其昶(通伯)应邀来堂讲学。教学内容"以四书五经伦常大义为纲,以历代史鉴及中外政治、哲学(包括科学技术)为辅,开设读经、中外史学等科目"。后因政局动荡等原因,办学经费无着,遂停办。

1923年春,卢筱湘之长子卢美意(字幼仝,又字天白,江南高等学堂毕业,曾任商务印书馆编辑,北京大学、安徽大学教授,新中国成立后任江苏省政协委员),倡议并力争复校,与县当局多次交涉,收回原中学堂校舍,修葺一新。地方士绅也大力襄助,捐献钱物,购置图书、仪器,就原有庐江中学堂旧址,举办庐江县立初级中学,并呈准省教育厅立案。当年秋季招收新生 2 班 60 余人,正式将庐江中学堂改为庐江初级中学,由书法家郑临川书写碑体直行字校牌悬置校门。历年秋季均招收一年级新生一至两班。

1927 年,"四一二"和"七一五"事变后,为坚持秘密斗争,中共庐江特别支部于 8 月间建立。后张守仁(1909—1934 年,又名国华,庐江县南闸乡人,1934 年任中共合肥中心县委组织部长)从武汉农民运动讲习所回庐,在国民党县党部工作,以合法身份从事农协、学联工作,在庐江中学秘密发展胡延沐(1911—1948 年,又名昌耕,庐江县泥河人,曾任大连市委书记)、何泽洲(庐江县石头人,曾任杭州市市长)、邹先奎、卢佳林等人为中共党员,建立了党组织。1929 年春,时读初三的学生何泽洲等人在西门吊桥上打翻县长张立艮的官轿,并将官轿扔到桥下,县长张立艮狼狈脱逃。其年冬天,胡延沐等在中共庐江城区区委领导下,反对国民党党化教育,破除学校陈规陋俗,掀起了庐江县第一次学潮。校方以"违反校规,屡戒不悔,并侮辱师长"为由,牌示斥令胡延沐、张文炳、朱理琪、朱伯阳等 4 人退学。1937 年,亲日政权冀察政务委员会统辖下的天津市市长吕习恒办母亲丧事回庐,在城东住宅大楼举办丧宴,并从天津带乐队回庐送葬,丧礼极为隆重。后在县体育场烧灵,与庐江中学学生发生冲突。愤怒的学生将"灵屋"全部捣毁,并游行示威,在全城张贴"打倒汉奸吕习恒"等标语。吕大惧,连夜潜逃回天津。

巢湖地区教育发展。1930 年,安徽省督学李光烈于 5 月 1 日至 5 月 7 日对巢县(今居巢区)的教育进行了长达 7 天的视察,并形成了《视察巢县教育报告书》。从这份报告书大致可以看出那个时期巢湖教育的发展状况。

李光烈就巢湖的"地方情形"写道:"巢县居巢湖之滨,交通颇称方便;南至芜湖,有小轮,五小时可达;北至合肥,通汽车,亦需时二三小时,出产以米为大宗;巢湖出产之银鱼,在清时为贡品,极称名贵;西北两乡,接近合肥之处,种植鸦片甚多,春夏之交,放红黄白各种颜色之花;厥状至为美丽,以良田种植毒药,小民无知,固无足责;独负有守土之责者,亦竟熟视无睹,而不予以干涉;斯为可怪耳!妇女躬耕陇亩间,终岁勤劳,极为辛苦;较今之侈言解放,而游惰终日,毫无所事者,高万倍矣!"

李光烈就巢湖的"教育情形"评价说:"该县教育行政,已具有系统,教育局长郑畅初氏,虽年届六旬以外,而精神矍铄,不减英年,对教育虽无多大认识,而心怀坦白,做事热心,故颇能得全县人士之信仰。督学原系二人,本年张前督学去职后,尚未递补;故现在仅有董镇华氏一人,该氏系师范学校毕业,在学校服务,亦历有年所;故对于教育,尚有相当认识与经验。局长督学而外,事务员三人,管理会计文书庶务等事务。经费稽核委员会,业已合法组织,全县划分为九学区,各区教育委员业已产生,计一、六、八三区教育委员为陈贤钧氏;二、三、七三区教育委员为翟鸾翔氏;四、五、九三区教育委员为贾金鉴氏;义务教育委员会,民众教育委员会,亦早已组织成立。该教育经费,以田地租入为大宗,年收一万一千余元,本年度以年岁荒歉,收入为之大减,因之县教育经费,亦受绝大影响;各校经常费,既未能按月发给,且须八折动放。田地租外,各项附加捐款,及各种物产捐款,约一万八九千元,亦以岁歉,未能照预算实收云。各项附加捐款中之初中田亩附加,年收四千余元,各种物产捐款中之初中麻捐年收七八百元,系指定为初中捐款。该县初中田亩附加,由县政府代征,该校直接向县政府请领,不由教育局拨发。为统一教育局职权计,该校经费,似应教育局拨发,更为妥当。该县区私立各小学之津贴费,教育局虽定有标准;而按据实际,办理成绩不良,与办理成绩良好,同样享受津贴之学校,亦为数甚。该县教费,岁入既少,自应撙节开支,若于各校津贴,漫无标准,则非唯无以鼓励办学者之努力热心。且不啻浪费教款于虚途也。"

李光烈在7日之中认真履行视察的职责,还深入巢县县立初级中学校,并且评价道:

"该校校址,在卧牛山麓书院旧址,视察时,该校校长陈灌芜氏,适从上海购买图书仪器归,该校长曾毕业于日本明治大学政治经济科;对于校务,堪称热心,即如此次图书仪器之购置费数千元,亦系该校长鉴于该项设备之不可少,奔走宁沪间,向友人募集者;其忠诚勤恳,极为难得,应请传令嘉奖,用资鼓励。教务主任张九荪氏,系日本东京高等师范毕业,籍隶本省六安,本年因六安匪患,该主任因老亲在堂,安否未卜,故已驰赴乡里省亲;视察时,未与晤面。训育主任胡西候氏,视察时亦未在校。校务处理均取决于校务会议,教务事项有教务会议,训育事项有训育会议。以上三种会议,系定期开会——每一月开会一次。全校分中学班、补习班、职业班、女生班六班,共有学生一百四十六人,教职员二十一人。中学班分一、二年两个年级,补习班,女生班一班,职业班一班,总计全校班数,共六班。学费每生每学期,缴纳六元;膳食每学期二十元。"

教学:视察时,洪教员授二年级数学,讲解尚清晰,出席学生十七人;翟教员授一年级历史,讲授虽详,而所采用教本,全系文言。语句颇深奥,学生恐难了解,出席学生四十八人;补习班曹教员授地理,讲授偏重注入,出席学生五十人;女生班刘教员授历史,课本系文言,语句艰深,学生恐难于领悟,因之教员授课时,只偏重学生课文形式之了解,未遑顾及学生课文内容之是否明白。历史课堂,应注重历史教材之讲授,不应以历史课堂作为古文讲授也。

训育方面:该校以团体化、纪律化为训练学生目标。其实施方案,由教职员组织理事会,及训育委员会,统驭训导学生自治机关。查晚近各学校中之训育目标及实施方案,顾皆办学者用以敷衍督学之视察及来校参观人士者;以致周密之训育目标,详明之实施方案,都成具文,毫无实际,卒致学校之内,迭起风潮,教育前途.濒于危殆!凡此皆学校主管人员,及负训育责者,忽于职务,有以致之也。独该校办事人员,颇能不尚虚文,切实做去,故其成绩表现于外者,学风整饬,教室寝室之内,均甚清洁有秩序,学生彬彬有礼,毫无浮华嚣张习气;求之晚近各学校中,凡此诸端,不易得也。

设备:计有教室四所,均尚适用;学生寝室二十七间,光线充足,唯嫌空气不流通耳；自修室，以校舍不敷应用，暂假各级教室；女生班教室一所，在该校前偏右侧，另开门户，与本校隔绝，光线空气，均颇合度；图书室一所，本系空屋，此次该校校长陈灌芜氏，新购图书二千余元，陈列其中，已琳琅满架矣。唯中国古书，占其中之大部分；此种书籍，仅能供少数教员之参考，于学生无甚用途；此后购置图书，应多购科学书籍，俾学生得于图书室内，参考各书，以补课堂内教师讲授之不足也。仪器室一间，亦由陈校长筹款购办仪器约千元之普，陈列其中；其中化学用品较多，物理仪器，殊寥寥也，历史、地理、生理之挂图、模型均甚少。运动场，狭隘异常，至不敷用。运动器具，亦几等于零。"

视察后意见：

（1）宜广辟运动场，使学生有运动场所，得遂其身体上之发育。

（2）应制作各种表册，查该校各种表册，均付缺如，应从速制作。

（3）课本须采用语体文，查该校课本，多系文言，实与部令初中教本须用语体文，不相符合，应从速将该项文言课本更换，以符部令，而增教育之效率。

（4）应多方面指导学生课外活动。

李光烈此行还深入视察了县立第一小学、县立第一女子小学校、巢县第一区第一初级小学、第一区私立第二初级小学校、第一区明强小学、第三区区立第一小学、县立第二小学、县立第三完全小学、私立黄麓小学校。如同视察巢县县立初级中学校一样，他对所视察的学校都做出了极其详细的评价。

李光烈对巢县教育的综合评价是："该县教育界人士，颇能同心一德，共图教育之进展。从事实际教育者，亦都能虚心坦怀，以改良促进其校务为职志。职所视察之七县，以该县教育情形为最良好。"①

---

① 巢湖文化研究会编：《巢湖文化全书》，巢湖市文化研究会2011年版，第128页。

第四节 卫生医疗

一、"卫生现代性"教育与卫生行政体系的构建

20世纪30年代中国医疗卫生体系的改善及现代公共卫生知识的普及,与政府倡导的新生活运动及"卫生现代性"教育不无关系。1934年,蒋介石发起了新生活运动,该年所颁布的《新生活须知》,对民众生活中如何贯彻"规矩与清洁"做了详细规定,主要有注意饮食卫生,不准酗酒,节制食量,禁绝鸦片;整理市容,打扫房屋;不准打人骂人;被褥要常晒,勤剪指甲洗澡理发等。新生活运动中对卫生运动的宣传推广,加强了"卫生现代性"在安徽民众中的知识普及与社会实践。

为推动新生活运动,安徽成立了安徽省新生活运动促进会,省会安庆设省会新生活推行委员会,各县和重镇设新运会。省新运促进会将举行大扫除、整理市容、举行婴儿健康讲座、举办防疫运动、提倡健康运动等与卫生相关事项纳入工作计划中。这其中还包括省新运促进会敦促省会公安局整理市容中需特别注意的:街市清洁、码头之清洁、公共场所之清洁、整理厕所等几项工作。另外,省新运促进会对灭蝇运动也极为重视,制定了详细的灭蝇运动工作程序和实施办法。各县镇也伴随新生活运动每周年的纪念活动开展定期的卫生活动。

安徽省是当时蒋介石"剿共"主要省份之一。邻省江西是新生活运动绩效显著地区,另一邻省是国都所在地江苏。无论是政治任务、周边影响,还是京畿辐射,安徽对新生活运动的实施力度都必须强大。卫生运动的推广,加深了民众对"卫生现代性"的理解。

南京国民政府时期的安徽公共卫生建设和卫生教育的开展,与卫生行政体系、医疗机构建设和卫生防疫机制一样,成为"卫生现代性"的重要指标。随着安徽公共卫生建设和卫生教育的开展,卫生空间不断扩大、延伸到了民众的日常生活中。

新生活运动对安徽卫生的作用,更多地体现在卫生宣传方面。蒋介石发起新生活运动"也有唤醒国民民族意识,提高国民素质,为抗战作准备的考虑",故新生活运动发起原因中透露出一种"强国"的目的。新生活运动在安徽的实施,除了政治因素,在卫生宣传方面也使民众意识到强身健体的重要性。

卫生行政是指"国家行政机构依据国家制定的方针政策和医学科学规律,管理医疗卫生事业的活动,其主要内容包括卫生防疫、妇幼保健、医政、药政、医学教育及科研、财务、人事、卫生事业计划等;其主要职责是:制定颁布卫生行政法规、监督执行各项卫生行政规范、制定卫生工作现行政策和暂行条例,规划卫生事业发展"。

安徽省卫生行政的创立得益于清末新政官制改革。1905年清政府设立了巡警部,巡警部分设5司,5司中有警保司,警保司中设卫生科负责考核医学堂之设置,考验医生给照,并管理清道、防疫,计划及审定一切卫生、保健章程。1906年,清政府设民政部,原巡警部警保司卫生科归属民政部,并升格为卫生司,卫生司下设保健科、检疫科、方术科。从巡警部警保司卫生科到民政部卫生司,这是我国历史上第一次出现以"卫生"一词命名的中央政府机关,即第一次出现专管公共卫生的国家常设机构。安徽省卫生行政专管组织第一次成立是1907年在省巡警总局设置卫生处;1908年4月,改设巡警道一员,管理全省卫生,在警务公所设卫生科,"掌卫生警察之事,凡清道、防疫、检查食物、屠宰、考验医科及官立医院各事项皆属之"。各县医事卫生管理,由当地警务部门兼管。

民国肇建之初,一直到1927年,安徽省行政处于"以军董政"时期,军阀在安徽境内混战,军政大权更迭无常,卫生行政与清末相比几乎没有进步。

1927年，南京国民政府成立后，安徽省卫生行政事宜，于当年11月改由省民政厅第三科掌管。1929年2月，在安徽省政府第二十六次委员谈话会议上议决通过的《修正安徽省政府民政厅暂行组织条例》，则将卫生事项改归第四科掌管。1930年10月第一百四十四次省府常会议决，再次对安徽省政府民政厅组织规程进行了调整，民政厅的科别有了增加，机构也有了扩大，规程规定民政厅第六科中的第三股掌管卫生，而不是之前的第四科的一个科员。

随着抗日战争的全面爆发，安徽省政陷入混乱，卫生行政也几乎完全停顿。直到1938年2月新桂系李宗仁主政安徽，是年夏天安徽省政府迁移立煌（今金寨县），因环境需要，仍计划推进省县各级卫生工作，以保障从事抗战工作人员及民众健康。于是，1940年12月省政府于民政厅第三科添设卫生技士，这是第一次设专业人士负责筹划推进安徽省一切卫生工作之责，担任此职的是医师段松椿。1941年1月，省政府修正《安徽省战时施政纲领》，重新将"推行公共卫生"列为政治工作之一，省民政厅决定先从加强卫生行政及推广医疗救济等工作着手，于同年5月添设专管全省卫生行政的第四科，增加卫生行政工作人员，由熊科贤医师任科长。

1942年，安徽省政府修正了《安徽省战时施政纲领》，将民政厅第四科与1941年建立的省卫生总队合并，于11月15日成立省卫生处，直属省政府管辖。这样安徽省政府就有了直接掌理省卫生行政及技术等各项事宜的机构，省民政厅原管一切卫生业务，均移交该处办理。省卫生处设一、二、三科（分管总务、医政、防疫）及技术室，置处长、副处长各1人，秘书1人，科长3人，会计主任1人，技正3人，技士2人，科员6人，技佐1人，办事员5人，雇员3人。共有工作人员27人，后增至50人。

1943年初，日寇窜扰立煌，省卫生处全部房屋被烧，所有卷宗因负责人员竭力抢救，未遭损失，事变后在时任安徽省政府民政厅厅长的章永成领导下，筹措巨款协助省卫生处在立煌包公祠重建。后因省府在被袭后为防范日寇的再次窜扰，各级机构指挥灵活，将省卫生处组织酌予缩小,重新划归入省政府民政厅,改称安徽省政府民政厅卫生处。编制缩小后,处内设一、二两科及秘书、会计两室,工作人员由50人减为34人,再减至31人,最后减为24人(处长1人,秘书1人,科长2人,会计主任1人,技正1人,技士2人,科员7人,统计员1人,技佐1人,办事员4人,雇员3人)。

1945年抗战胜利,安徽省政府迁往合肥,卫生处随迁,并增设人事室,编制逐渐扩充至40人。内战时期,卫生处工作压力巨大。1948年秋,国民党安徽省政府迁安庆,卫生处迁往芜湖,编制又紧缩,裁撤会计、人事两室,只留会计和人事干事各1人。卫生处留芜湖直至解放时解散。

民国时期,安徽省各地方县市的卫生行政发展状况参差不齐。以安徽省卫生处建立为分界,前后有着明显的区别。

安徽省卫生处成立前,全省城市中仅省会安庆及芜湖、蚌埠3市公安局设有卫生科。如在省会安庆,卫生行政承清末旧制仍属民政部门下的警察机关管辖。1927年4月5日省会警察厅因安庆设市,改为"安庆市公安局",于局内设卫生科,卫生科所负职责如下:

1.关于街市道路、沟渠、住户、商店及其他公共场所清洁事项;

2.关于保健防疫事项;

3.关于医务及药剂考察化验事项;

4.关于人口死亡调查统计事项;

5.关于卫生队训练、调遣、分配督率事项。

由于卫生行政隶属于警察或公安体系,所以卫生警察在警卫分离前在卫生行政中发挥着不可或缺的作用。上述卫生科的职责基本都由卫生警察来完成。当时安庆的卫生警察都要受专门的卫生知识训练,各项卫生、防疫管理法则、章则等也列为必须课程。1932年10月,省会公安局卫生科依照部定章则,并根据地方情况,拟定了《卫生警察十二要》,编印成册,凡卫生警察人手一册。"十二要"内容如下:

1.要有卫生常识;2.要宣传卫生;3.要注意清洁;4.要注意防疫;5.要调查生死;6.要劝告种痘;7.要检查饮食物品;8.要调查医业;9.要严

查药商；10.要注意殓葬；11.要查禁娼妓；12.要扶助病人。

在这十二条中，不仅有对卫生警察自身的要求，更多是办理各卫生行政的事项。如第五至第十一条，原手册中以上每一项都有详细的记述和要求。

在县一级，各县卫生行政管理形式多种多样，如旌德县卫生事宜直接由县政府管理，但实际上县政府也只是管施医施药、组织清洁运动和时令卫生检查而已。石埭县政府在1912年即配有卫生警，管理卫生事宜；青阳县卫生行政，由县政府民政局社会科管理，有专管社会医生的职员。在六安则由县政府设有专员负责办理卫生事项实施送药医疗等事。在颍上县政府则设有专责的卫生科来负责卫生事宜。1931年，铜陵县公安科配有卫生警和清道夫，管理县城公共卫生；1936年，该县大通镇公安局成立卫生科，执掌"街市之清洁卫生，及保健、防疫、医务、药剂之考察"。1933年安徽省政府第一八四次委员谈话会议决通过的《安徽省县政府办事规则》于当年5月1日起一律执行，其中第六条规定"县政府公安科所掌事务"包括"关于卫生行政事项"；在第四条中还先规定了：依县政府组织暂行办法第三条及修正各县公安局及公安科改组方案规定，不设公安科之县，关于公安卫生等事项，并入总务科办理。在安徽省卫生处成立前，各县卫生行政无论是由专职人员管理，或由下属公安科、总务科管理，还是设有专业的卫生科，皆统一隶属县政府。

安徽省卫生处成立后，至抗战胜利前，芜湖、蚌埠、安庆、合肥等人口稠密城市，在日伪控制下，卫生处的卫生行政无法履职。抗战爆发后，安徽省政府着手组建县级卫生机构，1940年春各县奉省府令设置诊疗所。1941年春按国民政府中央规定，将各县诊疗所一律改为综合性的县卫生院，所有卫生院均兼管各县卫生行政工作。随着1942年安徽省卫生处和几所省立医院的成立，在这些机构的帮助下，各县卫生院陆续改组和增设，这样各县的卫生行政也由县政府转移到县卫生院。

抗战胜利后，在卫生处的领导下，分别在这些城市设立了省立医院来兼管市区的卫生行政。由于省政府由立煌迁至合肥,合肥成为省会城市,卫生处对省垣的卫生行政更加重视,特别于1945年11月设立了省会卫生事务所,其任务为负责省会公共卫生事宜。

二、合肥公共卫生事业的起步

19世纪30年代以前,合肥没有公办医疗卫生机构。明末清初,合肥始有固定的国药商号,经营草药和丸、散、膏、丹及饮片等成药。另有中医医生在国药店坐堂行医。尚有郎中走街串巷给人治病。

清光绪二十年(1894年),德国人戴尔第来合肥传教,在德胜门天主教堂设"圣心诊所"。光绪二十三年(1897年),中华基督总会(南京)派美籍传教士徐鸿藻、柏贯之到合肥传教施医,由此西医始渐传入合肥。

1927年,刘锡麟(又名刘梦九,合肥人,齐鲁大学医学院毕业)创立合肥民生医院,成为由国人在合肥创办的首家医院。1937年,合肥县警察局设立清洁所,管理街巷卫生,为合肥最早的公共卫生机构。

由于卫生医疗落后,合肥曾多次流行霍乱。群众生病,多求神问卦。妇女生育,旧法接生。人口死亡率高达20%。新生儿破伤风(俗称"七天风")死亡率高达40%。人均寿命仅为35岁。

南京国民政府成立之后,随着自上而下各级公共卫生行政的规划和建构,中国公共卫生事业尤其是城市公共卫生开始得到不同程度的发展。合肥公共卫生事业也于此时代背景下起步。[①] 如同其时大部分县市,民国时期合肥公共卫生行政管理权长期隶属县政府公安(警察)局。1933年4月,安徽省政府颁布的《县政府办事规则》,明确将"卫生行政事项"列为"县政府公安科所掌事务"[②]之一。1937年初,"合肥县公安局改称合肥警察局"[③],局内"设有清洁所,管理街巷

---

① 参见李忠萍:《民国时期合肥城市公共卫生事业述论》,《安庆师范学院学报》社会科学版2011年4月,30卷4期,第76—82页。
② 《安徽省县政府办事规则》,《安徽地方政务研究》周刊1934年第6期,第69—71页。
③ 《合肥市志》,第2044页。

卫生,为合肥最早的公共卫生机构"①。抗战胜利后,"重建合肥警察局",并"更名为省会警察局,内部设 2 科……行政科掌管警察行政(包括户籍、治安、卫生、交通等)。"②

此外,由于合肥升为省会城市,遂成立省会卫生事务所,"以综理全市卫生业务"③。从具体计划、举措来看,合肥公共卫生行政涉及疫病防治、环境卫生、饮水卫生、妇婴卫生、学校卫生、(社会)卫生教育等公共卫生事业各个门类。采取的举措主要有:成立防疫组织和诊疗机构,组织春季种痘、夏令防疫注射,实施交通检疫、疫情报告、消毒隔离等。抗战爆发前,安徽"各县均组织夏令防疫委员会"④,合肥防疫运动主要由此组织联合县公安局会同社会力量合作进行。据统计,民国二十三年(1934 年),合肥县接种牛痘和注射伤寒、流行性脑脊髓膜炎、霍乱疫苗的人数达 28700 人,位列全省各县第二,仅次于芜湖县。⑤ 抗战爆发后,"全省卫生事业堕入休眠状态"。⑥

1937 年,"合肥县警察局内设有清洁队和清洁所,设队长一人,夫目、夫役若干人,配有垃圾车、铁铲、扫帚、铜铃、号衣,负责清扫街巷,清洁所负责管理出粪事务,由招商部门承办……日军侵占合肥后,原清运和管理粪便的机构、组织大多解体"⑦。

1939 年 6 月,省府令各县筹设县诊疗所,"实施防疫急救诊治,以谋民众健康幸福为目的"⑧,合肥即刻遵令成立。1941 年,诊疗所遵照中央

---

① 《合肥市志》,第 2999 页。
② 《合肥市志》,第 2045 页。
③ 解哲心:《安徽卫生事业建设的展望》,《安徽卫生》1946 年第 1 卷第 5 期,第 13 页。
④ 《本省二十六年度民政计划(第十二项改进卫生事业)》,《安徽政务月刊》1937 年第 28 期,第 33 页。
⑤ 《安徽省各县防疫状况统计表》《安徽省二十三年度统计年鉴》,刊印时间不详,第 135—136 页。
⑥ 熊科贤:《安徽省卫生事业之回顾与前瞻》,《安徽政治》1941 年第 10 期,第 34 页。
⑦ 汪胜:《解放前合肥卫生概述》,《安徽文史资料全书·合肥卷(上)》,安徽人民出版社 2007 年版,第 631 页。
⑧ 《安徽省各县诊疗所暂行规则》,《安徽政治》1939 年第 2 卷 14—15 期,第 38 页。

法令改为县卫生院,工作"多着重于医疗防疫方面"。① 此间,为做好夏令防疫,县府也奉令成立卫生委员会,会同诊疗机构切实办理。②

抗战胜利后,合肥疫病防治事宜在省会卫生事务所的主导下进一步开展。其时,春季种痘运动除在事务所门诊部经常办理之外,事务所还组织3组种痘队分别前往省城各机关团体学校,以及市区和东西两城门广予布种,1946年受种者共计36467人,1947年受种者共计12799人。夏季防疫注射也不仅于门诊部,同样组织流动注射队3队,分别前往各机关团体、东西两城门、南城门及市区实施注射甚或强迫注射。1946年夏季注射伤寒霍乱混合疫苗者共计18022人、注射霍乱疫苗者17182人,1947年注射疫苗者21864人。

鉴于"现代交通之便利,传播极为迅速","为防患未然起见",事务所又分别自每年5月中旬或6月上旬起,于东门车站及内河轮埠设置检疫站,检查出入境舟车及旅客防疫事宜,同时施行预防注射。1946年受检疫者共计39897人,1947年受检疫旅客共计15740人。省会卫生事务所还委托市区各公私医院、诊所及保甲长随时报告疫情,并据此派员前往发病地点调查处理,如隔离患者,施用DDT漂白粉和石灰对病家进行消毒等。③ 此外,省卫生处和社会处还联合召集省会各机关团体学校开会,成立夏令卫生运动委员会,"积极推行夏令防疫卫生宣传及清洁检查等工作"。④

合肥基督医院也为合肥卫生护理工作培育了部分护理人才,补充了公共卫生的社会需求。1929年医院附设1所护士学校,由中国护士长韩玉梅任校长,是年开始招生,男、女兼收。学员边工作边学习,学制3年,不收学费及伙食费。抗战之前的几年里,医院的日常

---

① 安徽省政府:《安徽概览·民政》1944年版,第61页。
② 安徽省政府秘书处:《安徽省政府二十九年度工作报告民政》,刊印时间不详,第17页。
③ 周肇岐:《安徽省会卫生事务所工作概况》,《安徽卫生》1946年第1卷第5期,第19—24页;《安徽省会卫生事务所三十六年度工作报告》,安徽省图书馆藏。
④ 安徽省政府秘书处:《安徽省政府工作报告(民国36年1至6月)》,安徽省图书馆藏。

工作及发展较稳定,对社会及百姓做了不少有益的事情。从以下医院 4 年工作统计资料可以说明这一点。

合肥基督医院 1932—1935 年工作统计表

年份	全年门诊量(人次)	收治住院病人(例)	手术治疗(例)	种牛痘(人次)	出诊治疗
1932	19825	1175	389	550	
1933	13200	871	293	1222	
1934	14627	784	283	663	681
1935	16297	761	222	423	460

资料来源:陆翔、陆义芳著:《安徽省近代几所教会医院概述》,《中华医史杂志》2000 年第 1—4 期,第 229 页。

至 1949 年,合肥只有县医院 1 所,床位 12 张,房屋 13 间,工作人员 12 名,其中医生 2 名。另有 23 家私人诊所。

第五节　图书馆与新闻出版

一、图书馆的设立

(一)图书馆设立相关法令

图书馆是收藏储集各种图书及地方文献、为社会大众提供方便阅览的地方,负有社会教育的功能。设立图书馆的主要目的,在于通过图书的借阅,使读者得到更多的学习和研究的机会。当时安徽图书馆界就图书馆的使命展开讨论,讨论"如何藏书,怎么用书"？强调如果图书馆对于"藏"书与"用"书,都能尽其善事,其对于民众利益,社会发展,以及教育前途等,影响至大。

1927 年 12 月南京国民政府公布的《图书馆条例》,其中第一条规定:"各省区厅设图书馆,储集各种图书供公众阅览,各县市得视地方情形设置之。"第二条规定:"团体或私人得依本条例之规定设立图书馆。"第八条规定:"馆长应具下列资格之一:(一)国内外图书馆专科毕业者;(二)在图书馆服务三年以上而有成绩者;(三)对于图书馆事务有相当学识及经验者。"另外,第十一条规定:"公立图书馆之经费,应于会计年度开始之前由主管机关列入预算呈报大学院,但不得少于该地方教育经费总额百分之五。"①

1929年,中华图书馆协会第一届年会议也曾决议,呈请教育部通令各大学区、各省教育厅、各特别市,应于每年经费中规定20%办理图书馆事业,并通令全国各学校于每年经常费中规定20%为购书费。② 次年5月,教育部公布图书馆规程十四条,其中第十条规定:"省市县立图书馆及私立图书馆之概况,每年六月底由各省市厅局备案报部一次"③。

安徽省的图书馆设立,是从1902年学务公所主办的藏书楼开始的。1904年清朝政府颁布新教育体制系统,大学堂改称为高等学堂,购置了不少新的书籍,然而未能顾及社会上的人来阅览。同时期,吴季伯(傅绮)先生曾在省城安庆的弓箭巷创办私立图书馆,所有图书公开为众人阅览,此举在安徽属于首创。辛亥革命时,一切事务都陷于停顿。清末,邓绳侯先生在安徽各学校讲课,他担心典籍即将沦亡,创议设置图书馆来保存这些典籍。在风节井街有二间屋,把前安徽省藏书楼高等学堂的藏书和在坊间所买的书,放在一间屋子里以供大家阅览,安徽省在这时才开始有了公立图书馆。

1927年北伐时期,受战争影响,安徽教育机关全部停顿,图书馆也因此关闭。到1928年4月,安徽省教育厅委任胡翼谋为馆长,并且颁布图书馆规程31条,馆务才稍微得到整理。每月经常费从400

---

① 《近代中国史料丛刊三编》,第1104—1105页。
② 《近代中国史料丛刊三编》,第1108页。
③ 南京国民政府教育部:《第一次中国教育年鉴·乙编教育法规》,开明书店1934年版,第108页。

多元增加到 900 元,后又增加到 1021 元。① 1930 年 1 月,陈东原出任馆长。陈馆长任上不遗余力,修建了前后房屋,推广流通办法,添置大批书籍,编印中文书目,并且编辑出版了《学风》文化月刊。"该馆遂得在全国图书馆中,崭然露其头角"。② 1931 年省立图书馆的藏书楼收藏各种新旧中西书籍,连同已经装订好的杂志报章合计 75000 册以上;杂志 353 种,9000 多册,国内著名杂志,一半左右都有全份,为一般研究者提供参考绰绰有余;报章共有 34 种,各地报纸,亦都有陈列。③ 1931 年常年经费为 20028 元,薪俸占 70%,办公 10%,设备 20%。1932 年概算,薪俸仍旧,办公购置略有增加,计 26088 元,办公占 14%,购置占 31%。④

至 1936 年,安徽全省设图书馆 38 所,民教馆图书部 44 所,学校图书馆 1 所,机关社团附设图书馆 80 所。据不完全统计,总共 163 所。

(二)合肥县立图书馆的建立

安徽县立图书馆在安徽省教育厅的高度重视下,也得到一定程度的发展。如洪范五先生在任安徽省教育厅主任秘书兼三科科长时,曾以省政府名义拟稿发文,明令安徽全省各县建立公立图书馆。1933 年,安徽总共有县立图书馆 16 所,包括公立 11 所和私立 5 所,其中私立分别为休宁 1 所、来安 2 所、巢县 1 所、黟县 1 所。当时安徽总共有 60 个县,其中有 29 个县拥有各种形式的图书馆,几乎占全省的一半。就经费而言,各县图书馆明显不一致。除了省财政拨付一点之外,剩下的经费主要来源于各县自身的财力。如果县立图书馆所在的县经济较为宽裕,则图书馆的经费相对要多一点。如 1933 年,芜湖公立图书馆的经费达 1200 元。县立图书馆所在的县经济较

---

① 安徽省政府秘书处:《一年来之安徽政治》,第 195 页。
② 安徽省政府秘书处:《一年来之安徽政治(第四编)教育》,第 195 页。
③ 吴景贤:《全国图书馆现状调查》,《学风》1931 年第 1 卷第 8 期,第 3 页。
④ 南京国民政府教育部:《教育部督学视察安徽省教育报告》,1933 年版,第 73 页。

为困难,则图书馆的经费相对要少一点。民国时期,从全国来看,县立图书馆发展较为迅速。据统计,截至 1936 年,全国共有公私县立图书馆约 1000 个,其中江苏 78 个,浙江 39 个,安徽 17 个,江西 21 个,湖北 44 个,湖南 57 个,四川 52 个,福建 33 个,云南 57 个,贵州 19 个,广东 142 个,广西 32 个,陕西 53 个,山西 77 个,河南 81 个,河北 84 个,山东 6 个,甘肃 27 个,青海 5 个,辽宁 35 个,吉林 15 个,黑龙江 6 个,绥远 5 个,热河 7 个,察哈尔 3 个。[1] 从这个资料可以看出,安徽县立图书馆事业在全国仅处于中下水平,与民众的社会教育需求相去甚远。

合肥县立中和图书馆,为当时全县唯一的公立图书馆。馆址为旧式瓦平房,在合肥县城尚节楼街,居全城中心,为商业繁盛区域。1923 年冬,由中和局经管旧庐州府文庙祭祀羡余积存项上拨 3000 元创办。1927 年 1 月旧府学明伦堂筹备成立,开放阅览,中间因军事问题而停办。直到 1929 年 8 月 1 日重新开放,共有馆舍 14 间,阅书室 3 间。图书馆编制两人,馆长以下,有馆员一人,馆长月薪 24 元,馆员月薪 16 元。全年经费 1000 元,内列购书费 300 元,均是田租,归本馆基金委员会保管。当时平均每日阅览人数七八十人,商界最多,工界最少。[2]

截至 1930 年,合肥县立中和图书馆拥有图书杂志仅 7600 余册,由于经费有限,无力购置大宗书籍以满足合肥地方民众的需求。为此,图书馆曾向社会公开发出征募图书启事,欲借助社会力量充实图书杂志的内容,以完善文化机构。[3] 该馆收藏中线装书有 4594 册,绝大部分书籍是图书集成,如《四部丛刊》《二十四史》《九通》等。平装书有 890 册。

---

[1] 全根先:《民国时期图书馆刊刻古籍述略》,《新世纪图书馆》2004 年第 5 期,第 78—80 页。

[2] 朱康廷:《本省各县图书馆现状(一)(附表)》,《学风(安庆)》1931 年第 1 卷,第 10—11 期,第 35 页。

[3] 《安徽文化消息》,《学风》1934 年第 1 卷,第 10—11 期,第 35 页。

中和图书馆亦订有当时主要的杂志和重要的报纸。其中杂志24种，包括《东方》《教育》《教育界》《民众教育》《时事》《旅行》《青年界》《新月》《新亚细亚》《小说》《妇女》《世界》《史学》《地理》《农学》《读书》《生活》《学风》《中学生》《红玫瑰》《现代文艺》《社会医学》等。日报有11种，包括《中央》《申报》《新闻》《时事》《大公》《安徽民国日报》《合肥民国日报》《民声》《新民》《民众》《上海》等报。

1937年，中和图书馆遭侵华日本飞机轰炸，被迫停办[1]，合肥沦陷后该馆址成为日军驻地。

相对合肥县立中和图书馆，巢县设立公共图书馆时间较晚，到1933年，巢县公立民众图书馆、巢县私立民众图书馆各一所，每所年经费200元。[2]

巢县的图书馆建立较早，工作亦有成效。1922年秋，设立巢县县立通俗图书馆1所。馆长先后是吴华祝、崔尔梅、杨鹤岭（杨系劝学所所长兼任馆长）等。1927年，因受战争影响，图书器具损失殆尽停办。翌年10月恢复图书馆，易名为巢县公立民众图书馆，馆长为李家方。馆址设在柘皋北乡包家坊回李村，藏书1070册，馆内设成人阅览室、儿童阅览室和壁报编辑室。经费来源，系由县教育局年拨200元。

1932年2月，又设巢县私立民众图书馆一所，馆长胡鸣球，馆址设在县城北门大街南狱庙前进屋内，馆内藏书共分17类215卷821册。经费除每年由县教育局拨款200元外，另由该馆董事等捐助。开办后，成绩颇著，平均每日阅览书报人数为四五十人。

二、新闻出版

合肥县城，民国期间人口只有三四万人，交通闭塞，经济落后，高

---

[1] 《合肥市志》，第2870页。
[2] 安徽省教育厅：《安徽教育要览（第三回）》，安徽省教育厅1936年版。

等院校、现代工业还是空白。合肥新闻事业发展较晚,直至20世纪20年代中期才萌芽。图书发行与书店寥寥无几。而同样起步较晚的报业发展较快。

1924年7月创刊的《新合肥报》是合肥报业史上的起步。至抗日战争爆发前的1937年,合肥先后问世的报纸已有十几种,其中绝大多数为民办报纸。虽然纸质粗糙,版面单调,照相制版尚缺,发行量超过千份者无几,油印、石印皆有,但它们在合肥近代报业史上争得了一席之地。

1928年5月14日,侵华日军占领合肥后,萌芽中的合肥新闻事业横遭厄运,除《合肥日报》随国民党合肥县党部迁到敌后继续出版外,其余各报都先后停刊,代之而起的是汪伪政权创办的媚敌卖国的《新皖日报》。

抗日战争胜利后,国民安徽省政府由当时的立煌县(今金寨县)迁到合肥,合肥从而成为省会城市,合肥新闻事业获得了新的发展机遇,合肥地方报纸或创刊或复苏,反映了一座城市由传统迈向现代的社会面相。

(一)合肥图书发行

——联一书社

1930年秋,中共党员颜文斗受组织派遣由三河镇来到合肥,与朋友樊渊、范君一等,合伙在合肥范巷口天云楼照相馆楼下,开办联一书社。书社门市出售一般性图书,店后发行当局禁止的《创造》进步书刊等。并以卖书为名,建中共鄂、豫、皖、苏区与中央联系的地下联络站,为皖西北中心县委与合肥中心县委的接头地点。1931年4月,因叛徒告密,该书社遭搜查停业。樊渊被捕,后经多方营救,历时3个月始获出狱。

联一书社停业后,尚有若干书籍和文具。党组织认为还有改换名称坚持再办的必要。不久便又从三河派中共党员刘佛林来合肥,因刘原是搞石印工作的,而房东袁老板还有石印机一架,于是刘便协助颜文斗和房东袁老板,在联一书社旧址开设美林商店。他们以石印业务为主兼营图书和文具,仍担负着党的地下联络站工作。同年9月2日下午,叛徒陈贤彬、高谦带领国民党省党部调查室特务,由安庆来合肥诱捕颜文斗。颜借出去冲开水之机脱险,美林商店则遭破坏停业。

此外还有清末年间江西人在合肥创办的"大智书局",以及辛亥革命后,同盟会成员范章甫回合肥,伙同兄弟4人,于1915年开设"泰记书社"。时城内尚有"大启堂"书店,范为了与其竞争,又在该店对门增开了"大酉堂"书店。

(二)合肥地方报纸

——皖商周报

《皖商周报》(原名《皖商周刊》),1927年创刊,隶属于合肥县商会。其办报宗旨是:"宣传经济法令,反映商品动态,提供市场行情,介绍安徽物产。"报道范围为商业、财政、金融、税务等。4开4版,油印出版。

1938年5月,日寇占领合肥县,县商会解体,周报停办。后于1946年10月复刊,改名为《皖商周报》。先为油印,8开大小,书版刊发。后改铅字印刷,4开4版,全省发行。该报为董事会领导制,经费由会员捐赠。1947年春,该报因财力、人力不支而终刊。

——合肥日报

《合肥日报》是国民党合肥县党部于1928年8月创办的。它的任务是:"阐扬党义,宣传政令。"1935年秋,国民党安徽省党部下命改名为《皖中日报》。1938年合肥沦陷前停刊。但每逢有重大战事新闻,还以《皖中日报》之名发"号外"。1939年5月10日,该报于肥西县南分路口(战时合肥县政府所在地)复刊,仍名为《合肥日报》。由进化印刷社石印出版,每日一张,发行量300余份。

抗日战争胜利后,报纸迁回合肥出版。先石印,4开2版;后改铅印,4开4版。合肥解放前夕终刊。

——合肥民报

《合肥民报》于1928年春创刊,先石印,后铅印,4开4版。一、四版为广告,二版为电讯稿、社论,三版为本地新闻。

——淝津报

《淝津报》创办于1935年,1937年停刊。1946年,由报人汪树声复刊,仍名为《淝津报》,后名《淝津日报》。不久,再改名为《淝津周报》。开始为4开4版,《淝津日报》时改对开,《淝津周报》时又改为4开4版,并改铅印为石印。1948年上半年终刊。

——庐州日报

《庐州日报》于1926年7月1日创刊,以"启迪文化,阐扬党义"为办报宗旨。办报两年后,因日军占领合肥而停刊。

——公正报

《公正报》创刊于1946年6月。"宣扬主义,促进党政"是其发行宗旨。社内设编辑、发行、经理、通讯4部。自办印刷厂,4开4版。创刊4个月后,改为日报。版面安排:一版为电讯,二版为副刊,三版为文教、政法和社会新闻,四版为省内新闻。副刊主要专栏有"扬子江""周末文艺""学生公园""学术专刊"和小说连载。另有《公正》画报。1948年底终刊。

——逍遥津

《逍遥津》创刊于1946年7月。以"暴露官场丑态,揭露社会黑幕"为主旨,但报道中多桃色案件和梨园内幕,格调不高。内设总务、营业、发行3部。开始为旬刊,后改为周刊。1948年终刊。

——教弩报

《教弩报》属杂志性报纸,学术性较浓,以"介绍本县地方文化事迹及各种考证史略"为己任。4开4版。

——皖报

《皖报》的前身是1923年国民党安徽省党部在安庆创办的《国民日报》,1928年改称《皖报》。其办报宗旨是:"宣传党义,指导舆论。"1948年冬停刊。

该报创刊时为对开十版,后缩至对开 4 版。其版面大致安排是:一版为省府通告、启事等;二、三版为时事新闻;四、七版为广告;五、六版为本省新闻;八、九版为专论文章、《晨光》党务专刊;十版为文艺副刊。该报实质属于国民党安徽省党部"机关报",内容以"宣传党义"为主,官腔官调,销路日减。创刊初期发行量 5000 份,后减少到 1500—2000 份,致使报社经费困难,不得不靠省党部津贴度日。据民国二十五年(1936 年)统计,该报全年支出 2815 元,其中,津贴占 2000 元。

1938 年 10 月,日军占领安庆,《皖报》于同年 12 月 1 日从安庆迁至屯溪出版。国民安徽省政府迁到大别山区立煌(金寨)县时,该报也随之迁入立煌,刊出了《皖报》"立煌版"。据安徽省档案馆现存的《皖报》资料证明,自 1935 年 1 月至 1937 年 12 月,该报也曾多次在合肥出版。《皖报》"安庆版"1945 年秋于安庆创刊。《皖报》"屯溪版"是 1938 年 12 月 1 日,从安庆迁至屯溪编辑出版的,仍系国民党安徽省党部机关报。社址先在屯溪,后迁至休宁,1942 年又迁回屯溪。1944 年 6 月 26 日,报纸因经费困难而停刊。"屯溪版"和"安庆版"均是日刊,对开 4 版。抗日战争胜利后,原设在安庆的国民党安徽省政府迁到合肥。《皖报》也于 1945 年下半年迁入合肥出版。

1946 年,报纸版面和文字都有改进,编辑部(含印刷厂)人员增加到 200 余人。《皖报》虽把持在国民党手中,但在编辑部人员中也不乏追求光明、主张正义的人士。1948 年夏,共产党员崭彦俊,受中原局城工部委派,进入该报副刊部工作,团结进步人士,坚持了副刊的进步方向。一些左派文学社团,如受"左联"影响的百灵社、溶岩社、晓风社、山岚社,利用国民党新闻检查不包括副刊的有利条件,常在副刊上发表文章或出专版,与反动派做合法斗争。解放前夕,在民主人士沈子修、朱子帆等暗自策划下,编辑部留下的人员和印刷厂职工妥善地保护了设备,于 1949 年元月 21 日合肥解放之日,将之完好地交给了人民政府。中共合肥市委机关报《新合肥报》便于同年 2 月 5 日创刊了。

——民声报

《民声报》于1928年8月创刊。其版面安排为：一版为广告，二版为电讯稿，三版为省内新闻，四版为社会新闻及广告。4开4版，每日一张，报史近10年。

——新民报

《新民报》创办于1928年。每日一张，4开4版，铅字印刷。社址在合肥城内孝义巷，后迁址四古巷。

——民国日报

《民国日报》于1930年7月创刊，4开4版，铅字印刷。

——江淮日报

《江淮日报》系民办报纸。1926年7月1日创刊。以"谋社会之改善，促文化之发展"为办报宗旨。

——展钟报

《展钟报》，1931春创刊，同年秋停刊。4开版，石印。肥东县石塘桥人钟和钧及巢县单琴舫、刘仲村等人主办。社址设在小东门李氏家祠内。

——合肥民报

《合肥民报》，1928年创刊。先是石印，后改铅印，4开4版。社址在合肥县东门李宅。① 约1934年停办。

——新皖日报

《新皖日报》于1938年5月创刊，其时正值日本帝国主义侵占合肥后，处于摇篮中的合肥报纸全部停刊之时。这是一张为日军侵华涂脂抹粉，以宣传"大东亚共存共荣""建立大东亚共荣圈""向中国人民灌输卖国思想"为宗旨的汉奸报纸。

1945年8月15日，日军投降，该报于8月17日终刊。报纸为4开4版，原为石印，后改铅印。

---

① 郑希侨《合肥报业寻踪》，安徽日报社新闻研究所：《安徽新闻史料》1990年第四期。

——巢县日报

《巢县日报》,1933年创刊,为国民党巢县县党部主办,社长由县党部书记长或特派员兼任。编辑先为贾金诏,后为李正国。记者有宋淑翰、李秉钱、李春照等。1938年4月,巢城沦陷停刊。抗日战争胜利后,县党部由柘皋迁回巢城,重新复刊。社长为钟熔华,副刊编辑为钱万里。巢城解放前夕停刊。

——巢声报

《巢声报》,1945年秋抗日战争胜利后创办发行,次年夏停刊。由巢县三民主义青年团主办。

——活力报

《活力报》,1947年8月创刊,同年10月停刊。巢县干训联络站主办。社长为干训联络站站长陈淑堂,总编辑为钱万里,副总编辑为李一轮。

——巢商报

《巢商报》,1947年10月10日创刊发行。1949年巢城解放前夕停刊。毛边纸,石印,4开2版,只印单面。由县商会主办,主编宋伯亮。

三、群众文化

(一)合肥县民众教育馆

1927年春,合肥县设立民众教育馆[①],馆长刘自强(共产党员,毕业于北京戏曲学校,后脱党,任"国大代表",解放后在劳动改造中死亡),馆员赵圣传(共产党员,因逃避国民党迫害逃至芜湖,后被捕身亡),另还有5—6名馆员。馆址在文庙(现合肥四

---

① 1915年,北洋政府教育部明令县治及繁盛市镇设立讲演所,后改为通俗教育馆。

中)。该馆曾用留声机播放歌曲及京剧唱片,招引群众,然后演讲。讲文化知识;讲打土豪分田地;讲农民种田,粮食都被东家收去了;讲工人做工,生活无保障,资本家为富不仁等。当时,刘自强还联系社会人士李浩华、沙扬庚、谢南谷等组织新月游艺社,演出话剧及说唱曲艺节目,宣传北伐,赞扬北伐军买卖公平,动员工农支持国民革命。1928年,刘自强帮助正谊中学学生演出熊佛西编写的抗日话剧。

1932年,合肥县立民众教育馆,改设城内四牌楼北街,人事也有变化。据《学风》1934年3月15日载文称:"合肥县立民众教育馆,筹备已有年余,最近方始就绪。教育局原筹备员牛进松君为馆长,于本年2月4日,启用钤记,订期正式开幕。该馆馆址在合肥城内四牌楼楼街。即利用修建未久之四牌楼楼亭为各种陈列展览室,其所举办之事业,有图书室、阅览室、关于卫生生计之陈列室,以及民众学校、民众读书会、无线电收音报告、各种游艺器械、公开演讲等。"《学风》民国二十五年(1936年)12月15日载文称:"合肥县立民教馆,为普及民教起见,定在三河镇设立分馆,经积极之筹备,刻已就绪。所有分馆一切应用物件已于7月8日由该馆职员董聚玉先行运往,共计有书籍百余件,图表80余张,及收音机、乒乓球台、各种乐器等件多种。"①

抗战前夕,县立民众教育馆馆址迁至基督堂北边(今市二轻局处),内有正房两路6间,厢房4间。其时馆长谢维敏(上海大夏大学毕业)。"七七"事变后,刘自强、谢南谷、李晓凤、徐淑英等在馆长谢维敏的支持下,组织"铁血话剧社",联系学生张亚作、李东林、杨俊卿等演出抗日话剧《放下你的鞭子》(鲍昭寿导演)、《洛痕》(谢南谷导演)和反映"八一三"抗战的话剧(陈豪导演),激发了人民的爱国抗日热情。

至合肥解放前夕,县立民众教育馆迁至今宿州路市邮政局处,馆

---

① 《合肥市志》,第2911页。

长蔡面樵。当时该馆有房屋 20 余间，设有图书室（藏书约 5000 册）、阅览室、游艺室、展览室。

（二）巢县通俗教育馆

1928 年，巢县组建民众教育委员会，旋即设立通俗教育馆 1 所。1929 年，通教馆与县教育局、县立初中、第一小学、第一女小、民强小学、第一初小等单位共同筹备巢县教育成绩展览会。次年 5 月 13 日至 15 日，巢县第一届教育成绩展览会在通俗教育馆内举办，各校均有展品。通俗教育的展品有各种图书统计比较图表、照片，各种演讲词统计图表、照片，各种行政方面的比较图表、照片及个人著作。据 1930 年 3 月出版的《一年来之安徽教育》中的《巢县教育概况》称：通俗教育馆拟"内设图书馆、讲演所、阅报处、公共体育场、巡回文库及游艺室等类，尚在筹备中也"。可见通教馆建立之后，内设机构正在日益完备。

1933 年，改通俗教育馆为民众教育馆，馆址设在县城云雾街孔庙（当时为夫子庙小学）东隔壁，内设阅览、讲演、游艺、体育、陈列 5 部。馆长刘慰曾，馆员 5 人。馆长由县政府委任，报省教育厅加委；职员由馆长遴选，呈请县政府委任。当时施教区为一个市区、两个乡区。1938 年，因巢城沦陷，该馆一度停顿，所有书籍、陈列品皆荡然无存。翌年 8 月恢复，馆址迁至柘皋北乡包家坊。馆长阮贞渠（安徽省立六中高中师范科毕业），工作人员 5 人，3 人搞馆内工作，2 人轮流外出搞流动工作。内设总务组，组长由馆长兼任，司文书、会计、庶务；教导组，司夜校、阅览室、体育场及出版民教半月刊、办理壁报；生计组，司职业介绍和指导，推广农业技术知识；艺术组，司各类展览、宣传和推行国歌运动，举办国民公约写读竞赛。总务组兼设弈棋室、娱乐室、台球室等。流动工作主要是专人轮流往各乡保小学实行辅导教育，借以提高民众知识及社会文化水准。该馆当时年经费预算为 1920 元，紧缩后折实总数为 1536 元，均由县政府拨发。其中薪金占 50%，事业费占 40%，办公费占 10%。据

1933年报表统计：全县文教经费总数为57244元，而社教经费（包括民教馆、图书馆及其他社会文化教育事业）仅4110元，占全县文教经费7.7%。

据1943年2月21日巢县县政府报安徽省政府的一份文件称："查事变前本县原设有县立民众教育馆一所，分馆二所……"但在有关资料中，未见所谓两个分馆的任何情况。值得提出的是，1939年4月27日巢县县政府呈省教育厅《巢县地方教育概况报告书》中说："上年9月，筹设中山民校15所，因经费无着，开办者仅只第一、第二两校。"原始资料记载：第一中山民校成立于1939年5月1日，校址设柘皋大慈庵，校长为褚光云。1940年1月29日褚辞职，由王克明（安徽省立第六师范毕业，省干训班第4期结业）接任校长。该校设有儿童、成人、妇女3个班；还开展图书、壁报、演讲、座谈和代笔问事活动。据1942年3月5日报表统计：儿童班人数101名，成人班为28名。①

（三）巢县民间戏曲班社

新中国建立前巢县民间戏曲班社甚多，主要有两种形式：一是外地流动演出团体，流入巢县后，较长时间在巢演出。其中影响较大者有高傻子杂技团、丁玉兰婆媳为主体的倒七戏班和赵韵声为老板的京剧团。京剧团一直演出到新中国成立后，改为巢县艺光京剧团。二是本县农村自行组织的农忙务农、农闲从艺的戏曲班子，数量颇多，规模大小不等。其中佼佼者有秀芙张家山徽剧班子。

张家山是个有七八百人的大村庄，张氏宗祠就在村边，年年开展祭祀活动，十分热闹。族人自古就有喜爱唱戏的风俗。1931年20多名农民组成了张家山徽剧班，在村民中集资购置了服装、道具，先是

---

① 周琢如、张明杰：《巢县民众教育馆及各类图书馆》。安徽文史资料全书编委会：《安徽文史资料全书》，2007年版，第781—782页。

于节日、农闲时在本村演出。至1932年,由无为县江湖艺人小饷子、小刀子(真名不详,据说家住小东庙)弟兄俩带来2女1婿一行5人加入该班。由于他们艺术水平较高,一起演出,互相学习,不久演出水平普遍提高,因此演出范围逐步扩大到邻村徐家湾、小岭旭、申家山和钓鱼乡的鸭蛋王、刘家湾等地,并频繁被邀唱愿戏、寿戏、平安戏,每年农闲季节外出演出,从不间断。有时,本村庄稼收割完毕,就带着锣鼓、服装、道具,到无为县黄雒河一带,白天帮人割稻,晚上清唱演出。这样的演出只管伙食不收费,有时得点酬谢就添置服装道具。

据村上老者回忆,班子成立初期,由张家礼经手,全村各户捐麻,到南京水西门麻行卖得银圆500余块,当即在南京购置了服装、道具一套。未隔多久,又添购蟒袍3件、盔甲1套、宫装5件、褶子及帔10余件、下扎七八件、盔头和刀枪把子全套。

组成这个班子的最初人员均为男性,张修元为该班发起人和首届班头。张修元年轻时做过和尚、道士、山人,在外云游,学会徽剧;张徽银(生于19世纪80年代)为该班的副班头,他年轻时外出做小生意,学会了徽剧,并能掌板操琴。两人均于解放初病故。还有演员张剑春(须生)、张修姚(老生、老旦、花旦、花脸)、张家学(旦角)、张家礼(老生,后为第二届班头)、张运胜(旦角)、张运丙(二花脸)、张剑青(红脸生)。[①]

[①] 周琢如、张明杰、周先海:《巢县的民间戏曲班社》,《安徽文史资料全书》,第789—790页。

第三章

合肥地区中共基层组织的建立及其活动

第三章 合肥地区中共基层组织的建立及其活动

在安徽地区中国共产党团组织早期发展阶段，合肥籍在安庆省立第一师范读书的王逸龙，曾经是积极的筹办组织者之一。①1923年，参加安庆地区团组织的还有黄新富等②。1924年1月，担任芜湖团组织第一支长兼代经济委员的合肥县籍芜湖职业学校学生许传典，给团中央报告，提出在合肥建立团组织，"寒假回到原籍合肥，现在已经十余天了，尽所能有的力量宣传到今，明了我们的主义的很不少，此间地方团大可有成立的希望，到时候中央能否派人来替我们组织成立？"③合肥地区中共党团组织的建立和工作开展，始于1925年之后，并在北伐战争、大革命前后的乡村武装斗争以及配合鄂豫皖革命根据地反围剿斗争中，屡有壮举，艰难地坚守下来。

第一节 早期中共基层组织的建立

一、中共合肥北乡支部的建立及其主要活动

1925年1月，北乡党支部的创建人崔筱斋④根据中共四大会议精神，由芜湖返回合肥北乡开展农民运动。他以教书为掩护，宣传、

---

① 中央档案馆、安徽省档案馆藏：《安徽社会主义青年团报告书》，《安徽革命历史文件汇集》，1987年内部印刷本，第5页。

② 中央档案馆、安徽省档案馆藏：《安庆地方团员调查表》，《安徽革命历史文件汇集》，1987年印刷本，第13页。

③ 中共安徽省委党史工作委员会安徽省档案馆藏：《许传典关于合肥应建立组织给团中央的报告》(1924年1月23日)，《安徽早期传播马克思主义史料选》，1986年内部印刷本，第5页。

④ 崔筱斋(1896—1932)，1896年8月出生于清凤阳府(今长丰县)造甲乡崔小圩，1924年秋加入中国共产党，合肥地区中共党组织的创建者。

鼓动、组织穷苦农民起来斗争,并着手筹建北乡农民协会、妇女会。1926年2月,中共中央确定"党在现时政治上主要的职任,是从各方面准备广东政府的北伐"。① 为培训骨干迎接全国革命高潮的到来,党决定从全国各地派遣一批农运骨干去广州参加第六期广州农民运动讲习所学习。崔筱斋是安徽受训的16名代表之一,在讲习所聆听毛泽东、周恩来、彭湃等授课。1926年9月上旬,崔筱斋学习结业后,受党组织的委派,从广州返回家乡继续从事农运,准备创建党组织。崔筱斋返乡后,经过慎重考虑,决定在其家乡双河集建立党组织。有三个原因,一是双河集比较偏僻,离合肥有50多公里;二是双河集与寿县相邻,与崔筱斋同时归来的农讲所16名学员大都是寿县籍(现长丰境内),便于相互联络、支援;三是这里群众基础好,几年前曾在这里做了大量的反帝反封建宣传工作。

1926年9月下旬,崔筱斋和一同从广州农讲所归来的曹广化、胡济在合肥北乡双河集崔家祠堂成立了中共合肥北乡支部。书记崔筱斋,成员胡济、曹广化。支部直属在上海的党中央领导。这是合肥地区第一个肩负着带领民众反帝反封建任务的中共党组织。

中共合肥北乡支部的建立,填补了合肥地区大革命时期无地方党组织的历史。以北乡党支部为起点,中共合肥地方组织日益发展壮大。

北乡党支部成立后,首要任务是宣传北伐。根据党中央关于以皖北为中心开展农民运动,进行北伐革命宣传的要求,支部广泛发动群众,宣传党的主张,积极组建农会组织。至1927年3月下旬,北乡党支部完成了接应北伐军胜利进入合肥,并支持北伐军继续北上的任务。

---

① 1926年2月21日—24日,中共中央在北京召开特别会议,会议的中心是解决"五卅"运动以后革命的总战略方针问题。

二、合肥地区中共党组织的恢复

1927年蒋介石、汪精卫先后在上海、武汉发动了"四一二"和"七一五"反革命政变后,国内政治局势陡然逆转,合肥和其他地区一样也处于白色恐怖之中。在危急时刻,8月7日,中共中央在汉口召开紧急会议,总结了大革命失败的经验教训,确定了土地革命和武装反抗国民党反动派的总方针。八七会议后,皖籍的共产党员按照中共中央部署,纷纷从武汉、南昌、上海等地回到家乡,采取灵活的斗争策略,站稳脚跟,积极建立、发展中共地方组织。

(一)中共合肥小组、特支的建立及其主要活动

1927年9月初,参加八一南昌起义后避到香港的合肥籍中共党员童汉璋,由香港来到上海并受上海党组织派遣回家乡合肥,居住在合肥城内十棵椿(现合肥霍邱路59号附近)。按照中共八七会议确定的总方针,童汉璋以在第六师范(后与省立二中合并为省立第六中学)教书为掩护,积极筹建中共合肥城内党的组织。9月下旬,曾在国民革命军第四军任团长的中共党员许继慎[①]受党中央派遣回皖西组建革命武装,因故未果,旋即离开皖西奔赴上海,在途经合肥时与童汉璋取得联系。童汉璋在许继慎的帮助下,联络了刚从武汉回来的、曾在武汉国民党中央军事政治学校学习过的共产党员范毓南,以及参加过国民党合肥县党部筹备委员会的共产党员刘自强,在童汉璋家里正式成立了中共合肥小组,童汉璋担任组长,合肥党小组隶属中共六安特别区委领导。10月,中共安徽省临委决定将合肥党小组划归中共寿凤临委领导。

合肥党小组成立后,形势发展很快,有些在外地的共产党员陆续

[①] 许继慎,安徽六安人,1923年12月参加中国共产党,中国工农红军第一军军长。对鄂豫皖革命根据地建立、发展做出了巨大贡献,是中央军委认定的中国革命时期33位军事家之一。

返回合肥。为了适应形势发展的需要,1927年底在合肥城东小学成立了中共合肥特别支部。童汉璋任书记。支部委员由童汉璋、刘自强、范毓南、何世球(又名韩明、何序东、何仲珉)组成,刘自强负责工人运动、何世球负责交通工作。隶属中共寿凤临委领导。

为了发展壮大党的组织,进一步促进革命斗争的开展,1928年春,中共合肥特支扩建为中共合肥特别区委,童汉璋继任书记。8月,因国民党的搜捕,童汉璋被迫离开合肥,中共六安县委于9月派周狷之兼任中共合肥特区书记。周狷之担任合肥特区书记期间,继续领导合肥人民开展工人罢工,农民抗租、抗捐斗争。后又由何世球接任中共合肥特区书记。截至1930年5月,中共合肥特区下辖合肥城内、高刘、雷麻、北乡等4个支部和东乡众兴集特别组及三河待发展组,共有党员45名。①

中共合肥特区委成立时隶属中共六霍县委领导,1929年1月,中共六霍县委撤销,六安县单独成立县委,辖中共合肥特区委。1929年5月24日,中央指示撤销中共安徽省委,决定以六安为中心建立由中央直接管理的中心地方党部,并将合肥特区划归中共芜湖中心县委领导。同年10月,又划归中共六安中心县委领导。1930年3月20日又将合肥特区再次划归中共芜湖中心县委领导,4月,再次划归中共六安中心县委领导。②

中共合肥特区委成立后,领导组织了一些武装组织和群众团体,如合肥赤卫队及一些农民协会等。

(二)中共合肥县委的建立及其主要活动

为了发展大好革命形势,把武装斗争、根据地建设和土地革命紧密结合起来,形成武装割据,中共六安中心县委于1930年3月21日至25日,在六安县七邻湾关帝庙召开了所辖六安、霍山、霍邱、寿县、

---

① 也有说是44名。
② 中共安徽省委组织部、中共安徽省委党史工作委员会、安徽省档案馆编:《中国共产党安徽省组织史资料》(1921.7—1987.11),安徽人民出版社1997年3月版,第48页。

英山、合肥6个县和红三十三师党的联席会议,史称七邻湾会议。会议听取了六县的工作汇报,"依照中共最近的通告及六县的经济政治和群众的革命形势"。总结"过去的一切斗争经验",提出了"动员六县全党同志""推动六县的革命高潮"的总任务,分别做出了9项决议案。

1930年5月,中共合肥特别区委根据七邻湾会议精神,在合肥西乡(现肥西县境内)大方坎村徐树吾家召开党代表会议,会议对前一阶段工作进行了总结,认为党的组织发展工作不平衡,雷麻、焦婆等地发展较快,已引起敌人注意,肥南、肥北发展较慢,组织薄弱,没有很好地发挥党员的骨干作用。一些不纯分子也被吸收到党内来了,对党的肌体存在侵蚀的危险,不利于党的发展,必须注意清洗党的组织和改进党的工作作风。会议决定将中共合肥特别区委改组,选举成立中共合肥县委。县委常委由薛成(又名徐梦观)、余光(又名周绍章、孙家玉)、李德斋组成。薛成担任合肥县委第一任书记。县委隶属中共六安中心县委领导。会议还研究了党组织的发展工作,通过了关于面向工农、妇运、青运和兵运工作的有关决议。整个会议进行了3天。这次会议的召开,对合肥地区党组织的发展起到了很大的促进作用。

中共合肥县委成立后,立即派出人员在城内和四周乡村大力发展党的组织,积极开展革命活动。到1931年3月,先后在合肥城内建立了一区委,在西乡雷麻一带建立了二区委,在西北乡高刘集等地建立了三区委和南乡三河、中派、定远、北乡4个特支。"全县同志共有一百五十多人",①县委还在城内以"联一书店"作为县委的联络处。另外,又在天云楼对面,与朱德清、李应和等人合办"民众报馆",指派张柏山、赵圣情、颜文斗担任副刊编辑,借以进行革命宣传。农村在发展组织、发动群众的基础上,开展了轰轰烈烈的抗捐、抗税和扒粮

---

① 《皖西吴伯孚同志的报告》,中共安徽省委党史工作委员会编:《安徽现代革命史资料长编》第2卷,安徽人民出版社1991年版,第243页。

斗争。县委领导下的赤卫队也十分活跃,不断寻找机会破坏敌人的交通、通信设备,为建立中共合肥中心县委奠定了坚实的基础。

（三）中共合肥中心县委的建立

1931年,中共六届四中全会后,中共中央决定将管辖江苏、浙江、上海、安徽等省党组织的中共江南省委改为江苏省委,并决定在安徽成立省委机构。①

为了贯彻中央的决策,加强鄂豫皖苏区外围游击区党的工作,由中央指派前来鄂豫皖苏区工作的沈泽民②、中共皖西分特临委委员舒传贤于3月23日在合肥县召开合肥县委成员和所属各区区委负责人联委联席会,传达中央将合肥县委扩建为中共合肥中心县委的指示。会议决定以合肥为中心,成立中共合肥中心县委（又称皖西中心县委）,书记吴伯孚。"合肥县委于1931年3月23日由中央指定负责中心县委的同志们召集合肥旧县委和区委书记联席会议,出席的人有泽民、传贤以及中央指定的中心县委吴伯孚、吴岱新、薛成、余光四同志……大会通过中央指定吴伯孚、吴岱新、薛成、余光四同志为中心县委名单"。③ 中共合肥中心县委刚成立时隶属中共皖西分特临时委员会领导,4月17日后归中共皖西北特委领导,下辖旧桐、太湖、潜山3个县委和舒城、定远、庐江北部等地党组织及合肥地区4个区委、4个特支,有党员840多人。机关设在合肥。

中共合肥中心县委当时确定的任务是:"在赤区中央分局和皖西特委的直接领导之下,指导合肥及其他各县的群众革命斗争,和准备地方的及农民暴动,去帮助并扩大鄂豫皖苏维埃的革命斗争。"④为实现这一中心任务,合肥中心县委要求必须立即开展以下各项工作:

---

① 安徽省委组织部:《中国共产党安徽省组织史资料》(1921.7—1987.11),安徽人民出版社1996年版,第53页。

② 沈泽民(1902—1933),浙江桐乡人,1931年4月赴鄂豫皖革命根据地任中共鄂豫皖分局委员、鄂豫皖省委书记等职。

③ 《皖西吴伯孚同志的报告》,同前。

④ 《皖西吴伯孚同志的报告》,同前。

1.立即制订合肥中心县委的三个月的或一个月的工作计划。包含内容有:一是合肥县委对下级组织的经常领导工作;二是对下级党的组织和群众组织机关的重新布置;三是领导下级党的组织制订具体发展群众斗争的工作计划和领导斗争的中心口号;四是对于外县经常工作的领导方式。

2.立即出版一种周刊,定名为《合肥红旗》,作为公开领导群众斗争的政治刊物。

3.立即派人到合肥各区报告中心县委成立的经过及四中全会的路线制成决议,开始各区工作新局面。

4.立即去中心县委所辖各县进行组织联系,派负责同志去巡视各区工作。

5.对于合肥四乡农民协会应加以整顿,以这个基础组织雇农工会、贫农团、农民委员会等群众组织,并且立即开始这些组织斗争工作。

6.立即在政治上组织上准备、动员革命群众、农民和党员团员打入国民党的军队、地主团丁及土匪队伍中,发展革命士兵工作(秘密)。

7.立即发动反国民党军队就地筹饷、反对高利贷、抗租抗税抗债和其他反对地主富农的一切经济政治的斗争。

8.发展城市工作和贫民工作,组织工会和贫民协会和革命学生会等群众团体,发展工人的经济斗争,反抗税、反对捐税、反对党化教育等斗争。

9.扩大拥护红军和苏区的宣传工作。

10.立即发动反对国民会议的斗争,号召扩大革命群众来参加这斗争。

11.立即筹备"五一"纪念节的工作。

12.立即发动春荒斗争。①

中共合肥中心县委领导的武装有合肥西乡赤卫队,领导的群团组织有中国共产主义青年团合肥中心县委。县农协和互济工作委员会也相继成立。

(四)中共皖西北中心县委的建立

随着革命斗争形势的发展,为了统一游击区党的领导,1931年8月,中共中央决定将合肥(皖西)、寿县(皖北)两中心县委合并成立中共皖西北中心县委,书记吴伯孚,中心县委归中共中央直接领导。②1931年秋,吴伯孚因经不起艰苦斗争的考验,骗取苏区经费潜逃(后叛变)。因此,同年11月,在中共中央巡视员陈文的主持下,中共皖西北中心县委改组为中共皖西北临时中心县委,由原职工部秦全接任临时中心县委书记。

第二节 早期党组织领导的农民运动

一、组建农民协会

1926年11月,为了支援北伐战争,促进农运高潮,中共中央提出:"安徽省农运的重点是以寿县、合肥为中心的皖北地区。"③按此要求,中共北乡支部在北乡双河集成立了安徽省农民运动委员会。安

---

① 《县区联席会议关于成立合肥中心县委及接受四中全会决议案》,1931年3月。
② 《中国共产党安徽省组织史资料》(1921.7—1987.11),第85页。
③ 中央档案馆编:《中共中央文件选编》(2),《目前农运计划》(1926年11月15日),中共中央党校出版社1990年版,第462页。

第三章 合肥地区中共基层组织的建立及其活动

徽农民运动委员会成立后,在党中央的具体指导下,经过一段时间工作,到1926年冬,在合肥、寿县、定远三县边界相继成立了双河集、造甲店、白家河、陈刘集4个农民协会组织,这些都是合肥地区最早的一批共产党员领导下的农民协会组织。由于北乡党支部卓有成效的工作,合肥地区不断掀起农运高潮。农民协会利用张贴标语、演文明戏等方式进行宣传,启发群众觉悟,号召群众开展斗争,震动了军阀、封建豪绅在合肥地区的统治。1926年11月15日,中共中央局将合肥列为全国开展农运的中心地区之一。

1927年3月,北伐军进抵安庆后,各地农民协会开始公开活动。4月,按照中央农民部指示,"安徽省农民协会筹备处"在安庆正式成立,原安徽省农民运动委员会撤销。1928年5月,中共合肥特区在乡村建立了农协组织。1929年12月,在中共合肥特区委的一份报告中写道:"最近农协发展过快,没有正确的统计,农友在三千以上,已成立农分会八十六个,预备成立三十七个,多数未能成立支部。至于乡农会、区农会完全没有成立。农协的上级机关,就是党代农。现在我们准备积极把他(区农协)建立起来,同时提出进步分子组织训练班,预备吸收入党,使其在农协中起核心作用和帮助我们指导农协。最近成立一个农村支部,一个农村小组,农民同学六人,预备介绍的二十人,这都是新组织的,并没有什么正式的训练。其外,现在正着手统计农友中长于军事和勇敢分子,准备积极的组织自卫军。"党在不到20天的时间内,发动群众4次夺取地主武装。① 其中大部分分布在肥西地区。以西乡为例,农民协会"发展区域向东发展到小蜀山一带,向南到聚星街一带,向西至少到金桥一带,向北到面糊集一带,东西计40华里,南北计60华里"。② 为了进一步加强对农运工作的领导,1930年2月26日,中共六安县委在《给合肥的信》中指出:"合肥此时普遍饥荒,农民很容易接近我们党的政策,走向革命道路,也就

---

① 《合肥区委的报告》(1929年12月27日),见中共安徽省委党史工作委员会编:《安徽现代革命史资料长编》,安徽人民出版社1991年版,第2卷,第95页。

② 《中共六安县委报告》,1930年2月26日。

是我们接近群众的一个大好机会,所以合肥党要动员合肥同志深入群众中去,领导群众作日常斗争,在斗争中加紧组织……"

在中国共产党的领导下,农运工作进展很快。到1931年8月,合肥中心县委在二区、三区、四区(西乡众兴集一带)以及北乡都成立了区农民协会,由县农民协会统一指导。到1931年底,合肥地区共有农民协会会员3250人,其中"二区有农协组织群众240人;三区有农协组织1000人;四区有农协组织160人;北特有农协组织800人;南特有农协组织数十人;东特亦有二三十人……"①

1932年2月18日,中央在给皖西北的指示信中强调指出:对于革命群众的组织,党团要耐心地进行教育工作,已有的农民协会组织,要立即引起群众注意(防止)富农的混入,要帮助和领导群众建立组织生活,要使群众真实了解这些组织是为他们自己利益斗争的力量……自觉地巩固工农群众自己的组织。为此,中共皖西北中心县委制定了《农协章程》,对农民的入会问题做了具体的规定,以保证农民协会组织的纯洁性。

1934年4月2日,合肥赤色农民委员会发表了《为扒粮斗争告穷苦兄弟姐妹书》,号召穷苦兄弟姐妹们赶快起来脱离红枪会、黄枪会等为地主资本家所利用的封建组织,加入农民委员会,积极参加扒粮斗争。广大农民群众积极响应号召,纷纷参加农民协会。到1934年11月左右,"群众组织在合肥党领导下有7000多人,完全以农民委员会名义组织之……"②1935年2月,皖西北特委在合肥西乡设立了农运部,进一步发动和领导广大农民同国民党在农村的基础——地主豪绅的斗争。

二、合肥地区的抗捐、抗暴、抗税、扒粮斗争

中国共产党领导下的农民协会组织蓬勃发展,合肥地区广大农

---

① 《陈文巡视皖西北报告第5号》1931年12月21日。
② 《皖西北合肥刘敏(给中央)报告》1934年11月21日。

民根据中国共产党的指示开展了抗捐、抗暴、抗税、扒粮斗争。

(一)合肥东、西乡的抗捐斗争

1928年7月,中共合肥特区区委根据国民党政府对农民群众加捐加税的情况,决定派共产党员周味韶前往西乡南岗一带发动群众,开展抗捐斗争。中共合肥特区区委对于这一斗争做了布置:1.动员有组织群众发动无组织群众一致抗捐。2.抓住几个中心村庄首先发动。3.成立抗捐领导机关,真正代表群众意见和利益。4.组织宣传队、标语队,尽量做宣传鼓动和教育工作。7月上旬的一天,国民党合肥县政府稽征委员会委员熊仁鉴到南岗征收烟苗税,因不按田亩征收,群众在周味韶的带领下抗税,当场发生冲突。熊仁鉴和国民党官兵10余人被砍死,农民还夺取了枪支10多支。这件事发生后,国民党合肥县政府和南京政府的文电一再声称要追回枪支,缉拿"凶犯",并责令各团防局"按亩征收,勿随意附加,以免导致纠纷"。①

8月下旬,中共合肥特区得到情报,蒋介石要来合肥视察。为把抗捐斗争推向新高潮,特区立即做了部署,指示西乡和东乡的党组织,组织群众到合肥城举行示威,向蒋介石请愿,争取彻底废除烟苗税。当蒋介石的轿车驶进合肥前大街时,合肥东西乡的3000多农民群众在周味韶的指挥下,由合肥东西城门蜂拥而入。起初,蒋介石还以为是对他的"隆重欢迎",后来他的车子被围,又看到人们一手托着诉状,一手高举小旗,高呼口号,才意识到不妙,经询问侍从人员,方知是农民为了减免烟苗捐前来请愿。在群众的强大压力下,蒋介石只得在合肥卫衙大关的广场上召开群众大会,当众声明:"今后绝对禁种烟苗,如有向民众多征烟苗捐者,可向国府控告。"大家恐其反复无常,空口无凭,推举周味韶将诉状递上,要蒋介石当场批复。蒋介石只好在诉状上批了"退还二成三"几个字。② 当天下午,周味韶就带

---

① 国民党南京政府《关于收烟苗捐问题的公函》,1928年7月。
② 中共合肥市委党史研究室编:《中共合肥地方史》(1919.5~1949.10),1999年内部出版,第34—35页。

领部分群众代表来到国民党合肥县政府,勒令县长吴观光立即退还额外征收的烟苗捐二成三。县长无奈,只好当场交出账目,并在退还二成三烟苗捐的公告上盖了官印。不久,吴观光就被合肥人民赶下了县长之位。这场声势浩大的抗捐斗争,震动了南京国民政府,更激发了广大人民群众的革命热情。接着中共合肥特区区委又分别在北分路口、官亭、王拐岗等地组织了大规模的抗暴斗争,农协会员包围了国民党地方团防局,夺取枪支,解救被捕的农协会员。此后,各地农民斗争不断。

(二)北乡抗税罢工斗争

1930年3月,中共合肥中心县委建立,统一领导合肥、庐江等6县的革命斗争。合肥北乡支部创建人崔筱斋参加过六霍起义后,受党组织委派再次回到合肥北乡继续领导农民运动,并被任命为中共合肥北乡区委书记,北乡区委下辖双河集、造甲店等4个党支部。1931年5月,合肥北乡庄稼长势喜人,但农民叫苦不迭,因为地主豪绅不断踏青加租,合肥县十六联保主任巧立名目,向农民征收耕牛税,尤其是对长工、短工的盘剥更为残酷。一时间,北乡贫雇农一片怨声,农民无米下锅,根本没有钱交税。崔筱斋立即与农会负责人商讨对策,做了周密部署,决定组织各村农会,发动农民在午休前统一行动:抗捐、抗税、抗租、罢工。号令一出,八方响应,老少一心,抗捐抗税。联保主任害怕农会的威力,不敢再到双河一带征收耕牛税了。接着崔筱斋在双河地区发动长工罢工,要求增加工钱,改善伙食。双河集的长工罢工发展到造甲店、肖凤集、青龙厂等地,有数百长工举行罢工。正当农忙季节,在农民"罢工"面前,眼看田里成熟的麦子没人收割,地主们四处找人,无一人上门帮忙收割。经过几天的罢工斗争,地主不得不向长工低头,向农会请求复工,并全部答应长短工复工条件:1.不准打骂长工。2.工资增加百分之二十。3.每人发毛巾一条。4.每天伙食改善。北乡双河集一带长工罢工的胜利,进一步激发了合肥北部地区群众斗争的热情,鼓舞了群众的斗志。

(三) 庐江减租减息斗争

1928年6月,庐北第一个农协在石嘴头成立,农民纷纷加入农会组织。同时在大沙圩、姚湾、永安圩等地发展党的组织,建立中共庐北特支。1928年8月,庐江县农协成立,农协中共产党员占优势,他们利用农会开展减租减息、打击土豪劣绅活动。

1928年夏,巢湖南岸一带发生严重旱灾,稻禾枯黄,庄稼普遍减产,而地主豪绅仍然催粮逼租,农民走投无路。中共庐北特支把握时机,及时召集农民协会代表开会,号召大家团结一致,进行减租减息斗争。短短几天,方圆几十里的村庄到处张贴"要求减租减息""打倒土豪劣绅"的标语。刘家墩有一地主去收租,受到当地农民据理驳斥,地主的"无量斗"也被砸得粉碎。当地大地主以吴礼宏为首,听说农民抗租不交,便派自卫团带枪去逼租,被手持农具的农民包围。吴礼宏竟下令开枪,当场打伤一名共产党员,引起群众围攻,吴礼宏带人狼狈逃走。最后,迫于群众的革命威势,吴礼宏将伤员送去治疗。此次减租减息斗争,震动了整个庐北,也使庐江农民斗争运动得到很大发展,农会会员发展到1000多人。9月,吴礼宏联合其他大地主,向国民党政府告状,声言有人要杀富济贫、宣传共产党,要求政府镇压,还送上犒劳费。中共庐北特支根据合肥中心县委指示,以农会组织名义,组织农会会员进县城游行示威。900多名农会会员手持枯禾,一路高喊口号,前往国民党政府请愿。28日,游行队伍到达县政府,县城的工人、贫民、学生在中共党组织的秘密动员下,也纷纷加入游行队伍,前来助阵。迫于农会的巨大压力,县政府答应重灾情况下减租、减息(二五减租、年息三分),并立即撤回征粮征税人员。

(四) 北乡双河集暴动

1931年9月,国民党增调15个师的兵力,对鄂豫皖苏区根据地进行第三次"围剿"。蒋介石亲自到武汉坐镇指挥。为粉碎敌人进攻,配合苏区红军作战,1932年初,中共皖西北中心县委根据中共中央指示，确定在合肥北乡双河集举行农民暴动，开展游击战争，配合红军击破蒋介石发动的第三次"围剿"，创立新的苏区。

双河集位于合肥北乡，是寿县、定远、合肥三县交界处。1932年4月初，中共皖西北中心县委派军委书记李星三、团中心县委书记王平两人同崔筱斋、北乡团特支书记罗平联络，在北乡费家户村李寿元家召开了区委党团联席会议，制订了武装暴动的具体计划，确定了暴动的日期。4月3日，以北乡游击队为基础，对合肥、定远、寿县三县交界地区的赤卫队进行了整编，成立赤卫大队，下辖吴山庙中队、双河集中队、造甲店中队，共200余人，以此作为双河集暴动的基本力量。

4月初，正值北乡广大农民斗争情绪高涨之际，北乡区委研究决定，立即组织群众，发动扒粮斗争。7日，在党团组织的领导下，在北乡游击队、赤卫队和红枪会的武装保护下，造甲店、双河集、白小河的几百名农会会员以及许多自发参加扒粮行列的农民，有组织地举行了暴动。广大农民挑着箩筐、拎着口袋、扛着长枪、手持大刀，纷纷向扒粮指挥部所在地费家户以及费家户以北、以西、以南三个方向涌去，转眼间，三户大地主家的粮食被扒。造甲、双河两乡扒粮斗争首战告捷。第二天，更大的扒粮斗争又涌向翟家庙，当日又扒掉几户土豪劣绅粮仓的粮食。

扒粮斗争来势凶猛，横扫皖北几十里地内的地主武装，夺取不少武器，还从地主的粮仓扒出许多粮食，震动了整个北乡的地主豪绅。但是不久，国民党下塘集团防局头子叶奋九，纠集杨家庙恶霸及村镇联庄会的民团共千余人赶来镇压扒粮群众。因敌众我寡，武装力量悬殊，那些自发前来参加扒粮的群众因不了解面临的危险，一心想要粮食，出现指挥不灵和内部混乱的状况，崔筱斋为保护群众生命安全，命令撤退。

中共皖西北中心县委为加强暴动的领导力量，派李星三和薛成两人去北乡继续指导暴动。李星三去后，立即召开北乡党团联席会议，总结了第一阶段暴动失利的教训，对下一阶段的斗争做了新的布置。

4月12日,在暴动指挥部的指挥下,双河集暴动进入第二阶段。当晚,从造甲、双河四周的郑庄、巷沟、尹大树、崔祠堂到下塘集附近的荣家岗、松树岗、马家岗的北乡南北二十里、东西三十里范围内的农会,按时统一行动。在游击队、赤卫队、红枪会的保护下,数千名扒粮群众再次行动,扒粮斗争扩展到下塘集附近,参加扒粮的农民人山人海,达万余人。群众发动之广泛、规模之大,在合肥地区是前所未有的。在纵横数十里的北乡,所有大地主的粮食都被扒光,愤怒的农民包围了双河联防办事处,杀进团防局,夺取地主武装枪支40余支。在第二阶段暴动中,当地的地主豪绅纷纷外逃,国民党在北乡的统治已处于瘫痪状态。正当扒粮斗争还在行动时,国民党合肥县政府调集大批正规军队和地方民团,对扒粮群众进行野蛮的报复,北乡游击队奋勇抵抗,掩护群众撤退。面对敌强我弱的情况,游击队采取灵活机动的战术,在下塘集附近歼敌一部。敌人再次增调部队,许多村庄被烧,一大批革命群众被捕、被杀。

暴动指挥部分析了敌强我弱的不利形势,决定由崔筱斋带队转移到寿县边界进行游击战,其余同志分散隐蔽,坚持斗争。为保存革命力量,崔筱斋率队向大别山苏区转移,以期与山里红军会师,不料部队前进途中,遭到地主民团和联庄会武装一千多人的包围,最后在敌众我寡、弹尽粮绝的情况下,游击队趁黄昏突出重围。这次突围后,游击队损失很大,崔筱斋不幸被捕,后英勇就义。在地方民团的反复围剿下,游击队不得不化整为零、分散活动。

双河集农民暴动虽然失败了,但是它点燃了合肥地区农民运动的熊熊烈火,打击了国民党的统治,配合了鄂豫皖苏区红军反"围剿"斗争,为以后继续开展武装斗争积累了宝贵经验。

(五)西乡扒粮斗争

1932年春,合肥地区因上一年发生大旱致使春荒十分严重,豪绅地主趁机盘剥农民。"东北西三乡去年遭受旱灾,秋收平均只有三四成之间,初冬就发现农民逃荒的流动。南乡圩田较多,接近巢湖,有灌溉水源,秋收较丰,然前年水灾奇重,封建的高利贷者迫使农民在谷价最贱的时候出卖粮食或将粮作价托债,结果贫农冬季断粮,中农亦新春无食。而地主豪绅统治阶级的掠夺与苛捐杂税的榨取有增无减,圩地的租谷去年缴十分至加三的租(即每亩缴谷一石,一石三斗,市斗十八斤,租斗二十斤,另外再缴小租,收获量每亩三石至四石),岗地的收获量每亩一石至二石,亦要五租七租以至十租。端午季的麦租与棉,地主是不愿放弃的,做二十亩岗田的自耕农年每亩抽收的捐税要在十五至二十元,以自耕的中农,丰年仅够温饱。""但在农村经济崩溃下,以个别的村庄中,户口作平均比率,贫农占百分之七十,中农占百分之十五,地主富农占百分之十五。合肥城虽无集体产业工人,而各业手工业的工人与苦力、码头工人年工资三十元左右,除去自己衣履费用,不能养活一个妻子。根据这些实际具体的分析,工农常年镇日的劳苦,所得的结果是,饥寒贫困与生活的恐慌不安,更证明了合肥革命情势的高涨"。[1] 在严重的灾荒面前,地主豪绅,不仅颗粒不借,还趁机对农民敲诈勒索。广大穷苦农民借贷无门,走投无路,处在粮尽待毙的危境之中。

为了解决人民的生活问题,面对这个局势,1932年4月28日,中共皖西北中心县委在西乡召开了各区党团活动分子联席会议,史称"春荒斗争"会议。把关系农民切身利益的经济斗争和政治斗争结合起来,以推动农民运动的发展。会议决定成立"春荒斗争指挥部",决定第一步在西乡开展扒粮斗争,并规定了整个春荒斗争任务不但是扒粮,还准备实行游击战争和土地革命,建立游击根据地。会议讨论了中央红五月工作计划,决定由孙实、陈世兆、张春荣3人分3个中心区域举行一次纪念"五一"国际劳动节大会,发动群众开展扒粮斗争。

"五一"那天到会群众非常多,情绪非常高涨。大会地址共分3

---

[1] 《合肥中心县委关于"五一"工作给中央信》,1932年6月26日。

处:一处在官亭,第二处在分路口,第三处在雷麻店。① 会后,在游击队和中心县委的临时侦察队的暗中保护下,参加大会的群众举行了示威游行,接着按预定计划分三路开展扒粮斗争。第一路由孙实负责,带领 1000 余名农民扒张新宇地主的粮食;第二路由张春荣和杜静明负责,带领 2000 多农民拦截北分路口地主正向合肥运送粮食的 50 辆小车队;第三路由周味韶、陈世兆等人带领 600 余人扒高河沿地主家的粮食。三路扒粮队伍共夺取粮食 20 多万斤。由于事先组织不够严密,"民团得了信后,马上即派武装来,当场一同志被枪决了。在这时群众都赤手空拳,反抗又无武器,逃走因周围都是地主和圩户,因此受伤许多,被捕许多,这是官亭情形。分路口情形更恶劣,在未开会前群众要携带武装。春荣同志不主张,在开会时敌人开来武装压迫,群众被捕,其中有九个妇女,不久就枪决两人,其余十九都押狱中。雷麻店冲突比较小。计此次我们牺牲同志和群众共九人,被捕有十九人,不能说不是大的损失"。②

"群众方面虽经五月一号打击,情绪并未低落,过了不久,又烧官亭,打合六长途汽车。自经'五一'斗争后,烧官亭、抢汽车后,南乡豪绅地主全为震动,他们认为大祸临头,于是召收土匪,组织联庄会,勾结白色军队,大事清乡,烧掉我们群众很多的村庄,厉行空前所未有白色恐怖"。③ 尽管如此,这次由中共皖西北中心县委领导的西乡扒粮斗争对地主豪绅是一次沉重打击,也是中共领导农民将经济斗争同政治斗争相结合的一次尝试。

三、合肥赤色职工会组织的成立

1927 年,中共安徽省临委在工作计划中指出:"工会应当是工人

---

① 中共肥西县委党史研究室编:《中国共产党肥西地方史》第 1 卷,安徽人民出版社 2008 年 10 月版,第 45 页。
② 《合肥中心县委关于"五一"工作给中央信》,1932 年 6 月 26 日。
③ 《合肥中心县委关于"五一"工作给中央信》,1932 年 6 月 26 日。

的组织,群众的组织。一般工会亦应由群众自己选举出来……我们应努力训练一般工人同志,使他们担任工会的领导工作,我们应当领导群众争取工会之公开,实行工人结社、集会、言论、罢工自由的政治斗争。"①当时合肥城内还没有一家像样的工厂企业,手工作坊比比皆是,工人主要从事糕饼业、布业、染坊、米行及码头搬运等行业,他们生活困苦,工作时间长,工资很低,月工资不过二三元,甚至一元左右。1928年6月22日,中共合肥特支发动了合肥糕点行业工人罢工,迫使资本家给工人加工资、增添福利。在糕点行业工人的带动下,合肥理发业、木工业和碾米业的工人也先后举行了罢工,罢工浪潮波及庐江、舒城和皖中各地。同年秋,合肥西门外一杂货店老板打骂理发工人,激起同行业工人的愤怒,中共党组织及时领导理发工人为争取人权而罢工。罢工持续了4天,最终这个老板向工人赔礼道歉,承认错误。1929年端午节,中共合肥特区领导合肥城内糕饼业工人罢工,要求资方增加工资,在中共党组织的干预下,迫使资方同意增加工人工资和增添福利的要求。合肥党组织还发动木匠工人举行罢工,这次罢工由于国民党当局和工头的破坏,惨遭失败,但工人在斗争中得到了锻炼。1930年冬,三河一碾米厂工人在中共三河特支的领导下,举行了要求增加工资的罢工,资本家被迫答应了工人的要求。同时,三河40多名屠宰业工人在中共的领导下,为反对国民党当局的苛捐杂税举行罢工、罢市,得到了各界人士的支持,取得了斗争的胜利。1931年6月,中共合肥北乡特支组织发动了"帮大工"的罢工斗争,要求地主和雇主增加"帮大工"的福利和工资。最后,雇主不得不将"帮大工"的工资由上半年的4元、下半年的6元,增加到上半年的5元、下半年的7元,还答应增发福利的要求。②

庐江各工会组织工人群众与资本家展开增加工资、缩短工时的斗争。由于工人的紧密团结,迫使资本家基本满足工人的要求,工作

---

① 中共安徽省临委:《关于三个月工作计划纲要》,1927年9月6日。
② 中共合肥市委党史研究室编:《中共合肥地方史》(1919.5~1949.10),1999年内部出版,第37页。

时间由原来10小时缩短到8小时,加班时间须另给工资。庐江码头、槽坊、油坊、酱坊等工人工资,比原来增加10%以上。1931年春,庐江矾矿工人举行80多人的罢工,在工人的坚持下,矿方同意每人每天加资10个铜板,并补发所欠工资,罢工最终取得胜利。①

工人运动是中国共产党的基本工作,为加强对工人运动的领导,引导工人运动由经济斗争逐步上升为政治斗争,1931年8月,中共皖西北中心县委决定成立职工部,由程明远任部长,有组织、有计划地开展工人运动。1932年"一·二八"事变后,为反抗日本侵略者,抵抗奸商偷运日货,合肥团中心县委组织和发动工人、学生上万人上街游行示威,要求捉奸商。工人群众沿街高喊"打倒国民党""对日宣战"等口号,威震合肥城。三河工人也成立了"抗日会",提出"抵制日货,反对侵略,对日宣战"等主张,积极声援上海"一·二八"事变。11月,中共皖西北临时中心县委派人到三河组织和领导同昌、元生、天成、王亨大、运大、同泰、义源7家米厂80多名工人举行罢工,要求增加工资,减少工时,改善伙食。罢工持续4天,造成稻谷无人收购、大米无人加工、商船滞留码头的局面。资方受到经济压力,不得不全部接受工人提出的各项要求。②

1932年4月,中共皖西北中心县委遵照中央"做好合肥职工运动工作"的指示,针对工人运动的特点,在节日、纪念日和资方裁员及物价上涨等情况下,适时领导工人运动。5月1日,合肥赤色职工工会发表了《"五一"示威告劳动民众书》,号召工人们行动起来,为"实现'五一'的总同盟政治罢工""反对减薪,增加工资,实行8小时工作制""反对国民党军阀进攻鄂豫皖苏区"而斗争。5月18日,中共皖西北中心县委又做出"五卅"工作计划,要求广大工人反对资方辞退工人,发动经济斗争,组织"五卅"罢工示威游行。同时,在城内成立了

---

① 中共庐江县委党史研究室编:《中国共产党庐江历史》第1卷,中共党史出版社2013年版,第39页。

② 《中共合肥地方史》,第50页。

木匠、修路工人工会及其他行业的工会组织。①

这些罢工,给国民党当局及资本家以沉重的打击,鼓舞了工人的斗志,进一步增强工人进行斗争的信心和决心。

四、互济会的建立和发展

互济会,也叫济难会,是中国共产党领导下的群众互助性组织。1928年二三月间,庐南郑家湾(也称七架桥)建立了中共党的组织——中共七架桥区委。区委成立后,庐南地区党组织得到迅速发展。1929年12月,在党的领导下,七架桥地区互济会组织普遍建立。凡同情革命,愿为互济会工作者,不论社会成分与出身,均可吸收为互济会会员。主要任务是募捐救济款,救济死难烈士同胞家属。1931年春,孙仲德与中共合肥中心县委书记刘敏取得联系,孙仲德利用三河镇警备队长的身份,在舒城、庐江、合肥地区组织了一个党的外围秘密组织——"舒庐合地区赤色互济会",孙仲德任主任,互济会活动扩大了党的影响,配合党领导的游击队开展革命活动。1932年四五月间,庐江县互济会在庐南董家祠堂成立。县互济会下辖多个分会,有会员300多人。当时凡有中共支部的地方,就有1至2个互济会组织。② 经过党组织教育,实际工作表现积极、确实忠诚可靠的互济会会员,可吸收其加入中国共产党。

互济会成立后,组织会员搜集、整理当地反动势力镇压革命的罪行材料,通过文艺演唱等形式进行揭露,使群众从中受到教育。

互济会为了达到互助互救的目的,一方面没收地主豪绅的财产,一方面发动群众自觉捐款,作为互济会的救济资金。互助互救工作的开展,解决了群众的不少困难,对团结、鼓励人民群众同敌人做斗争起到了积极作用,巩固了中国共产党在群众中的根基。

---

① 《中共合肥地方史》,第51页。
② 《中国共产党庐江历史》,第1卷,第46页。

第三节　中共合肥组织与鄂豫皖根据地

一、中共合肥中心县委的恢复、遭破坏及再恢复

（一）中共合肥中心县委的恢复、遭破坏

1931年4月,张国焘等人来到鄂豫皖根据地后,全面推行"左"倾机会主义路线,进行错误的军事指挥,遭到了根据地广大红军指战员的抵制,张国焘等借"肃反"打击迫害敢于抵制"左"倾机会主义路线的党员和红军指战员,制造了"皖西事件"。

11月,张国焘把鄂豫皖苏区的"肃反"扩展到皖西北游击区。1932年6月,鄂豫皖中央分局派人到皖西北中心县委进行"肃反",合肥地区同样也进行了"肃反"。在"肃反"过程中,合肥地区党组织中一批忠于党、忠于无产阶级革命事业的优秀党员和领导干部遭逮捕甚至被杀害,酿成了合肥地区党史上一大冤案。1932年7月,中央巡视员陈文根据中共中央的决定在合肥召开党的负责同志会议,宣布恢复中共合肥中心县委,程明远担任书记。中心县委直属中共中央领导,指导合肥、舒城、庐江、巢县等县工作。

1932年春,蒋介石在调遣几十万军队对鄂豫皖革命根据地进行"围剿"的同时,还纠集了大批特务、地方反动武装,对苏区周边游击区进行大搜捕。一时间,合肥城内大街小巷,鹰犬密布,到处充满杀机。而与此同时,张国焘在皖西推行所谓"肃反",严重危害了革命事业,错杀了一大批党的好干部,削弱了党的力量。面对这样的严峻形势,中共党内少数不坚定分子,由动摇到叛变。1932年4月,中国共产主义青年团安徽省委书记陈仁在芜湖被捕后叛变,因其来过合肥,

了解团合肥中心县委的情况,故陈仁带国民党侦察队到合肥逮捕了团合肥中心县委宣传部长张宅中(又名张绪东)。张宅中被捕后,也叛变投敌,供出合肥党、团机关地址,党的秘密印刷处也被破坏。合肥党、团组织领导的机关全遭破坏,致使合肥党、团中心县委均遭到破坏,中共合肥中心县委书记程明远以及组织部长、宣传部长等党员及群众共23人遭到敌人逮捕。这些被捕的中共党员和领导干部"仅有5人动摇、投降敌人外,余皆表现坚决"①,他们在狱中多次进行绝食,与敌人进行坚决斗争。

(二)中共合肥组织的恢复

1932年9月,中共合肥党团组织遭到敌人严重破坏,主要领导成员大部分被捕。在城内,党、团机关只剩下4位同志,为了恢复党组织活动,继续开展革命斗争,共产党员陈良季(又陈良巨)等在合肥西乡组建了中共合肥临时中心县委,陈良季担任书记。后陈良季牺牲,由凌生负责合肥临时中心县委的工作。截至1933年4月底,合肥临时中心县委下辖舒城特区、庐江北特支、合肥西乡临时区委、合肥中派河特支等基层组织,直属中共中央领导。

1933年3月27日,中共合肥临时中心县委向中央报告,要求恢复中共合肥中心县委。4月底,中共中央正式恢复了中共合肥中心县委,张士发任书记。1934年1月中央巡视员刘敏接任了书记,截至1934年10月,中心县委先后下辖合肥南乡、北乡两个特委,还有巢县支部。据不完全统计,共有共产党员311人,其中合肥地区220人,县委直属中共上海中央局领导。

---

① 《合肥中心县委〈关于张绪东背叛革命,领导同志被捕问题〉给中央信第七号》,1933年7月13日。

二、中共合肥中心县委领导的群众斗争

(一)西乡扒粮斗争

1933年3月13日,合肥临时中心县委书记陈良季到西乡巡视工作,正巧遇上上级党委布置的抢粮斗争。13日晚,"群众集合分粮,结果胜利。一般干部没有在群众胜利后掩护分散,又集合在群众集合的那个接头处,离被分粮的富农家不足一里,准备天明分散,屋外亦未放哨。焦婆店团防局于天未明时将村庄包围,陈良季同志当时遇难,枪支同时损失,团区委宣传受伤与组织部同时被捕,另捕去群众三人,解往官亭旅部(五五师杨旅),于21日押回祝营,枪决于焦婆店附近。统治阶级采用屠杀来镇压西乡革命"。①

(二)庐江白石山的船工罢工

1933年秋冬季,合肥中心县委发动了庐江白石山船工罢工运动。在庐江白石山布置了一次船工罢工,罢工提出条件:"1.要求每月均加一元钱工资。2.下芜湖加津贴洋五角;下梁山加津贴洋一元。3.年关双薪。"为了实现罢工提出的条件,县委布置了罢工前准备工作:"1.动员同志和有组织群众,深入到船工中去,普遍讨论这几个条件。2.尽量宣传鼓动工人情绪来准备召集群众大会(A.在群众会上通过条件 B.成立罢委会或代表团 C.通过组织纠察队和宣传队 D.建立各地情报处)。3.党动员农民群众起来扒粮,更给地主豪绅以威胁。4.马上号召船工组织自己的工会。"②

由于组织不严密,这一布置还没有被执行,就被地主豪绅发现并镇压,向罢工群众进攻,逮捕中共组织负责罢工的领导和几个积极群

---

① 《合肥临时中心县委关于组织破坏情况给中央的报告第三号》,1933年4月20日。
② 《合肥中心县委给中央的报告第一号》,1934年2月24日。

众。见到敌人的镇压,有的船工将船开走,罢工失败。

(三)庐江扒粮斗争

1932年7月至1935年10月,中共庐北党组织在合肥中心县委的领导下,一方面发动广大农民进行扒粮斗争,另一方面组织庐北地方游击队袭击敌人自卫团、商团,夺取武器,发展力量,开展武装斗争。

1933年4月,庐北特支在合肥特支领导下改选支部,将群众的组织系统建立起来,成立区农委。1934年年初,"在旧历十二月26日发动一次扒粮斗争,群众有七八十人参加,经过区委讨论和布置,组织了爬斗队和自卫队,主要游击队在领导,在河下扒了小船三十多石米,群众情绪非常热烈。但布置技术上缺点太多,去的群众很多不带稻箩口袋,仅带爬斗,临时扒米没处送,只得将有的群众小船借来装米,当时未分完毕,而船中剩米又不扫除干净,被地主豪绅武装自卫团查封去。""这一次能在白色恐怖严厉空气中发动起来,而且得到胜利,的确有重大意义。"①1934年9月,中共合肥中心县委派张家声回到庐江恢复党的组织,同原分散保存下来的几个支部接头,并恢复了鲍家塘、戴庄、詹嘴岗等其他几个支部。到年底,又恢复了范家岗、宋家圩、罗家埠等地党支部。1935年春,刘敏、张家声在庐江领导和发动扒粮斗争,先后在白石山、许家桥附近扒掉大地主粮食一万多斤,随后,皖西北游击师攻克盛家桥,将盛家桥镇大商号的一些布匹和南货分给群众。同时及时广泛发动群众开展扒粮斗争。在中共党组织的领导下,庐北地区取得一系列农民运动的胜利,群众革命热情也大大提高。

---

① 《合肥中心县委给中央的报告第一号》,1934年2月24日。

三、支持鄂豫皖苏区反"围剿"斗争

(一)中共皖北中心县委的重建

合肥中心县委重建后,还重建了合肥游击队,并开展一系列游击斗争,给敌人以沉重打击。为了打击国民党的地方反动势力,支持苏区的反"围剿"斗争,中共合肥中心县委于 1932 年 9 月组建了武装游击队。到 1934 年春,斗争有了新发展。"党创立了新的游击队,并在游击队所经过的区域能够与当地的农民配合起来,做了许多扒粮的斗争,群众参加扒粮者二百人,游击队并能在一个短时期内由一支枪开始,而成为带有相当战斗力并为敌人所不能消灭的工农武装。……在一次战斗中,敌人的力量是一个中队,我们的游击队出敌人之不意,勇猛向前,共伤毙敌人士兵四人,获得长枪六支,敌人大败而逃。在这次战斗,我们的队员即分为两中队,人数卅余,枪支长短齐全,并有一人背两支枪者"。①

这一举动极大地震惊了敌人。驻守安徽的国民党十一路军刘振华部,纠集舒、六、合三县保安团和地主武装,疯狂扑向中派河一带,焚烧民房,残害革命家属,推行"五户联保",设置自首处,悬赏缉拿游击队负责人。一时间阴霾重新笼罩合肥西乡。1934 年 5 月 30 日,合肥游击队宿营在合肥西乡严店附近的韩田上村。因消息走漏,遭到敌人的"围剿"。这时正在双枣村附近与合肥中心县委书记刘敏研究工作的游击队指导员颜文斗听到枪声,立即回到部队指挥战斗。随着敌人援兵的增多,颜文斗带领游击队向巢湖北岸突围,因寡不敌众,颜文斗等 36 人被捕。后颜文斗牺牲,只剩下孙仲德、奚业胜等几个同志和几支枪。同时设在合肥的中心县委机关再次遭到破坏,合

---

① 《合肥巡视员关于合肥党工作缺点遭敌破坏原因及目前工作情况报告》,1934 年 6 月 27 日。

肥中共党组织再次面临严重的困境。

1934年春，中共寿县（皖北）中心县委根据中央"建立武装，开展游击战争，建立新的苏维埃根据地，支援老苏区"的指示，决定由张如屏等人组建皖北游击大队。皖北游击大队成立后，在皖北地区频频出击，沉重打击国民党地方武装。国民党政府纠集大批军警、特务疯狂"围剿"，1934年夏，中共寿县（皖北）中心县委遭到破坏，斗争形势日趋恶化。对此，寿县中心县委在小甸集召开会议，经过认真研究，保存革命有生力量，摆脱困难处境，准备联合合肥游击队利用合肥、舒城两县的丘陵和山区开展游击斗争，配合主力红军作战，并向合肥方向转移。9月下旬，由曹广海、张如屏等率领的游击大队120多人转移到合肥南乡彭家圩，与合肥中心县委书记刘敏联系上，协同开展对敌斗争。10月，中共苏区中央局指示寿县（皖北）中心县委："寿县游击队为响应红军行动与配合合肥一带的游击运动，必须积极向六安、合肥这一方面发展。你们是完全可能在六安、合肥、寿县交界处创立起游击区域的。"①中央局的指示证明了皖北游击大队9月转移到合肥的行动是正确的。中央局将两个县委再次合并为中共皖西北中心县委，刘敏任书记。中心县委下辖合肥、颍上、凤台、涡蒙亳等4个县及庐江区委舒城特支和巢县、繁昌2个支部，共有党员563人，隶属于中共上海中央局领导。同时，将皖北游击大队与合肥游击队合并成为皖西北游击大队。

（二）皖西北特委与皖西北独立游击师的建立

在中共皖西北中心县委成立之前，中央曾有过建立安徽省委和创立皖西北独立游击师的设想，并于1934年8月19日派周巡视员来皖召集合肥、寿县两个中心县委负责人会议，就中央的意图进行了讨论。根据当时的具体条件，皖西中心县委的同志提出："在短期不

---

① 中共合肥市委党史工作委员会、中共肥西县委党史工作委员会编：《皖西北星火》，1992年内部版，第2页。

宜过早宣布成立省委,目前最好是成立一个过渡形式的皖西北区委员会,以便能灵活机动地指导两个中心县委及所辖十几个县的广大地区。"10月6日,中央出于"皖北、皖西党是环绕着鄂豫皖苏维埃区域的极重要的地位,它对于保护鄂豫皖苏区,粉碎国民党五次围剿和创造新苏区肩负着极大的使命"的考虑提出:"目前以皖西北为中心,建立省委,由合肥县委书记黄同志和寿县袁XX任组织,涡蒙亳县委书记XXX(戴天强)任宣传。省委应扩大到7至9人,并建立军委和妇委。"①此时,革命形势已经恶化,刚成立的中共皖西北中心县委及皖西北游击大队处于危境之中。10月9日,皖西北游击大队出发,15日到达舒城春秋山。次日就遭到了东北军一部和安徽省保安第八团、舒城保安团的围攻。游击大队在数倍于己的敌人面前,毫不畏惧,且战且走,奋力突围。大队长曹广海和中队长严礼国等指挥员在战斗中牺牲,少数战士失踪,部队只剩下40多人。这时,由孙仲德接任大队长,率领部队向北转移到合肥西乡缺牙山地区,待机再战。中心县委被迫决定分散隐蔽活动。鉴于这种形势,皖西北中心县委书记刘敏报告中央:"就皖西北地区目前党组织的恢复和发展来看,中心县委实在难以兼顾。但就整个安徽形势的发展而言,成立省委似觉空泛,建议成立特委为宜。目前暂由叶(叶守春)、张(张如屏)、黄(刘敏)3人组成临时特委(即皖西北临时特委)。""假如由叶、张、黄组成临时特委,军委由孙家骥(孙仲德)、曹瞎子(曹云露)、马老头(名不详)担任,由中央派能力较强同志参加,最好中央这次能派人来帮助解决皖西北问题。"同时,我们派"马老头、张士发、张二明(又名张轮)、老丁(名丁常柱)、马家雍五人参加合肥县委"。②

1935年1月,上海中央局派特派员李德保(后被捕叛变)来到合肥,2月,在合肥西乡缺牙山向皖西北中心县委的同志传达中央"同意将皖西北中心县委改组为皖西北特委"的指示,并决定特委领导组

---

① 《中央致皖北寿县中心县委皖西合肥中心县委的信》,1934年10月6日。
② 《皖西北合肥刘敏(给中央)报告》,1934年11月21日。

成人员名单:"书记刘敏、组织部长张如屏、宣传部长李德保、妇女部长王天云。"至此,皖西北特委正式成立。6月,在皖西北游击大队的基础上于合肥西乡小院墙成立了皖西北独立游击师,师长孙仲德,政委张如屏,参谋长曹云露。全师有3个连,共100余人。

中共皖西北特委成立后,与国民党军队进行着艰苦卓绝的斗争。5月上旬,因特委宣传部长李德保在舒城叛变投敌,特委组织遭到破坏。特委重新进行了组建,由刘敏担任书记,叶守春担任组织部长,马实担任宣传部长,张如屏担任军委,曹云露担任执委。张如屏、曹云露还兼任游击大队政治工作。12月,根据斗争需要,特委在庐江北部宋家小圩召开扩大会议,进行了改选,增补特委委员。特委隶属上海临时中央局领导,下辖组织有合肥、无为、六安、舒城、繁昌等地的一些县、区组织,有党员200多人。

(三)开展游击斗争支持鄂豫皖苏区反"围剿"斗争

鄂豫皖苏区位于湖北、河南、安徽三省边界地区,处在大别山区,系传统的农业地区,交通很不发达,工业基础十分薄弱,商业贸易非常落后,加上连年天灾、匪患和军阀混战,经济十分落后。鄂豫皖革命根据地建立后,成为国民党连续不断军事"围剿"和长期经济封锁的重要地区。国民党政府在与苏区相通之水陆要道,均成立封锁办事处,在苏区周围建立了纵深上百里的封锁线,断绝军用品、工业品、生活必需品等重要物资流入苏区。国民党企图用扼杀苏区经济、军事"围剿"等方式来消灭红军,消灭新生的苏维埃政府。皖西北地处鄂豫皖苏区的外围,国民党在皖西北地区"厉行保甲制,任意逮捕,强迫自首,建筑堡寨,编练壮丁……"[①]合肥是皖西重镇,邻近鄂豫皖苏区,为南京西面的屏障,是革命与反革命决战中心地点之一,合肥地区党组织在冲破敌人五次"围剿"战斗任务中,肩负着重大的使命。

1934年8月,中央派巡视员巡视皖西北地区时,要求"皖西北党

---

① 《皖西北合肥刘敏(给中央)报告》,1934年11月21日。

组织动员广大的劳苦群众,领导他们扒粮、反对苛捐杂税等斗争;开展游击运动,壮大游击队的力量,为保护鄂豫皖苏区粉碎敌人的进攻建立新的苏维埃区域而斗争"。①

1935年春,上海中央局要求皖西北特委与鄂豫皖苏区打通联系,任务是:巩固老苏区,建立新苏区。4月,特委在岳西找到红二十八军八十二师手枪团。为了摆脱敌人的封锁,中共皖西北特委领导所属武装力量和红二十八军八十二师手枪团会合,采取化整为零的方式,掩护群众开展扒粮斗争;集零为整,攻打集镇,除恶铲奸,打击国民党的地方反动势力,扩大游击区域。

1935年2月2日,皖西北游击大队在孙仲德的率领下,突袭合肥南乡严店,镇压了反动挨户团②,夺取枪支10余支。接着又攻占了西乡焦婆店,击毙国民党联防队队长以及不少劣绅、恶霸,掩护群众扒掉地主家的粮仓。之后,又直指西乡众兴集,全歼集上守敌。3月,袭击了南乡五十埠的国民党联保办事处和地主武装,击毙号称"五虎"的汪必海兄弟及15名匪徒,缴获长短枪16支。紧接着又两次袭击聚星街,打死反动自卫排长,俘敌5人,并将地主粮食全部分给贫苦农民。

6月,皖西北独立游击师成立,首战众兴集,夺枪30支,使游击师声威大震。此时游击师又增加了一个连兵力,全师共有4个连。在舒城攻下国民党刘家大院联防团,击毙联保主任1人,俘敌10余人,缴获长短枪20支。6月20日,游击师袭击了大潜山的土顽魏守殿,缴枪7支。同时,还消灭了前来增援的国民党保安队的一个排,击毙排长一人、士兵10余人,缴获长短枪25支。这时,皖西北独立游击师在人民群众的支持下,连战连胜,队伍由最初百余人发展到四五百人。人民群众在斗争中也经受了锻炼,提高了觉悟,形势朝着有利于革命的方面发展。合肥地区有些乡村,过去是一个村庄只有几个"赤

---

① 《皖西北星火》,1992年版,第5页。
② 挨户团是我国第一次国内革命战争时期的一种农村武装组织,几乎每户都要参加。1927年革命失败后,许多地方的挨户团被地主所利用,变成反革命的武装组织。

化"户,现在有的乡和村已全部"赤化",村乡都连成一片,游击队队员可以在大白天背着枪走村串户。党的区、乡、村基础组织也有了较大发展,地方游击小组也日益扩大。在特委的领导下,舒城、庐江、无为、巢县等地的革命形势也发生了很大的变化。

6月下旬,皖西北独立游击师乘胜扩大战果,出击凤凰尾、烧脉岗的反动武装。7月1日,游击师同赤卫队500余人,与安徽保安团八团激战于舒城一带,击毙敌人20余人,伤敌50余人,俘敌40余人,缴枪数百支。接着游击师横扫庐江、南乡诸镇,仅黄泥河一战,就俘敌10余人,缴枪20余支。10月3日,又攻占了庐江戴家桥镇,把同义和等大商店的布匹、油盐和许家祠堂粮食等,分给附近贫苦农民,并根据群众的要求,镇压了叛徒姜必胜和恶霸地主、庐江县县长汪培实的叔父汪显培。独立游击师的英勇善战,威震四方,吓得敌人"庐江关城门,桐城请救兵",终日胆战心惊。游击师对国民党势力的沉重打击,有力地支援和配合了鄂豫皖苏区的斗争,巩固和发展了地方党组织。

1935年秋,皖西北地区灾害严重,皖西北特委为了解决饥荒问题,及时要求各基层党组织及游击武装,广泛发动群众,开展扒粮斗争。为便于组织领导,保护群众扒粮,特委将党的骨干分子分散到各地区开展活动。这一时期,在皖北地区发动了大大小小数十次的扒粮斗争。在扒粮时为了迷惑敌人,采取东乡扒粮,西乡打枪,南乡扒粮,北乡撤退的办法,弄得敌人晕头转向。有时在一个县或一个地区内,同时几处进行扒粮,把敌人搞得惊慌失措。通过扒粮斗争,既解决了农民的饥荒,又扩大了党和游击师在群众中的影响。许多贫苦农民踊跃参加游击师,给游击队传送情报,救护伤员,皖西北游击师在这一时期得到了发展壮大。

(四)同红二十八军配合作战

1934年10月,红二十五军战略转移后,留在鄂豫皖苏区坚持斗争的红军二十八军与中央失去了联系,因此中央指示皖西北党组织要尽快打通与红二十八军的联系。1935年3月,皖西北特委决定由孙仲德率领部队,向岳西县主簿园和黄麦园一带运动,寻找红二十八军。4月初,在岳西的大山深处找到了皖西特委书记兼红二四六团政委徐成基,向他们传达了上海中央局关于打通联系的指示。从此,与皖西特委和红二四六团配合行动,帮助红二四六团解决了一部分武器装备和部队给养问题,并输送130余名战士及装备给皖西特委,壮大了皖西特委领导的红军力量。皖西特委则派一名军事干部到独立游击师任副师长,增强独立游击师的指挥能力。

独立游击师和红军的密切配合,协同作战,打得皖西北地区的国民党政府和地主豪绅坐卧不安,蒋介石对此十分恼火,曾怒斥国民党安徽省主席刘镇华"剿共不力"。1935年10月,国民党调遣大批军队,对皖西北进行跟踪"清剿",使红军处境艰难,形势日渐恶化。在此情况下,中共皖西北特委指示孙仲德率部回到舒城、合肥一带,继续开展游击斗争。

在国民党纠集重兵疯狂"围剿"下,皖西北独立游击师终因敌众我寡而连遭挫折,中共基层组织也连遭破坏。与此同时,留在合肥地区的游击师武装,在西乡的邱坡寺遭敌重重包围,二三百人的部队,经过激烈战斗,只有20余名队员在群众掩护下突出重围,脱离险境。皖西北独立游击师曾发展到四五百人,到孙仲德率部回来与坚持在合肥地区的队伍汇合时,只剩180余人。此时敌人还在增加兵力,紧追不舍,斗争非常艰苦,革命形势暂时转入低潮。

1935年12月,皖西北特委在庐江县北部的宋家小圩子召开了扩大会议。这次会议,除了改选和增补特委委员外,还做出了保存革命力量、分散隐蔽活动的决定。决定要求:1.将长枪全部埋藏起来。2.战士尽可能全部分散隐蔽起来。3.剩余的20余名干部和战士,暂时全部撤离舒城、六安、合肥一带,分散到敌人统治薄弱地区。4.利用张如屏的私人关系,决定将特委机关秘密地建立在巢县普仁教会医院。会议结束时,参会同志集体在党旗下宣誓:为了党的事业,鞠躬尽瘁,死而后已,忠于党,忠于革命,誓为共产主义事业奋斗到底,在任何情况下,不叛党,不出卖同志。

会后,根据组织决定,特委成员各自找到了适合本人特点的职业作为掩护,继续秘密地开展革命活动。刘敏和杨银声等人通过陶行知教育救国会的关系,在巢县黄麓师范附近的忠庙小学任教,以教书作掩护开展革命活动;冯兆鲁、张世祥、韩祖功三人在浙江长兴县煤矿开设一个"三友实业商店",为党组织筹集经费;孙仲德带领五六个人,购买了一条大船,做贩运大米的米商,活动在安庆、芜湖一带的长江水面上,沟通各地的革命联系;曹云露和顾鸿在庐江一带开展游击斗争。此间,孙仲德和曹云露等人曾先后在长江的白沙洲、黑沙洲及庐江、巢县等地发动群众积极筹款,昼伏夜出,秘密开展武装斗争,消灭了当地一些危害极大的叛徒和反动分子,迫使敌人不敢肆意妄为。

第四章

抗日战争时期

等事项归第三科掌理,使战时交通悉以合于军事运用为目的"。① 同时"将过去白役散役等积弊,一律革除"。② 调整后县府设三科,按省府要求突出了军事动员职能。

(二)政教卫三位一体

针对职权分散、缺乏必要集中的问题,1939年初,安徽省府参照战前广西成法,订定《安徽省政教卫合一实施办法》,在县乡保各级推行"政教卫合一":即县长兼任县自卫总队队长,县府与队部合署办公,"乡镇保公所、乡镇保小学、乡镇保自卫预备后备队合并办公,乡镇保长须兼任乡镇保小学校长及乡镇保预后备队队长,以乡镇保小学教职员兼任乡镇保公所职员,确定薪给,实行年功加俸"。③

政教卫三位一体始于1934年的广西,抗战初期新桂系在安徽推行的政教卫合一,"完全是把新桂系统治广西多年的做法原本地搬到安徽来的。所谓'政教卫合一',就是以行政为中心,教育和地方武装都从属于行政。具体到基层,就是乡镇长兼小学校长,又兼民团大队长,揽大权于一身"。④

(三)废联保,设乡镇

1939年初省府颁布《安徽省战时各县区乡(镇)保甲组织大纲》《各县改编区乡(镇)保甲及举办户口调查实施程序》,将之前虚设、无实际用途的"联保一级一律取消,改为乡(镇)"。⑤ 该年2月省府公布

---

① 韦永成:《新县制在敌后区域实施的意义与本省实施计划》,《抗建中之安徽》(乙编政治),第29页。
② 曾愈:《安徽省专署县政府整调之经过及其理论之基础》,第23页。
③ 《廖主席一年来治皖政绩——民政方面》,《安徽政治》1939年第2卷第26期,第14页。
④ 吕祖杰:《新桂系举办的安徽省政治军事干部训练班》,广西壮族自治区委员会印:《广西文史资料》第30辑,1990年版,第317—318页。
⑤ 廖磊:《为改编各县区乡(镇)保甲告全省公务员书》,《廖主席言论集》,中原出版社1939年版,第46页。

《安徽省各乡（镇）保甲应办主要政务及指导考核办法》，规定了保一级多达23项职责，包括"编派队丁，放哨守卡"，举报汉奸，"实行国民公约，并规定保甲规约""按期召开保民大会"等地方自治及战时动员内容，删去抗战前修筑碉堡、烙验民枪等职能。① 至1940年1月，"全省计已编成2082乡（镇），25047保，291036甲。其沦陷地区尚未能编查者，由县政府区署先行酌量编划乡（镇），委派乡（镇）长秘密工作，以维系政权"。② 皖省县以下行政层级由原先"区保甲"三级改为"县以下区、乡（镇）、保、甲四级制"。③

抗战前期新桂系改革的部分措施与成果为新县制在皖推行奠定了良好基础。

二、干部培训与民众动员

针对基层行政人员素质偏低，省府本着"行新政，用新人"原则，于1938年10月在立煌设立安徽省政治军事干部训练班，省干训班组织形式以广西干校为蓝本，④同时"于各行政区设立分班，训练青年干部，为健全基层行政之骨干"。⑤ "各级训练学员的来源，一部分是挑选成绩优良操行纯洁的现任合格人员，一部分是招考中学以上毕业的青年，予以相当训练，以养成三位一体的工作人员为目的。结业后考核其工作能力及各项成绩，分别担任县以下各层级各部门工作。自二十七年十月至二十九年二月止，省班及各区分班共计训练13297

---

① 莫仲凡：《安徽省的基层行政》，《抗建中之安徽》（乙编政治），第39页。
② 《安徽省的基层行政》，第38页。
③ 《廖主席一年来治皖政绩——民政方面》，《安徽政治》1939年第2卷第26期，第14页。
④ 吕祖杰：《新桂系举办的安徽省政治军事干部训练班》，《广西文史资料》第30辑，第318页。
⑤ 王心恒：《一年来之安徽干部训练》，安徽省政府秘书处编《安徽一年》，1942年版，第44页。

人"。①

抗战前期新桂系的改革在战况危急情况下稳定了安徽抗战局势,但由于战局紧张加之桂系主皖不久,统治尚未稳固,因此改革缺少全盘规划。干训工作局限于临时省会立煌及部分专员公署,规模有限,"原有人员以从后方到来勇敢热心的人员,还是大大不敷运用,且一人已担负二三人工作,广大的基层工作干部更无法配备"。②

1939年底至1940年初,国府军事委员会先后颁发《国民兵团组织管理教育实施纲领》《国民兵团组织管理教育实施办法大纲》等法令,要求各县组织国民兵团,并由县长兼任团长以利战时指挥。据此,安徽省于1940年初开始统一地方武装,如编组国民兵团等。

在国民兵团整编前,安徽省府所属各县地方武装名目繁多,鱼龙混杂。大体分以下几类:

第一类是保安团队。保安团队原是抗战前皖省国民党正规军外最主要的地方武力,草创于1932年,抗战前编有九团一营,一万二千余人,③抗战爆发后多数整补国军作战,损失殆尽,余部于1940年春编为一个团。新县制推行后,"省属保安团队,依照中央所颁保安部队整理办法暨《各省保安团编并陆军实施办法》,本应裁团改警,惟以本省环境特殊,经呈准暂缓实施,仍按其编制兵额,尽量补充精健壮丁以充实力"。④ 安徽省保安团队并未按国府要求在国民兵团编组后取消,反而得到了增补,至1940年末发展到六团九千余人。这也是国民兵团编组后安徽省唯一得到加强的地方武力。

第二类是六路抗日人民自卫军。1938年2月间,"因本省省政府改组,地方武力分别移归省政府办理",省府即委任"石德纯、李武德、方钦、岳相如、余亚农、宋邦瀚等为六路抗日人民自卫军指挥官,在淮

---

① 操云岑:《三位一体制在安徽省的实施》,《抗建中之安徽》(乙编政治),第43页。
② 廖磊:《安徽建设的展望》,《廖主席言论集》,第80页。
③ 丘国珍:《战时安徽地方武力之发动与整理》,《抗建中之安徽》(丙编军事),第9页。
④ 《一年来之保安》,《安徽政治》1944年第7卷第12期,第45页。

河两岸分布组建"。① 1939 年春,桂系省主席廖磊鉴于"自卫军全系安徽土著民兵,深恐同他们同床异梦,不利于自己对皖省的统治",②遂令二十一集团军缩编其为 6 个团,余部遣散或并入各县自卫总队。

第三类是游击纵队。1939 年 5 月,安徽省府曾将本省原各自分散之民间游击部队统一调整,确定番号名称及编制经费,"计委季光恩为第八游击纵队司令,陈树森为第九纵队司令……赵凤藻为第二十纵队司令"。③

第四类是各县抗日人民自卫军。该武装于 1938 年 1 月在各县开始设立,1938 年 8 月,奉中央《战时国民军事组训整备纲领》,将各县抗日人民自卫军改为"县自卫总队"。

此外,省府所属地方武力尚有 1938 年初据《第五战区民众总动员委员会各县乡镇自卫队组织训练办法》成立的民众总动员委员会、各县乡镇自卫队,及凤定、皖北别动队等。

1940 年 3 月 26 日,省府第 811 次委员常会通过了《安徽省各县国民兵团编组实施办法》,规定"各县国民兵团以原有各县国民自卫总队改编之,凡在役龄(自年满十八岁至届满四十五岁)之男子,除服役常备兵役者外,均应加入组织"。④ 县国民兵团下设常备、自卫、后备队,同时在乡镇保设立各级国民兵队。依政教卫合一原则,各级队部均与各级政府合并办公,行政长官兼任团长。

安徽各县国民兵团主要就原各县自卫总队改编而来,并将原有名目繁多之游击纵队、乡镇自卫队、地方别动队一齐归并。1941 年夏,省府再颁《安徽省加强各县地方武力编组实施办法》,规定"国民兵团队为县属唯一自卫武力,专负守备责任,其他擅自成立之地方武

---

① 《战时安徽地方武力之发动与整理》,第 10 页。
② 张义纯:《新桂系统治安徽概述》,中国人民政协文史资料委员会印《安徽文史资料选辑》第 1 辑,1983 年版,第 9 页。
③ 《战时安徽地方武力之发动与整理》,第 10 页。
④ 《安徽省各县国民兵团编组实施办法》,出版者不详,1940 年版,第 1 页。

力皆为非法"。① 至 1941 年底,"实施新县制各县,对于国民兵的地区及年次编组与国民兵调查和国民兵役证等项工作,均已依照规定期限完成。常备队、自卫队亦已分别配置组训完竣,后备队的编组也收了相当效果,并完成了二至三期的训练。至县国民兵团与区乡镇队及甲班,也已分别编组完竣而成立了县区乡镇保的国民兵团队部。惟国民兵的装备和技能方面,尚未能充实与健全"。② 国民兵团编整改变了抗战初期省府辖下"县地方自卫武力,名目繁多,素质不一,力量不齐,效用不宏"③的弊端,一定程度上减少了地方武装扰民情况。

　　成立国民兵团并组训民众后,基层动员能力增强,配合了桂系军队抗战。据省民政厅长韦永成统计,"皖省国民兵训练,三十二年度计集训人数 67342 名,普训人数 134630 名,地区编组区队 78 队,乡镇队 1387 队,保队 15340 队,甲班 170600 班,年次编组及龄国民兵数 56391 名,各役期人数 1418379 名"。④ 1944 年 4 月豫湘桂会战爆发,日军对安徽国统区发动猛烈进攻,"蚌埠方面之敌,原分两路向我进攻,一路出寿县,沿淮河进攻正阳关;一路出凤台,进攻颍上,企图占领阜阳。经我淮南部队攻击,犯正阳关之一股早已溃退,经我淮北部队抵抗与淮南部队的夹击,陷颍上之敌亦狼狈溃退,并经我在沙河下游之截击,敌寇抛弃船只辎重,由阳湖镇溃窜,退回老巢。截至目前,我们安徽及豫鄂皖边区可以说仍是平汉线战事发生以前之状态"。⑤ 韦永成说,"六七年来,我驻境部队与日伪作战者,不下数百次。每次战役,凡构筑工事,输送弹药,救运伤兵,以及侦探向导等等,民众无不踊跃参加,协同部队作战。其他劳军运动,供应补给,使

---

　　① 《安徽省临时参议会第二届第一次大会会刊》,安徽省临时参议会秘书处 1943 年编印,第 46 页。
　　② 胡思尧:《安徽省一年来实施新县制的检讨》,《安徽政治》1942 年第 5 卷 2—3 期合刊,第 83 页。
　　③ 《一年来之保安》,《安徽政治》1944 年第 7 卷第 12 期,第 44 页。
　　④ 韦永成:《县政检讨》,第 13 页。
　　⑤ 《安徽省临时参议会第二届第二次大会会刊》,安徽省临时参议会秘书处 1944 年编印,第 17 页。

部队军糈给饷不虞匮乏,纪律得以维持,战斗精神得以提高"。①

基层行政人员大多经过各级干训机构培训,素质较高,基层行政面貌得以革新。抗战时期安徽干训成绩相当突出,"至1945年6月共培训干训生七万六千人"。② 在应考条件上,"凡具有初中以上文化程度的男女青年都可以按照自己志愿报名应试,从优录取"。③ 不少爱国青年通过干训方式走上了县以下各级行政岗位,扭转了抗战前安徽基层由土豪劣绅把持的局面。以1942年初望江县为例,"乡镇干部人员,全数系干训生。保一级干部,正由县干训所统筹训练,预定于三十一年三月间全数训练完毕",④这与战前安徽基层乡保人员年龄偏大、素质偏低形成了鲜明对比。据毕业于立煌干训班,后任麻埠区署指导员的徐经华回忆:"尽管皖干训团是为国民党政府培训干部的机构,但从这里结业出来的,其中有些人在不同的工作岗位上给'绅治'统治权以不同程度的打击,削弱了旧的封建势力,提倡了新的风尚,在当时黑暗重重、死气沉沉的社会里,或多或少添了些生气。"⑤

安徽基层教育事业得到显著恢复与发展。抗战初期,安徽基层教育事业基本瘫痪。1941年县乡保行政改革后,各级政府专设教育科、股,并将完成国民学校创设作为基层官员考核的基本指标之一。⑥截至1944年底,立煌等52县"现共有中心国民学校1574所,国民学校9521所。较本省现有1445安全乡(镇)及14473安全保总数,已超过每乡镇一中心国民学校,每三保两国民学校之标准,至小学民教两部各办18772班,收教儿童938600人,占学龄儿童总数百分之六十,收教民众1501760人,占失学民众总数百分之五十四"。⑦

---

① 韦永成:《县政检讨》,第13页。
② 《安徽省三十四年度全省行政会议录》,安徽省政府1945年印,第62页。
③ 徐经华:《抗日时期的皖干训团》,《金寨文史》第4辑,1988年,第40页。
④ 《望江县政府工作之概况》,《安徽政治》1942年第5卷2—3期合刊,第111页。
⑤ 徐经华:《抗日时期的皖干训团》,《金寨文史》第4辑,第41页。
⑥ 黄昊、武菁:《抗战时期安徽新县制改革研究》,《安徽史学》2012年第3期。
⑦ 汪少伦:《一年来之教育》,《安徽政治》1944年第7卷第12期,第21页。

第二节 日军北犯与合肥沦陷

一、日军入侵合肥

　　1937年7月,日本军国主义势力发动全面侵华战争,不久将战火从华北引烧到长江下游地区。11月12日,上海沦陷。该月月底,日军一部经浙西侵入安徽省广德县境内。12月,郎溪、宣城、芜湖、当涂等县及首都南京纷告失守。随后,日军沿津浦线北上,至1938年2月初,又侵占安徽滁县、全椒、嘉山、定远、凤阳、蚌埠、怀远等大片地区。合肥已完全处于日军的武力威胁之下,形势极为险恶。

　　日军侵占上述地区后,开始将合肥作为重要目标。合肥不仅为安徽面积最大、人口最多的县份,地广人稠,物产丰厚,而且战略位置十分重要。合肥本身居安徽中部,距南京、芜湖、蚌埠、安庆、九江、武汉等地均不甚远,境内又有淮南铁路贯穿通过,对于日军而言,占领合肥,既可使南京、芜湖、蚌埠等沦陷区获得一道安全屏障,确保长江及津浦铁路的水陆交通,又可将合肥作为侵犯安庆、九江、武汉等腹部地区的基地,同时还可掠夺淮南大通等地丰富的煤矿资源。

　　为早日夺占合肥,自1937年12月起,日本空军凭借设在芜湖、南京等地的军用机场,对合肥及其周边地区频繁实施轰炸。在巢县,1937年12月23日,日机先猛炸巢城,继之轰炸扫射柘皋及合浦路沿线,群众伤亡百余人。1938年4月26日及28日,日军飞机数架连袭巢城。合肥遭遇的空袭较巢县更为严重。早在1937年12月中旬,日军飞机即在东门外的飞机场、火车站、坝上街及轮船码头等处投掷炸弹。1938年1月,日机轰炸地段扩大到东门大街、十字街和鼓楼等商业闹市区。3月27日上午,日机5架在合肥主城区抛掷炸弹、燃烧弹百余枚,东门大街、四牌楼、尚节楼、县桥等热闹地区一片火海,大火延烧至次日仍未熄灭。此外,这次轰炸,城内有200余人被炸死。据时人统计,从1937年12月至1938年5月,日机轰炸合肥城乡多达40余次,炸死300余人,炸伤千余人,炸毁、烧毁房屋无数。连绵不断的空袭,除造成巨大的物质财产与生命损失外,还引发了极度的社会恐慌。1938年4月26日,日机猛炸巢城后,次日国民党巢县县长即携县政府官员及县常备队300余人弃城逃跑,影响极坏。合肥人心惶惶,不可终日,"郡人相率逃亡,市寂如墟"。① 城镇居民纷纷避难偏僻乡间,如城内龚姓大户早在1938年3月就举家迁往东北乡的青龙厂。其他大户莫不如是。

面对日趋危急的形势,国民党方面积极应对,采取了以下措施,加强抗战准备。

其一,强化合肥驻军。全面抗战爆发后,因华北、淞沪等地紧急,合肥没有驻扎国民党正规作战部队。1938年1月初,国民党桂系部队第十一集团军总司令李品仙,将其总部由徐州移至寿县,防护寿县、定远、凤台、合肥等地,此前一月即1937年12月初,该集团军即往合肥派驻了一个旅的兵力。1938年初,国民党第五战区司令长官李宗仁谋划徐州会战,为强化对津浦路日军侧翼的威胁,他又将所部第二十一集团军调至合肥。该集团军总司令为廖磊,共计6师部队。1938年2月6日,该集团军由浙西经南昌、九江、宿松、桐城一线到达合肥,主力部队奉命由定远进攻津浦线,切断日军后方,第一七二师、第一七六师则留守合肥,于合肥城及梁园、八斗岭一线设防。此外,国民党有关方面于1938年初设立了合肥警备司令部,新募乡勇千余人,组成安徽省保安第五团、第七团,由原独立第四十旅旅长宋世科担任司令。驻防合肥的国民党正规军及地方部队日渐增多,对稳固人心、拱卫合肥发挥了积极影响。

---

① 童杏荪:《合肥沦陷记》,《安徽文献》第5—6期合刊,1946年12月31日版。童杏荪1938年任国民党合肥县党部书记长。

其二，拆路毁路。中日军队比较而言，日军的机械化水平较高。为了防止日军夺占铁路、公路发动快速进攻，驻防部队奉命拆路毁路。1937年底，国民党军队将淮南铁路铁轨全线拆除并破坏路基，淮南铁路合肥段遭到了严重破坏。1938年3月，国民党部队又奉命破坏了合六、合蚌、合浦、合寿等公路。

其三，构筑防御工事。合肥骤列国防第一线后，构筑防御工事已成燃眉之急。第二十一集团军的两个师驻防合肥后，以数月时间，耗资20万元，在城郊修筑了大量防御阵地，形成了外围阵地与古城墙相结合的较完善的城防工事体系。

与官方筹备抗日的同时，一些社会知名人士或名门望族首领、社团领袖等也自发行动起来，筹组民间抗日武装。他们或毁家纾难，或广为招募，收集民间武装，训练乡丁，准备在日军侵犯时保家卫国，大展身手。合肥东南乡六家畈名流吴中英、吴中流兄弟联络国民党安徽省党部委员李蔚唐、黄麓师范学校校长杨效椿等人在六家畈组织"合巢水陆联防办事处"，募集百来支枪，操练演习，准备抗日，不幸为仇家设计陷害，被诬为汉奸。1938年1月7日，上述4人被捕，13日，即被李品仙以汉奸罪名处决，一时轰动全国。① 尽管发生此类亲者痛、仇者快的案件，但民间组织抗日自卫武装仍风起云涌，势头不减。

1938年4月，日本大本营不甘心台儿庄战役的惨败，决定由华中派遣军、华北方面军沿津浦线南北夹攻，夺取徐州。华中派遣军随即制订徐州作战计划，决定除主力部队沿津浦线北攻外，另在津浦线左右两翼各派一支战斗部队协同行动，以保证主力部队侧翼的安全。4月23日，驻扎芜湖的日军第六师团接到华中派遣军司令部命令，迅速以步兵4个大队为基干组成战斗部队，沿和县—巢县—庐州大道

---

① 《合肥破获汉奸案》，《新华日报》1938年2月4日。此案1947年由国民政府查为冤案，予以平反。

地区作战,牵制驻合肥的中国第十一、第二十一两个集团军相关部队。① 第六师团奉令后,即抽调该师团步兵第十一旅团下之步兵第十三联队、第六师团直属的骑兵第六联队、第六师团直属的野炮兵第六联队之第三大队及卫生、通讯等人员共计5000人左右,组成北犯战斗部队,由步兵第十一旅团旅团长坂井德太郎少将统率,称为"坂井支队"。

4月23日,坂井支队从芜湖出发,到达当涂县采石镇,准备渡过长江。24日,在日本海军的协助下,该支队从和县以东登陆,几乎未遇抵抗即占领和县。随后该支队进犯含山,尽管国民党含山县县守备队数百人殊死抵抗,终因势力悬殊而失利,26日含山失守。4月30日,因国民党巢县县长及县守备队早已弃城逃跑,坂井支队未费周折又侵占巢县,准备北犯合肥。②

几乎与日军策划进攻合肥的同时,国民党方面临时变更合肥军事部署。1938年4月下旬,国民党第五战区司令部为确保徐州会战,命令驻合肥的第十一、第二十一集团军部队集结北上,出击淮南,威胁津浦线日军。合肥防区改由国民党第二十六集团军接防。4月25—26日,该集团军第十军第四十一师、第四十八师分别由河南商城、湖北英山向合肥前进。经过七昼夜的急行军,两师部队5月4日前均抵达合肥,前往有关地区接防。5日,国民政府下令,合肥地区所有防军,包括第二十六集团军所属各师及合肥警备司令部所属的保安第五团、第七团及巢湖水警总队一部,统归第二十六集团军总司令徐源泉指挥,担负巢湖以北邢家浦、朱家湾、三河集一线的防守任务。其中第四十八师第一四二旅布防于合肥城、店埠一线,该师第一四四旅布防于梁园、八斗岭一带;第四十一师布防于合肥东北园疃、靠山集、曹家店一带,保安第五团、第七团主要布防于巢县夏阁镇以

---

① 日本防卫厅防卫研制所战史室著,田琪之译:《中国事变陆军作战史》第2卷第1分册,中华书局1979年版,第52页。
② 《中国事变陆军作战史》,第72页。

北地区。徐源泉坐镇城内，于合肥三育女子学校设立指挥部，统一调度。不几日，第四十一师奉命北调，进攻凤阳等地，企图减轻正在蒙城与日军主力苦战的国民党军的压力，另调驻扎湖北黄陵的第二十六集团军第八十七军第一九九师驰援合肥。因战事紧急，在第一九九师尚未赶到合肥的情形下，第四十一师即离肥北上，给后来的合肥保卫战留下了巨大隐患。

接到国民党第四十一师向北方移动的情报后，坂井支队认为进攻合肥的时机已至。5月11日，坂井支队一部由巢湖分乘橡皮舟和民船偷渡至焖炀河，主力部队则沿淮南铁路向合肥方向推进，迅速占领巢县境内中垾镇、焖炀镇等地区，本日拂晓，跨过巢、合两县分界线，进入合肥县境内；在合肥东南大镇桥头集发起猛攻，驻扎此地的国民党第四十八师第一四二旅第二八四团奋起抵抗。日军先以炮火猛轰守军阵地，随后展开肉搏战。第二八四团伤亡惨重，其中第三营营长蒋子祥、排长邱少华、丁家斌阵亡，排长吴济民、刘兆民等重伤。日军经过一天激战后，夺占桥头集。①

鉴于第四十一师已北调离开合肥，而第一九九师又未赶到，合肥防御体系出现漏洞，前线战事又十分吃紧，徐源泉连夜调整部署，令第四十八师第一四四旅第二八八团由梁园、八斗地区赶回合肥城郊布防，该旅第二八七团赶往撮镇驻扎，准备侧击日军，令在夏阁镇附近的第一四二旅第二八三团连夜撤至店埠附近，作为预备队。

12日，日军一部化装成红枪会，于巢湖北岸登陆，迅速占领六家畈、长临河一带，威胁撮镇及合肥近郊。当日晚，第四十八师多部摆脱各方之敌，赶回合肥城布防，其中第二八三团、第二八四团守卫城东及东北阵地，第二八七团守卫城东南，第二八八团作为师预备队。由于兵力不足，城内未作重点布防，仅有少数士兵及宋世科部若干驻守。

---

① 中共肥西县委党史工作委员会等编：《肥西抗日史料选编》，1987年内部印刷第9页。

13日下午1时,日军数千人逼近县城东南方之五里庙、王大郢。守军第二八七团以猛烈炮火迎击当面之敌,继以步兵冲锋,日军被击退。此时第一九九师第五七三旅终于到达合肥,布防于南门外大溪岗一带。为防止敌迂回城西南方向切断安合公路,该旅以1个团兵力占领第二八七团右侧王大郢以西阵地。傍晚时分,敌我开始在合肥东南的朱家岗、王大郢等阵地展开激烈争夺。守军顽强抵抗,肉搏冲锋5次,伤亡极其惨重。日军彻夜进攻,未能突破守军防线。

　　14日晨,刚刚赶到合肥的第一九九师第五七四旅在西门外七里岗一带布防。早上5时许,日军向守军阵地炮击,至7时左右,共发弹千余发,当时"合舒路以东,淝水以西,硝烟弥漫,四野凄然"。① 在日军猛烈炮火打击下,朱家岗、王大郢等阵地被摧毁,第二八七团团长赵我华阵亡,营以下官兵伤亡甚众。千余日军在炮火及日机掩护下,向第四十八师与第一九九师结合部朱家岗、葛小店猛扑,突破了守军第一道防线。危急时刻,第四十八师第一四四旅旅长韩浚在师预备队第二八八团后援下,率该旅其他部队向敌反冲,经奋力厮杀,终将第一道防线失守阵地夺回。随后,日军再次集中炮火并增派飞机,掩护其后续部队继续进攻。第二八三团、二八四团各抽一部兵力由阵地左翼,第五七四团由阵地右翼分别向敌出击,图挽战局,但因敌机轰炸,步骑猛冲,守城部队伤亡惨重,终于不支,早上8时许放弃阵地向西撤退。② 日军衔尾紧追。守军撤退时组织不力,溃不成军,部分日军乘乱由德胜门冲入城内。由于守城部队过少,加以驻城内之宋世科一部叛变,城内汉奸蜂起,秩序异常紊乱。③ 国民党党政人员仓促间从水西门撤离,日军大部队即从德胜门、小南门进入城内,合肥遂告沦陷。

---

　　① 童杏苏:《合肥沦陷记》,《安徽文献》第5—6期合刊。
　　② 《肥西抗日史料选编》,第11页。
　　③ 《陈诚转报合肥作战情形及失陷经过代电》(1938年5月29日),载中国第二历史档案馆编:《中华民国史档案资料汇编》第5辑第2编军事(二),江苏古籍出版社1997年版,第621页。

合肥城的失陷，标志着合肥保卫战的结束。从此，合肥沦陷区人民开始了长达7年之久的惨痛经历。

在英勇悲壮的合肥保卫战中，中下层官兵不畏强敌、浴血奋战，表现出了中国军队英勇不屈、顽强抵抗的精神。据统计，仅 13 日下午才加入战斗的第一九九师就损失 1301 人，中下层军官大多伤亡。第四十八师恶战数日，牺牲惨烈。合肥失守，除敌我双方力量对比过于悬殊外，尚有其他种种复杂因素，如第四十一师临时北调，第一九九师之迟达、布置兵力失当等，皆为致败之因。

合肥城失守前后，日军在巢县散兵、合肥下塘、水湖等地展开军事行动，陆续侵占上述地区，合、巢两县出现了大片的沦陷区，其中合肥沦陷地区为时最久者为县城、桥头集、店埠、撮镇、南二十埠、岗集、双墩集、大蜀山、小土山等处。① 巢县沦陷地区主要为县城、夏阁、中埠、炯炀、下朱、半汤等地。日军侵入庐江较晚。1941 年 3 月底，日军由巢县出发，占领白湖南北两端的黄姑闸、盛家桥、盛桥、关河等地，直至 1943 年 7 月才撤离。日本侵华时期，日军曾较长时间控制东至店埠、西至大蜀山、北至水家湖、南至盛桥的广大地区，其中合肥沦陷区约占县境之半，巢县则为大半沦陷，庐江为小部沦陷。② 此沦陷区域主要分布在淮南铁路两侧，囊括了不少地理位置十分重要的大城名镇，属于合肥及周边地区经济较发达、人口较密集的地带。

二、日军暴行

日军第六师团残暴成性，曾率先攻进南京城，参与震惊中外的"南京大屠杀"。该师团部队侵入合肥及周边地区后，凶残本性再次充分暴露，杀烧淫掠，无恶不作，对合肥人民犯下了滔天罪行。

合肥县城沦陷时，城内一片混乱，放下武器的中国士兵与城内百

---

① 《安徽省廿八年度统计年鉴》，安徽省政府 1940 年编印，第 153 页。
② 安徽省档案馆、蚌埠市档案馆编：《日本侵华在安徽的罪行》，1995 年内部印刷，第 1 页。

姓相杂,仓皇四奔,日军则四处持枪追杀。徐源泉部约一连人被日军俘虏后,驱至小东门河边一齐被杀害,河水尽赤。① 大街小巷,时有枪声,血肉飞溅,横尸遍地。尤以北门外石桥附近为最,因为桥面狭窄,人们蜂拥上桥,夺路奔逃,日军以机枪扫射,桥上人纷纷被击落水,以致桥上死尸枕藉,桥下填满尸体,河水为之断流。随后,日军又挨家逐户搜捕,将众多无辜平民押至苗圃(今市体育场)、卫衙大关(今安庆路卫民巷内)等地集体屠杀。日军以国民党军队将士发型及服装的型色及青壮男性作为捕杀的目标,因此,凡男性剃光头和平顶头者杀;上衣穿对襟、开胸衣者杀;穿绿、灰、蓝色衣服者杀;男性未留胡须者杀。② 如此疯狂屠杀达数日之久。在日军屠城武力胁迫下,城内民众投塘、跳井、上吊、喝药而自尽者为数甚多,如合肥名医朱寿山,"敌至时驱家人尽逃,分家产与贫民,自则于城陷时领药自杀,以身殉城"。③ 1923年反对曹锟贿选的国会议员张敬文亦服药而死。文字学家刘石宜投塘自尽,辛亥功臣、三育中学教师黄海三全家跳塘身亡。经过日军数日血洗,城内外尸体充斥。时值盛夏,尸体很快腐烂,臭气冲天,苍蝇扑面,行路时必须用扇扇开苍蝇,方能前进。后来,汉奸组织强迫老年人四处收尸,抬到东、北郊掩埋,掩埋尸体多达五千余具。在日军屠城政策下,合肥城内一片阴森恐怖,不啻一座人间地狱。

屠杀同时,日军还到处纵火,对城区进行毁灭性的破坏。为了防止游击队利用房屋隐蔽、袭击县城,日军将大东门外、小东门外、北门外及大西门外的所有房屋放火焚烧,东门外买卖街、北门外大街最惨,大火燃烧数昼夜,数十公里外可见。日军又将烧毁后的断垣残壁,夷为平地,再将无人居住的前大街、后大街及北门大街两旁临街的房屋墙壁全部打通。日军还炸毁城内最高建筑,也是城内唯一钢

---

① 汪其天:《合肥沦陷目睹记》,载安徽省政协文史资料委员会编:《百年安徽风云》第4卷,安徽人民出版社2011年版,第515页。
② 枢华:《日军侵占合肥之后》,《肥西抗日史料选编》,第28页。
③ 安徽省档案馆编:《安徽省民众抗日事迹选编》,2005年内部印刷,第10页。

筋混凝土建筑四牌楼,附近大量民房也被震倒塌。

日军还对城内妇女肆意奸淫,犯下灭绝人性的暴行。合肥沦陷时,城内无力外逃的妇女,绝大多数是老、幼、病、弱和庵庙的尼姑。日军入城后,兽性大发,奸淫妇女,虽六七十岁的老妪和不足十岁的幼女,也难幸免,尤其在夜晚,日军肆意闯入民宅,大施淫威,妇女号哭呼救之声惨不忍闻。拒奸被杀或受辱自尽者,比比皆是。① 寿星街的朱家和金巷内的沙家,驻扎数十名日军。金巷内的金家祠堂,就成了日军的淫窟,他们经常抓捕妇女来此奸淫。② 日军还时常强迫城内居民寻找少女供日军淫乐。③

日军还公然大肆抢掠。日军在对全城挨家挨户搜查时,肆意劫夺金银玉器、古董字画、家具衣物,甚至掘地发藏,破壁开仓,拆毁房屋,唆犬咬人,无恶不作。④

日军暴行不仅仅局限于合肥城内,也广泛呈现于四乡地域。日军制造众多惨案,一幕幕人间惨象在广大乡村上演。其中以下列数案最为昭著。

(一)烟墩集惨案

1938年5月19日清晨,日军包围了距合肥二十里的南乡烟墩集,先杀死起早杀猪的屠户及庙中和尚。天亮以后,日军见人就抓,见东西就抢,把全镇民众驱至仙姑坟罚跪在地,架设机枪,准备集体屠杀。后因远处响起枪声,日军慌忙逃离。这一天,烟墩集民众被杀死13人,周围的松树湾、上张岗、上王岗、余小郢、周小郢等十几个村庄尽遭烧毁。⑤

---

① 刘秉钧:《沦陷期间的合肥城》,载合肥政协编:《合肥史话》,黄山书社1985年版,第118页。
② 《肥西抗日史料选编》,第31页。
③ 《安徽省民众抗日事迹选编》,第14页。
④ 《合肥沦陷目睹记》,载《百年安徽风云》第4卷,第515页。
⑤ 《肥西抗日史料选编》,第40—41页。

(二) 三河集惨案

1938年6月10日,日军侵入南乡大镇三河集,在街上开枪打死50余人,并轮奸妇女50多人,在河南岸木摊上一处就轮奸妇女十几人。日军在码头上捕获船民9人,全部用刺刀穿喉杀死。日军又在街上及乡下疯抢吃食如鸡、鸭、猪、牛等。不久3名日军到三河镇东西两个相连的村庄强奸妇女,被愤怒的群众击杀2人,第二天,日军从水陆两路包围两村,男女老幼四散奔跑,留下18个老人守村,被全部捉住,其中17人被杀。日军将村中东西掳掠一空,又放火烧光两村房屋。①

(三) 庐江东汤池惨案

1938年6月15日,日军由舒城开往桐城大关,途经庐江东汤池,在傅家井屋枪杀农民沈成道的母亲,在莫家屋打伤莫家勤的母亲,在下街枪杀王麻子。农民李家基因拒绝帮日军找"花姑娘"被活活打死,黄传保、黄传贵不愿为日军挑担也被枪杀。至6月21日日军离开,短短数天内,东汤池即有21名无辜群众被杀。另外,许多店铺遭劫。②

(四) 庐江上东湾惨案

1938年7月24日,盘踞在三河的17名日军到庐江同大圩孙家坝陡门强奸妇女,被群众打死数人。次日晨,100余名日军窜至上东湾一带,打死群众10余人,烧毁房屋500余间、粮食2000余石。26日,日军又到胡家湾打死6人,烧毁15户房屋。

(五) 巢县温家套惨案

位于巢湖北岸的巢县大匡圩南埂统称温家套,在这条长约2.5公

---

① 李秉新等:《侵华日军暴行总录》,河北人民出版社1995年版第714—715页。
② 《侵华日军暴行总录》,第725页。

里的大圩堤上,自东向西坐落着河口村、温村和孙村。1938年9月24日,日军班长野村郎从距温家套十里的下朱村日军居地,乘船经过柘皋河口,经过温村来到孙村,企图强奸农妇,被愤怒的群众打死。10月8日凌晨,100多名日军及汉奸,分水陆两路包围温家套,进村后,见人就杀,逢屋就烧。在温家村,还将群众百余人驱至大院,使用机枪扫射。经过一天的血腥大屠杀,三村总计被杀害316人,230户人家的大小房屋900余间及湖边18条大民船被彻底烧毁。鱼米之乡的温家套变成一片废墟,到处断垣残壁,尸骨成堆,血迹斑斑,渺无人烟。劫后的温家套成了一个"无人地区"。①

三、伪县政权的建立与更迭

合肥沦陷后,汉奸蜂起,留日学生高树民、破落商人宁少三等一批民族败类率先卖国求荣,投靠日本侵略势力。同时,日军成立了具有政工性质的宣抚班,专门引诱地方头面人物。在日方拉拢下,合肥红万字会会长袁琢斋、北洋军阀时期的陆军中将方星樵、合肥美孚洋油公司经理王平波等人纷纷变节,投身汉奸阵营。很快合肥地区就产生了东区维持会、北区维持会、西区维持会、长岗集维持会、岗集维持会、撮镇自治会等汉奸组织。②

1938年6月上旬,在日军特务班撮合下,合肥维持会挂牌成立,办公地点设于大同医院,袁琢斋担任会长,方星樵副之,另配若干委员、书记、助理员等,内分交通、财务、民政、谍报、人事、商务、警务等课,附属机关有难民所、人民登记委员会等,人员众多。维持会内办公人员,除袁琢斋等少数具有一定社会地位的地方头面人物外,大多为流氓地痞、失意官兵、讼棍、中小学教员、小商人、士绅、红十字会中下层成员等。从其组织结构及功能来看,维持会带有准政权组织的

---

① 《日本侵华在安徽的罪行》,第45—50页。
② 《合肥伪组织调查表》(1940年10月),安徽省档案馆藏。

性质。

合肥维持会的主要职责为帮助日军确立殖民统治秩序。当时避居基督医院、基督教农场、天主教堂等处难民多达1000余人,十分拥挤,饮水、食粮等均成问题,病者日多,如不及早疏散,势将引起瘟疫流行。维持会向日军疏通后,决定成立难民区,其范围自基督教农场,向西经基督医院、官盐巷延伸至天主教堂,南至城墙根,北至丁家巷。寄居上述各处的难民均可入内居住。难民区内设置难民所,任命难民所所长,并配备调查员及公安员,进行管理。所有难民,不分男女老少,由维持会登记造册,另贴一份在各户大门上,查户口时按此查对,并发给白布条印制的难民证,后改发良民证,上书持证人姓名、年龄等,加盖维持会公章,难民外出须佩胸前,以供日军查验。此外,维持会还设置警察,维护治安,并为日军征派民工,供修路、搬运军用品、修理营房等繁杂事务之需。

1938年10月,伪安徽省政府于蚌埠粉墨登场,着手筹组沦陷区各伪县政权。对于伪合肥县政权负责人人选,伪省政府最初属意袁琢斋,因袁以年老体衰不愿再干,乃改为方星樵。1938年12月14日,伪省政府下令,"委任方星樵试署合肥县知事"[①],从而揭开了合肥沦陷区组建伪县政权的序幕。

方星樵,1894年生,合肥人,早年毕业于北洋武备学校,北洋军阀统治时期曾任陆军中将旅长,后又充地方税局长,南京国民政府时期,委身慈善事业,为合肥红万字会负责人之一。[②] 合肥沦陷时,避难于基督医院,因受日军宣抚班赏识,出任合肥维持会副会长。

经过一个多月的筹备,1939年2月1日,方星樵在日军监视下正式就任伪合肥县知事[③],首届伪合肥县级政权正式成立,从此方星樵

---

① 《安徽省政府令》(伪)(1938年12月14日),《安徽省公报》(伪)第1期,1939年1月版。
② 《合肥伪组织调查表》(1940年10月),安徽省档案馆藏。
③ 《安徽省现辖各县名称及县长姓名一览表》(伪)(1940年11月),中国第二历史档案馆藏。

认贼作父,变本加厉,不遗余力地为日本侵略势力效忠卖命。

根据伪省政府规定,合肥被列为一等县。伪县公署组织机构,除伪县知事外,另有通译1人,秘书1人,内设4科,其中第一科分管民政,第二科分管财政,第三科分管教育,第四科分管建设,各科除设科长1人外,另置科员、事务员、雇员各若干。伪县知事兼理司法,设承审员一人,下置看守所长、典狱员、书记员、法医、检验吏各一,录事、执达员、法警若干。①

伪县公署成立后,加紧拼凑各级伪基层政权。伪县公署之下设立伪区公所。战前合肥共为6区,日伪即按各区沦陷的先后设立相应的伪区公所。方星樵担任伪县知事期间,合肥沦陷区共设立伪第一、第二、第五共3个伪区公所,各区置伪区长1人,区员若干人,其中伪第一区区治设城内,管辖城区及火车站镇、河坝镇、双岗镇、岗集镇、磨店乡、七里塘乡、义城乡、烟墩乡等近20个乡镇,伪第二区区治设撮镇,伪第五区区治设双墩集。② 伪区公所下设伪坊乡镇公所,其中城区划为东、西两个坊,各设伪坊长1人,乡村乡镇各置伪乡长或伪镇长1人。伪坊乡镇公所之下,则为伪保公所,各保置伪保长1人,伪保之下则为甲,各甲置伪甲长1人。至方星樵下台时,合肥沦陷区的伪政权体系自上而下得到了确立。

清查户口,编组保甲,是各级伪政权"施政"的重中之重。伪县公署成立后,迅即根据有关条例,清查户口,按十户一甲、十甲一保原则逐村编查,并令办理联保切结。至1939年底,沦陷区编组保甲者达10377户,52863人。③

伪县公署对组建武装也颇费心机。伪警察方面,除于县城设伪警察所外,并于各重要地段及乡镇设立分驻所、派出所,各乡镇也纷

---

① 《安徽省合肥县公署组织概况报告表》(伪)(1940年1月),中国第二历史档案馆藏。
② 《县属一区各乡镇六月份户口统计》(合肥通讯),《安徽日报》(伪)1942年7月5日。
③ 《苏浙皖各地施政概况》(伪)第1辑,第95页。

纷建立伪自卫团。①

搜罗汉奸,拼凑各种反动社团,也是方星樵任内的重要事项。战时大部分伪社团均在这一时期成立或壮大,如大民会庐州联合支部、庐州青年团、安清同盟会合肥分会、庐州中华妇女会、伪合肥县商会、伪中国合作社合肥支社等。

为了点缀殖民社会,伪县公署还恢复设立了若干小学及交易市场,组建伪县立医院,整修若干街道,举办小额借贷,举行大扫除等活动。②

方星樵认贼作父,为虎作伥,祸害乡里,其罪行历历在目,一度得到了伪上级机关的首肯。1940年2月1日,伪县公署举行成立初周纪念大会,伪民政厅长代表大谈合肥之重要,称"方知事老成干练,勇于任事,省方庆幸得人"。③ 方也善于钻营。1940年3月,汪精卫卖国集团在南京上演"还都"闹剧,方星樵立即致电汪精卫,表示庆贺。④ 同年8月,方还兴致勃勃地赴伪省会蚌埠出席伪省政府第一次县政会议。⑤ 10月,方即因汉奸内部矛盾,被日伪撤职。方不服,亲至蚌埠告状,回肥途中路经田家庵时,被当地日军宪兵队认为多事,秘密逮捕并处死,抛尸淮河,下场极为悲惨。⑥

1940年3月,汪伪国民政府取代伪维新政府后,下令恢复先前国民党的一些行头。10月22日,伪省民政厅根据汪伪国民政府令文,要求将"伪前省政府在原县治所设各伪县公署及伪县知事名称,自本

---

① 《安徽省合肥县行政主要实施月报表》(伪)(1940年1月),中国第二历史档案馆藏。
② 《安徽省合肥县公署施政概况报告表》(伪)(1939年12月),中国第二历史档案馆藏。
③ 《合肥县公署成立初周纪念盛况》,《蚌埠新报》(伪)1940年2月16日。
④ 《贺电汇录》,《蚌埠新报》(伪)1940年4月6日。
⑤ 《国民政府安徽省政府第一次县政会议纪录》(伪),安徽省政府(伪)1940年8月编印,第10页。
⑥ 《合肥沦陷目睹记》,《百年安徽风云》第4卷,第518页。

年十一月一日起一律撤销,仍旧恢复县政府及县长名称"①。伪合肥县政权正是在这一时刻发生第一次更迭。

1940年10月9日,方星樵遭到抛弃,宋植枬被委为代理伪合肥县知事,11月1日宋到任②,改称"县长",伪县公署改称伪县政府。

宋植枬,别号梓臣,1881年生,安徽望江人,早年毕业于安徽武备学堂,北洋军阀统治时期曾任安徽全省警务处处长兼省会警察厅厅长。南京国民政府时期,宋先后担任安徽第一区行政督察专员公署总参事、安徽全椒、五河、太和等县县长,③为一典型的老官僚。

宋上任后,"施政"区域有所扩大,增设伪第三区,区治位于店埠。"施政"方面处处秉承日方意志行事,尤其在日方十分看重的编组保甲上,宋不遗余力,颇见"成效"。至1941年2月,沦陷区已编好保甲的户数达43000多户,23万余人。④ 此外,宋还创设伪县立民众教育馆,并自兼馆长。⑤ 1941年4月17日,伪省政府咨伪内政部,称"合肥县长宋植枬治绩优良,堪以实授"⑥,得到伪内政部允可,宋的职务由代理改为实授。但职务的坐实并未改变朱植枬伪县政权短促的命运,数月后,虞敬恩等绅民不断向上峰呈控宋侵吞公物等不端行径。⑦迫于社会舆论压力,伪省政府不得不先免宋伪合肥县长职,后来于1942年1月1日另委宋为伪省政府视察,以作安慰。⑧

---

① 《安徽民政厅训令》(1940年10月22日),《安徽省公报》(伪)第22期,1940年10月版。

② 《安徽省各县等级暨县长姓名籍贯资历一览表》(伪)(1940年11月),中国第二历史档案馆藏。

③ 中国第二历史档案馆编:《汪伪政府行政院会议录》第6册,档案出版社1992年版,第569页。

④ 《安徽省合肥县地方自治区域调查表》(伪)(1941年2月),中国第二历史档案馆藏。

⑤ 《整顿县立民教馆 梅建飞接充馆长》,《芜湖新报》(伪)1941年2月23日。

⑥ 《安徽省政府咨》(1941年4月17日),《安徽省公报》(伪)第29期,1941年5月版。

⑦ 《虞敬恩等呈控合肥县长宋植枬侵吞公物》(伪)(1941年7月—1942年7月),中国第二历史档案馆藏。

⑧ 《安徽省政府委任令》(1942年1月1日),《安徽省公报》(伪)第37期,1942年1月15日版。

宋植枏下台，意味着伪合肥县级政权第二次更迭。1941年10月2日，伪省政府委任张树森为伪合肥县长，10月8日张到任。①

张树森，1882年生，安徽凤阳人，早年为前清附生，由军功递奖知县，曾充安徽桐城、英山等县知事。南京国民政府时期，出任繁昌、五河、合肥、巢县等县县长，抗战爆发后，变节投敌。

张就任伪职后，对于日本主子的效忠不亚于其前任。除经常清查户口外，特别注重保甲异动，②并停发县民证，换发居住证，加强对沦陷区民众的人身控制。为防止抗日军民的进攻，张还大事修筑城垣，增建碉堡，设置路灯。③ 即便如此，张还是很快失欢于日本主子。1943年3月6日，伪省政府举行首次省政会议，伪省长高冠吾交议："为合肥县长张树森拟予撤职荐用吴道南代理合肥县长提请审议案。"获得通过。④ 伪合肥县政权发生第三次更迭。

吴道南，合肥人，出身地主家庭，早年即离开合肥。南京沦陷后于南京整理伪旅京安徽同乡会，参与创办伪南京安徽中学。1940年冬经盘踞合肥东南乡的陈俊之、程玉山等土豪劝导，返乡担任伪皖中清乡司令，司令部设于临河集。⑤ 此后数年，吴道南锐意经营这支汉奸武装，不断扩充势力，东南乡俨成其独立王国。

1943年3月6日吴道南受委伪合肥县长后，4月5日正式就任，对于伪县政，标榜"政治公开""经济公开"。⑥ 他除接续前任未竟之事，赶办居住证外，还成立新国民运动促进委员会合肥支会等伪组织。⑦ 经济方面，组织各业公会。⑧ 军警方面，吴道南以军事起家，尤

---

① 《安徽省各县现任县长姓名调查表》（伪）（1941年11月），中国第二历史档案馆藏。
② 《合肥县行政实施概况》，《芜湖新报》（伪）1941年12月23日。
③ 《合肥增建碉堡巩固城防治安》，《安徽日报》（伪）1943年3月26日。
④ 《安徽省政府第一次省政会议记录》（1943年3月6日），《安徽省公报》（伪）第65期，1943年3月15日版。
⑤ 《合肥县政会议通过禁烟禁赌等十六案》，《安徽日报》（伪）1943年4月22日。
⑥ 《合肥县保卫团总团部第一次会议录》（伪）（1943年4月14日），安徽省档案馆藏。
⑦ 《合肥新运支会组织成立》，《安徽日报》（伪）1943年8月24日。
⑧ 《合肥县府饬令商会组织各业公会》，《安徽日报》（伪）1943年5月20日。

为重视。他不仅成立了庐州军警联合督查处,自兼主任,①而且强力整顿各地的伪自卫团,成立总团部,自兼总团长。吴道南对于伪县政,不可谓不尽心,但他主持伪县政的生涯比他的前任张树森还要短。1943年11月20日,伪省政府举行第11次伪省政会议,伪省长高冠吾交议,"为合肥县长吴道南因案免职,拟荐用陈成代理合肥县长",②获得通过。伪县政权又一次更迭,吴道南黯然下台,陈成走上前台。

陈成就任时,正是日伪全面式微,面临严重危机之时。陈成多次在合肥举办防空演习③,并组织伪省防空团合肥分团,又响应伪省政府献机运动,勒令各界各业捐献。④ 同时征调合肥大批民工,参与拆毁淮南铁路,另修公路。⑤ 1944年10月,陈成以伪合肥县长身份出席伪省政府第二次全省行政会议。⑥ 不久,陈成去职,伪合肥县长一职改由夏叙堂担任。

夏叙堂,别号永伦,合肥人,清末为庐州帮会头目,曾参加光复合肥的斗争。安徽革命党人发动"二次革命"时投向袁世凯。抗战开始后夏打出抗日旗号,拉起一支武装。1938年9月,被国民党委为合肥地区第一纵队司令。夏绩三曾任该纵队第二大队大队长,后夏绩三投靠日军,任伪合肥保卫团第一大队大队长兼伪合肥第三区区长。在夏绩三拉拢下,夏叙堂最终也变节投日。

夏出任伪县长后,主要"事功"即为征用民工,完成了沦陷区境内淮南公路的改造。⑦

---

① 《庐州军政当局实施治安演习》,《安徽日报》(伪)1943年9月6日。
② 《第十一次省政会议通过更调合肥嘉山两县县长》,《安徽日报》(伪)1943年11月23日。
③ 《合肥实施防空演习》,《安徽日报》(伪)1943年12月16日。
④ 《合肥献机运动 县府分令各区遵办》,《安徽日报》(伪)1944年3月19日。
⑤ 《拆卸淮南铁路计划改建公路》,《安徽日报》(伪)1944年6月18日。
⑥ 《安徽省政府第二次全省行政会议记录》(伪)(1944年10月8日),中国第二历史档案馆藏。
⑦ 《淮南公路完成 短期内可通车》,《安徽日报》(伪)1945年3月24日。

夏担任伪县长的时间并不长。1945年3月,夏叙堂提出辞职,很快获得批准,伪省政府另委伪省政府参事陈秀波代理伪合肥县长,①从而完成伪县政权最后一次更迭。

陈秀波上任后,对伪县政权的人事多作更动。②其暴力强征烟苗罚款,数目可观。改编伪县保安队也较为顺当。③正当他准备"大展身手",进一步祸害合肥时,1945年8月,日本投降,伪合肥县政权顿时垮台,被扫进了历史的垃圾堆。战后陈秀波被捕判刑,受到了应有的惩罚。

抗战后期,日伪还曾在合肥北部地区组建过一个特殊的伪县级政权——伪兴淮特别区区公署。

1942年初,日伪为了强化淮南矿路的治安及便利推行政令,决定将合肥北部的伪第五区与寿县的下塘集合并,成立一个享有伪县级地位的特别区。④ 3月1日,伪下塘集特别区区公所挂牌成立,魏连城担任首任伪区长。⑤该特别区公所内设秘书室及第1、2、3组,分管民政、财政、教育建设,下设双墩、罗集、下塘、朱巷4个普通区,管辖下塘、双墩、庄墓、吴山等28个乡。⑥ 1942年5月,魏连城辞职,伪特别区区长一职由侯剑痕接充。⑦ 1943年改为马剑秋,不久由夏仲高接任。1944年4月,伪省政府下令将伪下塘集特别区改为伪兴淮特别区,伪特别区公所改为伪特别区公署,伪特别区区长改为伪特别区公署署长⑧,原特别区公所内设的第1、2、3组改为第1、2、3科。伪区公署仍设下塘集,夏仲高担任首任伪署长。1944年下半年,伪省政

---

① 《合肥等六县县长 省分别派员接充》,《安徽日报》(伪)1945年3月20日。
② 《县府第三科科长抵肥》,《新皖日报》(伪)1945年6月28日。
③ 《更调县长谣言 记者访查真相》,《新皖日报》(伪)1945年7月22日。
④ 《安徽省政府委员会第七次会议纪录》(1942年2月17日),《安徽省公报》(伪)第40期,1942年2月28日版。
⑤ 《内政部呈行政院》(伪)(1942年9月9日),中国第二历史档案馆藏。
⑥ 《安徽省下塘集特别区公所第四次区政会议记录》(伪)(1943年10月12日),安徽省档案馆藏。
⑦ 《新任下塘集特区长侯剑痕今晨赴任》,《安徽日报》(伪)1942年5月27日。
⑧ 《定淮兴淮特区 行政机构改称》,《安徽日报》(伪)1944年4月25日。

府定各县等次,伪兴淮特别区被列为一等,与合肥平起平坐。随后伪署长易为韩乾。① 1945年5月,韩乾离任,伪署长改由韩玉瑛担任。②抗战胜利,伪兴淮特别区公署土崩瓦解。

与合肥情形相似,巢县沦陷后,各地纷纷组织维持会,1938年5月产生了以陆月芬为会长的巢县维持会。1939年1月,伪巢县县公署成立,陆月芬担任首任伪县知事,其后伪巢县县政权也曾多次发生更迭,其情况如下表。

伪巢县县政权建立及更迭情况表

姓 名	简 历	受委时间	到任时间	伪职名称
陆月芬	1894年生,巢县人,北京法政专门学校毕业,曾充安徽省公署秘书、财政厅秘书、皖北镇守使署秘书。	1938年12月26日	1939年1月2日	伪县知事
胡正刚	1903年生,和县人,上海南方大学毕业,曾充五省联军营长、伪和县裕溪口自治会会长、伪和县青年团指导部主任、伪和县警察所所长。	1940年8月17日	1940年9月20日	初为伪县知事,1940年11月1日后改为伪县长
宋 复	不详	1944年4月	1944年4月	伪县长
陈常焘	不详	1945年2月	1945年3月	伪县长

四、日伪对沦陷区的占领与控制

基于合肥的重要战略地位,1938年12月2日,日本大本营下令,"华中派遣军司令官应确保大体在庐州、芜湖、杭州线以东的占领地

---

① 《安徽省第二区行政督察专员公署电报》(伪)(1944年11月),中国第二历史档案馆藏。
② 《安徽省第二区行政督察专员公署视察报告》(伪)(1945年6月),中国第二历史档案馆藏。

区的安定"。① 为达到这一目的,大量日军被部署在合肥沦陷区,实施严酷的军事占领,依赖刺刀建立残暴的殖民统治秩序。

1938年5月14日合肥沦陷后,日军第六师团后续部队主力陆续由芜湖开抵合肥,合肥顿时成为该师团的大本营。6月初,该师团主力奉令向安庆方向进攻。8月前后,日本大本营为夺占武汉,将属于第二军的第十、第十三、第十六等数个师团共计5万余人的部队集结于合肥。8月下旬,日军大部队由合肥等处向西进攻,由皖西侵入豫南、鄂北等地。为了确保后方安全,日军第十三师团步兵第二十六旅团下辖之步兵第五十八联队留在合肥,担任警备任务,由联队长仓林公任大佐统一部署指挥。②

为了弥补野战部队的不足,日本加快组建警备部队。1939年1月4日,日军独立混成第十三旅团在日本熊本编成,下辖独立步兵第56—60大队及炮兵队、工兵队、通信队,首任旅团长为尾崎义春少将。该旅团很快来华,归华中派遣军指挥。根据部署,该旅团司令部设于蚌埠,主要担任安徽中东部沦陷区的警备任务。

1939年初,设立庐州警备司令部,内置治安、情报、作战等部,配备由汉奸组成的侦探队。所辖除城区警备队外,还有撮镇、店埠等地警备队。③ 该部队此后数年部署在合肥,基本没有变化。④ 先后担任庐州警备司令官的日军将领为市川、三浦、田川、早渊等人。⑤

1943年5月,日本以独立混成第十三旅团为基干编成第六十五师团,调往徐州担任警备。合肥沦陷区由日本新编成的第六十一师

---

① 复旦大学历史系编译:《日本帝国主义对外侵略史料选编》,上海人民出版社1975年版,第285页。
② 汪其天:《合肥沦陷目睹记》,《百年安徽风云》第4卷,第517页;耿成宽、韦显文编:《抗日战争时期的侵华日军》,春秋出版社1987年版,第50页。
③ 《中国事变陆军作战史》第3卷第1分册,第8页。
④ 日本防卫厅防卫研究所战史室著,贾玉芹译:《昭和十七、十八(1942、1943)年的中国派遣军》,中华书局1984年版,第51页。
⑤ 《庐州各界慰留小崎班长》,《蚌埠新报》(伪)1940年3月27日。《淮南行政联络会议宣告圆满闭幕》,《安徽日报》(伪)1942年12月25日。

团一部接防。该师团司令部设南京，负责南京、芜湖、明光、合肥等地警备。其中该师团步兵第一〇一联队被派驻合肥，联队长羽鸟长四郎大佐担任合肥防卫司令部司令官。①

1945年2月底，第六十一师团全部调往上海，南京、合肥等地防务由日本新编的第一独立警备队接替。该独立警备队下辖6个独立警备步兵大队，其中一部驻扎合肥，直至抗战结束。

为了确保淮南线畅通，日本在巢县、下塘集等处也驻扎了大量军队。

参与占领与控制沦陷区的日军势力，除上述日军作战部队外，还有日军宪兵队及日军特务机关。

日军攻占合肥后不久，即在合肥城内前大街小书院设立宪兵队，内置队长一人，通常由曹长担任，另军曹一人，日本宪兵若干人，还有由汉奸担任的通译一人，由汉奸组成的谍报队一队。大谷、小林、杉本玄治、杉原、竹源等人先后担任庐州宪兵分遣队队长。驻巢宪兵队至1943年8月才撤离巢城。②伪下塘集特别区公所成立后，日军也于此派设了宪兵队。宪兵队建制规模并不大，但因承担维系城内治安的责任，权力极大，在构建殖民统治秩序中，扮演了穷凶极恶的角色。

日军驻合肥的特别机关最初称庐州特务班，成立于合肥沦陷后不久，首任班长为片帆，隶属于日军蚌埠特务机关。该特务班除班长一人外，内置民众系、经济文化系等部门，各设主任1人，另配班员若干人。特务班工作人员由日军退伍军人、日资企业工厂、报社等系统征召组成，主要负责沦陷区除军事作战以外的其他所有重大事项，具体指导伪政权的各项运作。该班班长片帆去职后，继任者为小崎龙雄。③1940年3月，庐州特务班升格为庐州特务支部，管辖和县等地

---

① 《抗日战争时期的侵华日军》，第171页。
② 《驻巢宪兵队荣转》，《安徽日报》(伪)1943年8月31日。
③ 《小崎班长准假返国》，《蚌埠新报》(伪)1940年2月15日。

日军工作班。① 小富士一秀担任首任支部长，11月由伪安徽省政府联络官高桥接充。② 1941年10月，改由松田担任合肥特务支部机关长。③ 1942年崛本武一担任蚌埠特务机关庐州支部长。1943年3月，日本侵略势力为改变日军特务机关的罪恶形象，下令将蚌埠特务机关改称安徽省联络部，驻合肥的庐州特务支部改称安徽省联络部合肥县出张所，首任所长仍为崛本武一。④ 后来继任者有力久八郎、三桥康丰等人。⑤

与合肥一样，日军于巢县、下塘集等地均设立了特务机关。巢县沦陷后不久，日军即于巢县设立蚌埠特务机关巢县班，班长为近藤圭太郎。1940年2月，改由冲孝次郎担任。⑥ 数月后，巢县特务班改称巢县联络官事务所，原班长改称联络官，首任联络官德渊勇辅。⑦ 抗战后期，伪下塘集特别区公所成立后，日军驻此地的联络官为力久八郎等人。⑧

在占领与控制合肥沦陷区的过程中，上述日军三类势力分工不同，各有其侧重点。他们为了争权夺势，不免存在钩心斗角的情形，但在维系殖民秩序方面，却高度一致，干尽了种种罪恶勾当。

日军作战部队主要承担沦陷区的警备及对非沦陷区进行"扫荡"的任务。在城内，日军于警备司令部、各队部、交通要道、城门口均设置哨兵或检查站，检查行人。日军还设立了巡逻队，不时沿街巡逻。城墙上到处是日军的碉堡或瞭望哨。针对辽阔的乡区，日军则广设据点，合肥境内设立的日军据点多达数十个。这些据点深沟高堡，外布铁丝网。驻兵多则一个中队，少则一个班。星罗棋布的日军据点

---

① 《椿馆机关员升任和县班长》，《芜湖新报》（伪）1940年5月25日。
② 《合肥特务支部长小富士一秀调蚌服务》，《芜湖新报》（伪）1940年11月27日。
③ 《特务支部松田机关长在肥指示县政》，《芜湖新报》（伪）1941年12月6日。
④ 《合肥县保卫团总部第一次会议录》（伪）（1943年4月14日），安徽省档案馆藏。
⑤ 《连络部三桥所长视察合肥各学校》，《安徽日报》（伪）1944年1月13日。
⑥ 《近藤班长返国》，《蚌埠新报》（伪）1940年3月3日。
⑦ 《国民政府安徽省政府第一次县政会议纪录》（伪）（1940年8月），第23页。
⑧ 《淮南行政联络会议宣告圆满闭幕》，《安徽日报》（伪）1942年12月25日。

成为日军占领乡村的钉子。

日军宪兵队表面上充当日军军事警察的角色,而其所从事的活动,绝大部分系对付城内外抗日民众。为确保城内治安,宪兵队组建了由汉奸组成的侦缉队,专事侦查、拘捕活动。宪兵队还设立了水牢、土牢,使用老虎凳、压杠子、拔指甲、插竹签、通电流等酷刑,并配备狼狗。宪兵队经常在夜间突击检查户口,凡是被认为形迹可疑者即被拘进宪兵队,遭受各种酷刑,甚者被枪杀。当时人们谈起宪兵队,莫不色变。

日军特务机关负责指导伪政权政治、经济、文化等方面事宜。举凡伪政权的机构设置、人事变动、施政方针、重大举措等,莫不受其幕后操控。① 特务机关实为伪政权名副其实的"太上皇"。

日本侵略势力对沦陷区的占领与控制,除主要依赖日军与伪政权外,还扶植豢养伪军、警、特等势力,充当自己的帮凶。

驻扎合肥的伪军分属3个系统:伪中央军、伪地方军及既不属伪中央军也不属伪地方军的特殊部队。

合肥沦陷初期,国民党军政人员早已撤退,地方权力出现真空,一时地方武装蜂拥而起。这些武装,虽不乏为抗日或为保护家园免遭外来势力侵入而成立者,但大多是借抗日之名而实际打家劫舍者。日伪统治初期,曾利用这些武装组建伪绥靖队及伪游击队,②因他们多为乌合之众,缺乏战斗力,很难满足日伪要求。1939年7月1日,原驻蚌埠的伪维新政府绥靖部安徽第一区绥靖队第二支队司令王占林被委为伪庐州地区绥靖队上校司令,同月27日,王升任少将司令。③ 因合肥营房未盖好,王的司令部及主力第十团暂驻蚌埠、寿县、凤台一带,并未立即开向合肥地区。汪伪国民政府成立后,取消前维

---

① 《内政治安联席会议公函》(伪)(1941年1月),中国第二历史档案馆藏。
② 秦孝仪:《中华民国重要史料初编——对日抗战时期》第6编傀儡组织(四),中国国民党中央委员会党史委员会1981年编印,第1432页。
③ 《维新政府令》(1939年7月1日,1939年7月27日),《安徽省公报》(伪)第7期,1939年7月版。

新政府的伪绥靖部,所有军队受伪军事委员会指挥。1940年3月,伪中央政治会议决定将伪绥靖军改编为伪苏浙皖绥靖军,于南京设立总司令部,另在杭州、苏州、蚌埠、庐州等7个地方设立绥靖区。据此,原伪庐州地区绥靖队司令部改称伪苏浙皖绥靖军庐州地区司令部。[1] 1940年10月4日,伪国民政府任命王占林为伪苏浙皖绥靖军庐州地区中将司令。[2] 11月16日,王部之庐州地区司令部移出蚌埠,迁往合肥,原有主力第十团刘朝山部随同前往,另新成立第十七团王雪如部,所部分驻寿县、凤台、合肥、巢县等地。[3] 合肥从此开始驻扎伪中央军。1941年1月,汪伪军事委员会又将伪苏浙皖绥靖军改编为伪第一方面军,司令部仍设南京,下辖7个师,其中原驻蚌埠的伪军首领沈席儒升任该军第六师师长,所部调往巢县,师部设于巢县,驻防合肥以南至和县裕溪口的淮南路沿线。王占林担任该军的第七师师长,师部仍设合肥,驻防以合肥为中心的周围数县。[4] 1943年3月,汪伪军事委员会将伪第一方面军缩编成4个师,其中的第六师与伪第七师合并,成立伪第一方面军第二军第四师,师部仍设合肥,以王占林为伪师长,沈席儒为伪副师长,下辖第十、第十一、第十二团,伪第十团团长由王绍之担任,驻防合肥城内外。沈席儒兼伪第十一团团长,所部由巢县一带移驻下塘集等处,原巢县防地由伪第十二团团长刘子清接防。刘子清本系国民党将领,1941年8月于无为投敌,成立伪中央救国护民独立师,1943年初被整编成伪第四师第十二团,调驻巢县。此后直至抗战结束,上述伪中央军驻地及统兵将官基本没有变动。

除驻扎成师伪中央军外,日伪还在合肥组建了庞大的伪地方军。

---

[1] 《苏浙皖绥靖军总司令部训令》(1940年5月15日),《绥靖公报》(伪)第1—2期合刊,1940年5月版。

[2] 《军事委员会训令》(1940年10月22日),《绥靖公报》(伪)第7期,1940年10月版。

[3] 《苏浙皖绥靖军总司令部呈》(1940年11月14日),《绥靖公报》(伪)第8期,1940年11月版。《王绥靖司令昨视察抵巢》,《芜湖新报》(伪)1940年8月27日。

[4] 《驻肥陆军第七师王师长发表谈话》,《安徽日报》(伪)1942年12月25日。

沦陷初期,伪县政权按照伪省政府的有关条规抽编壮丁,组织防共自卫团。这一武装取法古代寓兵于农之意,不脱离生产,农闲时训练,遇事时集中,因而具有准军事性质。各坊乡镇均成立自卫团,团员百余人。① 1942年8月,伪省政府下令将各县防共自卫团改组为伪县保卫团,后又下令进一步改组为伪县保安队。改组后的武装脱离生产,统一着装,饷械来源均有保障,受伪省政府统一调度,具有与正规军一样的军队性质。1943年4月,伪合肥县保卫团拥有5个大队,每大队由三四个中队组成,每中队百余人,人员达到两千人上下。② 抗战后期,伪下塘集特别区公所辖区,除各乡镇成立自卫团外,还驻扎伪省保安团一团,团长为花竹荫。抗战即将结束时,伪兴淮特别区仍有保安队6个中队,官兵768人,步枪338支。③ 这些伪地方军除维持当地秩序外,还经常受日军调遣,参与"扫荡"。

抗战时期,合肥地区还曾出现过一支特殊伪军,它既不属伪中央军,也不归伪省政府调度,仅因得到驻撮镇日军警备队长认可而存在。合肥沦陷后,土匪头子程玉山、陈俊芝等人于东乡长乐集一带扯起土匪武装,拥众数千人。1940年冬,他们邀请客寓南京的同乡吴道南回乡,于长乐集成立伪皖中清乡司令部,由吴任司令,下辖第一支队及伪司令部直属特务营、独立营,兵力分布撮镇、长临河、长乐集一带。④ 1941年吴道南多次向汪伪清乡委员会请求点验部队并发给给养,未获许可。伪省政府也未将其纳入管辖。该部队一直依赖驻撮镇日军警备队长许可而存在。后来该部队自行改组为伪皖中清乡第二师,吴道南担任伪师长,下辖两个团共计2800余人,继续盘踞长乐一带,直至抗战结束被收编。

除伪军外,伪警察队伍是日伪县政权依赖的又一支重要的武装

---

① 《巢一区坊乡自卫先后呈报成立》,《芜湖新报》(伪)1941年3月14日。
② 《合肥县保卫团总团部第1次会议录》(伪)(1943年4月14日),安徽省档案馆藏。
③ 《安徽省第二区行政督察专员公署视察报告》(伪)(1945年6月),中国第二历史档案馆藏。
④ 《中华民国重要史料初编——对日抗战时期》第6编傀儡组织(四),第1531页。

力量。

为早日恢复社会秩序,合肥维持会成立时,即开始招募伪警察,于难民区内设立了伪公安局。① 1938年12月,伪省政府警务处委任贾京照为伪巢县警察所所长,1939年2月,又委任黄宗杰为伪合肥警察所长。② 伪县警察所成立后,于城内及各要地设立分驻所、派出所。汪伪国民政府时期,伪县警察所升格为伪县警察局,人员逐步得到扩充。据1943年8月统计,伪合肥县警察局有警察分局2个,分驻所7个,派出所6个,警官27人,长警242人,伕役25人,步枪85支,伪巢县警察局有警察分局5个,分驻所1个,派出所10个,警官37人,长警242人,伕役23人,机枪1架,步枪122支,手枪3支,均已具有相当规模。③

为了操控沦陷区的治安,防范与镇压抗日分子与抗日组织,打击异己势力,日伪还在合肥地区建立特工机构,强化法西斯统治。

1939年8月,汪伪特工总部于上海极司菲尔路76号成立,随后该机构将触角伸向长江中下游各地。1939年9月,汪伪特工总部南京区成立,同年冬,南京区芜湖站成立,该站不久即于合肥建立联络点。④ 1941年伪特工总部安徽区成立后,正式设立了合肥站。1943年伪特工总部安徽区本部改组为伪国民党政治保卫局第二局芜湖分局,下辖的合肥站升格为合肥支局。该特工机构配备100多人,下设秘书总务股、侦缉股、情报股、警卫股,受日军宪兵队指挥。情报股又于各机关各部门设立小组,专事搜集情报,镇压抗日民众及对日军不忠的异己分子。

随着殖民统治秩序的逐步确立,日伪还自始至终广泛推行保甲制与身份管理制,企图通过加强对沦陷区民众的人身控制,达到强化

---

① 《合肥伪组织调查表》(1940年10月),安徽省档案馆藏。
② 《安徽警务处过去一年来工作概要》,《安徽省公报》(伪)第15号,1940年3月版。
③ 《各级警察机关现况统计调查表》(伪)(1943年8月),中国第二历史档案馆藏。
④ 俞正东:《汪伪芜湖特务组织》,芜湖市政文史资料研究委员会编:《芜湖文史资料》第2辑,安徽人民出版社1986年版,第236页。

社会控制的目的。

保甲制是宋代以来历代统治者控制地方基层的一种社会制度。它集维系基层政权、严格管理户籍、维护社会治安、确保赋税征收等诸多功能于一体,非常有利于统治者操控基层社会。伪合肥、巢县县政权确立后,即依据伪中央政府颁行的《清乡区内各县编查保甲户口暂行条例》,在沦陷的各区编组保甲。保甲之编组以户为单位,户设户长,10 户为甲,甲设甲长,10 甲为保,保设保长,保以上城区为坊,设坊长,乡区为乡或镇,设乡、镇长。编完后,由编查委员清查户口,发给门牌,门牌注明第几保第几甲及户主家庭情况,悬于门首,以便核对。订定保甲规约,共同遵守,又实行 5 家互保,联保连坐,共具切结。至 1941 年,合肥 4 个区共编 294 保,2419 甲,共 42881 户,235711 人;巢县 3 个区共编 98 保,791 甲,共 9803 户,74560 人。① 抗战后期,伪县政府还设立了保甲委员会,强化保甲工作的管理。

日伪在推行保甲制同时,不断加强沦陷区民众的身份管理。沦陷初期,日伪在难民区发放用白布条印制的难民证,上书持证人姓名、年龄,加盖维持会公章,进出城门须佩挂胸前,以供日军查验。1939 年春改发良民证,居民领良民证前须先填表,取得具结,再领一个宽 1 寸许,长约 5 寸,上书"良民"二字及持证人基本情况并盖有日军宪兵队铃记的白布条,挂在胸前。由于该证缺少持证人照片,抗日分子易蒙混过关。不久,日伪放弃良民证,另发县民证。领取此证,须填写履历表及照片一式五份,分报伪县、坊(或区)、保、甲和日军特务机关,由五家连环保,报伪县公署核发。县民证除记录持证人基本讯息外还贴有照片,由伪县公署及日军特务机关加盖钢印。持证人须随身携带,以备日军随时查验。汪伪国民政府成立后,伪县政权初始继续强迫民众领取县民证。1942 年下半年起,伪县政府停发县民证,改发居住证。② 两证的差别在于:前者由伪县政府核发,保甲长可

---

① 《安徽省各县地方自治区域户口统计表》(伪)(1941 年),中国第二历史档案馆藏。
② 《居住证已在发行中 县民证现办理结束》,《安庆新报》(伪)1943 年 2 月 13 日。

代领,后者改为当地警察机关把关审查,必须持证人亲自到警察部门具领;前者仅附照片,后者除照片外,还必须有持证人在警局亲捺的指纹。① 此种举措,不仅有效防范先前核发证件百密一疏的情形,而且迫使流动者定居下来。日伪对沦陷区民众的人身控制更加严密。

第三节　合肥沦陷区概况

一、沦陷区的经济与社会

合肥沦陷初期,由于日军疯狂实施烧杀淫掠暴行,沦陷区经济受到沉重打击。后来随着殖民体制的确立,日本侵略势力推行"以战养战"政策,沦陷区经济烙上了鲜明的殖民地色彩,虽得到了一定的恢复与发展,但截至抗战结束,其发展水平较战前仍相差甚远。商业方面,沦陷之初,人员大量逃亡,到处断垣残壁,满目疮痍,商业几乎完全停滞。合肥维持会成立后,划定难民区,混乱情况略趋于稳定,难民区内开始出现摊贩买卖,主要为蔬菜及香烟、火柴、肥皂、矿烛等日用杂货的交易。1939年初,随着日资洋行的纷纷设立及部分战前外逃的商户回流,商业活动进一步扩大,三孝口附近开始设立商店,这些商店以棉布店、五洋店、杂货店、酱园店为主,大多为几个小商贩合组而成的小商店,同时大西门外二里街出现集市贸易。② 1939年秋,为协助商民贸易,伪合肥县公署拨借款项修复沿街破损门面房③,进一步推动外迁商户回流,如战前以生产烘糕等合肥名点著名大商铺

---

① 赵北:《指纹与居住证》,《皖警月刊》(伪)7—8月合刊号,1942年8月1日版。
② 刘秉钧:《沦陷时期的合肥商业》,《安徽文史资料》第28辑,安徽人民出版社1987年版,第32—36页。
③ 《合肥警所召开城区保甲会议》,《芜湖新报》(伪)1939年11月9日。

张顺兴杂货号从武汉返肥复业,但此时其他街道大多关门闭户,行人稀少。1940年6月,战前遭到中国军民破坏的淮南铁路经修复,全面通车,大宗的长途贩运开始出现,回城经商的居民进一步增加,商店逐步向行人稀少的街巷蔓延,古楼桥、后大街、东大街、北大街、三孝口上下及东门外坝上街分别成市。至1943年,合肥城区人口达1.3万人左右,全城商业计有棉布、杂货、五洋、广货、糖业、油粮、土产、酱园、纸坊、纱业、盐业、竹器、饮食、糖坊、皮革、木器、屠宰、银楼、药业等10余个行业。除沿街众多的摊贩外,在伪县商会及伪县同业公会办理登记的正式商店多达二三百户。合肥城内商业经过数年的恢复,渐具规模,并一度畸形繁荣。

为了控制重要商品的消费,日伪在城乡组织了以分配消费品为主要职责的合作社。伪中央政府于伪首都南京成立伪中国合作社,统筹安排沦陷区食盐、煤油、火柴等控制商品的配给供应问题,各伪省政权所在地设分社,分社货源由南京配给,各县设立支社。1939年合肥城内即设立复兴合作社一所,各镇积极筹组农村合作社。① 1940年8月1日,伪中国合作社合肥支社正式成立②,伪县知事方星樵兼任理事长,王复生为副理事长,盛筱波等7人为理事,翟叙亭等3人为监事。③ 伪合肥支社隶属伪蚌埠分社,货源由蚌埠调拨,各乡镇则设立支分社或出张所,货源由伪合肥支社供应。居民入股为社员,每户1股,每股伪币2元。居民取得社员资格,方可领取配给证。凭证记载供应配给商品,配给商品的价格较市场价优惠。④ 日伪企图借此把沦陷区民众组织起来,并防止重要商品流入国统区及抗日根据地。

随着商业的日渐恢复,日伪还组织了伪县商会及下属的各业公会,以强化对商人及商业的管理。1939年伪县商会成立,推举谢应臣

---

① 陈群:《苏浙皖各地施政概况》(伪)第1辑,内政部中华青年团指导部(伪)1940年印,第96页。
② 《申报年鉴(民国三十三年度)》(伪),《申报》(伪)1944年7月编印,第847页。
③ 《合肥合作支社筹备就绪》,《蚌埠新报》(伪)1940年8月20日。
④ 《配给品抵肥 明起续配》,《新皖日报》(伪)1945年7月22日。

等人为理事,谢应臣担任第一任理事长。因其资本不充,声望不高,很快受到排挤,由日进洋行老板宁少三取而代之,张顺兴号掌门人张香山担任伪商会副理事长,夏建平等3人为常务理事。① 1943年12月,伪县商会再次换届,王复生担任伪理事长。② 伪县商会内设总务、财务等股,主要任务系向商人摊派捐税、办理商户登记、调解商人纠纷、代办采购证、讨论货物配给办法等。各同业商人则在伪县商会指导下组织同业公会,讨论协调本行商业遇到的各项问题。③

在沦陷区,日本侵略势力始终以征服者的姿态出现,在商业领域表现尤为明显。自1938年秋起迄1944年中期,先后在合肥开业的日商洋行多达20余家,其中三井洋行、大丸洋行、大阪洋行等洋行,隶属日本财阀集团,实力雄厚,拥有深厚经济背景,专营棉纱、棉布、食糖、香烟等大宗批发,其货源来自津、沪等处日本厂商,直接配给较小的洋行和一般民营商店,此外,它们还大量收购粮食、油料等,以应侵略之需。除大洋行外,中小日资洋行也将触角伸向社会各个角落,加紧推销日货,收购日方需要的紧要物资,如长崎商业株式会社专营杂货与罐头;黑田洋行专营糕点、洋酒、咸鱼等副食品,同时兼理粮油等出口业务;山本洋行除经营香烟、火柴等批发业务外,同时收购杂粮出口;新亚药店专营西药;日华洋行收购牛皮、羊皮等;冈浦洋行收购生猪;昭和洋行收购桐油、柏油、牛油等工业原料,另有两家洋行专门收购铜、锡、铁等金属,为日本军事工业搜刮原料。由于日资洋行众多并在商业中居于支配地位,使得合肥街头充斥日货商品广告。日本产品垄断了合肥市场。

为了保证对重要物品控制的顺利进行,日方在合肥等地还强行规定盐、烟草等物资的出入,中国商人须先取得进出境许可证。该许

---

① 刘秉钧:《沦陷时期的合肥伪商会》,方兆柱:《安徽文史资料全书·合肥卷(上)》册,安徽人民出版社2007年版,第477—478页。
② 《合肥县商会第三届理监事宣誓就职》,《安徽日报》(伪)1943年12月31日。
③ 《合肥油商呈请县府准许运输食油》,《安徽日报》(伪)1943年9月26日。

可证须先由商人所在地警备队长出具证明书,再由日军宪兵发给。①对于事关全县配给的伪县合作支社,日方配备日籍指导员,居中操控,许多重要物资须由其出面采购分配。② 日方还打着与伪方合作的名义,成立了许多操控商业的组织,如1941年3月,日商与伪方商人共同组织了"庐州贩卖组合",理事长为冈部善次,副理事长为唐聚庭,该组织主要负责商品的进出及配给事宜。③ 日伪还成立了庐州地区物资统制委员会,由日人柄田担任委员长。1943年,随着伪方商业统制委员会成立,日方退居幕后进行操控,沦陷区商业的殖民地性质并未得到丝毫改变。

抗战后期,日军在各个战场节节败退,物资匮乏问题日趋严重,沦陷区商品配给的次数与数量越来越少,伪合作支社的功能逐渐下降,商业日渐萎缩。1944年上半年,淮南铁路被拆除,更使商品流通受到沉重打击。沦陷区商业从此一蹶不振,极为萧条。

与商业情形类似,沦陷初期,城乡手工业与近代工业均遭到严重破坏。合肥140余家作坊,被毁所剩无几,尤其战前颇为兴旺的各织布作坊几乎全部关闭。手工人员纷纷逃难他乡,只有极少数手工个体户留在城内。殖民秩序逐步确立后,部分手工业者拥入合肥,因缺乏废铁等原材料,生意清淡,生计维艰。唯合肥沦陷时房屋被毁者几近半,亟待修复,因此部分瓦工、木工等与建筑相关的手工业工人一度忙碌,但待遇极低,且为时短暂,境遇仍甚为悲惨。一些手工个体户,制作化妆品,生产雪花膏、香水等,虽较为时兴,也多昙花一现。手工织布行业,则始终不见起色。伪县政府曾拟举办平民工厂,④最终因缺乏资金成为泡影。近代工业方面,耀远电灯公司长期被日军侵占,并于1941年更名为华中铁道发电厂,由日军松本负责。1944年6月,淮南铁路拆除后,日商纷纷撤离合肥,日军将电厂机器设备

---

① 《日本侵华在安徽的罪行》,第216页。
② 《伊籐来芜采购洋面煤油》,《芜湖新报》(伪)1941年5月29日。
③ 《庐州贩卖组合宣告解散》,《安徽日报》(伪)1943年7月11日。
④ 《合肥筹措基金举办平民工厂》,《安徽日报》(伪)1942年3月17日。

洗劫一空,致使电厂成为一片废墟。卷烟工业需求资本不多,且有一定市场,沦陷期间城内曾产生数家卷烟工厂,生产将军、万年青、司令等牌香烟,但这些烟厂由于受到日军及伪官警的侵扰和掠夺,经营惨淡,常难支付工人的工资。此外,1940年,合肥城区建有华阳肥皂工厂,该厂除生产肥皂外,还生产蜡烛。其他门类,乏善可陈。

农业方面,沦陷初期,由于大量农村劳动力外逃,耕牛等生产工具急剧减少,农村面临严重危机,正如伪省建设厅致各地伪县知事令文所称:"本省……事变后农民流徙未归,田亩尽废,村舍为墟,遂致农产品一落千丈,农村经济顿陷绝境。"①后来伪省建设厅一再训令各伪县知事,务使流亡乡农返里复耕。② 随着殖民秩序逐步确立,不少农民回到家乡,而各级伪政权也在农田水利等方面虚张声势,制造重视农业的假象,如1940年1月,伪合肥县公署组织巡回宣讲队,沿村劝导农民自行集资举办水利工程,并宣传治蝗法,又下令禁止屠宰耕牛。③ 1944年伪县政府还应伪省政府之命,发动所谓的农业增产运动,但他们并非真正关心民瘼,相反不断加重农民的负担,以致农民的生活异常困苦,根本无力专心农事,据时人记载,合肥"一般农家过了农忙时期,少壮多数出外逃荒,居家的因无钱购买米粮,皆以稀麦糊、山芋叶及野菜等果腹"。④ 平常年份尚且如此,如遇灾年,农民更无力应付,只有外出逃荒一法。农业经济更加衰弱凋敝。

在农业整体遭遇空前危机的同时,鸦片烟苗的种植却广为流行。表面上,伪县政府曾三令五申,严禁种植鸦片烟苗,甚且行文,一旦发现,不仅罚没,伪乡镇保甲长也要连同担责。⑤ 但他们最关心的并非彻底禁绝,而是假借"寓禁于征"政策,征收巨额罚金,大肆敛财,以作伪政府及伪军队财源。这样所谓根绝罂粟种植的令文不过为具文而

---

① 《安徽建设厅训令》(1939年5月6日),《安徽省公报》(伪)第5期,1939年5月版。
② 《安徽建设厅训令》(1940年2月),《安徽省公报》(伪)第14期,1940年2月版。
③ 《安徽省合肥县行政主要实施月报表》(伪)(1940年1月),中国第二历史档案馆藏。
④ 《合肥漫话》(地方通讯),《申报》(伪)1945年5月5日。
⑤ 《合肥县府严禁种烟》,《安徽日报》(伪)1943年11月12日。

已，而鸦片种植愈种愈多，如1943年，"伪合肥第一区烟苗罚金亩数达到5068亩，伪第二区也有1472亩"。① 许多地方烟苗种植一望无际，漫田遍野，简直成了毒卉王国。烟苗种植受到了日本侵略势力或明或暗地怂恿与扶持，它的长盛不衰正是沦陷区农业殖民地化的突出表现。

金融方面，日本侵略势力施以操纵手腕，大肆吞噬沦陷区财富。伪维新政府时期，因伪中央政府未曾设立发行纸币的银行，南京国民政府发行的法币仍照常流通，但市场及财务往来的主币并非法币，而是日本侵略势力强行流通的日元及日军发行的军用手票。为了适应金融侵略的需要，1938年秋，日资台湾银行于合肥设出张所，办理日元流通方面的业务。日方还将军用手票与法币的兑换比率定为1∶3，借机掠夺沦陷区财富。汪伪国民政府成立后，由伪中央储备银行发行伪中储券，伪中储行于合肥设立办事处，法币逐渐退出市场，表面上，伪中储券成为流通主币，但日常金融流通仍以日元及军用手票为主。日本侵略势力蓄意培植日币的优势地位。由于伪中储券不断贬值，日币币值相对稳定，以致许多机关职员要求将薪饷从伪中储券改为日币。② 1943年4月起，日本侵略势力决定一切支付不再用军用手票，但以前发行的军用手票仍可流通，并规定伪中储券与军票兑换比率为100∶18（日元同）③，沦陷区大量财富被日方夺走。除日伪银行外，其他金融机构还有由商人合伙设立的钱庄。除德太钱庄等个别钱庄外，大多数钱庄资本规模小，业务有限，难以获利。此外，伪合肥赈济分会一度举办小本借贷所，对符合条件的小商小贩贷以小额款项，如1940年1月，"该所贷出人数一百九十四人，贷出金额二千零五元"。④ 由于沦陷区金融受日方操纵，民间金融枯竭，以致高

---

① 《合肥县政府分配烟苗罚金》，《安徽日报》（伪）1943年2月24日。
② 《巢县合作社职员要求加薪》，《安徽日报》（伪）1942年1月6日。
③ 《日停止军票新发行》，《当涂新报》（伪）1943年3月26日。
④ 《安徽省合肥县行政主要实施月报表》（伪）（1940年1月），中国第二历史档案馆藏。

利贷始终盛行。①

与金融业情形相似,日本侵略势力在交通运输业也牢牢占据主导地位。战前合肥水陆交通均较为发达。抗日战争爆发后,中国军民为防止交通设施将来落入敌手,为敌所用,将淮南铁路拆除,并彻底破坏合六、合蚌、合浦、合寿等公路。合肥沦陷后,日伪为方便作战,强化治安,掠夺资源,巩固殖民统治,不遗余力恢复交通。日军打通淮南全线后,即赶紧抢修淮南铁路,其中由巢县至裕溪口段,短时间内即修复,由田家庵至合肥段,因抗日军民东西夹击,至1940年中期才修好,10月10日正式全面通车。② 公路方面,日伪广征民伕,并投入巨额建筑费用,③大肆修筑,不仅修复了以合肥为中心通往沦陷区各重要乡镇的公路,而且许多乡镇之间也新修了不少土公路。④ 上述交通设施主要由日方管理经营,其中内河之客货运输由伪上海内河轮船股份有限公司负责,该公司成立于1938年7月,名义上系伪方与日方合办,实则日方掌控一切。淮南铁路由伪华中铁道股份有限公司管理,该公司成立于1939年4月,名义上亦系伪方与日方合办,实权则由日方掌握。该公司于淮南铁路沿线设立武装警备团,另配备日军警备队,沿途组织爱路村⑤,不断强化该路的控制。该公司不仅全面掌握合肥沦陷区铁路运输,汽车运输也由其经营。与交通有关的电讯也由日人掌握。1939年11月,伪华中电气通信股份有限公司在合肥设立庐州电报局,局长、技师等要职均由日人担任。⑥

1944年,日军为应对不断恶化的战争形势,将淮南铁路拆除,改

---

① 《合肥漫话》(地方通讯),《申报》(伪)1945年5月5日。
② 《淮南铁路正式通车》,《芜湖新报》(伪)1940年10月14日。
③ 《合肥县政府召开全县乡镇长大会》,《芜湖新报》(伪)1941年5月1日。
④ 《苏浙皖各地施政概况》(伪)第1辑,第95页;《安徽省合肥县公署施政概况报告表》(伪)(1939年12月),中国第二历史档案馆藏。
⑤ 《铁路沿线爱路村友邦移交我国管理》,《安徽日报》(伪)1943年8月14日。
⑥ 《庐州地方连委会举行爱路区会议》,《安徽日报》(伪)1943年12月1日。

修公路，另修水家湖至蚌埠铁路①，沦陷区的交通运输大受影响。因抗日军民极为活跃，沦陷区无论是水路经巢县至裕溪口的小火轮运输，还是由合肥至水家湖的汽车运输均极不安全，运费当然较前更为昂贵。② 交通运输的业务急剧减少，市面进一步萧条。

随着经济殖民地化日渐加深，沦陷区社会问题丛生，呈现严重的社会病态现象。

沦陷时期，合肥本地盛产鸦片。当时专营商品交易的宏济善堂在合肥设立分堂，经营鸦片进出口业务，日商洋行更大力在合肥倾销"红丸""白面"（海洛因）及吗啡等毒品，导致合肥毒品泛滥。每到秋季鸦片烟收获后，烟土交易十分火爆，主要交易场所在城外东门，方桌为记，上置烟土，卖出买入即在露天进行，设备简单，手续简便，合肥人称为"土膏桌子"。③ 此外，大西门口至三孝口街道两旁，也摆满了用钵、缸、盆、碗等盛装的鸦片烟膏，任人选购。由于吸食者日众，城内以出售烟泡、烟膏并备烟具、烟榻供人就地购买吸食的鸦片烟馆和备有吗啡毒液为顾客注射的吗啡馆，遍设全城，据资料记载，1943年底，城内仅鸦片售吸所即多达90余家④，仅德胜门至三孝口，就有陆三、葛龙泉、徐友三、钟长庆等七八家。许多人吸毒成瘾，终日沉溺烟榻，不独销蚀钱财，而且体质日益衰弱。不少人最终穷困潦倒，沦为盗贼，而倾家荡产，卖妻鬻女等家庭悲剧，也时有发生。

除了吸毒成风，赌博也非常流行。赌博形式多种多样，其中以聚众抽籤最为流行。⑤ 虽然伪政权多次下令禁赌，多次开会通过禁赌议案，然而根本无济于事。抗战后期，伪政权对此听之任之，聚赌不仅在城镇流行，而且在乡间也极为普遍。⑥

---

① 《蚌水铁路动工》，《安徽日报》（伪）1944年4月5日；《拆卸淮南铁道 计划改建公路》，《安徽日报》（伪）1944年6月18日。
② 《合肥漫话》（地方通讯），《申报》（伪）1945年5月5日。
③ 《合肥漫话》（地方通讯），《申报》（伪）1945年5月5日。
④ 《各地简讯·合肥》，《安徽日报》（伪）1943年12月11日。
⑤ 《合肥县府勒令人民自动禁赌》，《安徽日报》（伪）1943年4月21日。
⑥ 《合肥漫话》（地方通讯），《申报》（伪）1945年5月5日。

沦陷时期,合肥城内设立多处慰安所,其中大多为中国妇女,也有日本军妓和朝鲜妇女,其中日军警备司令部内的南城墙下的慰安所,日本宪兵队开设在东古楼巷(今中菜市内)的金海楼慰安所及小东门附近汉奸特务开设的慰安所等,每至夜晚,为日伪人员提供服务。①

沦陷期间,由于伪政权滥发纸币,伪中储券一再贬值,造成物价飞涨。以米价为例,1943年4月,沦陷区每石米已涨至伪中储券两千元。② 至1945年4月,同样的米则涨至伪中储券5.6万元,③价格之高,令人咋舌。飞涨的物价不仅一般平民百姓难以承收,就伪官警亦感受巨大的生活压力。1941年11月,伪合肥警察局官警印发概言,向上峰及士绅胪陈苦状,称所入仅够维持个人生活,不足以养家,"充一警官尚不及一人力车夫,当一警士,尚不及一做工苦力",甚至说伪警察"求一饱而不可得"。④ 社会上的大多数人陷入赤贫深渊后,蒙、骗、盗、抢等现象频发,引起严重的社会不安。1940年上半年,因天气干旱,民间柴草价目飞涨,一般无赖莠民竟将水西门附近的无主坟墓私下挖掘,刨取棺材,劈作柴卖。⑤ 诈骗案尤其是大人指使幼童丢包诈财案时有发生。⑥ 土匪出没,也非常频繁,因而打家劫舍、杀人放火之事时有所闻。⑦

二、沦陷区的教育与文化

为泯灭沦陷区广大民众,尤其是青少年的民族意识,防止他们萌生抗日意志,日本侵略势力竭力推行反动的奴化教育,以巩固其殖民

---

① 《侵华日军暴行总录》,第743页。
② 《合肥米价飞涨 突破二千大关》,《安徽日报》(伪)1943年4月29日。
③ 《合肥漫话》(地方通讯),《申报》(伪)1945年5月5日。
④ 《物价狂涨合肥警局全体官警印散概言》,《芜湖新报》(伪)1941年12月2日。
⑤ 《无赖私挖坟墓刨棺材当柴卖》(合肥通讯),《芜湖新报》(伪)1940年5月18日。
⑥ 《合肥幼童丢包诈财被捕》,《芜湖新报》(伪)1940年6月13日。
⑦ 《合肥荷叶地匪警陈保长家破身亡》,《安徽日报》(伪)1943年8月31日。

统治。

抗战爆发前,合肥、巢县两地教育均较发达。其中合肥县境内有省立庐州中学校、省立庐州师范学校、省立庐州女子初级中学校、县立女子初级职业学校、私立三育女子中学等中等教育学校5所,在校学生1200余人。小学方面,合肥全县有县立完全小学13所,县立初级小学28所,县立短期小学123所,私立完全小学28所,私立初级小学40所。巢县境内除县立完小及初小外,另设立短期小学80余所。此外,合肥、巢县两县社会教育有声有色,两县均设立了颇具规模的图书馆、民众教育馆、公共体育场,如合肥公立中和图书馆,建成于1927年,至抗战前夕,藏书已近万册。抗战爆发后,合、巢两地教育良好发展局面开始被打破。及两地沦陷,各类学校、民众教育馆等教育设施遭到严重破坏,师生等人员大多逃散,沦陷区教育几乎全面停滞。随着殖民秩序逐步确立,日伪出于推行奴化教育的需要,着手在沦陷区内恢复教育设施。

小学方面,沦陷初期,合肥众多小学仅基督教会主办的三育女中小学部硕果仅存,1938年9月,该校继续开学,并改名为合肥基督小学,增设苦儿班,收留难民儿童。[①] 与此同时,合肥维持会创办日语小学1所,1939年2月,该校改为伪县立维新小学。1939年5月,伪合肥县公署根据伪省政府各县均需设立模范小学1所的命令,创立伪合肥县立模范小学。[②] 同年下半年,上述两所伪县立小学学生共计六七百人。[③] 汪伪国民政府成立后,合肥基督小学再度更名为三育小学,仍由基督教会主办。伪县立模范小学维持不变,伪县立维新小学更名为伪县立日语专修学校(小学程度)。伪县政府另新设和运小学及和平小学。太平洋战争爆发后,三育小学被伪县政府收回,改为伪

---

① 苗安东:《抗战时期的合肥宗教界》,《安徽文史资料全书·合肥卷(上)》,第640页。

② 《安徽省教育厅办理教育经过概况报告》,《安徽省公报》(伪)第13期,1939年7月1日版。

③ 《苏浙皖各地施拖政概况》(伪),第95页。

县立建国小学。① 至1944年,合肥城内有伪县立小学5所,在校学生数百人。② 由于政局动荡,经费竭蹶,乡区设立的小学甚少,情形极为暗淡,儿童失学到了触目惊心的程度。③ 巢县方面,1939年1月伪县公署成立时,城内仅设立日语专修学校1所。④ 至1940年2月,巢县伪公立及私立小学达到6所⑤,其中城内模范小学、日语专修学校、夫子庙小学、河南初级小学、城外炯炀河小学均系伪县公署主办,同年下半年,巢县各类小学增至10所,其中公立完小3所,公立初小6所,私立初小1所。⑥ 这些小学大多分布在城内,乡区小学则寥若晨星,与合肥情形极为相似。

中等学校方面,最初数年,伪省政府囿于财力,仅于蚌埠、芜湖、滁县、怀远、安庆举办中学5所。1942年上半年,伪省政府鉴于以合肥为中心的皖中沦陷区无一所中等学校,决定筹设伪省立合肥中学及合肥、巢县、无为等6县联立师范学校。⑦ 其中后者初拟设在合肥,后改设巢县。同年8月,伪省立合肥中学及伪六县联立师范学校开始招生⑧,孙慕云担任首任伪省立合肥中学校长。⑨ 1943年底,伪六县联立师范学校经伪巢县县政府呈请,改为伪巢县县立中学。⑩ 翌年,伪省立合肥中学因学额不足改为伪县立合肥中学,后一直维持至

---

① 《三育小学归县办改称建国小学》,《安徽日报》(伪)1942年7月5日。
② 《第一方面军第四师长捐助教育基金》(合肥讯),《安徽日报》(伪)1944年2月21日。
③ 《合肥增设小学》,《安徽日报》(伪)1943年1月13日。
④ 《教育部指令》(1939年2月2日),《教育公报》(伪)第7期,1939年4月1日版。
⑤ 《皖属各县小学统计》,《蚌埠新报》(伪)1940年2月26日。
⑥ 《安徽省警务处搜集之内政材料表》"巢县"(伪)(1940年8月),中国第二历史档案馆藏。
⑦ 《安徽省政府委员会第十二次会议纪录》(1942年4月14日),《安徽省公报》(伪)第43期,1942年4月15日版。
⑧ 《安徽省二年来之教育经费收支概况表》(伪)(1942年10月5日制),引自安徽省财政厅编:《安徽财政史料选编》第6卷,1992年内部印刷,第509页。
⑨ 《安徽省政府委员会第二十五次会议纪录》(1942年8月18日),《安徽省公报》(伪)第52期,1942年8月31日版。
⑩ 《六县联立师范改为巢县县中》,《安徽日报》(伪)1943年12月26日。

抗战结束。

与学校得到一定恢复的同时,社会教育机关恢复较慢,一直难见起色。这类机关本只起点缀作用,故日伪并不注重。作为承担社会教育的主要部门,民众教育馆的恢复得到了有限的重视。伪合肥民众教育馆于1940年1月修建完竣,①2月1日开馆。该馆设立书报阅览、音乐、棋牌等室及城东坊民众学校、城西坊民众学校。除了传统社会教育机关民众教育馆外,抗战后期,日伪各界及汉奸青年发起、兴工修建了东亚青年会馆,内置各种文具游艺等品②,一定程度上发挥着社会教育的功能。

伴随上述教育机构的设立,沦陷区殖民教育体制逐渐得到确立。日伪政权即通过这些部门,大力实施与强化奴化教育,为日本的侵略政策服务。奴化教育主要体现在以下几个方面。

其一,大力强化日语教育。1939年1月,伪维新政府教育部出台《小学暂行规程》,规定小学课程为修身、体育、国语、算术、常识等课,其中特别规定增开日语课,小学五六年级需将日语作为必修课,其他年级一般不设外国语,但可择条件开设。③ 同年5月,伪维新政府最高顾问原田熊吉照会伪行政院长梁鸿志,要求所有中小学均应课以日语教学,伪维新政府不得不俯允。这一时期合肥沦陷区设立的小学只得遵办。汪伪国民政府成立后,伪教育部遵从日方意旨,规定于都市小学高年级补授日语,初级中学以上均将日语列为必修科。④ 此外,伪合肥县政权、伪巢县县政府均设立了日语专修学校,广征社会青年学习日语,为日方培养奴才。它们通常数月即举办一届,入校学生免缴学费,毕业后由伪县政权推荐至伪党、政、军、经、文各机关工作,蓄意培育日语优越社会地位。

---

① 《安徽省合肥县公署施政概况报告表》(伪)(1940年1月),中国第二历史档案馆藏。
② 《合肥东亚青年会馆举行成立典礼》,《安徽日报》(伪)1943年4月17日。
③ 《小学暂行规程》,《教育公报》(伪)第2期,1939年1月15日版。
④ 《中华民国史档案资料汇编》第5辑第2编附录(上),第594页。

其二，普遍使用伪教育部删改的"国定教科书"。汪伪国民政府时期，组织编审委员会及伪国史编译馆编撰各级学校教科书，于1940年、1941年分别推出，颁发各地应用。这些所谓的"国定教科书"，均将各学校原有教材中的可能激发民族意识的课文或字句予以删除或修改，以迎合日本侵略势力的教育意图，培养所谓的顺民。

其三，由日方掌握教育实权。蚌埠特务机关庐州支部及巢县特务班及其后的联络官事务所均有专人负责当地的文教事业，如巢县特务班经济文化系主任皆川清对各小学的设立、校长的任命、经费的调拨等要事无不插手，是巢县教育领域真正的幕后操纵者。后来的联络官多次在巢县举办教育恳谈会。此外，各地模范小学的日语教员只能由日人充任，各中学更是如此。这些日籍日语教员由日本"兴亚院"派遣，工资由日方发给。他们名义上是日语教员，实则校中一切大事均得过问，实际处于监督伪方教员的地位。这些日方教员还联络伪方教员成立合肥中日教育研究会等组织，借讨论儿童卫生、学生自治、课程改进等名义，向教员灌输媚日亲日思想。[①]

其四，加强对广大师生的人身控制与思想控制。伪维新政府时期，伪省政府多次举行教师资格甄选，迫使各地教员俯首帖耳。1941年2月，伪教育厅出台《安徽省各教育机关人员连环保证暂行办法》[②]，要求各教员出具契结，互相担保，如有人违反日伪规定，担保人须连同担责，迫使教员之间互相监视。学生方面，除组建伪中华青年团、伪中国青少年团等反动团体牢笼其身心外，还在教学中开设"公民""修身"等必修科，向学生灌输"反共睦邻"思想。日酋也经常造访各学校，以小恩小惠施予学生。[③] 各地学生还须经常参加各社会机关组织的各项活动，如对日酋的欢迎和欢送仪式、日军战胜的庆祝大

---

① 《合肥中日教育研究会召开首次会议》，《安徽日报》(伪)1943年11月12日。
② 《安徽省各教育机关人员连环保证暂行办法》，《安徽省公报》(伪)第26期，1941年2月版。
③ 《南京森大佐莅巢视察公毕旋往肥》，《芜湖新报》(伪)1941年12月2日。

会、日军阵亡将士的追悼大会等。① 此外，日方还经常与伪方联合举办运动会，学生为主要参加者。② 通过上述种种活动，日本侵略势力将广大学生牢牢捆绑在日本法西斯的战车上。

1941年3月28日，侵华日军从巢县向三河方向进发，一路上受到盛桥人民的顽强抵抗。3月30日，日军侵占盛桥。日军为了奴化盛桥人民，将办有私塾的羊家祠堂、沈家祠堂、东岳庙拆毁，修建碉堡。下半年，日军又将原盛桥小学改为洋学堂，强迫原盛桥小学教师全部到校，否则将逮捕枪毙。孙一斋任校长几个月后，洪名清接任校长，教师有王子宏等6人，学生123人，6个年级。日军不顾师生和群众的反对，将6个年级并成3个课室，一、二年级，三、四年级，五、六年级各为一个课室。每天要上日文课，专有一个日军来上课，有翻译作解释，另设国文、算术、历史、地理、自然、音乐、体育等。就这样，日军一直奴役盛桥人民达两年零三个月之久。1943年7月7日早上，日军像疯狗一样，放炮炸毁修建在夏砾山上的工事和营房，撤出了盛桥。第二天顾鸿、张家英领导的游击队收复了盛桥，沦陷区人民从此重见天日。

1943年下半年，中共派张兴爱来该校任教。他自编教材，对学生宣传革命道理，引导不少学生走上了革命道路。1949年8月盛桥解放，学校改名为盛桥小学，由政府派杨文杰、陈广东、高正龙3位同志恢复建制。杨文杰为校长，并成立董事会，在校学生200余人。1962年，盛桥小学被六安行署定为重点小学。

谷胜乡国民小学创办于1945年，校长由谷胜乡国民党中心组长王太然兼任，教师5名，在校生70人。1945年改为许桥小学。

战争后期，随着日军在各战场节节败退，殖民统治的危机日趋加重。沦陷区的奴化教育走向没落，突出表现为教育经费竭蹶，教学设施简陋，教员待遇低下，生源每况愈下，办学规模日趋缩小。沦陷区

---

① 《巢县忠灵塔落成》，《安徽日报》（伪）1942年10月6日。
② 《合肥春季运动会》，《安徽日报》（伪）1943年4月2日。

教育陷入恶性循环的怪圈中,难以自拔。

在开展奴化教育的同时,日伪基于日方发动的战争非正义的性质,深知宣传对于维系其殖民统治的重要性,因而自始至终,大张旗鼓实施反动宣传。其宣传运动铺天盖地,一波接着一波,向沦陷区民众散播奴化毒素。在日伪发动的所谓"思想战"中,各种反动社团卷入其中,为日伪摇旗呐喊。在这些社团中,大民会合肥、巢县分支机构充当日伪宣传的急先锋,扮演了极为可耻的角色。

大民会成立于1938年7月,系上海日军特务机关网罗汉奸流氓组织的汉奸社团。该会总本部1938年11月迁南京,改称中国大民会,鼓吹"实践民德""中日提携"。随后,该组织迅速向安徽等地蔓延。1939年3月22日,大民会庐州联合支部于合肥成立,王平波担任首任支部长,内设总务、组织、宣传3科,于城内外设立多个区分会,外地则下辖巢县等支部。① 该联合支部自成立迄1940年底,被汪伪国民党合肥县党部取代,几乎所有的重大宣传活动均由其实施。街头密布的各类反动标语大多由其书写。庐州青年团训练所等,亦由其主办。沦陷区喉舌《新皖日报》由其办理。大民会庐州联合支部经常派员跟随"扫荡"日军下乡,开展所谓的"宣抚"工作,其中宣传事项有标语、布告、传单、漫画、小册等。② 巢县方面,大民会巢县支部1938年11月成立,由伪县知事兼任支部长,有会员数百人。该支部文字宣传,分小型标语、小册、墙壁标语、布质标语、木质新闻揭示版,分别城内外装制,共大小150余处,并开设售报室一所,备有各种书报杂志以应观众。口头宣传,每月由该支部派宣传员分赴各区举行游艺大会及爱护村大会数次,③对日伪统治的鼓吹极为卖力。由于上述组织竭力活动,沦陷区的宣传无孔不入,触目惊心。

在各种宣传媒介中,报纸无疑为重要利器。合肥沦陷后,原有报刊一律停办。为操控新闻舆论,扩大宣传效力,1939年8月,大民会

---

① 《淮南视察记》,《蚌埠新报》(伪)1939年12月15日。
② 《大民会庐联支部派员宣抚工作报告》,《蚌埠新报》(伪)1940年6月3日。
③ 《淮南视察记》(续),《蚌埠新报》(伪)1939年12月16日。

庐州联合支部创办《新皖日报》，日出油印 4 开报纸一张，社址设于合肥城内七湾港口，大民会庐州联合支部宣传科长方尚明为该报社长，①阎兆辛为总编辑，记者有李瑞芝、翟瑞卿等人。1944 年社长仍为方尚明，总编易为张思文。1945 年初，詹若耶取代方尚明，成为该报社长，谭胜涛担任总编。1945 年 8 月 17 日，该报终刊。巢县方面，大民会巢县支部于 1940 年 1 月创办《淮南报》，社址位于巢县米市街二号，社长为大民会巢县支部负责人王立民。1944 年，该报社长为刘也平，总编为管一朋。② 抗战胜利后，该报停办。

上述两报均属于汪伪中央宣传部直属报，列为南京管区丙级报，即以县市官民为发行目标之纯地方报类别。按照规定，该两报负责人及编辑，均由伪中央宣传部委派，每年度须将人事情况、编辑计划、营业计划等呈报核定备查，在新闻编辑上以伪中央电讯社稿件为主体，按照伪中央宣传部所颁宣传方针逐日撰著社论发刊。报纸纸张由伪中央报业经理处提供。名义上该两报由各自伪县政权主办，业务受伪中央宣传部指导，实则一切大权均操之于当地日军特务部门，《新皖日报》每天于报眼处甚至印有"蚌埠特务机关庐州支部特准"字样，即为佐证。

与其他沦陷区报纸一样，上述两报通常由社论、新闻、特载、广告等元素组成，其中新闻内容最多，主要为本地的新闻，涉及政治、经济、军事、文化、教育、社会等方面，主要内容为日军所谓辉煌"战功"及日方人员对沦陷区民众所谓"爱民""亲民"政绩，伪中央政权及伪省、县政权的施政活动，卖国理论，汉奸文艺等。在摧残民族意识、为日本殖民统治秩序鼓噪上，上述两报发挥了极为恶劣的作用。

近代电影兴起后，电影成为影响人们思想意识形态的重要介质。日伪为扩大宣传效力，充分利用电影形式，向民众灌输奴化观念，如蚌埠特务机关与中华映画会社合作，组织安徽巡回电影放映班，经常

---

① 《中华民国重要史料初编——对日抗战时期》第 6 编傀儡组织（三），第 609、648 页。
② 《申报年鉴（民国卅三年度）》（伪），第 1000 页。

至下塘、双墩、合肥县城等地巡回放映电影。① 日军庐州警备司令部与中华电影公司合作,常于基督教会堂等地放映电影。② 这些电影或是远离现实的古代言情片,或是消弭斗志的情爱片,或是虚无缥缈的神话片,更多的是宣传日军"战功"的纪录片,向民众灌输"恐日""崇日""媚日"观念。

除放映电影外,日伪还大力利用戏剧这一文艺形式,宣传反动思想主张。1939年12月,隶属南京大民会的远东剧团应伪合肥县政权邀请,来肥公演,于李公祠表演《光明在我们的面前》等剧目,内容极为反动。③ 1942年9月,巢县日军忠灵塔举行落成典礼,特从芜湖聘请一班唱女名伶演唱有关大东亚战争戏曲。④ 驻扎合肥的汪伪第一方面军第七师也组织流动剧团,表演话剧。⑤ 这些剧团的表演根本没有任何艺术性可言,不过是为宣传日伪的那一套而摇唇鼓舌罢了。

此外,日伪还利用图书、音乐等形式,向沦陷区民众灌输奴化观念。图书方面,除学校教材外,主要是各级伪政权与伪社团编印的图书,如《大民会宣言》《大亚洲主义论集》《汪主席和平建国言论集》《陈公博廿九年文存》等。音乐方面,主要为伪中央宣传部颁发的《东亚进行曲》《反共和平歌》等,由各机关、各学校反复演唱。

---

① 《巡回电影放映班沿淮南路工作》,《安徽日报》(伪)1942年5月31日。
② 《大东亚战争两周年 合肥举行映画大会》,《安徽日报》(伪)1943年12月11日。
③ 《远东剧团旅肥公演》,《蚌埠新报》(伪)1939年12月15日。
④ 《巢县忠灵塔落成》,《安徽日报》(伪)1942年10月6日。
⑤ 中共安徽省委党史研究室编:《安徽省抗战时期人口伤亡和财产损失·重要档案卷》,中共党史出版社2010年版,第84页。

第四节 新四军在合肥的抗日活动

一、新四军四支队东进抗日

(一)首战蒋家河口

1938年2月,在鄂豫皖大别山区坚持3年游击战争的红二十八军和鄂豫边区红军游击队,遵照党中央的指示,正式组建为新四军第四支队。高敬亭任支队司令,林维先任参谋长,肖望东任政治部主任。四支队下辖七、八、九团及手枪团和直属队,共3100余人。

1937年底至1938年初,由于国民党军队的消极抗战,日军在华中由上海至南京,进而沿长江和津浦路长驱直入,致使华中东部地区很快沦陷,这些地区因此成为抗日前线。针对抗战初期的华中形势,中共中央早在1937年12月28日就发出指示:"高俊(敬)亭率部可沿皖山山脉进至蚌埠、徐州、合肥三点之间作战,但须附电台并加强军政人员。"①

1938年2月下旬,中共中央派戴季英来到七里坪,传达中央指示,要求第四支队迅速东进抗日,开赴合肥一带作战。3月8日,新四军四支队在高敬亭率领下,分别从湖北省黄安县七里坪和河南省信阳县邢集誓师东进,于下旬在皖西流波疃出发东进,开赴前线作战。七团为前卫,支队部率九团为本队,八团为后卫,经诸佛庵、黑石渡、霍山城和毛坦厂,于4月初进至皖中庐江县金牛镇、盛家桥地区。

---

① 《毛泽东关于高敬亭部东进蚌埠、徐州、合肥间作战致周恩来、项英电》,1937年12月27日,《新四军·文献(1)》,解放军出版社1994年版,第371页。

四支队抵达皖中敌后地区后，迅速开展抗敌活动。先遣部队九团到达庐江盛家桥和巢县槐林嘴一带，九团一边宣传动员群众抗日救亡，一边派侦察队侦察敌情，寻机杀敌。

新四军根据侦察得知，裕溪河是北连巢湖、东抵长江的一条重要航道。沿河水网密布，土地肥沃，物产丰富，素有鱼米之乡之称。日军侵占巢县县城后，经常派出少数兵力沿裕溪河下乡"扫荡"、抢掠。两岸农村经常遭到日军的烧杀抢掠，群众愤恨至极，盼望着抗日部队严惩日军。

巢湖东南蒋家河口是日军下乡抢劫骚扰的一个主要地区。日军都是每天上午八九点钟从巢县城出发，沿裕溪河到达蒋家河口。有时乘汽艇，有时坐木船，每次十几个人、几十个人不等，上岸后到处搜寻家禽、家畜、鱼虾、蔬菜和其他东西，然后于午饭前后满载猎物原路返回巢县城。

5月上旬的一天晚上，九团政委高志荣、参谋长唐少田召集二营营长和指导员以及侦察参谋们开会，研究制订作战计划。会议根据几天来的侦察情况，一致决定在蒋家河口打一个伏击战。12日拂晓，按预定计划，参战指挥员们设下埋伏。团侦察队隐蔽在河口西岸的堤埂后，从正面截击来敌；四连二排布置在稍后的小村里，连长亲率一、三两个排埋伏在离河口四五里的小山脚下，准备随时阻击可能从县城出动的增援敌人。

这场战斗出敌不意，行动迅速，毙敌20余人，缴枪11支、敌旗一面，以及一些枪弹等。新四军伏击部队无一伤亡。

新四军东进抗日在蒋家河口首战告捷的消息不胫而走，迅速传遍各地。5月15日驻武汉的中共中央长江局机关报《新华日报》刊出专电，首先登载了这一胜利的消息。5月16日，蒋介石也签发了给新四军军长叶挺、副军长项英的贺电。电报说："贵军四支队蒋家河口出奇挫敌，殊堪嘉慰，希饬继续努力为要。"

不久，新四军四支队挺进肥东县、全椒县和巢县以北、定远以南地区，九团、七团东进淮南以东地区，会合党领导的各路武装，展开抗日战争。

（二）合安公路伏击战

从1938年夏秋季,新四军四支队各部在六(安)合(肥)、安(庆)合(肥)舒(城)六(安)等公路全线出击,伏击日军汽车运输队。9月12日夜,第七团在合肥西乡花子岗伏击日军,敌150辆汽车自桃溪开往合肥,七团乘其通过半数,突然发起攻击,经过两个多小时的激战,毁敌汽车45辆,缴获步枪24支,轻机枪1挺,军旗1面,防毒面具12套及其他军用品。14日,日军汽车80余辆由合肥开往舒城,在五十里埠,七团伏击其尾,炸毁汽车10辆,缴获步马枪5支,杀伤敌人27名。15日,在三十里岗七团发现有大批日军骑兵露营,立即选派精干英勇的战士潜入敌营,猛掷手榴弹,炸毁帐篷数顶,杀伤敌人近百名,并缴获战马3匹。16日,七团再次埋伏于花子岗,敌汽车40辆由合肥开往桃溪镇,七团突然袭击其尾部,缴获汽油150桶,防毒面具8套及其他军用品,杀伤敌人35名。19日,七团又于合肥城郊袭击汉奸组织,破获日军秘密机关数处,缴获步马枪43支,手枪9支,轻机枪1挺及其他战利品。8月17日,八团在舒(城)桐(城)公路执行破路任务,阻击日军南开汽车10余辆。

这些伏击战发动大小战斗数十次,毙伤敌人1000余名,俘敌400余名(其中日军9名),缴获长短枪1400余支、轻机枪17挺、战马20余匹,击毁敌人汽车156辆。

（三）第八团在肥东坚持抗战

1938年9月,新四军八团越过淮南铁路,进入合肥东北梁园地区。在梁园休整两天后,就到石塘桥与东北抗日挺进团会合。10月,八团进入全椒大马厂。冬季来临之际,为解决部队棉衣问题,又重新返回肥东地区。

八团在肥东地区,积极打击日军,围剿土匪,维护社会治安。1938年12月15日,八团袭击龙城的葛传江、杨建舟汉奸武装,敌

700余人全部溃败,俘敌46名,毙伤30余名,缴获步枪46支,手枪3支,马3匹。26日,八团再次袭击盘踞梁园、石塘桥、马集、龙城一带的葛传江残部,残匪毫无斗志,未有抵抗即溃散,八团俘匪7名,缴获步枪2支。1939年1月11日,八团一部在合肥东北三十埠袭击汉奸刘孟乙伪维持会,200多人的汉奸武装被全部解决,俘虏百余人,生擒刘孟乙,缴获步马枪百余支,机枪1挺及其他战利品。这次战斗,对打开皖东的局面,创建皖东抗日根据地有着积极意义。

淮南铁路是日军的重要交通线,日军在铁路沿线及周围重镇设立了许多据点和碉堡。八团到达后即展开了破路运动。仅1939年2月,就连续三次袭击桥头集日军据点,共破坏铁路数十公里,运走螺钉、电线百余斤。5月31日,八团再次袭击桥头集车站,杀伤敌人5名。

1939年2月19日,日军千余人分两路偷袭驻梁园和东山口的八团,在周骏鸣、赵启民指挥下,八团警卫营和三营奋起反击,毙敌百余人,伤敌230余人。此仗在群众中影响很大,八团在装备较差的情况下能把装备精良的日军打败,使群众了解到新四军是真正抗日的队伍。这一仗结束后,八团二营和游击大队留下来继续在巢县、肥东一带活动,其余部队转移到全椒大马厂。1939年3月,高敬亭率四支队司令部到达青龙厂,司令部就设在青龙厂褚老圩内,在此指挥皖中对日作战。5月,叶挺、张云逸、邓子恢等抵达青龙厂,进驻褚老圩,视察四支队,指挥抗战。6月初,高敬亭奉命由舒城东港冲来到青龙厂。

正当新四军四支队对日作战取得节节胜利之际,6月24日,高敬亭在青龙厂被错误处决。月底,第四支队被改编为第四、五两个支队。第四支队改编后辖第七、九、十四团和教导大队,继续战斗在皖中、皖东地区。

二、新四军江北指挥部在庐江建立

1938年10月,徐州、武汉相继沦陷,抗日战争进入相持阶段。国民党顽固派反共密谋越来越露骨,投降倾向越来越严重,不断制造摩擦事件,迫令在皖中和皖东地区的新四军开往江南,同时又调集兵力进攻这一地区的新四军,妄图消灭人民抗日武装。为了坚持抗战,推进华中敌后游击战争,党中央确定了新四军的战略任务为:向南巩固,向东作战,向北发展。① 当时,新四军江北部队比较分散,指挥不够统一。9月29日至11月6日,中国共产党召开了六届六中全会,确定了"巩固华北,发展华中"的战略方针,成立中共中央中原局,刘少奇任书记。11月,为了贯彻党中央关于东进皖东敌后的方针,加强对江北部队的领导,发展江北的抗日武装力量,新四军参谋长兼第三支队司令员张云逸根据党中央的指示和军部决定,率军部特务营抵达江北。1939年1月,张云逸、戴季英同国民党安徽省政府主席、二十一集团军总司令廖磊谈判,就有关作战区域、新四军四支队第二游击纵队改编为新四军江北游击纵队等问题达成协议;商定四支队留一部在皖中无为以保持与皖南军部联系,其余部队东进到皖东津浦铁路两侧地区活动;同意新四军成立江北游击纵队,戴季英兼司令员。2月,中共中央军委副主席周恩来受党中央委托,专程到皖南军部,传达中共六届六中全会精神,并与新四军领导人共同商定了向南巩固、向东作战、向北发展的战略方针。随着抗日形势的发展,中共中央决定:江北新四军向东发展。因为当时江南地区国民党的统治力量雄厚,且对中共武装诸多限制,新四军要在江南求得发展将十分困难,而地处长江以北的鄂豫皖苏等省到华中广大地区,则有很大的回旋余地。这个地区保存有一万数千人的新四军及抗日游击队。"因此华中是我党发展武装力量的主要地域,并在战略上华中亦为联系华北华南之枢纽,关系整个抗战前途甚大""新四军在江北指挥部应成为华中我武装力量之领导中心,除指挥我原有武装外,更有建立及发展新的队伍之任务"。② 24日,中共中央书记处又发出《关于建

---

① 中国人民解放军历史资料丛书编审委员会:《中共中央南方局关于新四军的发展方针致中央电》1939年10月,《新四军·文献(1)》,第131页。

② 中共中央书记处《关于发展华中武装力量的指示》,1939年4月21日。

立皖东抗日根据地的指示》:"目前我党我军在皖东的中心任务是建立皖东抗日根据地,这是我们一切工作的中心和目的。"

在这种情况下,中共中央决定:从华北、陕北派遣一批干部与武装南下华中,江南也应立即抽调军政干部渡江北上华中,"东南局及新四军应决心抽调一批营以上军政干部到江北"。① 4月27日,新四军军长叶挺率军政治部副主任邓子恢,第一支队副司令员罗炳辉、军参谋处长赖传珠等从皖南抵达庐江东汤池,5月上旬筹建新四军江北指挥部。5月中旬在庐江县东汤池成立了新四军江北指挥部,由张云逸兼指挥,邓子恢兼政治部主任,赖传珠任参谋长。"成为华中我武装力量强调之领导中心"。② 江北指挥部是新四军在江北各部队的指挥中枢,江北指挥部的成立,促进了新四军东进抗日战略方针的贯彻和实施,促进了新四军江北部队及地方武装的统一领导和指挥,促进了皖东抗日根据地的创建与发展。在不久之后领导创建淮南乃至华中抗日根据地的斗争中,发挥了极其重要的作用。同时成立了党的江北指挥部前委,张云逸兼书记。江北指挥部和苏皖省委派朱绍清率四支队八团二营和战地服务团一部,随方毅到津浦路东作战略侦察,宣传发动群众,开展抗日工作。

新四军江北指挥部成立之后,1939年6月14日,中央军委致电叶挺、张云逸,同意新四军游击支队由原八路军前总及徐向前指挥改归新四军江北指挥部指挥,其活动区域由中共中央北方局管辖改归中原局管辖。次日,中央军委任命徐海东(时在延安)为江北指挥部副指挥兼四支队司令员。

根据中共中央指示和新四军军部的决定,7月1日,江北指挥部对江北部队进行全面整编。整编后的新四军江北指挥部下辖第四、五支队和江北游击纵队。徐海东兼四支队司令员,政治委员戴季英(后郑位三),副司令员林维先,参谋长谭希林,戴季英兼政治部主任

---

① 《新四军文献》(一),第396页。
② 中共中央书记处《关于发展华中武装力量的指示》,1939年4月21日。

(后何伟),副参谋长赵俊,政治部副主任张树才,下辖第七、九、十四团和教导大队。以原四支队八团为基础成立五支队,司令员罗炳辉,政治委员郭述申,副司令员周俊鸣,参谋长赵启民,副参谋长冯文华,政治部主任方毅(后张劲夫),政治部副主任林凯,下辖第八、十、十五团和教导大队。江北游击纵队司令员孙仲德,政治委员黄岩,参谋长桂逢洲,政治部主任黄育贤(桂蓬),下辖3个大队。同时,江北指挥部还在庐江东汤池成立了教导大队,大队长由赖传珠兼,副大队长谢祥军,政治教导员刘毓标,学员编两个队。7月初,叶挺军长由张云逸指挥陪同抵达立煌(现属金寨县),与廖磊进行谈判,就新四军江北部队活动区域问题进行了交涉。7月24日,中共鄂豫皖边区党委从立煌县白水河迁到庐江县东汤池与新四军江北指挥部一起活动。8月16日,区党委在东汤池召开党代表大会,分析了国民党五届五中全会以来鄂豫皖地区的反共形势,并组织在皖西各地的几千名干部和进步青年的撤退工作。会议还选举了出席中共七大的代表。

在新四军江北指挥部统一指挥下,经过几个月的连续奋战和艰苦细致的群众工作,初步打开了皖东敌后抗日局面。四支队开辟了以定远藕塘为中心的皖东津浦路西抗日游击根据地;第五支队开辟了以来安半塔集为中心的津浦路东抗日游击根据地;江北游击纵队则继续坚持在皖中巢(县)无(为)庐(江)地区的抗日游击战争,保持与皖南新四军军部与江北指挥部交通联系。为了团结一切力量抗击日军,巩固巢湖以南抗日游击根据地,江北游击纵队和中共舒(城)无(为)地委则成功地争取了巢(县)南山区大刀会参加抗日,一部分刀会武装改编为巢南独立团。

9月6日,江北指挥部前委召开会议,讨论部队战斗、教育、侦察和四、五支队工作及统一战线等问题。11日,由冯达飞、余立金率领军部江北巡视团到达江北指挥部检查工作,美国记者史沫特莱也随同前来江北指挥部采访张云逸指挥,并参观访问了教导大队。

10月22日,张云逸率领第四、第五支队开赴津浦路两侧广大地区,广泛开展游击战争,开始了创建皖东抗日根据地的斗争,以加强皖东工作。指挥部直属部队及其他事务由赖传珠在庐江东汤池主持。12月16日,赖传珠率江北指挥部直属机关、教导大队、特务营、医院离开东汤池,东移皖东前线,至24日到达定远藕塘与张云逸等人会合。江北指挥部转移后,在东汤池设立了留守处。

新四军江北指挥部在庐江东汤池期间,广大官兵发扬红军的优良传统,关心群众生活,帮助群众生产,解除群众疾苦,纪律严明,不拿群众一针一线,不损坏群众一草一木,与周围群众鱼水相依。是年,东汤池一带疟疾流行,江北指挥部及时组织卫生队深入乡村,一面宣传卫生知识,一面免费为群众治疗,终于控制了疾病的流行。方圆几十里的群众,若是有病的,都赶到了这里,而且都得到了及时的医疗,解除了痛苦。群众为感谢新四军,有的村民自发给部队送粮、送草,有的主动腾出房子让部队住。

江北指挥部针对部队的实际情况,建立健全了各级政治机构,加强了部队的思想政治工作,注重群众工作,密切联系群众。民运工作队经常派队员到周围农村去开展民运工作。春耕夏忙之际,他们白天帮助群众种地、锄地、割麦、插秧、薅草、打场等,晚上邀集群众谈心,宣传共产党的抗日主张,使人们懂得新四军是真正抗日的部队,江北指挥部还编辑出版了《抗敌报》(江北版),大力开展抗日救亡宣传工作。文工团、宣传队的同志也深入乡村,开展灵活多样的抗日宣传活动。同时发动组织"工抗会""农抗会""青抗会""妇抗会"等群众组织。在东汤池还定期召开各界知名人士座谈会,与他们共商抗日救亡大计,从而大大激发了广大民众的抗日救亡热情。各地青年纷纷奔往东汤池,报名参军,仅东汤池地区参军人数达600余人,出现了父送子、妻送夫的动人场面。

三、新四军二、七师交通线的开辟

1941年1月28日,新四军军部重建,全军重新整编为7个师1个独立团。活动在淮南地区津浦铁路两侧、坚守皖东地区抗日根据地的新四军江北指挥部所属第四、第五支队等部改编为第二师，活动在巢湖东南、坚守沿江地区抗日根据地的新四军江北游击纵队以及江南突围到江北的新四军部队改编为第七师。这两块根据地之间大块地区被日、伪、顽三股势力所控制。合肥地处二师、七师两个战略区之间的地区，中共党组织和新四军在此处于游击坚持状态。古河、柘皋、梁园、马集分别驻有国民党一七一师和第十游击纵队柏承郡部；栏杆集、谢家圩子、王子城及草庙等地有土顽胡载之、谢少臣、王华锦和王柱东等部；桥头集、撮镇等地有伪军李道传、马伯山等部据点；合肥、钟油坊、桥头集、西山驿、店埠等地被日军占领。这些都是二师、七师交通联络的重大障碍。

1941年9月，七师政委曾希圣去苏北盐城新四军军部，经肥东王铁（乡）时，遇伪军阻击，不能通过，被迫退回巢南。从1941年秋起，合肥地区中共党组织积极配合主力部队，开辟二、七师交通线。10月，中共合肥县委书记严佑民奉命开辟二、七师交通线，率一个排的武装到山王（乡）成立了中共合（肥）巢（县）工委。然而，因国民党顽固派军队的进攻无法立足，被迫撤至巢南。

1941年底至1942年夏之间，新四军军部曾多次致电二、七师，要求七师"首先应尽可能打通和保持与二师的联系""否则，七师即有被敌顽完全截断不能交通的危险"。打通二、七师交通联络迫在眉睫。

1942年1月，七师五十六团奉命开辟合二区和巢二区。1943年春，西山驿区委、区政府（即合二区）成立。中共巢合庐中心县委在西山驿地区组建交通站，沟通与津浦路西根据地西部前沿——青、白龙厂的联系。

1943年初，巢湖支队派部队在这条交通线上开辟店埠区（即磨店区），建立了区委、区政府和区大队。店埠区建立后，由此经磨店就可以到达合五区（青龙厂区），其是二、七师交通线上的重要枢纽。1943年春，遵照师部命令，巢湖支队主力开进巢北地区的白龙厂南部地区更名为巢北支队。7月，巢合庐中心县委改为合巢县委，迁至肥东白龙厂，下辖合肥范围的区有西山驿区、磨店区、吴店区、肥南区、西黄区。10月,新四军军部决定,为便于开展工作,巢北支队(驻巢南的第三大队仍归七师建制外)驻巢北的第一、第二大队连同整个巢北地区划归二师管辖,合巢县委改归淮南区党委路西地委领导。这对开辟二、七师交通线起了重要作用。在军队和地方的共同努力下,一条从巢湖边周家町经山王、西山驿、店埠、磨店到达青、白龙厂地区,长达75公里的交通线打通了,保证了淮南抗日根据地物资人员的交流往来,一直到抗战胜利。

二、七师交通线的开辟,意义重大。它保证了二、七师之间人员往来和物资运输的畅通,保证了第七师与第二师和军部的联系,对淮南、皖江两块抗日根据地互为依托,坚持华中敌后抗战起了重要的作用。

四、战斗在寿东南的淮西独立团

皖南事变后,为完成"坚持路西,巩固路东"的战略任务,新四军第二师于1941年3月18日在天长县召开全师政治工作会议,会上决定抽调部分武装配合地方开展敌后游击战争。当时淮西地区是敌占区,因此师部决定派部分部队去淮西开辟游击战线,以巩固津浦路西,保卫路东中心区,从而扩大中国共产党在群众中的影响。因为第六旅十八团一直活动于淮南铁路两侧,对淮西地区情况比较熟悉,所以师部就派十八团政治处主任杨效椿带一个连武装到淮西去,开辟寿东南新区,开展游击战争,打击日本侵略者,开辟敌后抗日根据地。

奉命去淮西寿东南地区的部队为第六旅十八团二营四连。1941年6月,杨效椿率领只有50余人、30多支枪的二营四连挺进淮西。原寿县县委领导成员马曙、杨刚等20余人也一同前往。为了统一领导,协同作战,成立了淮西军政委员会,杨效椿任书记,马曙、杨刚等为委员。

1941年6月5日夜,杨效椿一行80余人从水家湖翻过淮南铁路,进入寿县境内。1942年6月,这支武装以原十八团第四连(首次来寿县的那个连)80余人做基础,又改编了部分区队和游击队200余人,计300余人,200多支枪,正式宣布成立了淮西独立团,属津浦路西联防司令部领导。上级党组织将原寿县区以上的干部调回来一批加强其领导。独立团团长李国厚,政委杨效椿,政治部主任王善甫,下辖3个连和1个武工队。

淮西独立团活动在北起淮河,南至吴山庙、合肥西四十铺,东起水家湖西数里,西至瓦埠湖滨的这一百余里方圆地带。杨效椿率领这支部队用军事打击、政治攻势的战法,消灭敌人,机动灵活地采取强攻、伏击、智取的战法,消灭敌人。对被包围之敌军,杨效椿亲自书写劝降书和喊话,对敌进行政治瓦解。例如在寿三区的倪大郢战斗中,杨效椿对被包围的顽军第十二游纵的一个中队,从夜间10点到第二天下午5点,经过攻打和劝降,终于由顽军中队长汪杰带头,共130余人全部向新四军投降。在寿二区的邵店子战斗中,在杨效椿亲自指挥下,经过一次攻击、一次伏击,并在伏击中把伪军排长以下40余人全部俘虏,而后又对俘虏实行优待和释放回去进行政治瓦解。在新四军的军政攻势下,敌人最终放弃了邵店子据点。在寿一区的杨公庙、三和集战斗中,杨效椿采取了激战杨公庙、智取三和集的战法消灭敌人。经过5个小时的激烈战斗,消灭了杨公庙据点的伪军一个连,活捉了无恶不作的日军宪兵稽查大队长王玉清,并召开军民大会将其就地枪决。接着又派侦察班长带几个人,化装混入三和集伪军据点,把伪军蒋队长打死在床上,其余伪军在枪口下举手投降,端掉了这个伪军据点。

淮西独立团开辟了4个区的抗日民主政权,还为主力部队输送了千余名战士。淮西独立团在人少武器差的情况下,动员群众、组织群众、依靠群众,利用游击战、运动战、麻雀战等生动活泼的作战形式,出其不意地打击敌人,粉碎了日伪顽军多次的"围剿"和"扫荡",身经百战,歼敌千余,缴获大量战利品,自身在战斗中也不断发展壮大。第六旅十八团四连在寿东南战斗生活了4年,从一个连80人发展到1个团6个连1000多人,全是依靠人民群众支持。1945年春,淮南路西地区反击桂顽大举进攻时,寿二区群众几次跨越淮南铁路到定远占鸡岗送公粮,每次有1000多人。

这支队伍在党的正确领导和各方面的支持配合下,终于创建了以庄墓河为界,从北到南,由点到面,由几个村庄连一起的"三位一体"的乡政权。随后又扩展到成立包括几个乡的区政权。就这样,先后成立了以拐子集为中心的寿三区、以徐庙为中心的寿二区。在寿三区以南,成立了以矛合铺为中心的寿四区。在寿二区以北,成立了以三和集为中心的寿一区,又在寿一区以北成立了寿凤区。寿县县委、淮西独立团、寿东南办事处(后称县政府),于1942年4至6月在寿二区相继成立。杨效椿任书记兼政委,李国厚任团长,赵筹任主任(县长)。逐步创建的寿东南县抗日根据地,是新四军淮南津浦路西抗日根据地西部边沿的前哨阵地,是监视日伪、顽军动态的"瞭望塔",对巩固和坚持新四军路西抗日根据地和壮大新四军实力,起了重大作用。

淮西独立团在敌后既是宣传员,又是战斗员,扩大了中国共产党在群众中的影响,保护了人民群众的生命财产安全,配合了地方党的工作,创建了抗日民主政权,为津浦路西根据地的巩固和扩大做出了重大贡献。

第五节 合肥跨地区抗日民主政权的建立

1940年3月,在中共中央中原局和新四军江北指挥部的统一领导和指挥下,津浦路西地区军民取得了定远自卫反击战的胜利,路东地区也取得了半塔保卫战的胜利,中共中央和刘少奇号召皖东地区新四军和中共党组织大刀阔斧地开展建政工作。从3月到9月,津浦路东、津浦路西各县普遍建立了县级抗日民主政权。合肥及其周边地区先后建立了5个县级抗日民主政权。

一、合肥东南各区联合办事处(合肥办事处)

1939年11月,国民党从政治上的反共发展到军事上的反共。为了放手发动群众,扩大抗日游击武装,建立抗日根据地,以适应反摩擦的需要,根据中共苏皖省委的指示,在肥东青龙厂褚老圩子成立了中共合肥中心县委,主要任务是接送从大别山撤出来的中共党政干部、青年学生和由中共领导的工作团。书记涂中庸,隶属中共苏皖省委(1940年1月后隶属皖东津浦路西省委),下辖中共合二区委和赵店区委。

1940年3月,因褚老圩子被炸,合肥中心县委机关随同江北游击纵队撤至定远的朱家湾,5月停止活动。接着路西省委派担任中共定远县委民运部长的严佑民(岳炎)到广兴集,成立了中共合肥县委,严佑民担任县委书记,陈定一任组织部长,委员有孙乐宜等人。同时,建立了合肥第六区抗日民主政府(简称合六区)。6月初,国民党部队占领了广兴集、古城集一带,严佑民调至江北指挥部干部训练班(也叫教导大队)任指导员,县委便停止活动。6月中旬,新四军第四、第五支队集中主力在古城集展开猛烈的自卫反击,迫使桂军回撤,江北指挥部即令停止追击,并与桂军谈判,再次达成以淮南铁路为界的停战协议。7月,皖东津浦路西省委派曾昭生在界牌集成立了中共肥东县委,以广兴集为中心开展活动,书记曾昭生,下辖合六区和合二区抗日民主政府,建立的乡政权有:古城、广兴、王子城、肖家圩、刘兴、马集、石塘、龙城、王铁地等乡。9月初,国民党一三八师、一七六师乘新四军在津浦路东受日伪军"扫荡"之机,大肆向路西抗日根据地进攻,复占王子城、广兴集、界牌集等。曾昭生调至凤阳县任县委书记,肥东县委活动停止。不久,新四军又在王子城、广兴集、界牌集等地与桂军开战,粉碎了国民党顽固派的进攻。

为了加强合肥东南各区的领导,1940年9月中旬,合肥东南各区联合办事处在王子城上潘村成立,路西各县联防办事处委派路西各县联防办事处秘书长童汉璋兼任主任,同时恢复了中共合肥县委的工作,书记严佑民,组织部长陈定一,委员金涛,隶属中共皖东津浦路西省委。这时合肥县委和合肥东南各区联合办事处仍辖合六区和合二区两个抗日民主政府。办事处建立后,发动群众支前和救护伤病员,密切军民关系,加强了部队战斗力。还组织开荒种菜、修筑塘坝,为部队筹粮、筹款,开展"优抗"活动,举办小学识字班,团结一切抗日力量,广泛推行民主。

10月中旬,县委书记严佑民带一支武装到石塘桥、马集检查工作,住在马集附近,不料被国民党的军队所包围,只好同合二区的干部一起突围出来,一直撤到巢县。后跟路西省委和江北指挥部联系,于11月初返回路西。这时,淮南津浦路西根据地由于敌我力量悬殊较大,一再缩小,大部分干部、家属及伤病员都已撤到津浦路东。严佑民随同留下坚持淮南津浦路西的一支武装活动,本打算去开辟寿东南地区,因形势变化,于11月底转移至凤阳。至此,合肥县委和合肥东南各区联合办事处随着主要负责人的撤离而终止。

二、合肥县抗日民主政府

1941年3月,日伪纠集3万余人,向淮南津浦路西全面"扫荡",经新四军在凤阳县凤阳山,定远县朱家湾、瓦屋刘一线的抗击和定远县皇甫山战斗,粉碎了日伪军的"扫荡"。桂军一三八师因这次日伪军"扫荡"损失较大,调到大别山休整,津浦路西"摩擦"暂趋缓和。4月,中共皖东津浦路西省委和津浦路西各县人民抗敌联防委员会决定,以广兴集为中心建立中共合肥县委和合肥县抗日民主政府,县委书记艾天白,组织部长张文虹(后林轩),宣传部长林恒,秘书黎竞平,县长刘鸿文,下辖合六区。

合肥县委、县抗日民主政府开展了根据地各项建设。一是建立"三三制"政权。在县政府中,即在政府工作人员中,共产党员、非党左派进步分子和中间派各占三分之一。"三三制"政权的建立,扩大了抗日民族统一战线,健全了民主制度,受到了人民群众的欢迎。二是大力开展民运工作。组织民运工作组在青龙、造甲等地教唱抗日歌曲,演话剧,贴标语,宣传中国共产党的抗日主张;组织成立农抗、商抗、青抗、妇抗、儿童团等群众组织;动员青壮年参加抗日队伍,掀起"母亲送儿上战场,妻子送郎打东洋"的参军热潮。三是组建地方武装。肖凤、埠里、白龙、青龙、元疃、造甲等 8 个乡,乡乡都有 30 多人的武装。四是开展大生产运动。县区乡政府不失时机地组织大生产运动,成立变工队,开展互助合作,替军烈属代耕,帮助少数缺劳力的困难户。大生产运动为战胜根据地暂时困难做出了贡献。

1941 年 10 月,桂军为策应淮北汤恩伯集团东犯,以第一七一师、第十、第十二游击纵队各一部先后侵占了广兴集、周家岗、大桥等地,中共中央采取退让政策,欲使国民党觉悟,共同抗日,中共合肥县委、县政府撤至全椒县的孤山地区。1942 年 4 月,中共合肥县委、县政府与全椒县的全西工委合并,建立了全(椒)合(肥)县委、全合县政府。7 月,全合县撤销。

三、寿东南办事处

"皖南事变"后,中共领导下的路西抗日根据地遭到了国民党的大举进攻。在此危难的形势下,为了巩固和扩大根据地,掌握路西根据地西部边沿日、伪、顽军的动态,1941 年 2 月,新四军江北部队改编为新四军第二师,领导决定抽调由江北游击纵队第三团改编为第六旅第十八团的一部力量,到寿东南地区发展抗日武装,伺机建立地方政权。第六旅旅部遂派二师十八团政治处主任杨效椿和副参谋长方和平率领十八团第四连和寿县县委等地方工作同志,在第十八团的大力支持和积极策应下,于 1941 年 6 月 6 日,跨进寿东南地区,宣告了创建寿东南抗日根据地征程的开始。

寿东南地区,东到淮南铁路,西到瓦埠湖滨,北到淮河,南到吴山庙,南北百余里,东西十几至三十余里的狭长地带,活动范围很小,而且早已沦为敌占区。重要集镇碉堡林立,设有日伪边界据点。紧靠西边,又是国民党统治区,驻扎着桂系顽军赵自盘第十二游击纵队等。

1941年6月,第十八团二营四连在庄墓桥河以南赶走大顺集100多人枪的顽方办事处,击败顽军第十二纵队的清剿,粉碎日军两次疯狂的扫荡,建立了以涂拐子为中心的一个区、两个乡民主政权。1942年在庄墓桥河以北,拔除邵店子伪据点,建立以徐庙为中心的一个区、六个乡民主政权。同年10月,成立寿东南办事处(后改为寿县县政府),赵筹任办事处主任。全县先后建立第一区(以三和集为中心)、第二区(以徐庙为中心)、第三区(以涂拐子为中心)、第四区(以陶楼为中心)、寿(县)怀(远)区、寿(县)凤(台)区等抗日民主政府,同时建立了30多个乡级民主政权。

1943年寿东南办事处在寿二区首先实行减租、减息的"双减"运动,用减租、减息政策,发动群众成为新四军的坚强后盾。经过宣传动员,组织农民抗日协会,实行了"二五减租"降低利息。佃户向地主交纳的粮食,由十成减为七成五。穷人向地主、富农借债的利息,比原来减少。时间较长的付本不付息。同时开展"增资运动",对雇工、理发工人等增加工资。在"双减"运动中,曾出现过寿二区大地主尹干臣、尹培璜带头反对群众,民愤极大,新四军当即逮捕,押至涂拐子枪决。从此,人民群众情绪高涨,减租、减息、增资运动开展得比较顺利,大大提高了群众支持抗日的积极性,成了新四军对敌斗争的靠山。群众交纳公粮,参加民兵,配合新四军反击日伪军"扫荡"等都很积极。

寿东南抗日民主政权能建立并得到巩固,除"枪杆子"外,实行的统一战线政策也发挥了重要作用。贯彻统一战线工作的方针,争取一切可以争取的人参加抗日救国。寿东南办事处本着争取伪、顽力量为中共所用和联络开明的上层人士支持抗日的精神,对伪、顽基层政权的乡、保长,采取又打又拉的政策,尽量争取他们由为敌服务,改为"两面政权",进而完全为新四军服务的基层政权人员。对民愤很大、坚决反对中共的,就地坚决镇压,杀一儆百。还先后打死颜庆绿等匪特。实行"三三制"的县抗日民主政府和县参议会,容纳了各阶层人士，调动了一切积极因素，保证了中共方针政策的贯彻执行，巩固了抗日民主政权。寿三区和寿四区，通过关系，把顽方大队长董吉善和乡长陈晓风争取过来，并要董吉善独生子董善云参加了新四军，为新四军传递情报、掩护伤病员。在后来和日伪军的战斗中，淮西独立团干脆把伤员安放在被争取过来的伪乡长陶大矮子的乡公所里。与此同时，对顽固不化的伪乡长陈小四、日特李保德则设法击毙，使一些中间或摇摆不定的人，很快站到抗日队伍一边，从而壮大了抗日力量。

四、定合县抗日民主政府

1942年春，日军控制了定（远）寿（县）公路沿线的大小集镇，把定凤怀县分割成两大部分。为便于开展斗争，8月，路西区党委决定，在定寿公路以南包括合肥县的一部分地区，建立定合县委，并成立定合县抗日民主政府，分别隶属皖东津浦路西区党委和津浦路西各县人民抗敌联防委员会（1943年2月撤销津浦路西、津浦路东区党委，统一成立淮南区党委。另设津浦路西、津浦路东地委和津浦路西专员公署）。定合县委和县政府设在定远县吴家圩附近的南吴家、新集、九子集一带，县委书记兼县长刘鸿文，组织部长洪涛（冯苍生），宣传部长林恒。定合县政府内设公安局、财粮科、民政科和宣教科等，先后建立了8个区，其中属合肥范围的有两个区，即合五区（以青龙厂为中心）和花张集区。

定合县政权建设有以下几个特点：一是递步哨设得好。民兵组织到处设有递步哨，日伪军一出来，就有人监视他们的行动，然后送出情报。二是担架队组织得好。只要哪里枪响打仗了，地方干部就把担架队带来了，不用动员。三是坚壁清野做得好。日伪军一来"扫荡"，群众就把粮食和东西埋藏起来，使敌人处处碰壁。四是伤员掩护工作做得好。战斗中负伤的伤员不能跟部队走，就是依靠民兵、老百姓掩护转移。

五、巢合办事处

在肥东的南部地区,随着抗日斗争形势的变化,中共党组织也随着变化和发展。1941年7月至9月,津浦路西区党委派王焯到石塘、马集一带恢复建立了合二区委。10月,担任中共合肥县委书记的严佑民、组织部长林轩奉命带一支武装去开辟新四军二师、七师交通线,建立了中共合(肥)巢(县)工委,书记严佑民,委员林轩、宣济民、王焯,活动在西山驿、山王集一带,隶属津浦路西区党委领导。1942年1月,因形势紧张,合巢工委的人员和武装转战到巢县高林桥附近,与在巢湖水上活动的程明远部合并,成立中共巢湖工委,书记严佑民,隶属无为地委领导。5月,合巢工委撤销,成立了中共巢(县)合(肥)庐(江)中心县委,书记程明远,属中共皖中区党委领导。同时成立了巢合办事处,张帜任主任。办事处按"三三制"原则,建立了磨店区政府、西山驿区政府。办事处设立了财粮、税务、民政、宣教科,另外还成立了一个六七十人的护商大队,人员是从巢北支队抽调一些骨干和其他地方人员组成,主要任务是护送往来商人及保护税收工作,以增加收入,保证军需供给。巢合县委和办事处主要做了以下几方面工作:一是发动群众、宣传群众、组织群众进行抗日和反顽斗争;二是扩大武装,动员青年参军;三是做统战工作;四是组织生产,收税征粮筹款。

1943年2月,皖中根据地实行党政军一元化领导,巢合庐中心县委负责人做了相应调整,巢湖支队政委余再励任书记,副书记程明远。先后建立了7个区委,其中肥东有西山驿和磨店两个区委。7月,巢合庐中心县委机关从巢县高林桥迁到肥东白龙厂小邢岗,改名为中共巢(县)合(肥)县委,隶属淮南津浦路西地委领导,书记为程明远。巢合县委、巢合办事处随着抗日斗争形势的发展和对敌斗争的需要,在其管辖范围内(南至巢湖边、北至白龙厂、东至巢城边、西至合肥城边),组织和发动群众进行抗日和与敌伪顽进行面对面的斗争，一直到抗战胜利。

1945年9月，日军投降后，为了贯彻执行中共中央提出的"向北发展，向南防御"的方针，皖中解放区的党政军人员奉命北撤，巢合县委随之撤销，一部分人员和地区并入中共定（远）合（肥）县。巢合办事处也于1945年11月北撤时停止办公。

合肥地区各级抗日民主政府，在中国共产党的领导下，在新四军的大力支持下，认真贯彻执行中共在抗战时期的各项方针政策，还组织领导了大生产运动和减租减息运动，充分调动了广大农民群众的生产积极性和参加抗战、支援抗战的热情；组建了县、区、乡地方武装和各级群众组织。半数以上的青壮年农民群众参加了区乡抗日武装和民兵自卫队，百分之八十的农民群众参加了农抗、青抗、妇抗等群众组织；对开辟和保护新四军第二师、七师之间的交通联络等方面起到了极其重要的作用，为巩固淮南津浦路西抗日根据地做出了积极的贡献，使合肥地区出现了前所未有的全民抗敌、全面抗战的大好局面。

第五章

解放战争时期的合肥

1945年8月15日,日本宣布无条件投降,安徽人民经历艰苦卓绝的八年抗战,终于和全国人民一起迎来了最后的胜利。抗战胜利后,国民党安徽省政府也随即迁出位于皖西大别山腹地的立煌县,选择位于皖中的合肥为临时省会。抗战胜利和合肥首次成为安徽省省会,这本来给合肥的经济和城市发展带来前所未有的历史机遇,对此,合肥人民满怀希望,期待着伴随胜利而来的和平、繁荣和幸福生活。但是他们的这一美好希望不久就彻底破灭,国民党政府为了在全国建立专制独裁统治,迫不及待地发动了全面内战,以消灭中国共产党及其武装力量,从而给中国人民带来了深重灾难。合肥地区人民再次陷入苦难的深渊。

第一节 日军投降与战后接收

一、接受日军投降

1945年8月15日,日本广播电台播出裕仁天皇亲自宣读的《停战诏书》,被迫接受中、美、英、苏四国提出的《波茨坦宣言》,宣布无条件投降。日本投降的消息迅速传遍全中国和全世界,自1938年5月沦陷以来一直陷在水深火热之中的合肥人民,在听到这一消息之后,欣喜若狂,热泪盈眶,他们奔走相告,欢庆这一来之不易的胜利。

8月18日,蒋介石任命何应钦处理中国战区的全部日军投降事宜,并将中国战区划分16个受降区,分别任命各受降区主官,时任国民党第十战区司令长官兼安徽省主席的李品仙,被任命为蚌埠、徐州、安庆地区接受日军投降主官。①

李品仙统辖的第十战区,地域辽阔,战时曾包括安徽、山东和江苏的大部分地区以及湖北、河南的部分地区。在接到蒋介石的命令后,李品仙立即派第十战区副司令长官何柱国率两军兵力,向商丘、徐州方向挺进,又派第二十一集团军副总司令张淦率一个军向蚌埠挺进。第四十八军长苏祖馨率领所部向安庆挺进,负责解除各地区驻扎的日军武装。在8月25日左右在指定地点集中完毕。②

9月7日,张淦率所部进入蚌埠,设立第十战区前进指挥所,负责接受驻扎这一区域的侵华日军第六军及辅助部队的投降和缴械,抗日战争末期,驻扎在合肥、巢湖和庐江三县的日军即隶属这支部队。李品仙将第十战区划分3个接收区,派苏祖馨为安庆地区接收官,钟纪为固滁地区接收官,陈大庆为徐海地区接收官,其接收地点分别为安庆、滁县、蚌埠、田家庵、固镇、宿县、徐州、海州、连云港等。③

9月9日上午9时,日本驻华派遣军总司令冈村宁次大将遵照日本帝国大本营的命令,率领所部,包括在中国(东三省除外)及越南(北纬16度以北)、台湾、澎湖群岛的日本陆海空军,在南京正式签署投降书,向中国政府无条件投降。④

9月17日,李品仙率部及警卫部队百余人,由立煌启程,19日抵六安,22日中午抵田家庵,当日下午2时,由田家庵乘专轮,于下午5时许抵蚌埠。

在李品仙抵达蚌埠当日,日军第六军司令十川次郎亦专程到蚌埠,前往李品仙下榻的第十战区前进指挥所,拜谒李品仙,并请示日军投降和缴械的相关事宜,表示甘愿将一马一枪一弹,均保持完整交呈。

---

① 高书全、孙继武、顾民:《中日关系史》第2卷,社会科学文献出版社2006年版,第507页。
② 李品仙:《李品仙回忆录》,(台湾)中外图书出版社,第226—227页。
③ 张鸣:《第十战区受降纪实》,《安徽文献》创刊号,1946年7月版。
④ 《蒋委员长派何总司令代表受降,9月9日9时开我历史新纪元》,《中央日报》1945年9月19日,第2版。

9月22日下午3时,第十战区在指挥所大礼堂举行隆重受降仪式,中方代表为第十战区司令长官李品仙、副司令长官牟中衍、前进指挥部主任张淦、第七军军长钟纪等各高级军官,日军代表为第六军十川次郎司令官,内田师团长,工藤军参谋长及随从人员。此外,还有来宾及多家报社记者等数十人。

当李品仙率中方高级军官进入大礼堂,登临受降主官席时,日军官员一律起立,向李鞠躬敬礼。李品仙首先向投降日军训话,指出:"本人今日遵奉蒋委员长暨何总司令之命,办理本战区受降事宜,今特以训令规定诸办法,送交贵官,希望一切均能按照规定,顺利完成。"

随后,日军第六军司令十川次郎登台讲话,垂着头低声说道:"本人以诚意接受李司令长官命令,办理本区日军投降事宜,一切当遵照规定执行……在敝方官兵解除武装之后,求贵方予以适当同情和爱护。"在他的身上,再也看不到当年征服者那种趾高气扬、不可一世的神情。

签字仪式结束,礼堂外广播卡车即由指挥所出动,车上悬贴红色大标语,上书"本战区日军投降签字今日下午三时举行",车上并配有军乐队,新闻广播员则用扬声器频频向市民报告受降情形。广播车经过街道时,沿街民众均燃炮庆祝,万人空巷,夹道欢迎。

9月26日,十川次郎派出他的参谋长工藤及上野参谋前往第十战区前进指挥所,请示缴械日期。双方决定自本月28日起开始实施。至10月1日,蚌埠区日军武器收缴完竣。第十战区的其他受降区域也随之完成了日军受降和缴械事宜。

据统计,在蚌埠地区接受投降的为日军第七十师团,共计官兵11772人,日侨1898人,小计13670人,另外还有在日军中服役的韩籍士兵370人。此外,在固镇地区受降的是日军第七十师团六十二旅团,官兵4319人,日侨48人,小计4367人;滁县地区受降的是日军第一独立警备队,官兵9393人,日侨134人,小计9527人,韩籍士兵238人;安庆地区受降的是日军第一三一师团,官兵15047人,日侨 630 人,小计 15677 人,韩籍士兵 298 人;大通地区受降的是日军第六独立步兵旅团,官兵 4783 人,日侨 150 人,小计 4933 人,韩籍士兵 104 人。共计缴获日军各种炮 658 门,各种机关枪 1624 挺,步骑手枪 41555 支,掷弹筒 2079 具,军刀 50871 把,各种炮弹 212284 发,各种机枪弹 3435615 发,步骑手枪弹 111019606 发,掷榴弹 224419 发,各种电话机 1416 座,无线电机 426 座,马骡 3430 匹,汽车 179 辆。[①]

　　侵华日军投降缴械后,根据日军分布、交通、给养、驻地等情况,第十战区分别在海州、徐州、固镇、蚌埠、滁县、安庆、大通等 7 处设置日军集中营,暂时安置等待遣返的日军战俘和侨民。[②]

　　随着侵皖日军的投降、缴械和遣返,合肥地区的人民终于扬眉吐气,驱逐了统治他们 7 年之久的侵略者,结束了在日本法西斯铁蹄下饱受蹂躏的苦难日子,他们期待和平的阳光普照家园,期待早日恢复被战火严重摧毁的家园。

二、合肥民众在战争中的牺牲与贡献

　　野蛮凶残的日本侵略者在占据合肥地区时期,给当地民众带来了巨大灾难。战争结束不久,善后救济总署安徽分署为展开救济工作,对安徽各县在战争时期遭受的破坏和损失进行了初步调查和统计。根据这一不完全的统计,战争结束时,合肥县人口为 254.8 万人,其中受灾人口达 127.4 万,受灾程度达 50%;房屋破坏 27000 户,无家可归者 34.2 万人,占全县总人口的 13%;战前全县粮食年产量 1003.2 万担,而战争结束的 1945 年全县粮食产量仅有 687.4 万担,减产 31%。庐江县人口 106.8 万人,受灾人口 26.8 万人,受灾程度为 25%;房屋破坏 6000 户,无家可归者 7.2 万人,占全县总人口的 7%;

[①] 张鸣:《第十战区受降纪实》,《安徽文献》创刊号,1946 年 7 月版。
[②] 《十战区长官部发表受降日军人数》,《中央日报》(屯溪版)1945 年 10 月 30 日,第 2 版。

战前全县粮食年产量为 424.5 万担,1945 年全县粮食产量仅为 255.8 万担,减产 39％。巢县战前人口为 74.8 万人,受灾人口 56.2 万人,受灾程度达 75％;房屋破坏 10000 户,无家可归者 12 万人,占总人口的 16％;战前全县粮食年产量为 563 万担,1945 年全县粮食年产量仅有 184.4 万担,减产高达 67％。①

上述数字表明,在合肥、庐江和巢县三县中,不论就受灾人口、无家可归者占总人口的比例,还是农业经济的破坏程度,巢县的情况最为严重,这表明巢县在日军占领皖中地区期间,遭受了日本侵略军极其野蛮的蹂躏和破坏。

随后,善后救济安徽分署对皖东北各县的战争损失有较为详尽的调查,并在报告中对巢县在战争中的人员牺牲和物资损失情况做出了如下描述:

1.县城于二十七年四月卅日沦陷,光复前敌伪……盘踞地占全县 1578 公里面积之百分之八十。

2.县城内房屋损失约占全数百分之三十,东北门一带焚毁殆尽,县中校舍全部被敌拆毁,损失房屋 120 间。

3.本县死难同胞查计 2161 人,以县西中埠乡温孙、河口诸村受害最惨。

4.城南浮桥被敌焚毁,计损失大船 17 艘,桥板 36 方丈,约值国币 3500 万元。

5.县境内乌巢、合巢、巢舍诸公路桥梁全部破坏;

6.湖堤年久失修,柘皋河口水闸亦被破坏,每逢淫雨,氾滥堪虞。

7.本县义民逃难后方者,约 18760 人,夏阁镇义民留桂欲回不得者为数甚多。

8.基督教来复会所设立之普仁医院,战前病床曾达 180 张以上,

---

① 上述数字来自善后救济总署安徽分署经济调查研究室编:《受灾程度表》《受灾人口表》《无家可归人口表》《战时粮食产量之减少统计表》等整理而成。见善后救济总署安徽分署秘书处编:《善后救济》第 1 卷第 1 期,1946 年 1 月出版。

并有 X 光及冷藏设备。现仅存西式洋楼两座,器材、药品及门窗玻璃破坏殆尽。①

在抗日战争中,大批合肥青年男女告别家乡父老,奔赴战场,为了驱逐侵略者和民族的解放,英勇顽强,浴血奋战,其中不少人献出了自己的生命。1946 年 11 月,合肥县政府发布通告,公布抚恤在抗日战争中阵亡的合肥籍将士名册,之后连续十天在《合肥日报》头版上发布,其中 12 月 18 日公布名单为 28 人,19 日为 28 人,20 日为 27 人,21 日为 25 人,22 日为 37 人,23 日为 36 人,24 日为 38 人,25 日为 36 人,26 日为 38 人,②合计 293 人(注:该数字仅为籍贯为合肥县阵亡将士,而不含籍贯为庐江县和巢县的阵亡将士)。之后,安徽省文献委员会还公布了皖籍抗战阵亡将校名录,其中包括合肥县、庐江县和巢县籍的 12 名校级军官。③

应该指出的是,战后国民党安徽省文献委员会和合肥县公布的阵亡将士名单具有极大的片面性,因为它仅仅是在正面战场即在国民党军队服役的军人,并不包括中国共产党领导的八路军、新四军及地方武装中在抗日战争中牺牲的官兵名单。尽管如此,我们仍可以从这份阵亡将士名单中看到合肥人民不惜流血牺牲、誓死驱逐日本侵略者的精神,他们为抗日战争的最终胜利和中华民族的独立和解放做出的伟大贡献。

为了追悼和缅怀在抗日战争中英勇牺牲的合肥籍将士和不幸遇难的民众,1947 年 3 月,合肥各界人士特地组织专门委员会,负责筹备公祭抗战时期殉节暨死难人士,并在报纸上刊登公祭公告:

窃以抗战军兴,合肥地当冲要,被敌侵陷,先后达 8 年之久。在

---

① 《善后救济》第 1 卷第 2 期,1946 年 5 月,第 23 页。
② 《合肥县政府通告》(系列),《合肥日报》1946 年 12 月 18—26 日,第 1 版。
③ 《安徽省文献委员会谨启:征求本省抗战阵亡将校传纪》,安徽省文献委员会编:《安徽文献》第 5—6 合期,1947 年版。

此期间,本县人士军政党团以及居民殉忠尽节与艰危死难者,不知凡几,考其事迹,每多可歌可泣,按其姓氏则亦或显或暗,政府虽布有衮恤之令,地方容未尽纪念之忱。胜利回归,前事不忘,时逢祭扫,难忘未招之魂。节届蒸尝,孰享喋血之士,用是组织委员,筹备公祭,前经开会公决,定每年5月14日为公祭本县抗战期间殉节死难人士之辰,冀以备昭忠烈,而永劝来兹也。①

1947年5月14日清晨,合肥各界人士及遇难者家属冒着细雨,在城东明教寺内举行公祭大会,追悼和缅怀在抗日战争时期殉节暨死难人士。会场悬挂或摆放蒋介石、陈立夫、李宗仁、白崇禧、居正等南京政府军政大员及安徽省主席李品仙书写或题赠的挽幛、挽联,其中蒋介石题写"浩气长存",陈立夫题写"碧血丹心",居正题赠挽联为"为淝水风云壮色,与沙场将士同归"。当天下午,社会人士继续在县立中小学举行公祭。遇难者家属在参加公祭后,又前往遇难者的灵前举行祭祀,缅怀死难的亲人。②

三、接收敌伪产业与惩治汉奸

抗日战争胜利后,国民党当局在夺取安徽省内大片沦陷地区控制权之后,随即开始大张旗鼓地对全省敌伪产业进行接收。1945年10月14日,安徽省主席李品仙下令组建逆产整理委员会,暂设蚌埠汪园,下设整理、调查、总务3组。③ 此后,南京政府又宣布成立苏浙皖区敌伪产业管理局,下设安徽处,至1946年11月,该处"经已接收敌伪产业占值达300亿元,以铜官山、马鞍山、荻港3处煤铁矿值最巨,已交资委会采掘,轮船次之,值60亿,粮食等物资10余亿元,蚌

---

① 《合肥县各界公祭抗战时期殉节暨死难人士筹备委员会公告》,《合肥日报》1947年3月31日,第1版。
② 《悲风凄雨悼忠魂》,《合肥日报》1947年5月15日,第3版。
③ 《皖李主席令组逆产委员会》,《中央日报》(屯溪版)1945年10月18日,第2版。

埠、安庆、合肥房地产、物资尚未计入"。①

战前合肥地区的工业基础原本较为薄弱，矿业资源十分有限，加上战争的严重破坏，战争结束时，合肥全县境内敌伪工矿企业屈指可数，因此，一些大汉奸在合肥地区的房产、商号和田产，便成为国民党当局接收敌伪产业的主要对象。合肥籍大汉奸王揖唐，早在日本发动侵华战争之初就投靠日本人，并出任华北政务委员会委员长、华北防共委员会委员长、华北剿共委员会委员长等伪职，在合肥地区占有大量房产和田地，这些产业便成为国民党当局在合肥地区接收敌伪产业的重中之重。《申报》曾在一篇报道中披露其详细情形：

华北巨奸王揖唐，自被捕后，合肥县府即奉令调查王逆在合肥原有财产，截至目前，已查出王逆在四乡所有田产二千二百四十亩，顷移交合肥敌伪产业管理分处，接收处理。又据该处负责人谈，接收物资共值五亿元。此外，省府运建办事处，移交查封房产七十处，省府移交硬币一千二百元，黄金二十两，现款四千六百万元，合作社移交小麦一百二十石。②

对于接收敌伪产业，国民党当局内部的各大势力集团都将此看作中饱私囊、壮大自己力量的天赐良机，为此你争我夺，不择手段，试图独掌接收敌伪产业的主导权，从而演出了一幕幕闹剧。在合肥地区的敌伪产业接收过程中，巢县煤矿是为数不多敌伪工矿企业之一，国民党各种势力均志在必得。国民党第十战区代表的军方捷足先登，战后初期即抢先接收这个矿区，之后居然在此后一年时间里，自行"采煤牟利，抗不移交"。③ 国民党安徽省政府和合肥县政府多次与之进行交涉，但毫无结果。类似此类事件，在合肥地区接收敌伪产业

---

① 《皖省敌伪产业处理情形，已接收物资逾三百亿》，《申报》1946年11月3日，第1张第3版。
② 《王逆揖唐田产被查封》，《申报》1946年7月9日，第1张第2版。
③ 《巢县煤矿被强占》，《申报》1946年10月26日，第1张第3版。

的全过程中,可以说是不胜枚举。苏浙皖区敌伪产业处置局合肥分处主任张学骞承认:

> 关于敌伪产业接收与处理,过去数月中曾暴露了许多不应有的现象。在接收方面,不免各自为政,缺少联系,彼此争夺,疆界不明,未接收的物资,乘机逃匿。在处理方面,因为管理的不严,或借公营私,据为己有;或徇私纵放,以致走漏……①

抗日战争时期,包括合肥在内的安徽省大部分地区长期被日军占领,在日本侵略者的唆使下,一些汉奸公然建立伪政权,组织维持会,卖国求荣,为虎作伥,并疯狂掠夺各地资源,残害抗日民众,引起全省人民的极大愤怒。抗战胜利之后,各地人民要求惩治汉奸的呼声日益高涨。

国民党安徽省府出于维护统治考虑,同时迫于来自国内外各方面的政治压力,不得不开始逮捕、审判和惩处一些罪大恶极的汉奸。例如,1946年5月初,南京国民政府对曾任汪伪政权重要成员,曾出任伪安徽省长的林柏生进行公开审判,宣布汉奸林柏生犯有八大罪状,包括"在伪皖省长任内贪污枉法,贩卖烟土"。② 5月底,南京高等法院宣布,林柏生"通谋敌国,图谋反抗本国",处以死刑。③ 数天之后,另一位恶名昭著、被称为安徽省头号汉奸的汪善诚也被判处死刑,其罪名为在战时"勾结日敌,统制物资……分赴各县搜集军粮,开设银行,扰乱市场"④。

战后初期,国民党合肥县政府也对本县一些民愤极大的汉奸进行逮捕、审判和惩处。据报道,"伪合肥县长陈季波,伪合肥商会会长

---

① 《敌伪产业处理——合肥分处张主任谈称》,《皖报》(合肥版)1946年4月15日,第3版。
② 《林逆柏生八大罪状》,《申报》1946年5月8日,第1张第2版。
③ 《林逆柏生处以死刑》,《申报》1946年6月1日,第1张第2版。
④ 《皖省头号汉奸汪逆善诚被死刑》,《申报》1946年6月9日,第2张第7版。

王平波,伪合肥印花税局长刘立功,伪合肥所得税局主任魏济普四人,均于上年县城收复时被捕,经安徽高等法院迭次审判,判处无期及十年,六年徒刑不等"。然而,这4名汉奸居然不服判决,全部提出上诉。随后,南京最高法院竟要求安徽高等法院重新审判上述案件。11月5日,安徽高等法院做出最终裁决,大大减轻对陈、王、刘、魏4名汉奸的惩处,尽管宣布以上4犯均犯有"通谋敌国、反抗本国罪",却改轻判为"各判徒刑二年六月,褫夺公权三年,所有财产,除酌留家属生活费外,全部没收"。① 毫无疑问,这样轻微的"惩处",根本不足惩戒那些在日本侵华战争时期认贼作父、为虎作伥,残害本国人民的无耻汉奸,更不足以平民愤,必然引起合肥及安徽广大民众的强烈不满。

与此同时,一些曾效忠日伪政权,协助日本侵略军收购各种物资的经济汉奸,不仅免受追究,而且继续欺压百姓。1947年3月,合肥《公正报》曾刊登读者一封来信,揭露此类继续为非作歹的汉奸,要求予以严惩:

汉奸王品三(原名王鸿海),在合肥沦陷时,替敌人一郡维洋行收买桐香等油、花生、猪、红豆等物质,为虎作伥,无人不知。敌人投降后,渠又将东门外敌遗物资,悉数获得,内有汽油几桶,菜籽等物,随即埋隐乡村,幸逃法网。现因国家宽大为怀,停止检举汉奸,王品三又来城逍遥活动,讹买讹卖,欺压弱小,敢怒不敢言。素仰贵报仗义执言,恳求赐予(批)露,政界闻知,依法严惩,除害乙方。②

对于南京政府如此轻描淡写"惩处"汉奸,就连与国民党关系密切的一些地方士绅也认为不妥。1946年6月,安徽省参议会举行第一届第一次大会,许多参议员强烈要求政府严惩汉奸,追究包庇汉奸

---

① 《合肥四巨奸更审后减刑》,《申报》1946年11月12日,第1张第3版。
② 《合肥汉奸王品三,昔日为虎作伥,而今欺压小民》,《公正报》1947年3月29日,第3版。

的官吏。胡翼文、汪春霖等参议员提出,"请政府通令各县切实检举汉奸,并准人民直接向政府检举包庇汉奸之地方官吏,以维民族正气而正人心"。陈树声、俞九皋等参议员则主张"严厉惩处汉奸,编印汉奸提名录,伸张民族正气",以此将那些卖国求荣的无耻汉奸钉在历史的耻辱柱上。李荫五、陈献南等参议员呼吁"严惩汉奸,以伸民族正气",并指出:"本省曾经沦陷,各县大小汉奸为数颇多,迄至被检查者寥若晨星……原因或由地方官吏包庇,借之敛财;或由于汉奸本身为当地望族,地方官吏对之有所顾忌。"因此他们要求:

1.伪教育人员应一律从重治罪,其未经甄别者不得录用;2.伪民众团体应一律以汉奸治罪;3.有职名之汉奸应按照其职位、任务论罪;4.脱逃汉奸应由各地方军政机关严行检查外送法院,漏网汉奸由各地方机关团体分别调查、检举和通令缉捕。①

然而,首先是战后初期南京政府正全力策划发动大规模内战,将中国共产党及其武装力量看作是心腹之患,如何消灭中共代表的中国进步力量,维护其专制统治为其当务之急,无暇顾及惩治汉奸。其次,许多汉奸原本就是国民党政府中重要官员,或是国民党军队高级将领,与蒋介石为首的国民党政治集团有着千丝万缕的联系,因此战后南京政府不可能,也不愿意对其卖国行径进行严惩。第三,在抗日战争时期,大批汉奸曾协助日本占领军对付中国共产党及其武装力量,战后国民党政府认为,这些汉奸的反共经历将有助于在内战中击败中国共产党。因此,尽管一些具有民族气节的上层人士主张严惩汉奸,然后丝毫不能改变国民党集团战后包庇和纵容汉奸的既定方针,与全国其他地区一样,战后初期国民政府在合肥地区进行的所谓"惩治汉奸"运动,最终只能是草草收场,毫无成效。

---

① 《严厉惩治汉奸,以伸民族正气案》,《安徽省参议会第一届第一次大会会刊》,1946年版(安徽省图书馆保存),第70—71页。

第二节 中共组织在合肥的恢复

一、淮西革命根据地的重建与发展

(一)中共寿六合霍工委、县政府和县总队的组建

抗战胜利后,国民党一方面玩弄"和谈"阴谋,另一方面大举进攻解放区,抢夺抗战胜利果实。随后,蒋介石公然撕毁"双十协定",全面挑起内战。中共中央对此采取了针锋相对的措施。中共中央在加强皖西大别山革命力量的同时,加强了皖西江淮丘陵地区的革命力量。原在皖北地区的新四军主力部队,为求得战略形势的根本转变,进行战略转移,除留下少数人坚持游击斗争外,其余都向山东转移。

1945年11月,撤到淮南路东的淮西独立团和寿县区乡武装改编为新四军二师六旅十七团和两支武工队。十七团由彭济武任团长,杨效椿任政治委员。武工队分别由杨刚、冯道生负责。十七团和武工队均由苏皖四地委和四分区直接领导。武工队根据地委指示,在近两个月中,先后三次派出侦察小组插进淮西,了解敌情,联系地下党组织,做群众的宣传教育工作,并把已经暴露身份的党员、干部转移到淮南路东集中学,为返回淮西地区做准备。

1946年1月3日,四地委和军分区负责人黄岩、陈庆先、李国厚等在定远县老人仓,召集赵凯、杨刚、董完白、冯道生4人开会,听取关于淮西情况的汇报,确定这4人重返淮西,建立根据地,做好长期坚持斗争的准备。为此,会议决定成立中共寿(县)六(安)合(肥)霍(山)工作委员会,赵凯为书记,杨刚为副书记,曹云鹤、董完白、冯道生为工委委员;成立寿六合霍县政府,赵凯兼任县长,董完白任副县

长；以两支武工队为基础，另挑选一些精明强悍、熟悉淮西情况的干部战士，组成寿六合霍县总队，冯道生任队长，赵凯兼政治委员，共124人，其中党员就有75人，绝大多数是原来基层干部，而且是当地人，个个称得上是"活地图"。

寿六合霍党政军干部战士在定远县邓家圩子召开誓师大会，李国厚代表地委宣布寿六合霍工委、县政府和县总队正式成立，布置战斗任务。黄岩指出，返回淮西后要跳大圈子，深入寿六合霍几个县交界的敌后地区，依靠群众，团结一切可以团结的力量，灵活机动地开展游击活动，做好长期的艰苦斗争的思想准备。全体人员表示，誓死保护淮西人民的利益，坚持斗争到最后胜利。

（二）中共寿六合霍工委挺进淮西开展游击战争

1946年3月9日，寿六合霍县总队除杨刚已带领部分武工队员先头返回淮西外，其余队员在赵凯的率领下，从定远吴家圩出发，越过淮南铁路，向淮西挺进。10日，部队在钱家集追击来自下塘集的一股敌军，当晚召开群众大会，宣布部队将同淮西人民一起战斗到底。经过广泛发动、宣传群众，淮西人民树立了革命必胜的坚强信心。杨刚等与地下党组织接上了关系，逐步建立通讯联络网，以随时掌握敌情，同时大力开展敌后统一战线工作。工委要求党员和全体指战员利用各种社会关系，既要做好群众的宣传、团结工作，又要向一些有声望的中上层人士做宣传教育工作，以有利于游击队的立足和开展活动。经过一段时间的努力，群众消除了顾虑，积极支持游击队活动。庄墓的群众还把从日伪手中夺来的一挺七九式新机枪送给了县总队，许多热血青年投身到革命队伍中来。统战工作也有很好效果，不少中上层人士经过多次革命斗争的考验，最终踏上了革命的道路。

由于县总队这支队伍是孤军深入，又在临近国民党省政府的地区活动，引起了敌人的注意。桂系一个团和省保安团配合土顽一起扑过来，分路进剿。寿六合霍工委布置少数人与地下党组织一起进行隐蔽斗争,总队挑选 80 多人实行远距离夜行军,忽东忽西,忽南忽北,集中力量寻机歼敌。区、乡武装在一般情况下,活动不出区、乡范围,只有在斗争需要时,才集中起来。1946 年 4 月,县总队渡过瓦埠湖,每天夜行军六十多里,挺进淠河以西地区,火攻霍邱县花果园乡公所,除乡长 1 人逃走,乡丁全部投降,缴获步枪 60 多支。战斗结束后,教育释放的投降人员,当夜又转向淠河以东地区。正是利用这种战术,县总队沉重打击了地方反动势力,并成功粉碎了国民党军队的多次清剿。

为了解决部队给养问题,县总队于 6 月上旬智取了六合两县交界的恶霸地主王三横圩子,缴获长短枪 4 支、子弹 1000 多发以及兑金券、银圆等,总队把银圆和一些生活物资分给群众。这次智取不仅解决了部队的给养,而且为中共寿六合霍工委在淮西全面坚持武装斗争创造了一个很好的立足条件。6 月中旬,县总队驻在六合两县交界的郭家圩子,由于乡长告密,六安县派自卫队从椿树岗猛扑过来。总队迅疾转上附近的牛尾山。敌军追到山下,总队猛烈阻击,打死打伤敌人 50 多人,致使敌人溃逃。高刘集是当时一个 3000 多人的大镇,位于肥西和寿县的交界处,是当地的一个经济中心。1946 年 7 月,中原军区一纵一旅在旅长皮定均带领下到达高刘。高刘集是国民党特务活动的一个重要据点,皮旅在东进途中于 7 月 16 日第一次打掉高刘集乡公所,寿六合霍工委率游击队于 1947 年 3 月第二次将国民党高刘乡公所武装全部解除,建立人民乡政权,周围农村一些保长也主动给人民政府送公粮,缴税款,建立保一级的两面政权。后合肥县政府又派特务王德祥为高刘乡乡长,王挑选 60 多名亲信组成乡队,进行反扑。8 月,寿六合霍县总队第三次攻打高刘集,先后击毙高刘奸商王家父子和高刘乡乡长,被当地人民誉为"三打高刘集"。此次武装斗争打击了地方反动势力的嚣张气焰,为人民除了大害,巩固了人民政权。1948 年 2 月,县总队伏击了国民党高塘乡公所,镇压了高塘乡乡长,缴获步枪 60 多支。9 月,县总队指派六合办事处所属游击队袭击井王店,击毙国民党挺进队一副团长,使敌人惊恐万分。

由于县总队跳出敌人包围圈,做大范围的游击活动,使进剿之敌捕捉不到主要目标,不得不收兵回城,寿县自卫队大队长因此被革职。中共寿六合霍工委领导的武装力量,在人民群众的支援下,有力地打击了国民党的军事围剿,支持了国民党统治区人民的反内战、反饥饿、反迫害的斗争,使合肥城内的统治者经常处于"一夕数惊"的困境。淮西地区游击斗争的胜利开展,建立了一些区、乡政权,实行按章征粮收税,在游击区发展了两面政权,由区、乡、保长帮助筹粮征税。这样,巩固了腹心区,扩大了中心区。

(三)淮西游击区政权的建立

正当中共寿六合霍工委同敌人进行英勇斗争的时候,全国战局开始发生根本变化。从解放战争第二年开始,中国人民解放军由战略防御转为战略进攻。1947年6月,刘邓大军实施中原突破,千里跃进大别山之后,其第三纵队担负起解放皖西的任务,接着向江淮丘陵地区实施战略展开。为适应迅速发展的革命形势,刘伯承、邓小平在太湖刘家畈召开会议,决定从三纵抽出一批干部和二十团、二十四团、二十七团与皖西工委和皖西人民自卫军合并组成军区部队。1947年11月15日,成立了中共皖西区党委、皖西行署、皖西军区,下辖第一、第二、第三、第四地委。皖西地区的党政机关适时派出干部进行民主政权和人民武装的建设。

1947年11月,中共皖西三地委成立。同年冬,中共寿六合霍工委书记赵凯和工委委员董完白先后与皖西三地委取得联系。年底,皖西区党委派宋孟邻、张慕云、孟申扬、李志安、侯先开等6人到淮西工作。1948年2月,中共寿六合霍工委改为中共寿六舒合县委,寿六合霍县政府改为寿六舒合县民主政府,正式组建寿六舒合县总队。到1948年底,寿六舒合县委、县民主政府所辖范围内,已先后恢复和建立起5个区委和2个区级办事处,46个乡级政权。

此后,淮西解放区一派新气象,军民团结,基层政权日趋巩固,新区群众为迎接全国解放的即将到来而欢欣鼓舞。

二、肥西（南）、肥西新游击区的开辟与活动

（一）中共肥西（南）工委成立

1947年7至10月间，皖西区党委先后派南下干部宣育华等人来肥西开展革命活动，筹建党的组织。1947年12月，中共肥西（南）工委成立。同时建立肥西（南）办事处。随同工委活动的还有肥西武工队。

中共肥西（南）工委、办事处、支队分别隶属皖西三地委、三行署、三军区。

中共肥西（南）工委成立后，因各地党组织尚未恢复建立，为开展统一战线工作，建立了焦婆店、周新街、中派河李大郢、义城集唐西、五十埠、大潜山等几个联络点，确定各点的负责联络人。联络人的主要任务是提供地方情报，负责交通，为解放大军筹集粮款。不久，中共皖西四地委为打通巢（县）无（为）地区和皖西山区的联系，派人到三河开展地下工作，建立了肥南通信站。通信站在三河以经营布匹为掩护，为党传递情报、信件，同时购买药械，转送商品和物资。

（二）肥西游击队的建立及发展

为了开展肥西新游击区的武装斗争，打击国民党反动派和土匪武装的嚣张气焰，从而动员一切力量进行解放战争，1948年3月，皖西四分区党委派一支20余人的武工队来到肥西，队员都是从主力部队中挑选出来的能征善战、思想进步的战士，不少队员还是党团员，很有战斗力。武工队的到来，使肥西工委如虎添翼，工委决定派出三位同志担任武工队的指导员、大队长和党支部书记。武工队下分两个班，在工委的领导下，经常出没在焦婆店、山南馆、大潜山一带打击敌人。不到一个月，武工队就发展到了80余人，由两个班扩编为两个中队。

1948年4月,皖西三分区党委派人带领一支由16人组成的六合支队,挺进双河一带活动,待机进入肥西,配合肥西工委开展工作。六合支队先在六安南官亭、双河街一带活动,组织农会,发动群众开展武装斗争;做统战工作,向国民党乡长宣传党的方针政策。通过不断地发展,六合支队发展到30余人。

1948年6月,皖西军三分区司令部驻在椿树岗,国民党军队集中数团的兵力前来攻打,并将驻在肥西的国民党保安部队一并调来参加围攻,妄图将三分区部队"清剿"。根据肥西守兵出现比较空虚的情况,皖西三分区党委指示六合支队跳出包围圈,到肥西活动,趁机开展工作。不久,六合支队部分人员进入肥西,在鸽子笼和聚星街一带与肥西武工队会合,成立了肥西游击队。经过一段时间的艰苦奋斗,游击队与肥西这一带20多个乡公所建立了关系,国民党官亭区区长和其他一些乡长经常为游击队送情报,筹备粮草,有的甚至主动献出家中的枪支弹药,游击队工作进展很快。8月初,根据工委意见,经皖西军区批准,游击队改编为肥西支队。支队下设两个中队和一个侦察班,后来这支人民武装扩编为4个中队,到1949年5月,肥西支队发展到1600余人,成立了肥西独立团,后被整编为六安分区警备第八团。

(三)肥西游击战争的开展 粉碎敌人"清剿"

肥西紧连合肥,合肥地处皖中,是国民党安徽省政治、经济的统治中心,合六、合安两条干线直穿肥西县境内,在军事上具有极其重要的战略地位。肥西游击区的创立,就等于在敌人的胸口上插一把尖刀。因此,在肥西游击区创立不久,国民党安徽省主席李品仙就亲自派出桂系七十七师一个团和国民党省保安团来肥西地区进行"清剿"。与此同时,国民党合肥保警队又到南乡三河一带进行"剿共"活动。

1947年12月3日,国民党中央行政院致电安徽,要求省政府通力合作,动员"戡乱",充实自卫组织,严防"叛乱"。1948年8月,刚接任国民党安徽省主席的夏威亲自下达命令,部署国民党四十六师负责"清剿"淮南路以西、淮河以南蒋家集、分水集、郭陆滩、汤家汇、隘门关之线以东,寿县、霍邱、立煌、六安、霍山、舒城、合肥各县的人民武装。接着,国民党省保安司令部一团、二团、六团等配合国民党四十六师进驻肥西等县。除此之外,合六公路交通线上的官亭驻有国民党合肥县自卫队第四中队,高刘集驻有国民党省保安团郭坚部。大批敌人进驻后,他们占领乡镇,控制交通,大力扶植和发展地方区乡反动武装,并互相配合,向游击区连续进行多次"清剿""扫荡",迫害进步人士,屠杀革命干群,强迫群众"自首",广大人民群众生命财产毫无安全保障。

面对敌人的疯狂进攻,肥西工委遵照皖西三地委提出的"开展游击战争,发展与坚持肥西游击根据地"的指示,放手发动群众,坚持游击斗争,袭击反动武装,摧毁敌人区乡政权,扩大革命武装,恢复和扩大革命根据地。当时,敌人白天到处封锁"清剿",肥西工委及其游击队只能在夜里活动,经常风餐露宿,睡野地、盖稻草,饿食野菜、渴饮冷水,生活极为艰苦。尽管如此,工委及其游击队仍保持旺盛的革命精神,在广大群众的支持和帮助下,不断粉碎敌人的"清剿"活动;同时与活动在肥西西北地区的寿六合霍工委及其游击队互相配合,共同战斗。根据敌情变化,采取机动灵活的游击战术,有时化整为零,分散活动;有时集零为整,伺机打击敌人。由于连续出击取胜,不仅摆脱了敌人的多次"清剿",保存了革命力量,而且极大地鼓舞了肥西人民坚持斗争的信心和决心。

1948年秋,解放战争进入到第三个年头,革命形势进一步发展。中国人民解放军取得了节节胜利,解放战争的烈火即将燃烧到长江北岸。国民党为加强江防,控制淮南、津浦线交通,维护其摇摇欲坠的统治,又向游击区发起新的进攻。国民党安徽省保安六团团长钟经麟在南京向蒋介石保证,在20天内消灭巢合地区的中共游击力量。钟回合肥后,立即集中保安六团、自卫队、"清乡队"等,共两个团的兵力,配合国民党四十六师采取轮番战术,紧紧追击游击队。另外,舒六合三县联防特别区主任彭越带领一支突击大队约 300 人,驻肥西与舒城交界处桃溪镇,经常窜扰唐湾、界河、袁店、唐家圩子一带,掠夺人民财物,捕捉中共干部及其家属。国民党山南联防区主任郭弼带领联防中队 50 余人,与合肥县党务部特务队十六中队联合行动,经常骚扰顺和店、长岗岭、吴小郢一带。敌人时而分路合击或主力围攻,时而白天埋伏,夜间奔袭,妄图造成白色恐怖,使游击活动无法开展。

在全国革命胜利形势的鼓舞下,肥西党组织遵循毛泽东"敌进我退、敌驻我扰、敌疲我打、敌逃我追"的战术要求,与敌展开了游击战。从 1948 年 8 月到年底的 5 个月中,肥西支队和国民党四十六师、国民党安徽省保安团及当地反动武装进行的数次战斗,均取得了胜利,夺回了被国民党匪军抢去的部分群众财产,深得人民的拥护,从而进一步壮大了肥西支队的武装力量。

1948 年冬,从淮海战场上败退下来的国民党刘汝明部以及其他战场上败退南逃路经肥西的国民党军队,在当地反动武装的配合下,不断对肥西县委和支队进行"围剿",实行经济封锁,抢劫劳苦百姓,给军民造成很大困难。这时,肥西支队已发展成为拥有 1000 余人的人民武装,但在数九寒冬、冰天雪地的恶劣天气下,战士们只穿着单衣和敌人作战,战斗力受到了严重影响。为了解决棉衣问题,县委和支队负责人研究决定,开展政治攻势和武装斗争相结合,向地主老财和国民党保长们要给养。于是支队化整为零,组成数支小分队,分头去做乡长、保长们的工作,向他们反复宣传共产党及其军队的方针政策,要求他们提供棉衣,帮助部队克服困难。其中绝大部分保长、乡长为党政策所感召,20 多天后,棉衣问题解决了。在此期间,又镇压了几个土匪头子,收编部分土匪武装,打掉几处国民党乡公所,缴获一大批枪支弹药,粉碎了敌人的"清剿"计划,使肥西根据地得以坚固和发展,为肥西全境解放奠定了良好基础。

三、肥东地区游击斗争的坚持与巩固

（一）抗战胜利后肥东的形势

抗战胜利后，新四军七师奉命从皖江地区北撤，肥东地区的抗日武装及政权也相应地随之北撤。国民党把安徽省政府和合肥县政府先后迁至合肥，肥东地区的区、乡、保、甲政权也随之建立起来。国民党合肥县设立"常备大队、县党部""中统调查室""反共行动队"，其党团骨干遍及肥东县境内。1947年国民党合肥县成立"联防司令部"，在肥东撮镇设立"联防区"。原日伪"清乡"团摇身一变成为国民党保安队，盘踞在肥东长临河、长乐集，称霸巢湖。国民党"合肥县总队"以及国民党安徽省保安团轮番到肥东"清剿"。其他反动武装也在肥东到处"清剿"游击队，搜捕新四军留下的坚持人员，残害革命家属，抢劫新四军军属财物，拆毁军属房屋，一片白色恐怖。对广大人民群众则实施苛捐杂税，抓丁拉夫，敲诈勒索。肥东人民处于饥寒交迫、民不聊生的境地。

1945年10月，中共中央确定了"向北发展，向南防御"的战略方针。新四军七师主力北撤之后，路西地委根据华中局坚持敌后斗争的指示，先后派遣了一些人员到肥东地区坚持敌后斗争。以杨蔼庭（抗战时期巢三区委书记）为书记组成中共巢北工委，开展游击活动。后由于国民党部队大肆"清剿"，形势险恶，又有工委委员叛变投敌，1946年2月，巢北工委解体。新四军北撤后，童修怀（抗战时期店埠区长兼大队长）率领20多人组成的游击队，在肥东店埠地区坚持斗争，后因国民党军队的进剿，年底，童修怀率领游击队到磨店、永安一带活动。由于国民党军队步步"清剿"，不久，这支游击队也被打散，童修怀也被捕牺牲。

1945年10月，新四军二师六旅派人到肥东山王集地区隐蔽活动，通过密切联系群众，广泛结交上层民主人士，发动青年，组织起一支精干的武装游击队,在撮镇、山王、西山驿、石塘等地,惩办叛徒,打击反共分子,受到人民群众的掩护和支持。国民党军队多次来"清剿",他们在群众的掩护和帮助下转危为安。

定滁全支队在巢县黄山与游击队会合后,又带领30多人的游击武装,两次来到肥东山王地区,与新四军二师六旅组织的游击队取得联系,互相支持,为巢北地区游击斗争逐步连成一片,增强对敌作战力量,奠定了基础。

(二)肥东地方政权的建立

1947年5月,根据华中局2月来信指示,为了统一加强对巢合地区的领导,成立了以吴万银为书记的中共巢北工委。

1947年秋,随着解放战争形势的发展,华东局组织干部队南下,重新开辟根据地。同年底,唐晓光率领部队抵达肥东南,与坚持活动在巢北地区的游击队取得联系。1948年2月,为恢复开辟皖江根据地,经皖西区党委批准,在无为成立皖西四地委、四分区,地委书记唐晓光;统一了巢、无、和、含、庐、合等地武装斗争的领导,并成立了中共肥东工委、全合工委。

1948年5月,江淮军区副司令员梁从学路过全合,批准成立全合县政府,王光前任县长。同时,成立全合县总队。随着斗争的发展,相继恢复和建立了古城区和孤山区,并在古城区建立起一批乡政权。江淮四分区为了加强全合县的武装斗争,抽调一个中队,配合全合县总队行动。经过一些战斗,全合县的武装力量不断发展壮大,区、乡政权得到了恢复与发展。1949年元月,全合县总队随华野先遣队抵达梁园,建立了梁园区,同时还建立一批乡政权。

1948年3月,肥东工委及肥东大队在皖西四地委的支持下,充实一些南下部队,分设两个中队,进入肥东南地区。由于不断打击分化敌人,发展了武装力量,推动了政权建设。1948年8月,成立了肥东办事处,先后恢复和建立了西山驿、长临河、石塘、店埠、大兴等区政权。

1947年春,在寿东南坚持斗争的寿六合霍工委,为开辟根据地,派人到肥东北造甲地区,建立了中共淮东工委,孙祝华为书记。在肥东工委的领导下,建立了一支武装游击队。他们发动群众,开展斗争,同年秋,建立双桃、造甲等一批乡政权。年底,淮东工委撤销,在原基础上,改建合五区,孙祝华为书记,同时成立五大队。为加强肥东北地区斗争的领导,经杨效椿批准,1948年5月,又成立了中共肥东北工委,同时还成立了肥东北办事处。

1948年3月,程明远带领干部南下,在肥东北留下一些人在青龙地区开展敌后斗争。在合五区的帮助和支持下,同年5月,成立了合四区,俞布门任书记。10月,寿六合霍工委为开辟地区,在肥东北工委的帮助下,建立了双墩区工委。

（三）肥东地区游击战争的开展

1947年5月,巢北工委成立后,为扩大游击斗争,在工委的统一领导下,将坚持在巢北地区敌后斗争的游击队组成3个大队,一大队由宣醒民负责,坚持在巢合地区斗争;二大队由李刚负责,向巢含地区沿长江、巢湖北岸发展;三大队由王光前负责,向全合运动,开辟全合游击区。活动在巢合地区的一大队,在巢北工委支持下,放手发动群众,积极发展武装力量,乘刘邓大军挺进大别山、合肥地区国民党兵力空虚之际,宣醒民带领游击队,在肥东南地区,收缴地方枪支,建立起几支游击队。10月,王光前带领三大队在巢合边境合浦公路上,伏击国民党军用汽车1辆,俘虏了包括国民党合肥城防副总司令在内的20多人,缴获了一些枪支和物资。次日,国民党军队调来一个营兵力到巢合边界"围剿"三大队,二大队李刚率部赶来支援,后来3个大队会合于铜鼓山,一举打退了敌人的进攻,此次战斗震动了国民党安徽省政府,调来大批军队到巢北地区"围剿"。巢北工委领导3个游击大队运用灵活的战术,从肥东山王集、王铁地、马集、马家湖,至全椒的管家坝、小马厂,巢县的黄山、花集,以及含和等地,往返鏖战,有时绕到深入敌人后方,突然袭击,打得敌人惊慌失措。巢北工委领导的游击斗争,涉及巢北周围几个县,游击范围方圆达数百里,牵制了敌人的大量兵力。

1948年2月全合工委成立后,以王光前为书记的工委带领一支游击队,进入全合地区,立足未稳,国民党调来大批军队"围剿"。全合工委率游击队,转移北上,与坚持在凤阳山的游击队会合,在此期间,杨效椿与梁从学率领南下部队,从定滁全沿途拔掉余家圩、周家岗等敌人据点,4月返回全合地区。他们在全合以肥东古城、广兴集,全椒的西王集为中心,深入发动群众,开展游击斗争。

1948年3月,肥东大队针对国民党军队不分白天黑夜大局"清剿"、特务活动猖獗的情况,将两个中队集中于外围游击。同时另派几个人带领几支游击队于内线斗争,采取内外结合,不断寻机歼敌,战胜敌人。1948年夏,肥东大队二中队在梁园附近,击溃国民党合肥县常备队。同年秋,国民党军队从巢县拓皋开来一个营,进犯肥东地区,2中队迎头阻击。肥东大队还在巢县袭击了魏子桥乡公所,缴枪10余支。同年冬,攻打了龙城乡公所,缴枪30余支。淮海战役胜利后,肥东大队奉命于合浦、合裕公路打击国民党沿途抓壮丁的溃军,保护了群众。合肥解放前夕,肥东地区国民党军队惶惶不安,肥东大队政委杨吉平派人对梁园商团团长做了争取工作,要其放下武器。又通过上层进步民主人士做撮镇联防区区长的工作,使其投诚。这些游击斗争的开展,不仅有利于新区的开辟,还牵制了敌人的主力,配合了主力正面战场的作战,策应了周边地区革命斗争的开展,也为合肥的和平解放,创造了有利的形势和条件。

四、庐江游击战争的开展与坚持

(一)中共皖西工委和皖西大队在庐江的斗争

中共和国民党在重庆和谈中,皖江区党委和活动在皖中的新四军第七师奉命北撤,留下对大别山熟悉、能力较强的党政军干部,带领部分武装,坚持原地斗争,以山地湖泊为基地,向国民党薄弱地区开展游击战争,并掩护和配合老区、解放区的合法斗争。

9月,留下的湖东中心县委书记桂林栖和第七师沿江团二营教导员钟大湖等人,在无为县开会,研究了当前斗争面临的任务、斗争方式、活动地点和行动路线等问题。会议决定整编部队,将沿江团留下的队伍和湖东中心县委手枪队合编,成立皖西大队,并将部队转移到大别山区打游击。此时,庐江地区留下了巢湖工委委员张家英为首组成的一支13人游击队,游击队主要活动在庐江东北的东岳庙、五里墩、罗家埠、鲍荫寺、高家岗,庐江西南的大凹口、桂花园、柯家坦,以及巢湖南岸,利用有利地形,同敌人开展斗争。

10月上旬,皖西大队向大别山区转移,大队行至庐江境内,在金牛东边张家老房宿营,遭到国民党保安团一个营的阻击。为保存力量,皖西大队撤退到桐城、潜山交界的西岭同中共舒桐潜工委及其领导的游击队会合。10月中旬,两支部队的领导人在桐城的孙家湾开会,会议决定将中共舒桐潜工委改建为中共皖西工委,直属华中局领导,桂林栖任书记,两支部队合并为皖西大队。会后,皖西大队分散活动。11月,皖西大队教导员沈博率九连一个排到庐江北与张家英会合,开展活动。此时,庐江地区形势很紧张。经研究,决定一部分队员暂时回家隐蔽,沈博等人去苏北,张家英带队到大别山找桂林栖。

皖西工委在领导人民武装分散活动中,还积极恢复和发展党的组织,大力发展党员。1946年7月,桂林栖率张家英、余平等30余人从苏北返皖,历经艰险,越过敌人重重封锁线,辗转半年之久到达庐江。通过线索,摸清巢县国民党沐家集乡公所情况后,桂林栖组织队伍突然袭击,缴获长枪20余支,短枪1支,打击了敌人的嚣张气焰。在此期间,皖西大队有了很大发展。皖西工委在10月召开会议,传达了华中局关于将皖西大队扩建为皖西支队,放手发动群众,大力开展敌后游击战争的指示。会议决定整编部队,成立皖西支队,钟大湖任支队长,桂林栖兼任政委。会后,钟大湖将所属部队编为3个大队,其中一大队到潜、桐、舒、庐边区开展游击活动。

1947年2月,桂林栖在潜山县冲华家祠堂召开皖西工委扩大会议。会议根据皖西斗争形势需要,决定成立中共潜太、岳北、舒六县委和桐庐、庐北工委。庐北工委书记张家英。皖西工委整编了部队,将皖西支队编为5个大队,分别同各县工委一起活动。其中第四大队与桐庐工委一起,主要活动于庐江西南的大凹口、柯家坦、大小马槽,以及桐城的卅里铺、吕亭驿、孔城镇、大小关,舒城东乡一部分地区。第五大队与庐北工委一起,主要活动于庐江白石山、盛家桥一带。

1947年春,庐北游击大队袭击了国民党金牛大五冲、韩家桥乡公所。随后又在巢湖边歼灭国民党水上大队,缴获盐船两只和部分钱物。经过多次战斗,庐北游击大队发展很快,成为一支百余人的队伍。

为了进一步充实武器,大队决定从缴获的钱款中拿出部分钱款购买枪支。张家英带人去买枪时不幸被捕牺牲,后庐北大队在教导员的带领下,与桐庐游击大队会合,继续与国民党军队展开游击战,打击敌人。1947年5月,皖西工委派直属大队大队长姚守永回庐江任庐北工委委员、游击大队大队长。姚守永带领游击大队运用灵活机动的战术,昼伏夜出,避实击虚,消灭国民党2个县中队、1个清乡队。随后,庐北游击大队袭击了国民党罗家埠、铺子岗2个乡公所,缴获长短枪20多支。此时,庐北大队已发展到140人,长短枪100余支。

同时,桐庐游击大队已发展到1个连,桂林栖亲自到桐庐工委,指导桐庐游击队突袭庐江的七桥、砖桥等地,缴获敌人一批武器。6月,桐庐游击大队在岱鳌山击败国民党庐江县自卫队和桐城自卫队的2个中队。随后,在界河张家小圩又消灭庐江常备队1个排,打击了土顽势力。这两次战斗的胜利,初步改变了庐江县游击斗争的局面,促进国民党阵营的分化瓦解,驻守庐江的国民党保安三团的1个班就向桐庐游击大队起义投诚。

(二)刘邓大军转战庐江

1947年6月30日,刘邓大军强渡黄河、挺进中原,经过短暂休整,7月23日,中央军委指示刘邓大军下决心不要后方,以半月行程走出大别山,占领以大别山为中心的数十县,建立根据地。

为了实现重建大别山根据地的艰巨任务,刘邓大军迅速分兵向预定地区实施战略展开。其第三纵队"全部在皖西作战",向霍邱、六安、霍山、寿县、舒城、桐城、庐江、无为等县展开。在最初一个月内,第三纵队主要是集中消灭敌人,分散发动群众,抢占一切可能占领的城镇,肃清土顽,打些小胜仗,引导干部战士和群众熟悉情况和适应生活环境,为打大歼灭战做好准备。

9月2日,第三纵队第八旅第二十四团在攻占金寨后,又奉命直捣舒城。9日,八旅党委决定,进一步实施战略展开,放手歼敌,解放城镇。为此,第二十三团向合肥方向猛追逃窜之敌,第二十二团沿合安公路向南进攻桐城,第二十四团攻打庐江。11日,第二十四团从舒城出发,沿安合公路经南港至汤池西北地区隐蔽集结,进一步做好战前动员和准备工作。12日晚,第二十四团攻入庐江城内。13日,庐江城第一次解放。庐江解放后,成立了庐江民主县政府。9月下旬,第二十四团奉命移防桐城,留下1个连和地方游击队继续开展工作。后来由于战略需要,部队奉命转移,25日,国民党青年军第二〇二师进占庐江城。

1947年10月上旬,第二十四团又随旅主力参加张家店战斗后,回师东进,奉命再次解放庐江。进城后,第二十四团组织了武工队,帮助当地政府开展工作,发动群众进行土改。组织区、乡武装,保护群众利益。

(三)庐江游击根据地的建立

1947年秋冬之际,随刘邓大军南下的几批干部在马力、程继贤、顾正钧等的带领下,先后到达桐庐地区。该地区包括桐城县的菜子湖和白荡湖以东、无为县西乡的三官山以西、庐江城以南、长江以北的广大地区。1947年12月初,中共皖西二地委、二专署、二分区在庐江大凹山的小马庄宣布成立中共桐庐县委,同时,撤销桐庐工委。随后,桐庐县民主政府也宣布成立。早些时候在桐庐游击大队基础上成立的桐庐基干团,有9个连,近1000人。1947年12月,根据皖西二分区指示,将桐庐基干团划分为桐庐独立团和湖西独立团。隶属皖西二分区和桐庐县委的双重领导。

庐北和桐庐游击大队配合刘邓大军第三纵队第八旅第二十四团,解放庐江西南大片地区,随后就成立区、乡民主政权,还在一些自然村建立了农会组织。

1947年12月下旬,中共皖西二地委、二专署在庐江葛家庙宣布成立中共湖西县委和湖西县民主政府,同时根据二分区决定,成立湖西独立团,独立团主要活动在柯坦、汤池、大小马槽、白石山、盛家桥等地。湖西县委下辖汤池、柯坦、罗埠、白山、盛桥5个区分委、区政府。中共湖西县委、民主政府的建立,标志着湖西游击根据地的重新建立。从此,湖西人民在中国共产党的领导下,开展土地改革,建设革命政权,同敌人展开斗争,使游击根据地不断巩固和扩大。

(四)庐江人民对刘邓大军的支援

1947年,刘邓大军挺进大别山后,10月11日,第三纵队第八旅第二十四四团再次解放庐江城。此时,冬季快到了,为了使解放军指战员早日穿上冬衣,团党委成立筹措棉衣工作组。工作组仅用三四天时间,就在庐江城内筹措到5万多尺布料和部分棉花,加上在附近商店、农村筹措到的布料、棉花,基本满足二十团缝制棉衣的需要。缝纫工人带着自家的机器帮助解放军赶制棉衣。经过1个月的奋战,终于完成赶制棉衣任务,这一拥军爱民事迹,在庐江传为佳话。

刘邓大军远离后方,供给接应不上,大军的吃、穿、用遇到很大困难,粮食供应一度很紧张。由于国民党军队对刘邓大军实行经济封锁,广大群众的生活同样遇到困难。因此,坚持大别山斗争,克服困难,减轻广大人民负担,就成为党政军民的共同任务。1947年12月,皖西二专署、二分区决定派人到湖西县筹粮筹款,缓解大别山燃眉之急。湖西县委、县政府高度重视这一工作,经过20多天昼夜不停地工作,湖西人民筹集粮食11万斤、布匹1300多匹,现款11万多元,于1948年春节前送到大别山。

1948年二三月份,国民党在舒城、庐江的兵力明显增加,不仅桐舒公路沿线据点增多,同时,还对中共工作基础好的乡镇进行偷袭和"扫荡",反动政权还乡团的活动又猖狂起来,少数乡、保长投靠敌人,中共党组织的活动范围缩小,汤池的工作暂停下来,转移到盛家桥开辟新的基础。盛家桥东接巢县、北靠巢湖、南临白湖,有两条小路和一条人行小道经裕溪口过江到达芜湖,是个水陆码头。党组织准备在这里开设一个商行,打通芜湖方向的交通,这将有利于完成购买布匹任务。1948年3月,皖西二行署专员刘征田到湖西,在庐北一带传达新区政策,还布置县委通过党组织开设的地下商店,到芜湖、安庆购买药品和军用物资,以保证坚持斗争的需要。在经济工作上,支持群众发展经济,向各级干部讲清形势,宣传新区政策,坚决贯彻新区政策,继续做好财经工作。经过湖西县政府的积极协办,商行于1948年5月正式挂牌,第一趟生意,6只船装了10万斤上等大米,换回各色布匹1300多匹以及毛巾、牙粉、鞋袜、肥皂、电池等物资,这些货物送回后,或以现金交易,或以农产品交换,群众很满意。同时,湖西独立团派一个班兵力,负责将一部分物资送到二分区供给处。

在湖西县委和工作组的共同努力下,经过8个多月艰苦工作,克服各种困难,采购粮食25万斤,布匹5400多匹,并输送现金22万元以及一些生活日用品。①

为支援刘邓大军作战,庐江人民在困难的情况下,积极筹措粮、款、军鞋送给部队,为刘邓大军坚持大别山斗争起了积极的作用。

第三节 安徽省会迁置合肥及其过程

一、省府迁移合肥

抗日战争初期,安徽广大地区相继沦陷,安徽省政府不得不撤出省会安庆,迁至皖西大别山腹地的立煌县(今金寨县)。随着日本的战败和战事的结束,安徽省政府必然面临着走出大山,迁回经济较为发达、交通较为便利、各种条件较为优越的中心城市的问题。然而,出乎许多人的意料,以李品仙为主席的安徽省政府,并没有迁回位于长江岸边原安徽省省会安庆,而是选择了位于皖中的古城——合肥作为战后省府所在地。

其实,战后将省会迁至合肥,并不是李品仙在战争结束时心血来潮的决定,其想法由来已久。1940年,时任合肥县长的刘文瀚,奉命赴立煌参加安徽省行政会议并做报告。省主席李品仙在听完刘文瀚所做的合肥情况汇报后,明确告诉他:"合肥历史悠久,人文代兴,贤才辈出。胜利后,我们将把安徽省会迁往合肥。"并又强调指出:"合肥位居全省中心,是控制全省最理想的地方,作为省会很有发展前途。不像安庆偏于南部,指挥皖北有所不便;安庆城内起伏不平,也

---

① 中共庐江县委党史研究室编:《中国共产党庐江历史》第1卷,中共党史出版社2013年版,第171页。

不易建成现代化城市。"①由此可见,至少在1940年时,李品仙为首的国民党安徽当局就已经有战后将省会从安庆迁至合肥的考虑。

1945年9月,抗日战争刚刚胜利,尚在立煌县的国民党安徽省政府正式决定将省会迁往合肥,同时又制定了《安徽省政府迁移运输办法草案》(下称草案),拟定了省府各部门人员和物资迁往合肥的具体措施,要求各机关及沿途地方政府执行。草案规定,应从立煌迁移至合肥的机关包括三类:即安徽省政府及下设机关,国民党省党部及其附属机关,其他应迁机构。②

立煌县位于大别山深处,不仅交通闭塞,而且生活和办公条件极为艰苦和简陋,胜利之后,各机关人员都迫不及待地希望尽早离开此地,迁入交通更为便利,生活更为舒适的合肥。为了避免迁徙中可能出现的混乱,省府在草案对各机关迁徙的先后次序、具体步骤及相关事宜一一做出明确规定:

1. 运夫行程以立煌为起点,合肥为终点。
2. 各机关迁移预定开始迁移日起,于一个月完成。
3. 各机关迁移分为三期,每期10日,但必要时得斟酌延长或缩短之。
4. 第一期输送各机关急用物品、工作人员及必需行李;第二期运输次要物品、工作人员及必需行李;第三期运输公用家具及公务员之物品。
5. 各机关应迁移之公用物品及公务员行李等项,须照上项分期标准,先将物品行李件数、重量及迁移人数通知省府,以便配备夫具。
6. 各机关迁移先后次序由省府决定,列表通知各机关,并按照各机关待运物品之重量比例,分配夫具,依次运送之。

---

① 刘文潮:《抗战胜利后合肥的市政和淮河路改造》,《合肥政协文史资料》第2辑,1985年版。
② 《安徽省政府迁移运输办法草案》,安徽省政府复员计划委员会编:《安徽省政府复员工作方案》,1945年版,第28页。

7.各机关迁移事项应遵守省府之一切规定,以免纷乱。

除了省府各部门人员应从立煌迁移合肥,与之随行的还有大量行李、家具、办公桌椅和器具,在公路恢复和汽车修理完备之前,这一切都只能依靠民夫肩膀来挑运。从立煌到合肥的距离近四百里,其中包括多处蜿蜒曲折,甚至陡峭的山路。徒步穿越这样一段漫长的艰苦路程,对于肩挑重物的民夫和体能普遍不佳的公务员来说,都是一次严峻的考验,绝不是两三天所能完成的。省府在草案中又对民夫征调、组织调配及沿途路线、中转站、运输方法和措施做出详细规定,包括:

1.公用物品及公务员物品运输以挑夫输送为原则。

2.省公路局汽车修理完竣,参加运输时,应以载运急用物品及紧急先遣人员为限。

3.凡输送物品之夫县,均按站接运为原则,各机关不得强行扣留或强迫继续前进。

4.陆运行程计经过立煌、古牌冲、毛坪、流波疃、独山、破塘埂、苏家埠、八九店、六安、二十里铺、金桥、官亭、大马店而达合肥。其中以立煌起运站,以独山、官亭为换夫中转站,其余各地及沿线大小市镇均普遍设立茶水住宿站。

5.各起运站、中转站及茶水住宿站,由该管县政府令饬所在地乡镇公所或保办公处负责设立免费供应运夫茶水,并准备大量铺草以供睡眠之用。

6.各县分批配备之民夫应由各县编组成队,并将队、班长姓名造册,随夫送交各起运、中转站。

7.各起运、中转站之运夫,由省府令饬各县依照需要数量分批配备,由各地乡镇公所征集,交各起运站指挥调度,各县应派员兵负责管理。

8.各县运夫接运地段:(1)立煌至独山一段由立煌县负责。(2)

独山至官亭一段由六安县负责。(3)官亭至合肥一段由合肥县担任。如立煌民夫不敷供应时,由霍山县征调补助之。

9.每日配给各机关起运物品之运夫数,由省府分配妥当,填发配夫凭证。各机关接到凭证后,应即将起运物品准备妥当,派员持单向起运(中转)站人员、民夫并出具正式收条,交站转报查核。

10.在省府迁移统筹运输期间,各迁移机关应依照规定,向统筹运输机关洽办,不得向各地方机关索摊夫具。

此外,草案还规定,"运夫来回程挑四十公斤,每夫每华里发给伙食津贴3元""不能步行之公务员及其眷属,如需乘轿时,得向公路站请求代履竹轿,运费照公路局规定客运运价,先行垫付",以及"各机关物品,应由各机关派员负责押运,以免损失毁坏"。① 以确保这一大规模的人员和机构迁徙的顺利进行。

从1945年9月起,安徽省政府、国民党省党部以及附属机构的人员、办公设施和其他物品,从位于大别山腹地的立煌县城及周边地区,以最原始的人力挑运或手推车,中间杂掺着为数不多的几辆破旧汽车,沿着蜿蜒曲折的山路,开始源源不断地向位于皖中的合肥城前行。当时的一位观察者这样描述到:

大批迁动,是在三十四年十月开始的,由立煌到合肥一共三百九十华里,单程需时五天,曾经破坏的公路虽经修复,但还没有较多的车辆作为交通工具,在不得已中,只好大量雇用民夫,为着平均劳力,中途设站,沿途调换,一时合立路上,车水马龙,人潮泛滥……②

南京国民政府将合肥作为战后安徽省临时省会,这一决定从根本上改变了安徽自清初建省以来的地方权力分布格局。合肥成为安

---

① 《安徽省政府迁移运输办法草案》,《安徽省政府复员工作方案》,第28—30页。
② 树繁:《复员中的合肥》,《社会评论》第50期,1946年版,第237页。

徽省政治中心,由此所带来的政治地位提升,本将给合肥经济、文化和社会发展带来前所未有的机遇,合肥民众一度对此曾充满希望。然而,随着国民党发动的内战不断扩大和蔓延,以及省县各级政府官员的腐败不断加剧,这一美好的愿望随即变成泡影。

二、国民党恢复合肥地区的统治

1945年10月起,国民党安徽省政府、省党部以及众多附属机构开始迁入合肥城。省府选择了原安徽省省立女子第六中学的校舍作为办公场所。省府之所以选择省立女子六中的校舍,因为这里曾是日本占领军的大本营,学校的几幢洋楼基本保持完好。省府各厅处,如同在立煌时期一样,和省府联署办公。其他附属机关,则散布在全城各处。①

在省府迁入合肥之前,战时设在合肥西乡的合肥县政府,已于1945年9月迁回城内,开始对这座城市进行统治。② 国民党合肥县党部同时也迁回合肥城区。1946年,国民党合肥党部执行委员会由5人组成,设秘书1人,国民党省党部委员龚竞涤兼任书记长。县党部设组织、宣传、总务3股,辖有县工会、县农会、《合肥日报》社,在城区设有4个区支部、12个区分部。③

随着国民党安徽省政府及众多附属机构迁入合肥,成百上千的大小官员、办事人员也拥入了这座古城,包括省府委员13人,秘书处官员及办事人员125人,民政厅158人,财政厅100人,教育厅135人,建设厅119人,公路局65人,电话局84人,社会服务处15人,卫生处23人,水利工程处40人,会计处78人,统计室23人,无线电台

---

① 树繁:《复员中的合肥》,《社会评论》,第237—238页。
② 中共合肥市委党史办编:《新民主主义时期中共合肥党史大事记》,1990年版,第97页。
③ 沈友信:《国民党合肥县党部梗概》,《合肥文史资料》第7辑,1991年版,第144—145页。

84人,农业改进所27人,设计考核委8人,省图书馆11人,合计1080人。①

除此之外,国民党安徽省党部、各种军事机关、驻军、三青团安徽支团部、善后救济安徽分署,以及众多省属医院、学校、报馆及其他机构,也纷纷进入这座城市。其结果,正如当时一位记者描述的那样:"合肥是现在的安徽省会了,随着省会而来的是机关林立,公务员增多,而这些公务员又大多是从战时省会立煌来的。这座荒僻的古城,于是也随着繁荣起来。"②

1948年4月,据省会警察局对合肥城区人口进行的统计,城区居民共计11200户,58436人,其中男性为33799人,女性为24637人。另有203家政府机关、学校及其他公共机关人员尚未在上述统计之中,其人数合计1684人。③

为了加强国民党在全国的政治控制,进行所谓从军政向"宪政"的转变,粉饰其专制独裁的政治本质,南京政府于1946年初开始在全国各省召开所谓以民意机构自居的省参议会。1946年6月26日至7月12日,安徽省参议会第一届第一次大会在合肥举行,69岁的前省教育厅厅长、省通志馆馆长江暐出任议长,国民党省党部科长、合肥县参议会议长路世奎作为合肥县代表出席了会议,巢县代表则为曾任京沪警备部秘书兼政治研究员的童春暄。④ 在此之前,合肥县参议会第一届第一次大会已先期举行,路世奎出任议长。

1946年初,舒城人汪廷霖任合肥县长,所属第二专区专员为合肥人巫瀛洲;凤阳人廖麟任庐江县长,其所属第一专区专员为潜山人

---

① 安徽省政府秘书处编:《安徽政绩简编——省级行政人员统计》,1946年版,"一般行政"第6页。
② 《合肥公务员生活素描》,《皖政导报》1946年第2期,第23页。
③ 《合肥市区人口统计》,1948年4月20日《皖报》第3版。注:关于此时合肥城区人口,有多种说法。据怀谷先生在《合肥的旧警察机构》一文中指出:"1947年初,合肥县进行第三次户籍调查,全县共199235户,1285288人。其中合肥城区计有30保,268甲,9614户,62099人。乡镇共有73乡镇,664保,8009甲,189621户,1223189人。"
④ 《安徽省参议会第一届第一次大会会刊》,1946年版,安徽省图书馆保存。

范宛声;广西南宁人梁侃任巢县县长,其所属第五专区专员为广西百色人漆道澂。①

在省府迁入合肥不久,当局对全省各专区进行较大调整,重新划分全省九大专区。合肥所属专区因之发生了改变,从第二专区调入第五专区。庐江仍留在第一专区,巢县仍留在第五专区。

第一专区除庐江县外,还包括桐城、怀宁、无为、太湖、宿松、潜山、望江等7县,共辖8县,专署设在桐城县。战后,由于省府改设合肥,省府故将第一专区专署改在怀宁,并将无为县调出第一专区。

第二专区除合肥县外,还有立煌、六安、寿县、舒城、霍山、岳西等6县,共辖7县,专署设于六安。战后合肥调出第二专区,而调入第五专区。

第五专区除巢县外,还有全椒、滁县、和县、定远、含山等5县,共辖6县,专署设在全椒。战后,第五专区增加合肥县,专署改设在巢县。②

第二专区所辖各县均位于皖西,属于大别山及周边地区;而第五专区各县均位于皖东。合肥县从第二专区调入第五专区,即从归属皖西区域转为归属皖东区域,从而在地域上与国民党政治统治中心——南京之间建立更为紧密的联系,亦便于国民党当局加强对安徽全省的政治控制。

战争结束时,合肥全县共有140乡镇,1500保;庐江县有46乡镇,494保;巢县则有24乡镇,255保。③ 1947年3月,合肥县政府重新调整境内乡镇,将全县137乡镇合并为62乡镇,而城中、磨店等乡镇仍单独存在,故合并后仍为65乡镇。随后,这一计划得到安徽省府批准而正式推行。④

抗战胜利后,国民党当局接收了合肥地区日伪政权的部分警察,

---

① 安徽省政府秘书处编:《安徽政绩简编》,1946年2月版,"民政"第15—17页。
② 安徽省政府秘书处编:《安徽省政府工作报告》(1946年度),1946年版,第33页。
③ 安徽省政府教育厅编:《安徽省战后教育计划大纲》,1945年版,第13—15页。
④ 《本县编并乡镇,业经省令批准》,《合肥日报》1947年3月4日,第3版。

经统一整编,重新组建合肥警察局,局内设督察处、行政科、司法科、秘书室、会计室,外设保安警察大队、侦缉队,下设两个警察分局。1946年4月,根据南京国民党中央政府的统一部署,合肥设立省会警察局,设行政、司法2科和秘书、人事、会计、训练、统计5室。省会警察局下设4个警察分局,并设有保安警察大队、刑警队、女警队、清道队、消防队和车警队。保安警察大队下设3个中队。[①] 1947年3月初,合肥县警察局亦宣告成立,设在三河镇。[②]

三、围绕合肥省会地位问题的争夺

随着合肥成为安徽省府所在地和临时省会之后,安徽政治重心便开始从抗战之前的皖南长江流域地区转向皖中江淮地区。由于历史的原因,无论是经济、文化、教育的发展水平,还是市政建设状况,合肥都与省会城市的标准相差甚远,一位新闻记者曾在国内一家著名的报纸上撰文,将合肥与长江沿岸的芜湖作这样的对比:

安徽省政府虽设在合肥,却不过仅仅是省政府所在地而已,全省经济政治重心,仍旧着重在芜湖。皖南是安徽全省的富庶地区,每年有千百万石以上的粮食由芜湖出口,换得大量的钞币货物,由芜湖再分散到整个皖南各县,它是安徽的呼吸的大氧管,加以位临长江的中流,江河轮船和铁路公路的四通八达,地势上形成了空前重要,安徽人爱芜湖,更重视芜湖……[③]

显然,在这位记者眼里,芜湖才是安徽真正的政治中心,才有资

---

① 《合肥旧警察机构》,合肥市政协文史资料委员会编:《合肥文史资料》第7辑,1991年版,第157页。
② 《合肥警局成立,将移设三河办公》,《合肥日报》1947年3月10日,第3版。
③ 柏毓文:《皖省经济中心所在地的透视》,《申报》1946年12月10日,第1张第3版。

格作为安徽省的省会。然而,对合肥省会地位构成挑战的城市并不是芜湖,而是战前的安徽省省会安庆。

自1946年初开始,安徽政坛的一些势力便以早日确定安徽省永久性省会为由,屡屡向南京政府进行游说,同时向桂系集团把持的省府施加压力,要求立即恢复安庆的省城地位,尽快将省府撤出合肥,重新迁回安庆。安徽省会从合肥迁回安庆的传闻一度甚嚣尘上,1946年6月14日《申报》发表题为《安徽省会将迁回安庆》的一则消息:

安徽省会战前原设安庆,胜利后则改设合肥,顷闻皖省府某要员来京谓记者,皖省会不久仍须迁回安庆,其原因合肥虽地处安徽之中心,但因该地交通不便,建筑亦不如安庆,故战后复员,省府改设合肥,实属临时性质。①

1946年6月,安徽省参议会第一届第一次大会在合肥举行,以参议员洪范九、范培科等28名参议员在会上提出"建议将省会迁回安庆"的第27号议案,在申明提案理由中提出:"查本省省会原设安庆,历史悠久,条件优越,在收复时奉院(注:即南京国民政府行政院)令,省府暂迁合肥办公,迄今逾半载,尚未确定。唯阅报章,划省各件仍以安庆为省会所在地,此后一切建设究以何处为中心,急应早日确定,以利建设。"他们并提出两种办法来解决省会归属问题:"一是以大会名义电请行政院即日确定;二是以大会名义电请行政院即饬安徽省政府迁回安庆,以符复员。"结果,这一意见得到省参议会与会议员的支持,决定"照原办法第二项办理",大会在决议中明确提出,"本省省会仍设安庆,待人力、物力许可时,再行迁回"。会后,这份决议分别呈送安徽省府和南京政府行政院。②

---

① 《安徽省会将迁回安庆》,《申报》1946年6月16日,第1张第2版。
② 《安徽省参议会第一届第一次大会决议案一览表——第28号提案》,《安徽省参议会第一届第一次大会会刊》,1946年版(安徽省图书馆保存),第31页、第76页。

在安徽省参议会第一届第一次大会闭幕后,7月25日南京政府行政院举行第三次临时会议,决定安徽省会仍暂留合肥。① 9月,行政院又举行755次院会,再次讨论安徽省会的最后归属议题,决议强调安徽省会应仍继续留在合肥。②

省参议院中反对省会留在合肥的政治势力,并没有因此放弃促使省府迁回安庆的努力。1946年11月,省参议会第一届第二次大会再次通过决议,要求将省会迁回安庆,又以省参议会的名义,向南京政府行政院发电,以"省会悬而未决,一切复员建设工作无有中心,难以着手进行",请求行政院"明令确定安徽省会所在地"。③

此后不久,社会上有传闻,称省府计划拨款2.7亿元巨款以改造合肥城区的计划,更加剧了反对省会留在合肥的政治势力的不满。1946年12月底,他们在省参议会采取进一步行动,由出席会议的怀宁籍参议员程滨遗发起,众多参议员附议的"立促省府执行省参事会第二次会议之决议,省会仍迁回安庆"的提案在会上获得通过。该议案强调:

安庆介于长江之中枢,交通便利,生活必需品可供应无忧,已有电灯及自来水之设备。吾皖建设以来,即为政治中心,抗战胜利,省当局为求军政兼顾,一再呈准行政院暂留合肥,此一时权宜之计,现皖东北奸匪已告肃清,且军政各有专司,省府原无久留合肥之必要,早日迁回安庆,俾建设有中心,人心得以安定。闻省府刻正拟拨款二亿七千万元,大兴土木,实无此必要,不如将此巨款即作迁徙费用……④

---

① 《皖省会仍暂留合肥》,《世界日报》1946年7月26日(北平)。
② 《内政部电复省参会,省府仍应留驻合肥》,《皖报》(合肥版)1947年2月28日,第3版。
③ 《省会应设何处,省参会电请政院确定》,《合肥日报》1946年11月9日,第3版。
④ 《省参议员程滨遗提出省会迁回合肥》,《合肥日报》1946年12月31日,第3版。

省参议会一再要求将省会迁出合肥的举动，引起合肥地区官绅的担忧和不满。1947年1月12日，合肥参议会举行一届四次会议，将合肥确定为安徽省省会问题被列入此次会议重要议题。2月26日，合肥参议会通过专项决议，明确反对省参议会将省会迁回安庆的议案，同时致电南京政府行政院和省府，将合肥与安庆两地自然条件加以比较，以合肥为南京屏障和便利省内各地交通为两大理由，请求明确将合肥定为安徽省会。该电文称：

查合肥居皖之中心，雄峙江淮，夙称重镇，自昔建都金陵者无不倚为右臂，资为屏障，故合肥一城之得失，足系江左之安危，形势依然，不殊今昔，胜利后，本省省府熟权利害，呈请中央设治合肥，坐镇得宜，形胜在扼，用能潜息伏莽，远驱匪类（注：对中国共产党及其军队的诬称，下同），首清淮奠，继复皖东，明效大著。此犹方舆形势言之也，淮南、江南两铁路告成后，皖南之徽歙北来，皖北之凤颍南上，循兹轮轨以赴，合肥均便朝发夕至，现两路复轨，旦夕告成。更有合浦、安合、合六等公路，以为之助，是合肥居皖之中心，远胜怀宁僻在一隅，且怀宁地势湫隘，面积狭小，无发展余地，缺乏现代都市条件，远不若合肥之市区辽阔，气象雄伟，足与南昌、长沙相颉颃，若确定为省治，从事建设，不难蔚为名都，……值此内乱未平，民力凋敝，皖北时受匪扰，省府在肥坐镇，势所必须。且重建怀宁破坏无余之旧省府，用费尤为浩大，是诚不宜经营迁动，放弃形胜，以致摇惑人心，浪费民力。①

其实，合肥地区官绅对省参议会迁回安庆的议案的担忧和反对，固然出于其地域利害考量，但是这种担忧和反对实属多余。在此之前，南京政府已经否决安徽参议会有关省会迁回安庆的提议。就在合肥参议会致电南京政府的次日，南京政府内务部公布了给安徽省

---

① 《合肥参议会呈中央，定合肥为省治》，《皖报》（合肥版）1947年2月27日，第3版。

参议会的回电：

　　奉行政院下交贵会一届二次大会程参议员滨遗等提请建议省府迁回安庆一案，查贵省前经行政院于上年9月提经755院会决议，应暂留合肥有案。现皖北一带尚未全部复员，正有待于省政府留待合肥，俾资镇慑，原建议迁回安庆各节，似仍应暂从缓议。①

　　尽管南京政府否决安徽省参议会主张将省府立即迁回安庆的建议，然而，它强调省府"暂留合肥"，亦不能满足合肥参议会主张的将合肥确定为永久性安徽省会的要求。因此，南京政府的上述决定，并不能平息安徽政坛争夺省会所在地的激烈争论。1948年10月，省会之争再度升级，皖东北各县士绅张元尘、陈子英、王丹岑、石裕鼎、陈率真等，以皖东北灾区24县市建设促进会的名义，致电南京政府行政院，详细阐明应以合肥为安徽省省会所在地的理由，要求早日确定合肥为省会：

　　查吾皖地跨江淮，为首都屏蔽，民尚勤朴，繋社会枢机，自胜利复员后，行政院指定省府在合肥办公，三载以还，利多弊少，举凡军事政治之措置，经济建设之复兴，教育文化之推进，均能兼顾全局，事无偏废，仰见中央洞察事实，矫正有力，乃有始终未颁明令确定，致令濒江少数人士，挟封建之见解，甘故步以自封，只便私图，罔识大体，不时以要求迁回安庆为言。惟地方人士深信钧院早有权衡，不为所动，然安徽省会应在合肥，不应迁回安庆之理由，不得不为钧院一详陈之：

　　1.就军事而言，合肥寿县自古为军事必争之地，民国以环寿合蚌形成中枢之外围，重点一旦有事，首都动摇，益以淮泗之间人民强悍，镇摄利导，不可或间。省会设在合肥，平时可奠磐石之安，战时可收

---

① 《内政部电复省参会，省府仍应留驻合肥》，《皖报》（合肥版）1947年2月28日，第3版。

指臂之效,以视偏居安庆,鞭长莫及,不可同日而语也。

2.就政治而言,全省二千余万人民,皖东北二十四县市,即占一千二百余万之大多数,其皖中合六巢一带尚不与焉,而此二十四县市各项设施,过去为政府所忽视,因之一切落后。抗战时期,政府北迁,人民始知政治之功效,政府亦始注意,此一广大人民地区,以是兵源饷源之取给无缺,对于抗战之贡献实大,现当行宪时期,一切要衷诸民意,省会更不能脱离人口中心地带而偏居一隅。此其二。

3.就交通言,抗战以前,地理舆家屠思聪(湖南邵阳人)即主张"安徽省会应设合肥",及金擎宇编制袖珍《中国分省地图》(上海亚光地学社出版)亦云,"合肥为旧庐州府,治据全皖之中心,扼南北之孔道,北负丛山,南濒巢湖,以地势论实较胜于怀宁"。而况昔日交通以河流为主干,安庆凭江建城,尚有可取,今日科学进步,交通工具已向陆空发展,安庆山峦起伏,港汊交萦,已失陆地交通之条件,即唯一可建之机场亦在圩中水火既失效用,以视合肥公路四通八达,铁道亦能联络,南北空运基地随处皆可,一旦建设完整,全省各县均可于二十四小时内到达,决无呼应不灵之弊,此其三。

4.就位置言,合肥居全省中心,对于经济,建设,教育,文化,社会,福利等各项事业均能发挥辐射作用,顾及全省不致偏一隅,一省省会固不必定在全省中心,然又何须放弃条件完备之中心地点,而强就一隅耶?此其四。

综上以观,省会既设合肥三载于兹,相安无事,仅少数人谬执成见,时有不合理之要求,然行百里者半九十,如不及早确定,此种纷扰之现象,将与日俱增,影响军政设施实非浅鲜。本会第二届全体大会决议吁请政府早日确定合肥为本省省会,以安民心,而利戡建……①

1948年10月26日,安徽省参议会第三届第五次会议在合肥举

---

① 《皖东北二十四县市建设促进会电请行政院早日确定合肥为本省省会以安民心以利戡建》,安徽省政府秘书处编译室编:《安徽政治月刊》第10卷第9—10期合刊,1948年10月15日版,第39页;亦见1948年10月7日《公正报》。

行,继续通过要求将省会迁回安庆的决议,并将决议提交南京政府行政院,呈请批准。①

事实上,省参议会此时再次提出省会迁回安庆的要求,实属画蛇添足。随着淮海战役的开展,国民党军队遭到内战开始以来最为严重的失败,至1948年12月,国民党在合肥地区的政治统治地位已经岌岌可危,当局不得不做出决定,将安徽省省府从合肥撤出,迁往安庆,这场围绕着安徽省会所在地旷日持久的争执才算画上句号。

第四节 战后复员和经济恢复

一、经济复员和建设计划

1945年9月,抗日战争刚刚取得胜利之际,安徽省府尚未从立煌迁出,面对本省遭受战火洗劫后千疮百孔的经济现状,省府已经意识到迅速恢复国民经济的紧迫性,认为经济稳定是社会稳定的前提,只有稳定经济才能巩固国民党对全省的政治统治。为此,省府随即拟定了战后经济复员和重建的长期规划,将之规定为"复员紧急措施""调整充实"和"实施五年计划"3个阶段,其具体内容如下:

第一阶段——复员紧急措施时期

1.本省陷敌区域农工矿各种事业,都在敌人控制之下,亟应遵照中央指示及当前实际情形,派员接收保管或继续维持。

2.交通事业如公路电讯,以前因为军事关系,多经破坏或撤除,

---

① 《省参会大会决定,将省会问题报请中央核办》,《皖报》(合肥版)1948年10月27日,第3版。

交通是我们的动脉，现应首先恢复。

3.陷敌区农民，饱受敌人八年的蹂躏，今天重见天日，我们要首先贷款救济，俾得购买耕牛、种子、农具，从事生产。

第二阶段——调整充实时期

在安全地区所有原经设置之一切生产机构及交通事业，或为适应战时之规划，甚至因为战事限制，不能作通盘合理的布置，而仅是战时权宜之计，在陷敌区域所有一切生产机构，其设置目的，不会与我们相同，甚至有目的相反的，现在我们全省各地都恢复原有状态，对上述的经济设施，来分别调整或充实。

第三阶段——实施五年计划

本省经济建设所遭受的战时破坏、损失，都经过恢复调整充实，基础巩固之后，于是加紧实施本省战后经济建设五年计划，根深蒂固，自然枝叶扶苏。[①]

从省府拟定的上述计划可以清楚地看出，省府已经意识到战后恢复经济将面临诸多困难，不能一蹴而就，必须循序渐进，眼下当务之急为迅速实现经济复员。在实现这一任务之后，再经过调整、巩固阶段，才能考虑战后经济建设的长远计划。

二、农业复员政策的推行

安徽是中国重要的农业省份，而合肥地区的耕地和粮食产量在全省占有相当份额，故战后当局在合肥地区的经济复员中，农业复员具有特殊地位。

抗日战争时期，包括合肥在内安徽大片地区相继沦陷，日军占领当局奉行"以战养战"的政策，疯狂搜刮和掠夺粮食及其他农产品，广

[①] 安徽省政府秘书处：《安徽政治月刊》第8卷第8—9合期，1945年版，第28—29页。

大沦陷地区农业经济残败不堪,农民生活极为困苦。与此同时,中国共产党领导的新四军及地方武装力量在安徽境内迅速壮大,在皖北、皖中、皖东北等地区建立了大片根据地,并大力推行减租减息政策,得到农民的衷心拥护。抗战胜利后,国民党当局认为,必须对前沦陷区调整农村政策,适当减轻农民沉重的赋税和地租负担,才能尽快恢复农业经济,稳定农村社会,争取民心,削弱中国共产党在广大农村地区的影响,巩固国民党的政治统治。

就在日本投降之际,蒋介石随即宣布:"凡我曾经陷敌各省本年度的田赋,一律豁免一年;后方各省亦定于明年度豁免田赋一年。并责成主管机关和地方政府,依照二五减租的原则,参酌各地实况,拟订减租办法,限于本年11月12日以前,呈请国民政府核定,予以实施。我们认为,必须农工有喘息之机,而后社会有苏生之望;而且必须农村生活有提高的方法,而后工商都市有复兴的基础。"①

的确,仅仅是减免田赋,对处于农村社会底层的贫雇农来说,并无多少实际利益,因为田赋的征收对象是拥有土地的地主和富裕农民,因此减免田赋仅仅对他们有利,而在农村中占人口大多数的贫雇农并无实际利益。贫雇农普遍无地或少地,他们不得不向地主租地耕种,向地主缴纳沉重的田租,尤其在皖北等地,富者田连阡陌,贫者地无立锥,佃农占百分之八十以上,终年辛劳,终为地主剥削。因此,国民党当局意识到,除推行减免一年田赋政策之外,还必须推行"二五减租"运动,才能真正减轻广大农民的沉重负担。

在蒋介石发表《告全国同胞书》之后,国民政府随即电令各省予以执行。据此,安徽省政府通令各县,"依照实际情形,拟具实施办法,呈报省府核定实施"。然而,各县政府对此却多抱观望态度,并不积极执行,直至1946年初,"二五减租"仍未能在安徽各县推行。1946年6月,在南京政府的一再敦促下,省府又制定"二五减租"实施原则三项,电令各县执行:

---

① 蒋介石:《告全国同胞书》,《中央日报》1945年9月5日,第1版。

1.凡三十四（即公元 1945 年）年度，本省已免田赋县份，同时实行二五减租一年，佃农应缴地租一律照租约或三十四年度约定之息缴额减四分之一。

2.三十四年度本省已免田赋各县，未赶及办理减租者，应于佃农于三十五年度在应缴地租内，将三十四年度（即公元 1946 年）应减地租扣除。

3.佃农陈欠，地主绝对不准在减租额内扣除。①

然而，省府制定的"二五减租"三项实施原则仍是一纸空文，由于全省各地地主的强烈抵制，当局大肆宣传的所谓"二五减租"根本无法得到真正执行。1946 年 12 月 3 日，合肥一家报纸刊登一篇文章，揭露"二五减租"在地方难以执行的真相：

据报，"二五减租"虽经切实执行，实地主阳奉阴违，佃农鲜得实惠。关于地主方面，尽量运用欺压手段，依旧额收租，运用东佃历史关系私下解决。佃农方面根本不明"二五减租"真相，畏惧地主权威，亦多自动妥协。佃农稍有对地主要求之处，地主以换佃要挟，此种现象多有发生。倘佃农稍加违抗，地主则加佃农以罪名，捆绑乡公所转县治罪，因此佃农多敢怒而不敢言。②

地主阶级是国民党在中国农村地区实行政治统治的重要基础，又与国民党各级官吏保持千丝万缕的联系，因此南京国民政府亦对之无可奈何。国民政府大肆宣传的农村"二五减租"政策，表面上是抑制地主阶级对农民的残酷经济剥削，稍许减轻农民承受的沉重经济负担，缓和农村地区阶级矛盾的政策，在执行过程中，最终却不了

---

① 《二五减租积极推行》，《皖政导报》第 2 期，1946 年 7 月版。
② 《二五减租难施行，佃农鲜得实惠》，《合肥日报》1946 年 12 月 3 日，第 2 版。

了之,贫困农民难以得到实惠,农村社会状况依然如故。

抗战胜利之后,省府还制定了战后安徽农村经济的恢复方案。这项方案包括如下措施:

第一,组成农业复员工作队,其任务首先包括:1. 调查。包括收复区农村破坏情形、收复区农业荒芜状况、收复灾害情形以及收复区现有农业技术员工及农村劳力缺乏情况。2. 辅导。包括帮助农民复兴,指导农民采种育苗,组织农民参加合作社、农会等社团,解答农民疑难问题,安抚农民。

其次,接收敌伪创办的农林机构,整理战前省县创办的农林机构,包括敌伪继续办理及停办者,"依其性质,分别派员接收、整理";督饬私立农场依照规定进行登记;督促和指导各级农会积极恢复活动。

第三,调剂耕畜、种子、农具供应。耕畜:包括严禁屠宰耕牛,自由选购,建场繁殖。农作物:包括提供农户贷款,帮助选购和指导播种。林木:包括林场育苗、农民育苗、设立苗圃。农具:包括提供贷款、修理和制造、自由采购。

第四,水利建设。包括堵塞黄河溃口,疏导淮河流域的积水和修复淮河流域的堤防。①

尽管当局为战后安徽农村经济恢复描绘了一幅美好的图画,制定了颇为周详的实施方案,然而,战后不久国民党就发动了全面内战,实行了经济总动员,集中几乎国内全部资金和一切资源从事战争,导致国家财政出现前所未有的巨额赤字,国民经济迅速陷入全面崩溃。在发动内战之后,由于当局专注于战争和资金严重匮乏,所谓农业经济的复员计划随即被束之高阁,根本没有得到真正执行。就

---

① 安徽省政府复员计划委员会编:《安徽省政府复员工作方案——八·农村经济复员方案》,1945年版,第16—17页。

合肥地区而言,除了在合肥、巢县等地设立一些徒有虚表的农业推广站[①],在合肥等县建立几座示范农场之外[②],农业经济复员的计划不过是一纸空文,大多完全没有实施。随着内战态势的转变,国民党军队在战争中陷入被动,促使国民党政府将更多的注意力和财力用于战争和军队,其农村政策随之发生根本性转变,从致力于恢复战争破坏的农业经济,迅速转向肆无忌惮地向农民进行横征暴敛,从而将国统区的广大农民推入灾难的深渊。

三、工商业复员与重建

(一)工业复员与筹建合肥电灯厂

抗日战争爆发之前,合肥地区近代工业的发展极其缓慢,在国民经济中占统治地位的仍是农业、手工业和商业。抗日战争爆发不久,合肥即告沦陷,在此后的岁月中,日本侵略者在合肥地区进行疯狂的掠夺和破坏,到日本投降时,合肥地区工商业更是遭到空前破坏。抗战胜利后,国民党当局从日伪手中接收这座城市,并将之定为安徽省临时省会。1945年底,国民党军政人员大批进入这座城市,他们发现合肥这座城市似乎还停留在20世纪初期的状况,近代工业几乎是一片空白,整个城区甚至连近代城市最为基础的设施电灯及自来水也没有。

1946年初,省府开始制订战后安徽工业未来发展的五年计划,对安徽未来工业发展的门类和布局做出了初步安排,计划利用贵池所产的硫化铁来制造硫酸,发展硫酸工业和磷肥工业;在芜湖及蚌埠各设食盐电解工业企业1处;在皖南及沿江利用当地盛产的松杉树

---

① 李品仙:《安徽省政府工作报告(1946年度)》,安徽省政府秘书处编印1946年版,第106页。

② 《联总拨给皖新农具,六县设示范农场》,《申报》1946年6月15日,第1版第2张。

木,建立当地的纸浆工业;在芜湖和蚌埠各建五万锭的纺纱厂1所,向当地及附近的民间织布业提供棉纱;利用皖南出产的蚕茧,在屯溪、芜湖新式缫丝厂,各设织绸机300部,以织造各种丝织品;在六安设立5000锭、100台麻纺织机的麻纺工厂1座,使六安成为麻纺织工业中心;在蚌埠设立皮革工厂1座,每日可以鞣制皮革100张,使蚌埠成为本省皮革工业基地;在芜湖和蚌埠各设日出食用油30—50吨的榨油工厂1所,并附有精油厂,精制各种植物油以利外销。①

从这一计划我们不难发现,在省府关于未来安徽工业发展设想中,并没有合肥的一席之地,似乎完全没有考虑它的存在。这主要是省府认为合肥地区缺乏发展工业的必要条件,不仅历史上工业基础薄弱,工业发展水平远远落后于芜湖、安庆、蚌埠等城镇,而且也不像淮南、马鞍山、铜陵等地拥有丰富的矿产资源,因此认定合肥缺乏发展近代工业的基本条件。

战后初期,国民党当局在合肥地区工业复员和建设方面,唯一真正的努力就是筹建合肥电灯厂。当局认为,不论是解决合肥地区未来工业发展所急需的动力来源,还是提供城市电灯照明,在合肥建设一座近代化的电厂都是必不可少的。1946年初,省财政厅和建设厅共同向省府提出筹建合肥电灯厂的建议。同年6月20日,安徽省政府举行第630次委员会议,研究建设厅和财政厅提出的筹建合肥电灯厂的建议。会议通过决议,批准建设合肥电灯厂的建议,并责令安徽省地方银行及企业公司分别投资,由行政复员项下拨款2亿元,作为筹建合肥电灯厂的资金。②

1947年3月,合肥电灯厂在上海购买250匹马力柴油发电机一座,价款9500万元,随后运至合肥,开始装置,并随即在城区各处架设线杆。此外,合肥电灯厂又借用蚌埠电力厂闲置的一台160千瓦

---

① 安徽省政府编:《安徽省五年建设计划》,1946年版,第28—29页。
② 安徽省政府秘书处编:《省政府委员会会议记录汇编》,1946年版,第70页。

发电机,配合这台柴油机使用,提供更为强劲的电力。①

由于战后初期安徽全省财政极其困难,能够向合肥电灯厂提供的资金极为有限,根本不能满足筹建这座工厂的基本需要。为此,省府决定向民间筹集资本,采取清末以来中国盛行的官商合办的股份公司经营模式。1947年4月24日,合肥电灯厂股份公司宣告成立,在报纸上刊登招股启事,规定公司"专办本市之电流供应,资本定位10亿元,分为2000股,每股50万元。除由建设厅认购400股一次足以示提倡外,尚有余额1600股,凡热心实业人士。倘蒙加入股份,无任欢迎"。招股启事还附有公司招股简章,规定,"本公司厂址设于合肥大东门凤凰桥,办事处设于城内范巷口",公司营业区域为合肥县,其营业范围包括,"1. 供应全市电灯用电流。2. 供应全市工厂电力用电流。3. 供应全市电热用电流"②。

由此可见,所谓合肥电灯厂,其职责并非仅仅负责市区街道和居民照明,而是为全市城区照明和工厂企业提供电力,因此,它的更确切名称应该是合肥发电厂。

1947年夏秋之际,中国共产党领导的人民解放军千里挺进大别山,揭开战略反攻的序幕。解放军随之进入皖西大别山区,攻占皖西众多县城,合肥为之震动。省府全力布置军事防御,根本无暇顾及合肥城区的基础设施建设,合肥电灯厂的筹建因之停顿。直到1948年1月,合肥地区军事形势稍有缓和,合肥电灯厂筹建工作才逐步恢复。2月11日,合肥电灯厂开始生产电力,为市内部分街道、国民党党军政各机关和部分居民提供照明服务。3月1日,合肥电灯厂正式投产。到1948年6月,合肥电灯厂的"用户所装灯数已达2500余盏,平均每月(注:疑有误,应为小时)发电量约为250度"。然而,合肥城内国民党党政军各机关用户不能按时缴费,刚刚成立的合肥电

---

① 李品仙:《安徽省政府工作报告(1947年度)》,安徽省政府秘书处1947年版,第127页。

② 《合肥电灯厂股份有限公司招股启事》,《皖报》(合肥版)1947年4月24日,第1版。

灯厂陷入严重的亏损之中,经营日益难以维系。①

在合肥电灯厂筹建之初,当局亦意识到该厂拥有的电机装机容量太小,无法适应合肥地区日后工业发展和居民用电的需要,为此,当局曾计划采取两条补救措施:之一为在淮南铁路车站附近沿河处另建2500千瓦电力厂1所,"锅炉能燃淮南煤为原则,设备能与淮南矿区电厂相互供电";之二为在淮南添建7500千瓦电力厂1所,其生产的"电力除供本矿及大通矿、田家庵外,须以淮蚌及淮合高压线,与蚌埠、合肥二地互相供电",并在淮南和合肥之间架设一条70公里长的电力输送线。② 然而,随着南京政府在内战战场上不断遭到失败,国内经济形势急剧恶化,合肥地区增设电厂和增加电力供应的计划迅速化为泡影。

(二)商业初步恢复

尽管合肥地区的工业起步较晚,发展缓慢,然而合肥地区商业和手工业却有较好的基础。20世纪30年代中期开始,合肥城区的商业呈现日趋繁荣局面。然而,1937年7月开始的日本全面侵华战争却彻底改变了这一切。战后不久,一位名叫龚振伟的记者曾这样描写战前和战争结束时合肥商业截然不同的两种状况:

合肥昔称庐阳,为江淮首郡,皖中要邑,公路有合安路、合六路等线,战前并有淮南铁路横亘其中,水陆交通,商贾辐辏……合肥城内的商业中心是由鼓楼到尚节楼一节,其次为东门大街到东外的坝上,再次则为西平(西)门的三孝口,至拱辰(北)门则为砻坊与木行的中心,生意亦极兴旺。

溯自十年前,日寇发动侵华战争,淮南路上弥漫着烽火,日本鬼

---

① 李品仙:《安徽省政府工作报告(1948年度)》,安徽省政府秘书处1948年版,第63页。
② 安徽省政府秘书处编:《安徽省五年建设计划》,1946年版,第30页。

子竟在合肥盘踞了八年之久,这古老的城市,过去曾是间阎栉比,但在长期战争之中,哪禁得起倭寇不断地摧残、破坏,以致形成一个断瓦残垣,七零八落的区域。

然而,随着战争的结束,加上省府及众多省属机构迁入合肥,城区人口迅速增加,商家逐渐回到这座城市。据这位记者的观察,到1947年春天,合肥的商业已经开始恢复:

> 所有旧日的商场中人,都已陆续归来,惨淡经营,重整旧业。合肥的商场也如雨后春笋,不断地在滋长……全市有丝绸呢绒布业以及杂货、槽坊、百货、牲畜经纪、山货、图书用品、国药、西药、银楼、染坊、旅馆、饮食、竹木、粮食、纸张、皮毛运输、卷烟五洋、土布、浴室、旧货拨售、机织、印刷笔墨、盐、摄影等业,共有二十六个单位,正式开张铺面的商店,有五百余家。此外尚有军服业数十家,综合在一起,商业有六百家之端……①

与此同时,遭到战争严重摧残的手工业亦开始恢复。合肥地区原本是手工业较为发达地区,包括传统面粉业、屠宰业、制皮革履业、制油业、香烛业、缝纫业、茶厨业、篾作业、民船簰筏业,曾在本省具有一定优势,现在又相继获得恢复和发展,开始具有一定规模,成立了职业工会,聘请常年法律顾问,以此维护自身权利。②

这一时期,众多商号、商铺、药房、旅社、浴室的广告铺天盖地,充斥合肥的各大报纸,包括经营金银珠宝的祥记老天宝银楼、经营五金百货的同昌商号、经营华洋百货零售批发的合肥艾宏兴商号、宏大元罐头粮食店、怡和布庄、鼎丰绸布庄、镕昌糕点店、元泰南货号、元大南货店、新新饮冰室、逍遥津的露天茶座、同鑫玻璃号,批发国外煤油

---

① 龚振伟:《合肥商业近貌》,《皖报》(合肥版)1947年4月21日,第3版。
② 《显正法律事务所广告》,《合肥日报》1947年4月19日,第1版。

和洋烟的鸿义发商行、经营药品的民生大药房、华瑛西药房、和记中华眼镜店、天成洋服店、古楼大旅社、庆云楼旅社、长安旅社、新生活浴室等。①

随着省府及各附属机构、一批省立学校迁入合肥,众多公务员和莘莘学子对文化和精神生活的追求,推动了文化市场的短暂繁荣。在城区商业街上,一些较大的书店相继开业,设在古楼桥大街上的新生书店,经营各类图书,包括"各科参考书籍,英语基本用书,英汉文学名著,青年修养丛书,升学指导丛书,幼稚常识丛书,各类球类规则,各种中西文具",吸引了不同类型的读者和顾客。设在十字街东首繁华地段的新亚书店,则以"中小学校,各科课本,中西文具"②为旗号,吸引学生及其家长的光顾。

照相馆的生意开始红火,众多照相馆相继设立,一些照相馆还在报纸上刊登广告,扩大自己的影响,在城内脱颖而出。位于城东的云天楼照相馆在广告中宣称,"高等镜头,设备完备,技术专门,配光第一",而在前大街的淮南摄影社则号称自己为"艺术胜地,华贵影宫",而且"团体摄影,人像专家,艺术放大,出品精良"。在和平街的达尔美照相馆也宣称自己在摄影技术上的各种优势。③ 位于四牌楼的国泰照相馆、前大街的艺芳照相馆和东门小书院附近的青年摄影社,也在报上刊登自己的宣传广告。④

这一时期,合肥城内的电影院和戏院也日益增多,城区文化生活开始丰富,位于四牌楼的国民党中央宣传部电影服务处合肥放映站放映新片《天作之合》⑤,淝光电影院放映周璇担任主演的《长相思》,国泰电影院放映《乱世英雄》⑥,新民大戏院夜场,上演包括王少舫等

---

① 见1947年1月—1948年11月《合肥日报》《公正报》《皖报》(合肥版)广告栏。
② 《新生书店、新亚书店广告》,《皖报》(合肥版)1946年4月12日,第1版。
③ 《云天楼、淮南、达尔美照相馆广告》,《皖报》(合肥版)1946年5月11日,第1版。
④ 《青年摄影社、艺芳照相馆广告》,《公正报》1948年5月20日,第2—3版中缝。
⑤ 《合肥放映站放映新片"天作之合"广告》,《皖报》(合肥版)中缝1947年2月1日。
⑥ 《淝光电影院、国泰电影院放映电影广告》,《公正报》中缝1947年6月25日。

众多名角担任主角的戏剧《霸王别姬》[①],合肥大戏院和革新电影院的广告,也不时出现在当地的报纸上。

然而,合肥商业的所谓繁荣,只不过是昙花一现的畸形繁荣。抗战胜利后不久,蒋介石集团为了在全国建立自己的独裁专制统治,不顾中国共产党和全国人民的强烈反对,悍然发动了全面内战。就在1947年春夏之交,随着战事的日益蔓延,南京政府的军费开支不断扩大,国统区各种物资严重匮乏,物价开始猛烈上涨。另一方面,随着法币迅速贬值,再加上各种苛捐杂税多如牛毛,人民购买力的大幅度下降,刚刚开始恢复的商业繁荣不可避免地再次陷入萧条。

四、恢复和发展交通

(一)恢复公路交通

合肥位于安徽的中心位置,这一地理位置使其在与全省各地的联系中具有独特优势。随着省府迁入合肥,作为安徽临时省会的合肥,自然成为全省的政治中心。省府十分清楚,早日建立合肥与全省各地通畅的交通联系,不仅对于战后合肥经济的恢复和发展具有重要的意义,而且对于当局加强对全省各地的政治控制,赈济难民,恢复遭受战争严重摧残的工农业经济,同样具有重要的意义。

然而,合肥虽然位于全省中心,但是对外水陆交通联系较为薄弱,它不像安庆、芜湖这类沿江城市,没有天然河道可以利用,对外交通严重依赖公路。抗日战争爆发之前,合肥的公路建设开始有长足的进步,初步修筑了通往四方的公路网:

西面为合立公路,即合肥至位于大别山腹地的立煌县之间的公路,自立煌县城,经古碑冲,茅坪,流波疃,麻埠,独山,韩摆渡,六安县

[①] 《新民大戏院演出"霸王别姬"戏剧广告》,《公正报》中缝1948年6月19日。

城,三十里铺,杨家小店,金家桥,官亭,柏店,而至合肥县城,全段计长264公里。鉴于立煌为安徽在抗战时期的战时省会,因此这条公路在政治、经济和军事上的重要性不言而喻。

北郊为合蚌公路,即连接合肥与蚌埠之间的公路,自合肥县城起,经店埠,梁园,八斗岭,张桥,定远县城,红心铺,黄泥铺,临淮关,凤阳县城而至蚌埠,全段计长169公里。蚌埠不仅是津浦铁路的重要枢纽,又是安徽北部主要的工商城市,还曾是汪伪政权在安徽省统治的中心,通过这条公路,可以大大密切合肥与皖东北地区的交通联系。

向东为合乌公路,即合肥至和县乌江镇之间的公路,自合肥县城,经店埠、西山驿、柘皋、夏阁、巢县县城、青溪、含山县城、西埠、和县县城而至乌江镇,全段计199公里。乌江镇位于苏皖交界处,与江苏省南京市的浦口近在咫尺,故这条公路旨在沟通安徽与当时的首都南京之间的联系。

西南则有合安公路,即合肥至安庆之间的公路,起自合肥县城,经上派河,花字岗,桃镇,舒城县城,南港,大关,昌亭驿,新安渡,雨路湾,集贤关而至安庆,全段长195公里。由此而沟通合肥与战前省城安庆之间的联络通道。①

早在抗日战争胜利前夕,国民党政府已经意识到,对于战后抢在中国共产党及武装力量之前,迅速夺取和占领广大沦陷区,以及在政治和经济上严密控制这些地区来说,迅速恢复各地的公路交通运输都是至关重要的,因此开始调整和强化各省公路交通管理机构。1945年7月,隶属于安徽省府的驿运管理处改为运输处,负责办理公路业务。8月15日,日本宣布无条件投降,安徽省运输处迅速着手制定规划,筹划修复公路,以适应复员和运输的需要,同年11月,省运

---

① 《安徽交通概况》,《善后救济》第1卷第1期,第19页。

输处又奉行政院电令,改名为公路局,并兼办航运业务。①

1945年11月2日,安徽省公路局从立煌迁往合肥,全面主持战后全省公路恢复和建设工作。鉴于合肥作为省会的中心地位和战后复员的特殊需要,公路局首先将合肥与外界联系的四大干道——合立、合安、合蚌、合裕公路,作为首批必须尽快恢复通车的公路。然而,经过八年残酷的战争之后,这些公路的路基、路面、桥梁和涵洞均遭到严重毁坏,在短期内难以恢复。为了解决运输物质和军事需要,省公路局只得因陋就简,对于合立公路和合安公路,采取铺设土路和搭建便桥的方法;对于合裕公路和合蚌公路,则直接利用淮南铁路的原有路基,略加改造,作为临时路基和路面,通过这些办法,以勉强维持这些公路的暂时通车。至1946年初,上述公路相继恢复通车。②

这些草草修复的公路在通车不久,很快就出现严重问题,每遇雨天,路面便泥泞不堪,多处严重损坏,给行车造成极大困难,一些便桥和涵管甚至被洪水彻底冲毁。这些战后抢修的简易公路之所以质量如此低劣,除了修筑时间仓促和缺乏资金之外,管理不善和贪污盛行,也是重要原因之一。1946年7月,根据报纸揭露,时任省公路局局长的叶宗祺,一面声称公路工程款严重不足,一面肆意挥霍和大量挪用筑路资金,为自己牟取利益。③

总之,天灾人祸给战后初期合肥地区的公路修复造成更大的困难。到1946年初,刚刚修复的合肥对外各主要干道就已经破败不堪,多处路段无法通车。当局被迫决定全面整修各公路路面和路基,重新架设桥梁和铺设涵管,试图从根本上改善这些公路的交通状况。④ 然而,由于资金困难和战事频繁,难以保证施工质量,上述公路

---

① 刘兆瑸:《八年来的交通》,安徽省政府秘书处编:《八年来之安徽》,1946年9月版,第137页。
② 《八年来的交通》,《八年来之安徽》,第140页。
③ 《叶宗祺刮公路皮,李主席极为震怒》,《皖北日报》1946年7月20日,第3版。
④ 储应时:《安徽经济复员工作概述》,安徽省政府秘书处编:《安徽政治月刊》第8卷8期,第29页。

在整修之后,交通状况仍旧未能得到根本改善。

为了建立省府与南京政府的直接公路联系,1947年初,安徽省政府要求公路局立即开始修筑合肥至浦口之间的公路,并限令3个月之内完成。《合肥日报》在显著位置上报道了这一消息:

省府迁合肥后,对本省公路交通建设积极图谋建设,一年余之努力,各主要干道已次第完成,惟……合肥至首都,舟车转换,殊为不便。省府为急谋补救起见,乃饬修合肥至南京公路,该路由合肥起点,道经店埠、柘皋、古河、全椒、滁县、乌衣而达浦口,全长170公里。省府为顾及地方财力起见,分别补助其材料费,计合肥2000万元,全椒1000万元,滁县4000万元。①

1946年11月,省府曾电饬合肥县政府,敦促加快修筑进度,并做出三点指示:1. 发动民众,利用义务劳动服务办法修筑土路路基。2. 利用当地木石材料,搭建便桥,或河底车道。3. 桥涵材料应由合肥县政府分别派员会同购办。② 虽然合浦公路长达170公里,但这条公路从合肥至柘皋与战前已经筑成的合裕公路重合,而柘皋至全椒一段公路早在1946年秋季就已经动工,因此,合浦公路只剩下自全椒至浦口一段仅50公里左右的地段尚未开工。尽管如此,省公路局还是用了7个多月才勉强完成了这条公路的修筑。1947年9月21日,上海的《申报》以"合肥至浦口公路,昨日正式通车"为题,报道了这一消息。③

然而,为了追赶施工进度,此时通车的合浦公路仅仅是一段土路,在所经过的河流和沟渠上架设的还是简易便桥。因此这条公路一到雨天,便泥泞不堪,甚至出现路上便桥被洪水冲垮而无法通行的情况。为此,1947年12月,公路局又开始对合浦公路进行改造,沿途

---

① 《兴修合京公路,省府限令三月内完工》,《合肥日报》1947年2月5日,第3版。
② 《省饬发动民众,修筑合全公路》,《合肥日报》1946年11月11日,第3版。
③ 《合肥至浦口公路,昨日正式通车》,《申报》1947年9月21日,第1张第2版。

架设正式桥梁,又在路面上铺设石子。到 1948 年 4 月 25 日,安徽省公路局宣布,合浦公路改造基本完成,全路路面完成石子铺设,从此可以不分晴雨而行车无阻,但仍有少量桥梁尚未完成架设。①

至 1949 年 1 月合肥解放时,合肥虽已基本修复或修筑了合六、合浦、合安、合蚌等数条主要公路,基本建立起通往全省的公路网,但这些公路均为极简陋的砂土公路,部分路段还是土路面,即使是状况较好的合六、合安公路,也只能在晴天勉强通车。②

(二)恢复和拓展淮南铁路

在抗日战争爆发之前,安徽的铁路建设已经有了初步的发展,除了清朝末年修筑的穿越安徽境内的津浦铁路之外,境内还有淮南铁路、江南铁路、水东轻便铁路、益华轻便铁路、宝兴轻便铁路、桃荻轻便铁路等短线或矿区铁路,然而,仅有淮南铁路与合肥地区有直接的联系。

1930 年,修建一条连接安徽境内淮河流域与长江流域的铁路线的计划最终获得南京国民政府批准,并由建设委员会确定设计方案。之后,经过六年艰辛的勘测、兴工、筑基、铺轨,这条铁路在 1936 年正式通车,共耗费资本六百万元,定名为淮南铁路。淮南铁路的修筑,为安徽省江淮之间富庶的巢湖稻谷区以及淮河流域杂粮区的丰富物产,提供了便捷和成本低廉的出口通道,使得两淮地区和江淮地区的经济基础得以巩固与提高。③

淮南铁路主要是为淮南煤矿的煤运而建筑的一条轻便铁路,兼载客货,北自怀远县的田家庵(注:现属淮南市)起,沿线要站有:大通、淮矿、水家湖、朱巷、下塘集(寿县境)、罗集、双墩集、合肥、撮镇、桥头集(合肥境)、烔炀河、中悍、柘皋河、巢县、林头(巢县境)东关、铜

---

① 《合浦公路石子路面,费时四月铺筑完成》,《合肥日报》1948 年 4 月 25 日,第 3 版。
② 《合肥市志》,第 636 页。
③ 康风:《淮南铁路踏勘》,《申报》1947 年 1 月 17 日,第 3 张第 9 版。

城闸、沈家巷,达和县的裕溪口,对江就是安徽最重要的工商业中心芜湖。① 由此可见,合肥因位于淮南铁路中枢,成为这条铁路的最主要受益者。从此,合肥与本省最重要煤炭产地淮南及富庶稻米产区沿江地区的人员与物资交流更为便利。

抗日战争爆发之后,芜湖、合肥、淮南等地相继沦陷,淮南铁路全线均为日军所占领。由于撤退仓促,国民党政府在撤出淮南矿区之前,来不及彻底破坏大通与淮南两公司煤矿的矿井,因此两矿几乎完整无损地落在日本侵略军手中,这对于资源匮乏的日本可以说是如获至宝,淮南矿区蕴藏丰富的优质煤炭,便成为其掠夺的最重要对象。随后,日本占领当局决定使用淮南铁路作为对外运煤专线。然而,淮南铁路原来的路线是由田家庵到裕溪口,途径200多公里的江淮平原,而这一区域到处活跃着中国的游击队。日本占领当局认为,如果维持原有铁路路线,其运输安全势必面临中国游击队袭击的危险,决定对淮南铁路进行改造,重建一条新线,由水家湖站转向东北,抵达津浦铁路重站蚌埠。②

日军在全面占领和控制淮南铁路之后,对原淮南铁路进行改造,废弃水家湖经合肥而至裕溪口的铁路线,利用拆毁这段铁路的铁轨和枕木,改筑经水家湖到蚌埠的88公里铁路线,从而将淮南铁路与津浦铁路连接起来。通过这条改筑的新淮南铁路,日本侵略当局每天将从大通煤矿和淮南煤矿掠夺的大量优质煤炭,源源不断地运往蚌埠,再从那里转运往长江下游的江浙地区及其他占领区,为其继续进行侵华战争服务。这样,在日军占领安徽期间,合肥原有的对外铁路联系已经被彻底切断。

当战争结束时,国民政府组建淮南铁路局,任命吴镜清为局长、宁树藩为副局长。1945年11月,淮南铁路局派员正式前往接管淮南铁路,他们发现,原本熟悉的这条铁路在八年后已经面目全非,自水

---

① 胡嘉:《安徽交通的过去与将来》,《安徽政治月刊》第8卷7期,第27页。
② 康风:《淮南铁路踏勘》,《申报》1947年1月17日,第3张第9版。

家湖经合肥而至芜湖的 200 多公里铁路已被彻底拆毁，路基已经被改造为一条简易公路。淮南铁路只剩有田家庵至蚌埠的田蚌铁路，不仅如此，日本修筑的水家湖至蚌埠的 60 公里铁路的路基和铁轨，也遭到严重破坏而不能使用。淮南铁路现仅有田家庵至水家湖 27 公里一段尚能使用，其余路段不仅铁轨已不复存在，路基、桥梁也遭到彻底毁坏。除这段 27 公里较为完整的铁路之外，淮南铁路局还接收了 3 处残破车站，与 1 座尚未建成的机厂和 300 辆破旧车辆。

安徽省政府深知全面恢复和彻底改造淮南铁路，具有重大的社会、经济和军事价值，不仅可以大大促进战后以合肥为中心的江淮地区的经济恢复，而且对于巩固国民党在安徽地区乃至整个华东地区的统治都有极为重要的政治、经济和军事价值，因此将淮南铁路的恢复作为战后经济复员的重中之重。

淮南铁路局设立后，率先致力修复水家湖至蚌埠 60 公里铁路，这段铁路是在日本侵略军占领安徽期间为便利掠夺淮南煤炭而修建的。经过 1946 年 1 月至 5 月 31 日 4 个多月的紧张施工，水家湖至蚌埠段路线恢复通车。然而，就在通车之后不久，淮南路局发现这段战时日本人仓促建筑的铁路，路基桥涵工程不合标准，勉强行车，险象环生，不能正常运行。因此在同年冬天水涸时期，路局又拟改善计划，加强护坡，增垫道碴，桥梁加做护坡及卫固工事，这才把水家湖至蚌埠的铁路增修完好。[①] 1947 年 1 月，水蚌铁路已可以正常通车。一位来水家湖采访的记者在水家湖车站写道：

> 一列田家庵驶蚌埠的客货列车进站，我从头数到尾，二等客车一节，三等客车一节，十五吨铁皮车厢十二节，里面是四等搭客与鸡鸭、烟草、棉花、杂粮等商货，最后是十二节三十吨装煤的敞车，沉重的二十六节的长列车！……从兹以后，每天田家庵开出客货混合列车二班，煤车二列去蚌埠，同样的二班客货混合列车由蚌埠开来，二班空

---

① 《淮南铁路水合段通车》，《申报》1948 年 10 月 14 日，第 2 张第 5 版。

煤车也急急忙忙赶到，装煤出去。①

然而，随着省府迁入合肥，合肥作为其在安徽政治中的中心地位日益突出，早日恢复由水家湖途经合肥、巢县抵达裕溪口的淮南铁路旧线，就显得更为重要和迫切。

从1946年下半年起，总长210公里的淮南铁路旧线复轨工作开始启动，南京政府交通部答应为此项工程拨款81亿元。铁路沿线经过多条河流，原有的众多铁路桥梁均遭受战争严重破坏，势必重建，其中有4座铁路桥最为重要，位于巢湖湖畔最长的柘皋河铁桥便是其一，该桥长达110米，拥有19个桥孔，工程最为艰巨。经过施工者的艰苦努力，至1946年底，包括柘皋河桥在内的这4座铁路桥的桥墩，均已用钢骨水泥重新筑好，剩下的工程就是架设桥梁和铺设铁轨。

战后，国民政府从美国政府那里获得大批美军战时剩余物资，其中包括铁轨和桥梁器材，交通部决定从中拨一部分供淮南铁路复轨工程使用。由于这些器材均要用长江上的轮船装运，而淮南线的终点正是位于长江北岸的裕溪口码头，因此必须首先修建裕溪口码头，以便接受这些用大轮船运来的铁路器材。为此，特从淮南铁路修复工程款中拨5亿元以修筑裕溪口码头。

为了加快修复铁路进度，淮南铁路局计划将全线工程分为3段进行，第一段为水合线，由水家湖向合肥铺设，将集中在上海的铁路器材由京沪路、津浦路，经蚌埠转至淮南线，运至水家湖车站。第二段为巢裕线，从裕溪口向巢县铺设，由上海吴淞码头用轮船将相关铁路器材水运至裕溪口。第三段为合巢线，从巢县向合肥铺设，将汇集在裕溪口码头的部分铁路器材用小轮木船经水路运至巢县。由于第二段和第三段工程开展之前，必须先修筑裕溪口码头，因此迟迟没有开工。因此路局决定将工程重点放在水合线上。

---

① 同上。

早在路局接收淮南铁路之际,即开始对水合线的路基和桥梁进行全线测绘,至 1946 年,路局完成初步测绘。1947 年底,又开始进行第二次测绘,至 1948 年初完成。1948 年初,水合线重建全面展开,开始修整路基和修建桥梁。由于抗战胜利之后,从水家湖至合肥的交通一直依靠此车,将原铁路路基直接改为公路使用。因此每修一桥,还得在旁边搭一便桥,以便让汽车继续通行。这样一来,工程量便成倍增加。水合全线共有大桥 6 座,小桥 11 座,为便利两侧农田水利,又增建涵管 37 道,直到 1948 年 7 月桥工才告完成。又因路基长期行驶汽车,日久失修,石磴深入路床,路面高低不平,修整路基工程十分繁重。1948 年 7 月 22 日,水合线开始进行铺轨工程,工程严格按照交通部制定的铁路建筑标准乙级铁路的相关规定施工,9 月 22 日,铁轨已经铺至合肥站中线,这比预定时间还提早了 6 天。一名记者记载了当时施工者的艰辛:

(此时)正是烈日炎炎的夏天,寒暑表上的水银柱经常在华氏 100 度间上下,为了修复这段路,四百多位员工成天在流汗,有时还受伤流血,每一颗小石子,每一条钢轨,每一根枕木,每一株电杆,都经过他们汗手、血手抚摸过,流过血汗不算,有时疾病还要向他们袭击,然而他们勇往直前,毫不懈怠,一直把 5580 公吨钢轨,131000 根枕木,166 公吨道钉,32 公吨螺丝,13300 副鱼尾板,33 副道岔,1420 根电杆,一齐各就各位,安排在 70 公里的路基上,这才完成了任务。①

1948 年 10 月 10 日下午,淮南铁路合肥车站举行水(家湖)合(肥)段复轨通车典礼,自从这一天起,合蚌间增开"勤俭号"特快车,每日往返一次,与津浦路"胜利号"车时间相接,从南京动身的旅客,当天即可达合肥。②

---

① 《淮南铁路水合段通车》,《申报》1948 年 10 月 14 日,第 2 张第 5 版。
② 《淮南路水合段今日正式通车》,《申报》1948 年 10 月 10 日,第 1 张第 3 版。

在水合线通车后,合肥至裕溪口之间的铁路便显得更为紧迫,淮南铁路局已经准备了合肥至巢县的复路器材,并组织民工,日夜进行铺设,但是巢县至裕溪口50公里的铁路器材仍未有着落。① 然而,此时国民党政府在合肥地区的统治即将终结,陷入风雨飘摇的国民党政府已经无暇顾及这条铁路的建设。随着淮海战役的打响和国民党军队的全面溃败,合裕铁路工程很快陷入停顿,全面恢复和彻底改造淮南铁路的历史使命只能留待新中国的铁路建设者们来实现。

五、电讯业的恢复与扩展

合肥作为战后安徽省府所在地和临时省会,确立了它在本省政治中心的地位。随着国民党政府在安徽政治统治重心的转移,将过去以立煌为中心的长途电话线路改造为以合肥为中心的新的电讯联络网络,就显得极为迫切。早在1945年9月,省府便在《安徽省政府复员工作方案》中将《电讯复员方案》列为其第七部分,对合肥及全省的长途电话的恢复做出如下规定:

1.就原有省县线路筹料补架,沟通六安至合肥,六安至寿县,六安经舒城至安庆,寿县、田家庵至蚌埠,寿县至颖上,合肥至古河,屯溪至安庆,屯溪至大通,屯溪至芜湖等处长途电话,全长2330华里,新架1028华里,整修260华里,就原有省线转化1042华里。

2.安庆、合肥、蚌埠、古河、田家庵等处,各增设分站管理……②

1946年1月,省府制订经济恢复和发展五年计划,提出发展本省长途电话事业的方案,规定不仅要重建战争破坏的全省长途电话网,还将迅速予以扩建与全面架设联系省会与各专区、县以及县与境内

---

① 《淮南铁路今昔》,《申报》1948年11月14日,第2张第1版。
② 安徽省政府复员计划委员会编:《安徽省政府复员工作方案》,1945年版,第11页。

区、乡、保的长途电话线路。方案规定分三阶段在 5 年内实现上述计划,其具体实施步骤为:

1.恢复战前原有省长途电话线路,本省原有:(1)安合蚌线,(2)蚌阜亳线,(3)合和芜线,(4)和全滁线,(5)安芜和线,(6)安望宿线,共计 1300 公里,应予全部恢复,用 3 毫米铜线铺设,3 年以内全部完成。

2.架设区与县间及县与县间长途电话线,本省 9 个行政区域均设有专保公署,共应敷设长途话线 12700 公里,用 2.6 毫米铜线,5 年以内分别完成。

3.完成全省区乡镇保电话网,全省区、乡、保共 21995 处,需架线路总长 10 万公里,拟采用 1.6 毫米铜线,于 5 年内完成。①

然而,由于资金匮乏,在短期内建立以省城合肥为中心,覆盖全省的长途电话网的计划显然不可能实现。在 1946 年整整一年,由于资金、器材和技术力量的短缺,合肥及全省的电讯复员几乎毫无进展。1947 年初,安徽省府在年度工作报告中不得不承认:"本省电话复员工作,因自财政改制后,省计困难,无法拨款举办,所请中央之款,亦未奉拨,致原计划架设六大干线,工程尚未进行。"②

在全省六大通讯干线中,与合肥有直接关系的线路为安合蚌线与合和芜线。直到 1947 年初,当局才开始铺设合肥与安庆和蚌埠的长途电话线,安合蚌线开始启动。工程最初进展还算顺利,1947 年 4 月 8 日,一家报纸刊登消息,乐观地报道这条线路的进展:

合肥电信局自去夏以来,积极整顿,电信交通已告迅速展进。顷据该局负责人谈,……现正开辟蚌埠至合肥及由安庆至合肥两路长

---

① 安徽省政府编:《安徽省五年建设计划》,1946 年版,第 39 页。
② 李品仙:《安徽省政府工作报告》(1947 年度),1947 年版,第 152 页。

途直达电话,材料、工费计达50亿元之巨,现已开始架线,合蚌路可于5月初通话,安合段可于5月底通话,均悉直达,并在舒城设一中途站,以后电信交通益见便利云。①

1947年6月底,刘邓大军千里挺进大别山,皖西一带迅速成为国民党军与解放军角逐的主战场,位于皖西南的安庆及周边地区的国民党政权倍感压力,陷入巨大恐慌之中。在这种情形下,继续架设安合蚌线已经不现实了,修筑和完成这条线路的计划只能搁置一边。

合和芜线为合肥与皖东南地区联络的另一条重要电话线,同样遇到严重困难,其进展同样极为缓慢。战前,合肥至芜湖已架设长途电话线路,但是在抗日战争中被日军破坏殆尽,仅仅合肥至巢县之间可以借助原来的淮南铁路沿线电话线暂时维持通话,但巢县至芜湖之间却无法实现长途电话通话。为了架设巢县至裕溪口的电话线路,当局采取了拆东墙补西墙的办法,拆除立煌至滕家堡(注:属湖北罗田县)和丁家埠(注:属立煌县南溪镇)至汤家汇(注:位于立煌县西南)的两段长途电话线路,移架巢裕段线路,至1947年6月,从合肥经巢县至裕溪口线路勉强实现长途电话通话。②

然而裕溪口与芜湖仍有一江之隔,合肥与本省最重要的工商业城市芜湖仍不能实现直接通话。为此,省府决定打捞在抗日战争时期被毁坏的芜湖过江电缆,规定此项工程由芜湖县长途电话管理处就近办理,先后拨款10900万元。1948年3月,工程一度取得进展,将过江电缆的北岸北头捞出,但随即在捞起过程中,电缆被绞车绞断,前功尽弃,工程只得宣告停顿。之后,省府又请求南京政府交通部第二区电信管理局协助打捞电缆,直到1948年6月底,打捞芜湖过江电缆的工程仍未完成。③ 然而,此时淮海战役即将开始,国民党在安徽中部及沿江地区的统治已经摇摇欲坠,当局只得放弃这一

---

① 《安合、合蚌架设长途直达电话》,《皖报》(合肥版)1947年4月8日,第3版。
② 李品仙:《安徽省政府工作报告》(1947年度),1947年版,第152页。
③ 《安徽省政府工作报告》(1948年度),1948年版,第58页。

计划。

省府在构建合肥与全省各地的长途电话网络的同时，也加紧恢复和发展合肥城区的市区电话。抗战胜利初期，省府制定《电讯复员方案》，对合肥市区电话建设做出了规定：

1.省府迁移到合肥，应立即随往架设市区电话，尽先维持省府、各厅处及主要军事机关相互之间的联络。

2.所需机件、线料，就立煌市区电话酌分先后次序，将话机、线料分期拆卸，并让出50门交换机一座，运往装架，待立煌各机构大致迁移完竣，再将立煌市区机线除留用立煌一部，其余大部拆卸，运往恢复各机构之通话。①

由于合肥为国民党在安徽的统治中心，出于政治和军事的需要，合肥市内电话获得较快发展。1947年2月6日，合肥城内公共电话设置完毕，开始对外使用。报纸刊登了这一消息及使用公共电话的相关规则：

省电话局为便利市民通讯，特于本市重要地点设置公共电话……兹悉该项公共电话，已于6日由省电话局派员架设完竣，自即日起开始通讯营业，其规则：1.使用电话者，每次使用电费100元。2.一次使用时间，规定为5分钟，每人使用最多不得超过3次。3.军人如有紧急情报或特殊事故时，得呈准负责人，免费使用。②

与此同时，政府机构、军队、商家、学校、医院及少量私人住宅的电话使用逐渐扩展，电话机用户日益增多。1946年1月，城区电话机共有130部，其中政府机构60部，警局4部，军队6部，学校3部，会所6部，住宅19部，医所4部，事务所2部，报馆3部，银行7部，旅社1部，局用2部，其余13部。1948年2月，市内电话增至181部，其中

---

① 安徽省政府复员计划委员会编：《安徽省政府复员工作方案》，1945年版，第12页。
② 《本市公用电话，业经架设完竣》，《皖报》（合肥版）1947年2月8日，第3版。

私人电话21部。10月,市内电话进一步增至255部,其中包括机关团体112部,商号及营业机关53部,私人电话24部。1948年底,省府撤离合肥,合肥市内电话也随之锐减,1949年1月,合肥解放时,市内电话则已不足60部。[①]

六、市政规划与城区改造

(一)城区发展规划

合肥在成为安徽省临时省会之前,其地位仅仅是皖中一县。抗战结束时,合肥城区到处是断壁残垣,瓦砾遍地,战争的创伤历历在目。城内仅有为数不多的几幢旧洋楼,基本保持完好。两条平行的长街贯穿城区,街道狭窄,市政设施简陋。合肥全城人烟稀少,商业萧条,一片残败景象。战后不久,随着省府迁入,大批国民党党政官员、军人、公务员、办事人员连同他们的家属、勤杂人员一起拥入这座城市,导致城区人口迅速膨胀,从而给原本狭小的城区造成了巨大的压力。随着合肥城区人口快速增加,人们在城区大量购置土地,任意建筑房屋。

1946年初,省府举行会议,专门研究省城市政建设问题,会上通过决议,决定成立合肥市政工程局,主持市政工程管理建设,负责主持城市规划、市政管理和加快近代城市基础设施建设。[②]随后,有关当局颁布"合肥市区道路拓宽标准与两旁建筑物退让办法",将市区大街小巷分为五等,规定各自宽度及走向:

    1.一等干道,宽度12米:①前大街——自西平门起,至东外镇止,直通行人大道。②德胜街——自水西门起,至德胜街,直通行人大

---

① 《合肥市志》,第935页。
② 刘文潮:《抗战后合肥的市政工程与淮河路改造》,《合肥文史资料》第2辑,第181页。

道。③北大街——自四牌楼起,至拱辰街,直通行人大道。④前大街——自前大街起,至南熏门,直通行人大道。⑤买卖街——自买卖街起,直通行人大道。⑥买卖横街——自公善庵起,至东外镇,直通行人大道。⑦车站路——自公善庵起,至淮南铁路止。

2.二等干道,宽度10米:①后大街——自寿星街起,至鼓楼街止。②东大街——自十字街口起,至威武门止。③孝义巷——自前大街起,北至城墙止。④南大街——自四牌楼起,南至城墙止。⑤范巷口——自尚节楼口起,至范巷口止。⑥九狮桥——自四牌楼街起,北至东大街止。

3.三等街道,宽度8.5公尺:①官盐巷——自西城墙起,东至四牌楼街止。②北沿河路——自水西门起,东至小东门止。③南沿河路——自水西门起,东至小东门止。④赵千户巷——自西楼巷口起,西至义地止。⑤文官街——自北大街起,西至后大街止。⑥柳木街——自逍遥津起,西至沿河路止。⑦县桥街——自后大街起,北至拱辰门止。⑧东岳庙巷——自东大街起,至城墙止。⑨二郎庙巷——自通河路巷起,北至城墙止。⑩庙巷——自后大街起,北至城墙止。⑪井梧街——自前大街起,北至沿河路止。⑫弓巷——自西门大街起,南至城墙止。⑬老油坊巷——自前大街起,南至城墙止。⑭廖巷——自前大街起,南至城墙止。⑮万华楼——自前大街起,至后大街止。⑯自沿河路起,西至城墙止。

4.四等里巷,宽度5.5公尺:①操兵巷——自操兵巷口起,东至小东门街,转至南门大街止。②油坊巷——自北大街起,东至北后街止。③花园巷——自县桥街起,东至五圣楼巷止。④卫衙巷——自江家巷口,北至五圣楼巷止。⑤四古巷——自四古巷口起,北至大运动场止。⑥金家巷——自西门街起,北至荒田止。⑦小马巷——自廖巷西至弓巷止。⑧郑氏祠巷——自洗马塘巷起,至德胜街止。⑨元和巷——自西大街起,西至官盐巷止。⑩程氏祠巷——自德胜街起,西至城墙止。⑪板门巷——自德胜街起,东至南大街止。⑫迴龙巷——自廖巷起,西至城墙止。⑬书院巷——自乾坤巷口起,南至城墙止。⑭陈少巷——自慈云庵起,南至城墙止。⑮道路——自西门大街起,南至城墙,转向南大街止。⑯——自东门大街起,西至南门大街止。

5.五等巷道,宽3.5米,其他无名概列为五等巷道云。①

为突出合肥作为临时省会的省内政治中心地位,扩大这座城市的政治影响力,同时也是为加强市政管理,当局又决定以国民党领袖和合肥籍民国人物为城内各主要街道一一重新命名。1947年2月27日,合肥县参议会举行第一届四次会议,正式通过对城内各主要街道重新命名的决议。随后,县参议会将上述决议分送省会警察局与合肥县政府查照施行。该项决议规定:

1.城南香花墩至范巷口之南门大街,改名为孝肃桥,在范巷口以北为孝肃北街,范巷口以南为孝肃南街。

2.前大街改名为中山街,在四牌楼东为中山东街,四牌楼以西至三孝口为中山西街。

3.西大街改名为中正街,十字街以东为中正东街,十字街以西为中正北街。

4.德胜街改为旸谷街,横河段改为旸谷北街,德胜街南段改为旸谷南街。

5.北大街改为鸿仙街。

6.县桥街改为祺瑞街,县桥以北为祺瑞北街,县桥以南为祺瑞南街。

7.县桥至基督医院(合肥)街改名为映典街。②

1948年2月,市政工程局经过长达两年的努力,最终完成制定

---

① 《建设新合肥》,《合肥日报》1946年9月26日,第3版。
② 《县参会四次会议决议本市街道易名》,《合肥日报》1947年2月28日,第3版。

《合肥市政工程规划》（下简称《规划》），按照省会城市的基本定位，对合肥城区的发展做出了长远规划。《规划》提出，未来的合肥市区，将由旧市区和新市区两部分组成。目前旧市区面积为5.6平方公里，未来建设新市区将达到10平方公里，整个市区面积将达到15平方公里，扩大近两倍。《规划》并对旧市区和新市区的定位和未来发展做出明确规定。

关于合肥旧市区未来的定位和发展，《规划》强调旧市区的基本功能为政务、文化、商业、休闲和生活区域，为此将分别设为省县行政区、文化区、商业区、绿化区和住宅区，其具体规划情况如下：

行政区：省行政区位于城南区，与市中心商业地带相距约500米。另于本区南部辟省级公务员住宅区。县行政区位于城区西部，以原有县政府为基地，另于本区北部辟县公务员住宅区。省、县行政区面积占旧市区4％。

文化区：合肥已为省会，城区并无高等教育机构，为求政治、经济与文化配合共济，计划将城区东南部设为文化区。文化区东南靠环城东路与环城南路，北沿中山东路与住宅区相邻，西与省行政区相隔，以映典路为界，四周清净，可安心求学。文化区面积占旧市区5％。

商业区：将城区东西向的东大街、中正中路、中山中路、中山西路和南北向的德胜街、旸谷街、孝肃南北街、映典北路、鸿仙路等地带划为商业区。商业区面积占旧市区9％。

绿化区：在城区开凿九狮河桥，由东而西，两岸筑沿堤马路，将东门内之逍遥津辟设为中山公园，于北门公共体育场侧辟中正公园；拟将西门高家花园修筑扩大，沿城脚设环城散步道；在东大街之鸿仙路、中正路交叉点设市中心区大广场，在城西区设广场。绿化区面积占旧市区12％。

住宅区：城区内除各区所占面积外，均设为住宅区。住宅区面积占旧市区79％。

对于未来将建设的新市区，将分布于城市四周郊区。《规划》认

为新市区将作为未来城市的经济重心所在,将着重发展近代工业,并做出如下的安排:

工业地带:淮南铁路以西,淝水以东为工业地带。如工业繁盛,可向淝水下游及淮南铁路以东、飞机场之西南部等地区发展。

商业地带:环城河以东,淝水以南为东区商业地带。合六公路两旁,为西区商业地带。环城河以北,淮南铁路以西为北区商业地带。由城区出小南门,接合六公路为南区商业地带。

住宅地带:城区南郊为住宅地带,并设别墅区;其他除工商业地带外,均为住宅区。

绿化地带:除农业生产绿地外,于环河堤马路、河边筑环河林荫大道,于淝水两岸筑河堤马路,将城南郊之包公河一带设为风景地带。①

1948年2月,合肥市政工程局制定的《合肥市政工程规划》,对旧城区的改造和扩展以及新城区的发展和规划做出了较为全面、翔实的安排,为合肥城区近期和未来的发展描绘了一幅美好的蓝图,并对未来合肥市的发展产生了较为深刻的积极影响。然而,此时国民党政权由于政治腐败、经济崩溃和军事失败,其本身已处于风雨飘摇之中,根本无暇顾及合肥城市的未来发展,更谈不上为合肥的城区发展提供必要的资金、物质、技术和人力支持,因此,这份规划最终的命运只能是束之高阁,并未产生任何实际影响。

(二)艰难进行的市政建设

抗战胜利后,合肥从一个古老、破旧的县城一跃成为安徽省临时省会。虽然合肥在本省的地位迅速提升,然而城区普遍缺乏近代市政基本设施,城区街道狭小、拥挤,显得与其省会城市的身份极不相称,这促使当局采取一些措施加以解决或缓解这些问题。

作为一座近代城市,建立清洁和便利的供水系统是必不可少的

---

① 《合肥市志》,第222页。

基本条件之一,然而合肥整个城区尚未建立自来水供水系统,居民饮水完全依靠水井,且为浅水水井。合肥城内多数地区地势低洼,每逢雨雪天,城区积水大多渗入地下,现有浅井井水多不清洁,而且其味甚咸。鉴于一时无法筹集建立自来水厂的巨额资金,1947年4月,省建设厅决定因陋就简,在合肥城区东、南、西、北、中5区中,各择一地,分别开凿深度为50米以上水井一口,以便汲取较为清洁的地下水,以供居民饮用。① 通过这种办法,暂时缓解了城区各处居民的吃水困难。

战后初期的合肥,全城并未建立起城区下水道系统,生活废水、居民排泄物随意排放在城中的河流中,导致这些河流污秽不堪,对城区卫生和居民身体健康极为不利,尤其是从城中穿过的九狮河,更是污水横流,恶臭难闻。然而,由于资金等方面困难,直到1948年春,省府才批准市政工程局对这条污水河进行综合治理,除全面疏浚河道,修整堤坡,安置水闸之外,还计划两岸修筑5米宽人行道,1米宽绿化道。② 然而此时国民党军队在各大战场正遭受严重失败,人民解放军早已开始战略反攻,迅速向皖北和皖中地区进逼,南京政府在安徽的统治岌岌可危,无暇顾及合肥城内的污水治理问题。在这种局势下,启动合肥城内污水河九狮河的治理工程只能是纸上谈兵。

合肥南熏门外的包孝肃公祠,曾被称为合肥"城厢唯一胜景",在日军占领之后,遭到严重破坏,成为一片废墟。1946年4月,在合肥各界人士的强烈要求下,省府决定重修包孝肃公祠。8月28日,包孝肃公祠重修工程基本完竣。同日上午,在祠内举行落成典礼,省主席李品仙主持典礼,之后由国民党合肥县党部书记长宣读包孝肃公遗事,最后由包氏后裔代表致答谢词。经过重修,原本破败不堪的包孝肃公祠,"堂殿厅榭焕然一新",祠内高悬"庐阳正气"横匾一方,祠旁的包河再现"红荷绿莲碧水青蒲"的昔日美景。当局还计划拆流芳

---

① 《本市将开凿五口深井》,《合肥日报》1947年4月13日,第3版。
② 《清理合肥城内九狮河》,《皖报》(合肥版)1948年4月5日,第3版。

亭,改建纪念亭,并修桥梁及河边道路,筹建孝肃公园。① 然而,扩建孝肃公园计划最终因经费困难未能实施。

在战后合肥城市的市政建设中,城区规划和道路改造无疑是重中之重。早在1946年9月合肥市政工程局成立之初,就已颁布"合肥市区道路拓宽标准与两旁建筑物退让办法",对城区主要街巷进行统一规划,计划予以全面改造和扩建,然而由于各种条件的限制,直至1947年底,在市区道路拓宽和改造方面,并未采取任何具体措施,亦未进行任何工程。

对此,时任安徽省省长的李品仙十分不满,1947年冬,他任命时任安徽省公路局局长刘文潮兼任合肥市政工程局长,敦促他迅速完成合肥市政工程规划,加快城区道路改造和扩建。刘文潮上任之后,以拓展和改造城区街道为首要任务的市政改造工程总算启动。

1948年初,合肥市政工程局确定率先改造和扩建城区东大街。东大街即今日淮河路步行街,时为合肥城区商业最为集中、车辆行人通过最为繁忙的一条街道。1948年3月,市政工程局开始进行东大街扩建为新式马路的准备工作,派出测量人员,对全街的长度和宽度进行勘测,标明拆让界限,并测算所需工程费用。

然而,此时改造和扩建合肥东大街,还面临两大困难:一是经费无着。此时国民党政府正全力进行内战,国内经济千疮百孔,财政极为窘迫,各种物资严重短缺,根本无力直接提供各地市政建设所需经费,因此合肥城内的道路改造和扩建,只能自筹经费。经省府批准,市政工程局规定,由沿街铺户商店缴纳所谓的收益费,充作改造和扩展东大街所需经费。他们首先组织测绘人员,测量道路长度和拓展宽度,再依据铺户店面的宽窄,确定各铺户应缴纳受益费的数目。最后通过合肥县商会,强迫沿街各铺户缴纳所谓的受益费。在有关当局高压下,各铺户迫不得已,只得如数向市政工程局缴纳所谓的受益费,征缴收益费的任务从而得以基本完成。

---

① 《重修包孝肃公祠,昨举行落成礼》,《合肥日报》1946年8月29日,第3版。

二是铺面拆让。对于东大街的各铺户来说,不仅需向政府缴纳受益费,而且各自拆让自己的沿街铺面。合肥东大街过去极为狭窄,两边店铺密集,一旦新修马路,将大大拓宽路面,计划中的新东大街,车行道11米,两边人行道各3米,全路共宽17米,这样,几乎所有沿街店面都必须后撤,甚至一些沿街店铺几乎要被完全拆除,因此对于这些店铺来说,道路改造不仅没有丝毫受益,反而可能完全失去东大街上的店面。此外,沿街还设有一些省、县级机关,道路改造也需要它们拆让。因此,劝说这些沿街店铺和省、县机关拆让东大街上的房屋和店铺的工作,从一开始就困难重重,难以推动。最终,由于得到当局的全力支持和合肥县商会的积极配合,拆迁问题基本上得以解决。①

随着上述问题获得解决,1948年4月初,东大街改造和拓展工程终于开始。4月5日,报上刊登消息,称合肥城内"扩修马路工程,由大东门口至十字街,及由大东门口到九狮桥,积极兴工,沿线各户,已开始拆除房屋"。②

在东大街扩建工程开展之时,市政工程局从南京购置了大量水泥,预备用于筑路工程需要。同时又招募大批泥、瓦、木工人,负责拆除划在预定新建路面的各类房屋。1948年4月27日,当地报纸刊登一则消息,报道前期工程进展称:

合肥市政建设,首期自大东门口至鼓楼十字街口工程开始工作以来,所有市民能明确当前市政建设之需要,踊跃参与。现在一期工作即将完竣,不日即可着手修筑人行道、车行道、下水道等工程。③

在拆让工程取得进展之后,东大街修建新式马路的工程随之推进。施工人员首先着手撬起旧大街路面上的块石,小心堆放在一旁。鉴于多数块石基本完好,市政工程局计划保留这些块石,将之作为修

---

① 刘文潮:《抗战后合肥的市政工程及淮河路改造》,《合肥文史资料》第2辑,第181—183页。
② 《袖珍新闻——合肥》,《申报》1948年4月5日,第2版。
③ 《东大街拆建将竣工》,《合肥日报》1948年4月27日,第1版。

马路下水道的盖板,以节省工料。旧有块石处理完毕后,随即开始拓展路面,挖掘马路两边下水道,砌好水沟,加盖石板。与此同时,开始铺设人行道,"然后平整土方,压实路基,加铺鹅卵石、英寸石、公分石,灌浆后反复滚压,以保证质量,部分段落加铺水泥路面"。①

在东大街改造和扩建工程正在推进之际,市政工程局再接再厉,又计划进一步扩大市区其他道路改造和扩建,同步启动二期工程。1948年6月1日,当局通过报纸宣布:

合肥市政工程局第一期工程,自大东门起,至十字街止,刻已大部完工,虽人行道、车行道等工程尚待短期中努力,始于完成。然目前情形,已足以使合肥狭逼地区一改新生面目……刻闻二期工程自十字街至四牌楼、后大街等地,均已测量完竣,拆迁通知将于日内次第发出,限期于6月5日动工,预计本年8月间,此飞跃进步之合肥市政建设,将带给吾肥以更大乐观成就也。②

当合肥城区道路拓宽和改造工程紧锣密鼓开展之际,人民解放军在全国各大战场早已发动战略反攻,国民党军队遭受一连串严重失败。1948年6月,人民解放军发动开封战役,迅速攻克这座历史名城。开封战役之后,国民党在皖北和皖中地区的军事形势骤然吃紧,合肥城内外开始大规模修筑军事防御工事,城市改造和道路扩建工程随之停顿。7月5日,合肥的一家报纸刊登消息:

自开封战役后,华中军事日紧。皖省为华中重要地区,合肥尤为军事政治重镇,城防有加强必要。爰经本省党政军谈话会决议,自即日起加紧构筑合肥城防公事,并移用改修马路街道之石块,以增加工事强度。公路局已奉命将东大街一带石块,提大部作为城防工事。

---

① 《抗战后合肥的市政工程及淮河路改造》,第182—183页。
② 《古楼街以及后大街拆建工程六五开始》,《合肥日报》1948年6月1日,第2版。

县政府并奉命赳日征集民工,搬运石块至城外指定地点,以备兴工……①

事实上,国民党当局为了挽救其军事失败的命运,在合肥城区大规模修筑军事防御工事,不仅使得刚刚开展的东大街改造和拓展工程前功尽弃,不得不半途而废,而且还大肆拆卸城区其他街巷路石,移作城防工事,给残破不堪的城区街巷道路造成更为严重的破坏。②

第五节 卫生、教育及文化事业复员

一、医疗卫生事业的复员

(一)公立医院

随着战后合肥成为安徽省府所在地,其近代医疗卫生事业能否得到迅速恢复和发展,不仅得到社会的普遍关注,而且也受到当局重视。

随着省府迁入合肥,作为一省卫生最高行政管理中心,省卫生处亦随省府一并迁入合肥。1945年9月,省府制定《加强省卫生行政及医药卫生工作实施方案》,强调嗣后卫生工作将日益艰巨、繁重,为适应工作要求,应将卫生处组织"酌事扩充",以提高效率。卫生处将设处长1人,主任秘书1人,秘书2至3人,科员12至18人,统计员2至3人,办事员14至20人,技正3至5人,技士4至8人,技佐6至

---

① 《加紧构筑城防工事》,《合肥日报》1948年7月5日,第1版。
② 《合肥正赶筑城防工事》,《申报》1948年11月25日,第1张第2版。

10人,视察2至4人,会计主任1人,会计员4人,雇员若干人。①

卫生处并非仅仅是卫生事业管理机构,还担负着普及卫生知识,防止疫病,组织医护人员给民众接种疫苗等职责。1947年2月28日,当地报纸刊登一则消息:

本省卫生处为加强卫生教育起见,订于1947年2月28日起,至3月3日止,每日上午8时至11时,下午1时至4时,假本县四牌楼民教馆举行春季卫生展览,并派医护人员在场组织种痘,欢迎各界人士前往参观。②

随着省府迁入合肥,在合肥建立一所省立医院亦势在必行。抗战胜利之后,国民党安徽当局在本省复员方案中曾计划将原设在皖西山区的立煌医院迁往合肥,"并拟增设牙科,其他各科亦力求完善充实,树立全省之楷模"。③ 1945年11月23日,省府委员第608次谈话会通过决议,决定立煌医院随省府迁移合肥,改称合肥医院。12月,这座医院迁至合肥,在城内租李享堂房屋一座,作为院址。该屋承租后,院方以其破漏颇多,一一加以修理,并添建瓦屋6间,"聊应一时之需"。④

省府认为,医院全部房屋均系临时租赁,迄无固定院址,非长久之计,亟应积极筹建,因此向南京政府卫生署请求资助。1946年初,南京政府卫生署给安徽全省拨付地方医院复修费266,000,000元。省府随即决定将这笔款项主要用于建设省立合肥医院,拨给该院218,248,000元。省府又联合善后救济分署,成立省立合肥医院修建委员会,选定城内卫衙大观为该院永久院址,开始组织招标建设。与

---

① 安徽省政府复员计划委员会编:《安徽省复员工作方案》,1945年版,第20—21页。
② 《省卫生处组织春季卫生展览》,《合肥日报》1947年2月28日,第3版。
③ 《安徽省复员工作方案》,第21页。
④ 王朝浚:《安徽省立合肥医院概况》,《一年来之安徽——安徽卫生》,1947年版,第45页。

此同时，自1946年初，省立合肥医院开始筹划添置各种设备。4月，医院购置各种设备及善后救济总署拨付的物资先后到达合肥，医院各项业务逐渐开展。

医院迁至合肥之前，全院设有主治医生4人，分别负责内科、外科、产科和五官科诊疗事宜。医院还设有检查科主任1人，护士主任1人，医师4人，助理医师4人，药剂师2人，调剂员1人，助产士2人，护士长7人，护士18人。医院迁至合肥之后，设有传染病科、内科、外科、皮肤科、眼科、耳科、鼻科、喉科、柳科、妇产科、牙科和小儿科，又添置爱克斯光科，增设主治医生1人。医院迁至合肥之后，至1946年上半年，共计诊治病人8615人次。①

1946年8月，当局又决定在合肥西大街设立省立传染病医院。该院拥有病床50张，除负责收治伤寒等急性传染病之外，还设有内科、外科、妇产科、皮花科及五官科门诊。1948年，由于该院技术力量薄弱，加之经费无法获得保障，故当局决定停办。②

省府迁入合肥不久，就决定在合肥成立省会卫生事务所。省府认为，安徽过去无省会卫生事务所，"故对省会卫生事业之推进，殊感困难"，因此战后不久即向中央要求在合肥增设直辖卫生行政实验机构——省会卫生事务所。经国民政府卫生署审核获准，1945年12月1日，省会卫生事务所在合肥正式成立，随即开展医疗防疫工作，以"推广省会公共卫生事宜"。③ 该所设于城区鼓楼街，租民房一间，有医护人员36人。④

省会卫生事务所设立不久，同样遇到经费不足的严重困难，原计划增列的1000万元事业费，"嗣因本省财源枯竭，未克追列预算"。之后，省府同意从"卫生署补助本省善后救济基金中地方医院复员修

---

① 《安徽省立合肥医院概况》，《一年来之安徽——安徽卫生》，第46—47页。
② 安徽省地方志编委会：《安徽省志—卫生志》，安徽人民出版社1996年版，第5页。
③ 李品仙：《安徽省政府工作报告》，安徽省政府秘书处编，1946年版，第38页。
④ 《安徽省志—卫生志》，第4页。

理费中,拨支 21,151,700 元"。① 省会卫生事务所因之得以勉强维持。

1948 年 12 月,淮海战役打响,国民党在皖北和皖中的统治摇摇欲坠,国民党军队及党政机关撤出合肥,省立合肥医院和省会卫生事务所亦随之撤出合肥,省立合肥医院撤至宣城,改为宣城医院,省会卫生事务所则随省府一道迁至安庆。②

抗战胜利之后,当局在合肥设立公立医院的同时,亦准许私立医院(包括教会医院)和私人诊所的存在,但必须先向当地主管机关申请领取执照,之后才能开业。1946 年 8 月下旬,省府致电各县市政府,规定各地设置私人医院和诊所的具体准则和办法:

> 医院诊所,疗治疾病,关系人民健康,稍一不慎,影响甚巨。兹为保障人民健康起见,凡省境的所有私立医院诊所,包括教会医院在内,应改一律依照《医院诊所管理规定》第三条,呈报所在地卫生主管机构,转报县市政府核给开出执照。于文到后即饬辖区所有私立医院,包括教会医院,呈请核发开业执照一个月,倘逾期未领得执照者,一律不准开业。③

合肥城区最重要的私立医院为合肥基督医院。这是一家基督教教会医院,始建于 1898 年,为美国基督教传教士柏贯之所创建。建院之初,该院就拥有 X 光诊断机 1 台,之后又添置新式 X 光诊断机 1 台,设备较为先进,拥有病床近百张。至抗战爆发之前,已成为一所管理制度较为健全,医疗设备较为先进,技术水平较高的医院。然而,合肥沦陷后,合肥基督医院被日军强占,院内医疗设施、医疗设备损毁殆尽。该院收复后,虽添置皮克 X 光诊断机 1 台和其他一些医

---

① 《安徽省政府工作报告》(1947 年度),第 126 页。
② 《安徽省志—卫生志》,第 4 页。
③ 《私立医院开业,须依法呈报领取执照》,《合肥日报》1946 年 8 月 29 日,第 3 版。

疗器械和设备,但医疗业务恢复并不顺利,经营惨淡,仅设有病床 15 张。1947 年,合肥基督医院全年门诊 10171 人,住院 200 人次,手术 58 例,与战前 1935 年全年门诊 16295 人、住院 761 人次、手术 222 例相比,差距甚远。1949 年合肥解放,合肥基督医院由皖北行署卫生处接管。①

除了合肥基督医院之外,众多的私人医院和诊所也不断在城区涌现。例如设立在城区前大街的健华医院。1947 年 4 月 19 日,这家医院正式开业,开始接诊病人,设有内科、外科、小儿科、妇产科、皮肤花柳科、眼耳鼻喉科等,除每日上下午门诊外,每日下午还派医生出诊,拥有显微镜等医疗设备,可以作血液检验,是一家颇有规模的私立医院。② 此外,城区还有医师朱曼华在合肥东门外开设的益生诊所,中医师梅德盈在四牌楼开设的诊所,医师沙颂尧在中山北路开设的大同医院,他们纷纷在当地报纸上刊登广告,吸引病人求诊。③

二、战后教育复员与初步发展

(一)战后教育恢复与发展的最初计划

1944 年底,抗日战争进入第八个年头,中国人民赢得战争最后胜利的曙光已经出现在地平线上。根据重庆国民政府的指示,尚在立煌县的安徽省教育厅开始详细筹划战后全省教育的重建计划,为此拟定《安徽省战后教育计划大纲》(以下简称《大纲》),为战后安徽各地各级教育的恢复和发展制订了全面和详尽的计划及具体步骤。

1.关于幼稚教育

《大纲》首先针对学前教育,规定战后安徽各地应普遍建立幼稚园,早日在具备条件的城镇普遍设置幼稚园,提出将采取经常设置、

---

① 《安徽省志—卫生志》,第 24—26 页。
② 《健华医院开业广告》,《合肥日报》1947 年 4 月 19 日,第 1 版。
③ 《益生诊所、中医师梅德盈、大同医院广告》,《合肥日报》1948 年 6 月 1 日,第 2 版。

临时设置和特别设置三种形式。所谓经常设置者,即较为正规的幼稚园,应拥有二三名幼稚教师,各种设施基本齐全。《大纲》规定:"本省省会及 62 县以及蚌埠、屯溪等处均应斟酌需要,各设幼稚园若干所……各城市幼稚园以附设师范附小、简师附小或中心国民学校为原则。"所谓临时设置者,指各地乡村,在每年农忙时节临时设置的幼稚园,以解决农民的后顾之忧。所谓特别设置者,指西方传教士或地方慈善人士创办的育婴堂,将之改为幼稚园,以收养贫苦无依的婴儿和幼童。教育厅估计,战后全省设立的幼稚园,"至少亦在七八十所以上"。①

2. 关于初等教育

对于本省战后恢复初等教育,《大纲》亦做出详尽规划,首先指出:"本省计辖 62 县,2130 乡镇,24051 保,人口总数为 21,979,167 人,其中学龄儿童约占其总数 17%,计 3,683,043 人,失学民众约占总数 50%,计 10,863,943 人,如欲普遍入学,应设中心国民学校(注:即为公办高等小学)2230 所,国民学校(注:即公办初等小学)19179 所。"同时强调,初等教育应采取以下 4 种方式办学:

(1)中心国民学校。以每乡镇设置一所为原则,其乡镇区域辽阔,或人烟稠密,应按国民学校升入中心国民学校学生占其总数 50%的比例,计算所需学校数量,酌量增设之。其小学及民众两部,内设初、高两级,于战后 3 年完成。

(2)国民学校。以每保设置一所为原则。保之人烟稠密,其面积超过 2 方里者,应斟酌增设一所……

(3)私立小学。鼓励私人或团体设立小学,依照《安徽省私立小学设置办法》,加以管理,俾臻完善。

(4)私塾。依照部颁改良私塾办法举行调查登记,必须具有下列条件,方准设点:①塾具有小学教员资格。②塾舍宽敞,空气充足,并有空场,足资儿童活动者。③遵用教育部审定之教科书。④收容儿

---

① 安徽省教育厅编:《安徽省战后教育大纲》,1945 年版,第 1—2 页。

童不妨害当地中心国民学校或国民学校额之充足者。①

《大纲》并对战后初期全省各县中心国民学校和国民学校的设置与发展进行具体规划,其中有关合肥、巢县、庐江3县设置和发展情况见下表:

表一 战后初期合肥、巢县、庐江中心国民学校和国民学校设置与发展计划表②

单位:所

县名	各县乡镇数	现中心国民学校数	第一年应增数	第二年应增数	合计	各县保数	现国民学校数	第一年增设数	第二年增设数	第三年增设数	合计（所）
合肥	140	89	30	23	142	1500	380	150	200	480	1200
巢县	46	44	2	—	46	255	85	80	48	—	203
庐江	24	16	11	—	27	494	350	49	—	—	399

由该表可以看出,合肥县地域较为辽阔,人口众多,其乡镇和保的数量远远超出巢县和庐江,所应设立的中心国民学校和国民学校数字也要大得多。因此,合肥地区现有的中心国民学校和国民学校数量虽多于巢县和庐江,但规划中需要增设数量却更多,发展初等教育任务更艰巨,需要的时间亦更久。

3.关于师范教育

教育厅深知师资在战后教育恢复与发展中的重要性,认为如果不能大力发展师范教育,迅速培养大批合格师资,战后将大量建立的中心国民学校和国民学校必将形同虚设,毫无意义。对于战后师范教育的恢复和发展,《大纲》做出如下规划:

师范学校为经常培养师资机关,由省设立,原定9个师范学校区,略予调整,使每区辖县及幅员趋于平均,以便培养师资及辅导地

---

① 安徽省教育厅编:《安徽省战后教育大纲》,1945年版,第7页。
② 该表数据根据安徽省教育厅编:《安徽省战后教育大纲》,第11—13页相关内容编制。

方教育。每一师范学校区设师范学校一所,并就皖南、皖中、皖北适当地方,各设女子师范学校二所,及就省会所在地设专科师范学校一所,共16所。①

根据《大纲》,全省将共设各类省立师范学校15所。合肥属于省立第二师范学校区,该区还包括六安、立煌、霍山、舒城、寿县、霍邱,共计7县。省立第二师范学校并不设在合肥,而是设在六安,但合肥将设置一所省立女子师范学校。巢县和庐江属于省立第五师范学校区,该区包括全椒、无为、含山、和县,共16县,计划将省立第五师范学校设于巢县。除了16所省立师范学校之外,各县均应设置一所简易师范学校,以加快师资培养速度。②

4. 关于中等教育

为了促进战后安徽中学教育的复员与发展,根据国民政府教育部的相关规定,安徽省教育厅强调,将采取省立中学、县立中学和私立中学同时并举的办法。

关于省立中学,全省设九大省立中学区,每区设1所省立中学,共建立省立中学9所。省立中学主要承担高中阶段教育,设高中年级共计90个,学生共计4500人。《大纲》规定,各县应设立县级初级中学1所,其中设有高中年级的县立中学为10所,这样,全省62所县立中学,其中高中年级30个,初中年级402个;高中学生共计1500人,初中学生共计18600人。关于私立中学设置和规模,《大纲》亦做出具体规定:"一县人口在20万以上,方准设立私立中学1所,以此为基数,每又以20万即增设1所。每年级以办双班为最高额,并不得设置高中。"教育厅预计,战后全省将设私立中学90所,仅设初中年级,初中班级共540班,学生共计27000人。③

战后全省女子中学教育,同样采取省立女中、县立女中和私立女

---

① 安徽省教育厅编:《安徽省战后教育大纲》,1945年版,第19—21页。
② 《安徽省战后教育大纲》,第21页。
③ 《安徽省战后教育大纲》,第35—40页。

中三种模式并举的办法。《大纲》规定,全省将在皖北、皖中和皖南各设一所省立女子中学,主要招收高中学生。皖北省立女子中学设于阜阳,皖中女子中学设于合肥,皖南省立女子中学设于休宁。《大纲》制定县立女子中学设立的原则,规定"人口较多之县份,可设女子初级中学一所"。①

此外,《大纲》还对战后全省职业教育做出规划,将全省划分为九大职校区(后改为9个工业职校区,6个农业职校区)。合肥、巢县、庐江均属第二职校区,该区将设置第一和第二省立农业职业学校。其中省立第一农业职业学校建在六安,设森林、园艺和农作3科;省立第二农业职业学校建在霍邱,设畜牧、农艺和园艺3科。《大纲》并规定,没有设立省立职业学校的县份,应各设一所,不限高初级,以设单科3班为原则,并应男女分校。② 职业学校也设立女校,规定将在芜湖、怀宁和寿县各设一所省立女子工业职业学校。③

5.关于高等教育

《大纲》亦对战后安徽高等教育的发展进行了规划。安徽近代高等教育,起步于南京国民政府组成初期。1928年4月,安徽大学在省城安庆成立,之后获得长足的发展,先后设立文学院、法学院、理学院、农学院及众多相关系科,培养了大批优秀人才。1937年7月抗日战争的爆发,给刚刚兴起的安徽高等教育造成毁灭性打击。1938年初夏,日军逼近安庆外围,国民政府决定放弃安庆,在安庆沦陷前夕,省府决定安徽大学西迁,随后迁徙途中解散。1941年春,已迁至立煌的安徽省政府决定在当地成立安徽临时政治学院,内设文法两科,文科分文史、教育两系,法科分政经、法律两系。同年9月,安徽临时政治学院开始招生,规定修业1年,1942年暑期,首批学生毕业。之后,省府将该校改为安徽师范专科学校,内设国文、英文、数学、教育、史地5科。1943年暑期,安徽师范学校扩充为安徽学院,内设中文、外

---

① 《安徽省战后教育大纲》,第43页。
② 《安徽省战后教育大纲》,第29页。
③ 《安徽省战后教育大纲》,第43页。

语、数学、史地、政经、法律6系,此外还附设师范和银行两专修科,师范专修科内设教育、理化、艺术3组。学院并附大学先修班。同年,安徽学院于屯溪设立皖南分院,内设农艺、森林、土木、机械4系。①

战争后期,安徽有识之士意识到,安徽学院"师资缺乏,设备简陋,尚难完成培养高级干部人才之使命,战后倘不极力设法,则不但本省人士在全国各方面事业中地位日渐落,即本省各方面建设亦有人才缺乏之患"。因此,教育厅主张,应尽快恢复战前的省立安徽大学,"其院系设置,应依照本省各机关推进各项事业所需人才而定……安大恢复时,可就江北本院原有科系,分设文法、师范或教育两院,文法学院设国文、英文、经济、法律4系。师范或教育学院设教育、数学、史地等系及理化、博物、体育等科。就皖南分院设农工学院,内设农艺、土木、机械等系及茶叶等专修科"。一旦战争结束,恢复和平,安徽大学将"迁并于省会永久之会址"②。由此可见,抗战时期,当局曾明确计划一旦战争结束,将恢复省立安徽大学,并将这所省立安徽大学设置在未来的省会——合肥城中。

(二)举步维艰的教育复员

1945年8月15日,日本战败投降,国民党党政各级统治机关等纷纷离开皖西山区,进入合肥、安庆、芜湖、蚌埠等重要城镇,对广大沦陷地区进行接管和恢复统治。与此同时,接收和改造收复区敌伪把持的各类学校,亦摆在省县教育当局的议事日程之上。

合肥作为抗日战争时期的沦陷区,自1938年5月被日军占领之后,被敌伪统治长达七年三个月之久,在此期间,日伪亦在合肥城区和一些乡村建立了小学和中学。如何接收这些学校,如何安排和处置沦陷区学校的教员和学生,成为省县教育当局首先面临的难题之一。早在1945年9月,国民政府教育部曾拟定了《部颁甄审训练办

---

① 汪少伦:《八年来之安徽教育——高等教育》,《八年来之安徽》,第48页。
② 《安徽省战后教育大纲》,第44页。

法》,对于收复区各类敌伪学校和教育机关人员,要求进行登记、甄审和训练。安徽省教育厅以此为根据,制定了本省实施办法,规定:

凡(收复区)公立各级学校,由厅另派校长接认,私立学校厅派监督,分别维持照常上课。关于敌伪一切档案及款产,其属于县教育部门者,饬由各县政府接收整理;其属省立各校及社教文化机关者,由教厅派员接收整理;其属伪省教育厅者,由教厅会同各厅处,派员同往,统一接收整理,其未设教育科之县份,由县府迁回本县县境时,即行恢复教育科,以便办理复员工作。①

省教育厅将收复区各县敌伪小学一律改为国民中心学校,命令教员进行登记、甄审和训练,要求各地在 1946 年 4 月底之前完成上述工作并上报。之后于 1946 年暑假期间,在合肥举办小学教员讲习班,"调集附近收复区各县中心国民学校专任校长 100 人,于 7 月 25 日开班讲习"。②

1946 年 1 月,教育厅成立收复区中等学校教职员甄审委员会,在合肥、安庆、芜湖和蚌埠 4 地设立登记处,规定所有收复区中等学校教职员,必须进行登记。在登记完竣之后,即开始对他们甄审。通过甄审的各校校长和教导主任,还将进入本省干训班教育组接受思想训练。教育厅强调,抗战胜利之后,原沦陷区各级学校教职员,曾受日军占领当局的奴化教育,因此规定"各级学校员生不得任意流动,免至误入歧途,或扰乱安全之学校秩序"。除了对沦陷区"教育行政人员及学校教职员,由本厅及各县政府办理登记,甄别任用,必要时以短期之训练"之外,对于沦陷区中等学校的学生,亦必须进行"思想

---

① 汪少伦:《本省战后教育之规划与当前复员之措施》,《安徽政治月刊》第 8 卷第 8—9 合期,1945 年版,第 24 页。
② 《安徽省政府工作报告》(1946 年度),第 47 页。

之训练",教育厅责成省县所派之校长及监督分别负责。①

抗战初期,随着省府迁入皖西大别山中的立煌县,众多省立学校也纷纷迁至或重建于立煌及周边地区。抗战胜利之后,根据省府的安排,设立在立煌县境的一些省立学校纷纷迁往合肥,以加强和充实省会各级教育,它们包括:原立煌张家畈小学与段家湾小学迁至合肥,合并改设省立合肥实验中心国民学校;古河师范学校迁回巢县,更名为省立黄麓师范学校;省立第六中学与合肥中学合并,改名为省立合肥中学;立煌女中迁至合肥,更名为省立合肥女子中学。②

抗战胜利之后,合肥作为省府所在地,出于当局自身利益的考虑,这一时期合肥的各级教育获得省府较多的财政、物资和人员支持,因此得到较快的恢复和发展。

在幼儿保育和学前教育方面,1946年初,当局决定设立省立合肥幼稚园和省立合肥试验中心国民学校附属幼稚园。1946年4月,省府批准教育厅的申请,决定为省立合肥幼稚园拨款73300元添置园内设备;10月,省府再次批准教育厅请求,给省立合肥试验中心国民学校附属幼稚园拨款1,496,300元,作为该园设备修理费。③ 1948年底,合肥全城共有两所公立幼稚园,入院幼儿250多人,拥有教职员工10人。④

在初等教育方面,抗战胜利不久,以合肥籍辛亥革命烈士命名的鸿仙、旸谷、映典等小学相继恢复,并陆续成立县立城东、城西、城南、城北、东外镇等几所中心小学。1946—1947年,当局将张家畈小学和私立中正中学附属小学从立煌迁至合肥,又创办了县立简易师范学校附属小学、私立三育小学和二郎庙小学。1948年,西班牙天主教神

---

① 汪少伦:《本省战后教育之规划与当前复员之措施》,《安徽政治月刊》第8卷第8—9合期,1945年版,第24页。
② 《安徽省政府工作报告》,1946年版,第101—103页。
③ 安徽省政府秘书处编:《省政府委员会会议记录汇编(1946年)》,1947年出版,第142—143页。
④ 《合肥市志》第4册,第2565页。

甫出资创办了私立崇经小学。这些小学后又被当局合并和更名。至 1948 年底合肥解放前夕,合肥城区共拥有公立小学 8 所,私立小学 5 所。① 与此同时,合肥县乡村地区各类小学亦有一定的恢复和发展。至 1947 年底,全县共有中心小学 129 所,保国民小学 465 所,在校学生共有 49281 人。② 然而,这距当初规划的全县应设各类小学 1200 所的原定指标尚有不小的距离。

在中等教育方面,抗战胜利初期,考虑到皖省的实际情况,省教育厅即对本省包括师范教育、职业教育和普通中学在内各类中等教育的发展制定规划,确定其发展的各项原则,强调:

为配合五年国民教育计划,师范学校年有扩增,以期五年内培养之师资,足以供求相应。普通中学随同小学毕业人数之日渐增多,社会需材日繁,校数亦递增,当局遵照中央规定,今后决续采省办高中,县办初中之原则,俾人力物力,得集中措施。职业教育方面,则分工业、农业、商业、医药四校。鉴于今后建设工作亟待开展,培养技术人才,更为需要,普通中学则拟不扩增,而多致力于职校之添设。③

抗战开始后,合肥庐州师范学校、省立黄麓乡村简易师范学校被迫停办,已有一定发展规模的中等师范教育被迫中断。直到 1943 年,合肥县立简易师范学校在县内南分路口创立,由合肥县长兼任该校校长。同年,设在合肥县境内的第五区七县联合中学开始设立师范科。1944 年 6 月,合肥县立简易师范学校从南分路口迁至龙潭河黄家圩、韦新庄,已有一、二两年级,共计 5 个班,学生人数已达 248 人。同年秋,当局将第五区七县联合中学师范科一、二年级和简师科一年级合并,共计 4 个班 200 名学生。此外,当局还另行组建省立古河师范学校,校址暂定合肥油坊集耿祠。抗战胜利后,合肥县立简易

---

① 《合肥市志》第 4 册,第 2572 页。
② 《解放前的合肥中小学教育》,《合肥文史资料》第 7 辑,第 74 页。
③ 《皖省教育概况》,《申报》1946 年 3 月 22 日,第 4 版。

师范学校随即迁至合肥城郊；次年，省立古河师范学校亦迁往巢县，更名为省立黄麓师范学校，为全省 14 所省立师范学校之一。1947 年初，省立合肥女中开始附设中等师范科，招收一年级新生。① 据有关方面统计，至 1947 年底，省立黄麓师范学校共拥有 8 个班级，其中相当高中程度师范班 6 个，相当初中程度简师班 2 个，学生总数 346 人，教员 30 人，全年办学经费共计 1,359,566,000 元。合肥县立简易师范学校共拥有 6 个班级，均为初中程度简师班，学生总数 288 人，全年办学经费共计为 66,080,832 元。此外，省立合肥女子中学亦有两个简师班，共计学生 68 人。② 1948 年春，合肥县立简易师范学校和省立合肥女中师范科均停办。

抗战之前，合肥普通中学已有较大发展，建有多所普通中学，其中包括两所省立普通中学，即 1928 年建立的省立第六中学和次年建立的省立第六女子中学。抗战爆发不久，合肥沦陷，原有各中学相继停办，日军占领当局为了进行法西斯奴化教育，在城区设立伪合肥县立中学。在合肥县城外的非敌占区，1941 年之后相继出现一些县立和私立初级中学。1941 年春，梁园建立私立肥东初级中学，8 月，该校改为县立初级中学。随后，私立肥西初级中学和私立肥南初级中学也先后成立。至 1943 年，全县已建起 3 所初级中学。③

抗战胜利之后，合肥作为安徽省临时省会，在当局支持下，省立中学得到恢复和发展，先后拥有三所省立中学，它们是：1.省立合肥中学。1945 年秋，省教育厅接收了日伪县立合肥中学，又将立煌县的省立六中迁至合肥，两校合并组成省立合肥中学，校址为合肥前大街小书院，1947 年在校学生 642 人，1948 年 8 月又更名为安徽省立合肥高级中学。2.省立合肥女中。1945 年 12 月 5 日，省立立煌女中亦迁至合肥，改名为省立合肥女中，校址为城西孔庙，1947 年在校学生 430 人。3.省立贞干中学。1946 年，原设在立煌的私立贞干中学亦

---

① 《合肥市志》第 4 册，第 2597 页。
② 《安徽省志——教育志》，方志出版社 1997 年版，第 382—383 页。
③ 蔡郁文：《解放前的合肥中小学教育》，《合肥文史资料》第 7 辑，第 73 页。

迁至合肥,1947年3月省教育厅将其改为省立贞干中学,校址为城东三牌楼南,1947年在校学生352人。

按照省教育厅的规定,省立中学主要负责高中阶段教育,县立中学和私立中学只能从事初中阶段教育。在合肥地区省立中学发展的同时,县立中学和私立中学也得到一定发展,共有两所县立中学:1.合肥县立初级中学,校址为肥东大兴集李氏享堂,1947年在校学生391人。2.合肥县立女子中学,校址在合肥县政府东边,1947年在校学生165人。共有四所私立中学:1.私立中正中学,1947年在校学生338人。2.私立崇善初级中学,为天主教会创办,1947年在校学生115人。3.私立合肥三育中学,为基督教会所创办,1947年在校学生300人。4.私立正谊初级中学,1947年在校学生300人。[①]

在中等职业教育方面,合肥地区战前中等职业教育曾有较大发展,如1928年,在全省率先建立合肥甲种工业学校;1930年建立合肥女子县立职业学校;1933年,在庐江县建立私立德培农业职业学校和务本农业初级职业学校;1936年建立蜀山农科职业学校。然而这些职业学校或因为经费短缺,或因为战争影响,相继停办。抗战胜利前夕,教育厅对全省职业教育进行重新规划,确定合肥、怀宁、六安、阜阳、泗县、凤阳、芜湖、休宁、贵池等9个工业职业学校区,霍邱、阜阳、宿县、滁县、宣城、绩溪6个农业职业学校区,教育厅在各区分别建立一所工业职业学校或农业职业学校。[②] 合肥并非省立职业学校设置地,故没有设置省立工业职业学校或省立农业职业学校,但是教育厅确定庐江县为省立工业职业学校设置地。1946年,当局将原省立八中迁至庐江县,改为省立庐江工业职业学校,并开始招生,设置土木、电讯等专业。[③] 由于没有得到当局的支持或因私人财力有限,合肥的县立职业学校和私立职业学校不久陷入无人问津和止步不前的困境,无法与这一时期获得较快恢复和发展的省立或县立师范学

---

① 《合肥市志》第4册,第2581—2582页。
② 戴惠珍等:《安徽现代史》,安徽人民出版社1997年版,第498页。
③ 《安徽省志——教育志》,第382—383页。

校及普通中学相比。

(三)迅速破灭的高等教育梦想

抗日战争胜利后,省府按计划如期迁入合肥。合肥作为省府所在地,当局对其在全省教育中的地位亦予以重新定位,认为合肥应创办高等教育,以与这座城市的新地位相适应。在省府迁入合肥之后,安徽学院作为皖省唯一的一座大学,亦于1946年春从立煌迁至合肥郊区临河集,暂以李氏仓库作为临时教学场所。与此同时,省教育厅亦于合肥城区择定院址,筹划建筑,计划建筑安徽学院永久校址。[①]时任安徽省教育厅厅长的汪少伦曾做出如下描述:

安徽学院是我们安徽的最高学府,战后建设新安徽的各项高级人才,大部分要赖以培养,所以胜利后我们便增加并调整科系,以期适应本省未来的需要,同时复增聘教授,添置设备,以充实内容,今春把它迁到合肥来,使与省会临近,以便于相互联系,而就督导其改进。[②]

然而,随着抗战的胜利,抗战后期在安徽学院任教的一些上海、南京等省外教授纷纷离去,前去上海和江浙城市的大学谋职,安徽学院的师资队伍被严重削弱。此外,临河集的校舍极其简陋,无法进行正常教学。况且,临河集离合肥城有40里之遥,尽管县政府为学校专设一路汽车班车,但师生仍觉交通十分不便,加上地方闭塞,生活艰苦,人心涣散,学院难以维系。时任安徽学院院长的程演生认为,临河集地方偏僻,房屋狭窄,"诚非办理大学之适当地址",建议当局

[①] 安徽省政府秘书处编:《安徽政绩简编》,1946年2月版,第32页。
[②] 汪少伦:《一年来之安徽教育》,《安徽政治月刊》第8卷第10期,1946年5月,第30页。

迁校安庆。①

正当安徽学院在合肥办学陷入困境之际,南京政府决定恢复战前的省立安徽大学,并将省立大学直接升格为国立大学,成立以皖籍著名教授朱光潜为主任,陶因任秘书的国立安徽大学筹备委员会。国立安大筹委会成立后,因朱光潜一直未能赴任,改由陶因出任主任。安徽学院的师生们获悉即将成立国立安徽大学的消息后,随即向省府和南京政府教育部请愿,要求直接将安徽学院改组为国立安徽大学,由安徽学院接收原省立安徽大学校址和图书、仪器设备及其他资产。

1946年春,教育部正式决定另行组建国立安徽大学,以原省立安徽大学在安庆的旧址作为校址,由国立安徽大学接收战前的原省立安徽大学资产。同时还决定,继续维持设在合肥临河集的安徽学院,作为省属大学。

这一决定引起安徽学院师生的不满,学生们群情激愤,他们迅速聚集,选派代表,前往合肥城内,向安徽省政府请愿。此时,陶因也来到合肥,与省府商量筹办国立安徽大学相关事宜。学生代表知道后,随即来到陶因下榻的旅馆,提出并入国立安大的要求。陶因表示,此事须由教育部决定。5月29日,安徽学生推举胡广益等30名同学为代表,乘汽车前往南京,向教育部请愿。临行时表示,不达目的,他们决不罢休。②

5月27日,南京政府教育部副部长杭立武召集国立安徽大学筹备会议,研究国立安徽大学筹备及与安徽学院关系问题。在此之前,安徽省主席李品仙曾建议安徽学院相关系科转入国立安徽大学肄业,这一建议得到国立安大筹委会成员安徽省教育厅厅长汪少伦、安徽学院院长程演生、救济分属署长叶元龙的支持。根据叶元龙的建

---

① 安徽师范大学校史编写组:《安徽师范大学校史》,安徽人民出版社2008年版,第91页。

② 周乾:《民国时期的安徽大学》,《安徽重要历史事件丛书——教坛古今》,安徽人民出版社1999年版,第150页。

议,这次会议决定同意安徽学院学生转入国立安徽大学,确定国立安徽大学校址永久设在安庆。

9月,国立安徽大学在蚌埠、合肥、安庆3处设立考点,对申请转入国立安徽大学的180余名安徽学院学生进行转学考试,绝大部分学生通过转学考试,随后转入国立安徽大学相关系、科和相应年级继续学习。①

在国立安徽大学积极筹备的同时,设在合肥郊外临河集的安徽学生已是人心惶惶,更是陷入困境。最终,省府接受程演生院长关于将学校迁往芜湖的建议。1946年10月,安徽学院从合肥迁至芜湖,定址城中赭山南麓。②

然而,安徽学院与省城合肥之间的联系并没有结束。尽管安徽学院已经迁至芜湖,但是许多人依然为合肥失去安徽学院而倍感惋惜,他们认为,安徽学院作为全省唯一的省立大学,似乎设在省城更为名正言顺。1947年2月28日,合肥的一家报纸刊登一则消息,题为《省立安徽学院仍将迁回合肥》,称:"据悉,省立安徽学院迁芜湖之后,因校舍不敷应用,以致影响教学情绪,闻仍将迁回合肥,并拟以城内大书院为院址。"③

然而这一传闻只不过是合肥人的一厢情愿而已,并不可能成为现实。1947年春夏之际,刘伯承和邓小平指挥的人民解放军千里挺进大别山,直插国民党统治的核心地区,威逼武汉和南京地区,揭开了人民解放军战略大反攻的序幕。合肥与皖西大别山地区相邻,国民党安徽省府顿时感到巨大压力,陷入恐慌之中。当局随即宣布在合肥城区实行戒严。在政治和军事陷入全面危机的形势下,不论是南京政府还是省府,财政上早已陷入山穷水尽的境地,根本无暇关注本省高等教育的未来发展。在这种情形下,将已在芜湖开始招生办

---

① 《民国时期的安徽大学》,《安徽重要历史事件丛书——教坛古今》,第150—151页。
② 《安徽师范大学校史》,第91—92页。
③ 《省立安徽学院仍将迁回合肥》,《皖报》(合肥版)1947年2月28日,第3版。

学的省立安徽学院,再度迁回省城合肥,已经没有实施的基本条件。

三、社会教育

随着安徽省府迁入合肥,一批承担社会教育的机构也于 1945 年底迁入这座城市,其中包括安徽省图书馆和安徽科技馆。

(一)安徽省图书馆

安徽省图书馆始建于 1913 年,至 1936 年底已拥有 10 万册藏书,其中包括善本及线装古籍 3 万余册。抗日战争爆发后,省图书馆被迫撤离安庆,将馆藏图书分藏数处。1940 年,省立图书馆在皖西立煌县搭建茅屋,恢复开馆,并接收皖北各中学及区立图书馆的残余图书,又从桐城县罗家岭藏书中选运一批善本及版本较好的图书,省图书馆藏书再度达到 4 万余册。1941 年,经省府批准,省图书馆借用德麟图书馆重新开馆。1943 年 1 月,日寇侵入立煌,省馆人员在仓促撤离时来不及撤出藏书,以致全部藏书毁于日寇之火。之后,省图书馆再度四方筹集图书,恢复馆务,历尽艰辛,馆藏图书又恢复至 3 万册。①

根据国民政府教育部的规定,省图书馆因担当社会教育职责,故属于各省教育厅管辖。1945 年春,抗日战争胜利曙光初现,安徽省教育厅在《战后全省教育发展计划大纲》中明确规定,战后将在省会城市设立省图书馆,将现在立煌的省图书馆复本图书运回,加以补充。省图书馆还将附设美术、博物陈列室,并负责收藏、保管和陈列包括库藏戏鸿堂法帖古碑及故宫博物院收回之寿县出土的大批楚国青铜器等一批珍贵历史文物。②

抗战胜利后不久,省府从立煌迁至合肥,省图书馆随之亦迁入合

---

① 蒋元卿:《解放前的安徽省立图书馆》,《新文化史料》1989 年第 3 期。
② 《安徽省战后教育大纲》,第 49 页。

肥。随后,当局派员开始勘定馆址,筹备建筑省图书馆,但因经费无从落实,一直未能兴工。省图书馆只得暂借合肥县民教馆办公,全部图书则装箱存在城西大夫第后的一座尼姑庵内。① 由于房屋不敷应用,另租合肥城内明峻别墅,又拨款100万元,对原建筑加以维护和扩建,以便开展业务。省图书馆还接收沦陷区敌伪的一批图书及芜湖、马鞍山日籍矿师的矿冶书籍,此外,又向教育部申请100万元购书经费,以便购置新书。省府并下令各县收集散书及地方文献,交省图书馆整理和保存。至1946年初,省图书馆馆藏图书又增至3万余册。②

然而,由于明峻别墅面积过于局促,新馆址问题又一直不能解决,直到1946年上半年,省立图书馆仍无法正常开展馆务和图书借阅业务。1946年6月,安徽省参议会第一届第一次大会上,陈献南、高莫适等人联名发起提案,声称:"社会风气之改善,民族道德之发展,及一般文化水平之提高,尤应加强社会教育的发展……民国十九年,教育部调查全国公私立图书馆,本省共有67所,内容亦相当充实。抗战时期,流离播迁,荡拆靡遗。鲁殿灵光,唯此省立图书馆而已。胜利以后,迁移合肥已阅半载,尚无确定适合馆舍,旧有图书不能全部展开,使人阅览。"为了迅速改变这一状况,他们提出充实省立图书馆的三条建议:

1.迅速勘定地点,建设合理馆舍。在馆舍未建筑之前,可将昭忠祠修理利用。

2.指拨专款,搜访佚书及本省文物,大量购置新出版图书,以供社会人士急切需要。

3.抗战期间,省立图书馆寄存各处文物(寿县出土古物、戏鸿堂法帖),应派员取回庋藏。③

---

① 蒋元卿:《回忆安徽省立图书馆》,安徽省政协文史资料委员会编:《文教史踪》,第149—150页。
② 《安徽省政府工作报告》(1946年度),第52页。
③ 《安徽省参议会第一届第一次大会会刊》,1946年版,第79—80页。

1946年11月,省立图书馆位于明峻别墅的新址修理整齐,布置适宜,开始对读者开放,全部图书开放阅览。1947年,省府向省图书馆增拨100万补充设备,南京政府行政院也划拨一笔收集散佚文物经费,收购散书及宋元珍本、善本书多种,并配发《新中学文库》一套。①

　　省立图书馆设立之初,还兼有博物馆的职能,负责收藏和保存本省历史文物。抗日战争爆发前夕,寿县出土楚王大墓,出土一批楚国珍贵文物,其中以楚王大鼎为代表的782件珍贵文物由省立博物馆保存。战争爆发之后,为了确保这批文物的安全,它们被转移至西南后方,交给已迁至后方的故宫博物院代为保管。1946年春,经省府向南京政府多次交涉,最终促使故宫博物院同意将安徽的这批珍贵文物装箱运回安徽。② 然而,因交通困难,至1947年春,这批文物仍未启运。经省府再度交涉,故宫博物院复函表示,"该项楚器已由乐山集中重庆,俟江水略涨,即由民生公司承运东来"。③ 最终,这批文物运抵合肥,交由省立图书馆收藏。

　　1947年秋天,中原人民解放军抵达皖西地区,合肥震动,随即实行戒严,国民党在合肥部署大批军队,省立图书馆大部分房屋被占住,馆务陷入停顿。1948年底,淮海战役开始,国民党当局在皖中地区的政治统治岌岌可危,1949年初,省立图书馆随国民党安徽省政府一起迁往安庆。④

(二)省立科技馆

　　战前安庆曾设有省会科学馆,抗日战争爆发不久,省会科技馆随之解散。抗战期间,建于大别山区的各中小学教学仪器极为匮乏,省府为解决中小学物理、化学、生物、音乐等课程教学中存在的实际困

---

① 《安徽省政府工作报告》(1947年1月—6月),第137页。
② 《安徽省政府工作报告》(1946年1月—6月),第52页。
③ 《安徽省政府工作报告》(1947年1月—6月),第137页。
④ 《回忆安徽省立图书馆》,《文教史踪》,第150页。

难,于是在立煌成立科学仪器制造所,专门制造初小仪器及风琴,以供各中心学校教学使用。1945年初,在抗日战争胜利前夕,安徽省教育厅拟定的《安徽省战后教育计划大纲》,在"社会教育"一节中,明确提出战后将恢复省立科技馆,"设于省会所在地",并规定省立科技馆应"徵购科学图书表册、机件、标本、模型、器材及科学教育用品、科学玩具,陈列展览,并设理化试验室,补助中小学科学试验"。①

抗战胜利后,科学仪器制造所随省府一同迁至合肥。与此同时,省教育厅认为以单独制造仪器为职责的科学仪器制造所已经不能适应形势发展的需要,经省府批准,1946年7月,省立科学馆在合肥重建,其机构分制造、推广、展览、总务四部,编制人员30名。

省立科学馆的基本职责,仍是为省内各校制作仪器设备。随着战后各级教育逐步复员,教学仪器的补充刻不容缓,省教育厅认为,目前各校所拨设备费极为有限,若再分别赴沪采购,即旅运费一项,亦有所不敷。有鉴于此,教育厅规定,补充和加强科学馆前有的机械设备,集中各校的仪器设备费,作为材料费,统一由省立科学馆制作教学仪器设备。1946年,科学馆已制成高中物理、化学、生物仪器标本模型共45架,国民学校物理仪器81套,风琴23架,在一定程度上缓解了各级学校教学仪器设备不足的困境。②

四、新闻与体育事业的复员

(一)新闻业的恢复和短暂繁荣

早在1898年,作为安徽近代报业的先驱《皖报》已在芜湖创办。安徽早期报刊主要集中在长江沿岸的商埠芜湖和省会安庆,作为皖中重镇合肥,直至1925年7月才出现第一张本地日报——《新合肥

---

① 《安徽省战后教育大纲》,第49页。
② 安徽省政府秘书处编:《安徽政治月刊》第10卷第3期,1948年版,第15页。

报》,之后又出现了《合肥日报》《民声报》《皖商周刊》等报刊。

1927年4月,南京国民政府成立,随后采取各种措施,加强政治宣传,以控制社会舆论。在此背景下,合肥城内报业一度获得快速发展,1928年,合肥地区相继有《新民报》《合肥民报》《皖中日报》《民声报》四家报纸创刊。

从20世纪30年代初至抗日战争全面爆发,合肥城中又相继出现《民国日报》(合肥版)、《民众日报》《晨钟报》《合肥民报》《津浉报》《庐州日报》等多家报纸。与此同时,庐江和巢县也先后出现一批近代报刊,如1931年8月创刊的《巢县日报》创刊,10月创刊的《庐江三日刊》《南巢导报》等。①

1937年7月,抗日战争全面爆发,合肥、庐江、巢县相继沦陷,各报刊纷纷停刊,但在广大敌后地区,仍出现了一些宣传抗日的报刊,1939年3月,《巢县动员周刊》出版;11月《庐江日报》创刊,次年4月一度停刊,1942年再度出版发行。

抗日战争结束后,合肥成为安徽省临时省会,遂成为国民党在安徽全省的统治中心,合肥地区地位的这一改变,对合肥地区报刊的恢复和迅速发展产生直接影响。随着省府及省属机构从立煌迁入合肥城区,一批原先设在大别山腹地的安徽省府及附属机构、国民党省党部系统及其他报刊也随之迁入合肥,其中包括《合肥日报》《皖报》《安徽日报》《公正报》《津浉报》等。与此同时,又有一批新报刊在合肥、庐江、巢县陆续问世,②在这一时期出版的众多报纸中,影响较大,发行时间持续较久的有《合肥日报》《皖报》《安徽日报》。

《合肥日报》于1925年8月在合肥创办,由国民党合肥县党部控制,其宗旨为"阐扬党义,宣传政令"。1938年5月合肥沦陷时停刊,次年在合肥县南分路口复刊。抗战胜利后,《合肥日报》迁回合肥城区。③ 其社址设在合肥城前大街江公祠,其发行人为龚竞滁和童杏

---

① 《安徽省志——新闻志》,第48—65页。
② 《安徽省志——新闻志》,第65—75页。
③ 《安徽省志——新闻志》,第16页。

苏。国民党宣传部门将其划入"第一类新闻纸类",为国民党当局在合肥从事宣传的主要报纸。①

《皖报》于 1928 年在安庆创办,为国民党安徽省党部控制,其宗旨为"宣传党义,指导舆论"。最初该报名称为《民国日报》,1937 年 10 月改称《皖报》。1935 年至 1937 年底,该报亦在合肥出版。1938 年 5 月安庆沦陷,《皖报》先后迁至皖南屯溪和皖西立煌继续出版。抗战胜利后,该报于 1945 年底随省府一起从立煌迁至合肥和安庆,分别继续出版。《皖报》合肥版在前大街四牌楼设立社址,国民党省党部秘书长王枞任社长,至 1949 年 1 月 21 日合肥解放时停刊。②

《安徽日报》于 1943 年 10 月在立煌创立,抗战胜利后该报迁至合肥继续发行。1947 年 5 月停刊。③

抗战胜利后,合肥又有一批新报刊相继刊行,其中包括《逍遥津》《公正报》和《新潮月刊》。

《逍遥津》报社址在合肥东大街 174 号,在其广告词中以"敢说敢骂""报界权威"来自我标榜,并强调"没有党派背景,绝无官方津贴,言人所不敢言,态度不偏不倚,暴露官场丑态,揭露社会黑幕"。④

《公正报》社址在合肥东大街 5 号,其广告词宣称,办刊原则为"态度公,立论公;内容精,消息灵",其栏目包括:"时事专电,各地通讯,省会新闻,读者之信,星期专论,学府风光,扬子江,周末文艺,学生公园,地方自治"等。⑤ 该报最初为 5 日刊,之后改为日刊。

1947 年 8 月 12 日,《新潮》月刊在合肥宣告成立。当天上午,《新潮》月刊发起人在县民教馆举行会议,会议确定《新潮》为综合性刊物,设立理论、文艺、翻译、杂出等栏目,选举了刊物发行人及各栏目主编,成立编辑委员会,将社址定在城内官盐街 32 号。⑥

---

① 《合肥日报发行公告》,《合肥日报》1947 年 4 月 19 日,第 1、4 版。
② 《安徽省志——新闻志》,第 17—18 页。
③ 《安徽省志——新闻志》,第 73 页。
④ 《逍遥津报广告》,见《安徽政治月刊》第 1、2 合期,封底。
⑤ 《公正报广告》,见《安徽政治月刊》第 1、2 合期,封底。
⑥ 《新潮月刊社昨开成立会》,载 1947 年 8 月 13 日《皖报》(合肥版),第 3 版。

除了上述报刊之外，合肥城内的省府及附属机构及国民党党团组织、学校也有自己的期刊，仅在安徽省图书馆收藏的就有《安徽公报》《安徽文献》《安徽政治月刊》《安徽卫生》《安徽水利》《建设汇报月刊》《安徽教育通讯》《安徽地方银行月刊》《安徽动员》《皖商周报》《安徽团讯》《安徽党务》《安徽会计通讯》《行政研究》《税务导报》《时代邮刊》《新学风》《新社会月刊》《人文世纪》《合肥青年》《公论》《善后救济》等20多种，还有在巢县出版的《清明》和《黄麓校刊》。[①] 这些刊物涉及政治、社会、文化、水利、教育、金融、赈济、卫生、农业、财会商业等众多领域，为研究这一时期的安徽及合肥地区的政治、经济、社会和文化提供了重要史料。

（二）省会区运动会举行与全省运动会流产

抗战胜利之后，合肥在全省政治地位的提升，这座城市的体育事业发展亦得到官方的支持和重视。与此同时，国民政府已决定恢复举办因战争中断的全国运动会，要求各省为之进行准备，组织选手参加竞赛。1947年初，省主席李品仙在《安徽省政府工作报告》中强调："为推进国民体育及挑选本省参加全国运动会选手起见，本年度一面建筑本省合肥公共运动场，一面督饬各专署及蚌埠市政府于5月内举行区、市运动会，并决定于6月1日在合肥举行全省运动会。"[②]

早在1946年9月，省府已计划修筑合肥城内公共体育场，以作为1947年全省运动会主会场。据合肥一家报纸报道：

（当局）计划于北门苗圃旧址，开辟为省立公共体育场，并派本县体育界人士葛庆本、范景曾二人负责监修，明春开全省运动会。至所需经费，经奉本省李主席核准，拨给5000万元，不日即可动工兴建。[③]

[①] 安徽省图书馆编：《安徽省图书馆馆藏解放前中文期刊目录》（上、下），1990年版（内部发行）。
[②] 《安徽省政府工作报告》(1947年度)，1947年版，第137页。
[③] 《省之体育馆不日可兴修》，《合肥日报》1946年9月20日，第3版。

当局在合肥城中修筑省立公共体育场的同时,也抓紧推进全省运动会的各项准备工作。按照原定计划,在全省运动会召开之前,各行政区和蚌埠将在4月或5月分别举行预赛,选拔参加省运会选手。[①] 1947年5月3日,安徽省运动会筹委会宣告组成,省主席李品仙亲自出任会长,副会长及筹备委员多系省府、国民党省党部及各部门负责人。同日上午9时,省运会筹委会举行记者招待会,报告筹备情形,参加招待会的除政府官员、记者外,还有众多省内体育界人士。[②]

1947年5月4日,筹委会向社会正式公布省运会竞赛规程,宣布:

本省三十六年度全省运动大会,已定于6月1日起,至5日止,在合肥北门内运动场举行……参加单位,除蚌埠市、合肥省会为独立单位外,全省共12个单位,选举资格,凡在区内之业余运动员(包括学生公教人员、民众军警宪),而不违反业余运动员之规定者,均有代表所在区参加竞赛之资格。各项运动,分男女两组,各区根据规定,选拔运动成绩最佳者参加,但每一单位于每组(男子组、女子组),在田径项目中,每项得参加4人,每人不得超过4项。

筹委会规定了此次运动会竞赛的各个项目及计分奖励办法:

运动项目:男子组:跳高、撑竿跳高、跳远、三级跳远、16磅铅球、铁饼、标枪等。女子组:跳高、跳远、8磅铅球。

球类比赛:篮球、足球、网球等。

计分办法:除球类比赛外,各组每项运动取四名,以五、三、二、一

[①] 《全省运动会之筹备,竞赛项目公布先期预赛》,《皖报》(合肥版)1947年4月12日,第3版。

[②] 《全省运动会筹备就绪》,《皖报》(合肥版)1947年5月3日,第3版。

计分,并分别发给纪念奖章或奖品。①

为了顺利举办此次全省运动会,省教育厅又下令合肥市各公立、私立中小学,应组织学生参加省运会体育表演,要求各校在25日之前将表演项目名称和人数上报教育厅。②

正当1947年度全省运动会的筹备工作紧锣密鼓进行之际,传来了由于经费不足,合肥省立公共运动场修建工程进展缓慢,无法在规定期限之前竣工的消息。作为省运会预赛的省会区(合肥)运动会,计划于5月21—22日在这座体育场举行,现在只得宣布延期。③ 随后,省运会筹委会宣布:"本年度全省运动大会,原定6月1日举行,现以各项筹备进展甚微,运动场地短期内亦难完成,尤以经费困难,故大会日期将展期举行。"④

6月6日,坐落在合肥北城区的省立公共运动场最终落成。同日,省会区运动会在推延半个月后正式举行。上午9时,省会区运动会开幕式正式举行,出席开幕式的有省府、县府机关代表、运动员选手及数万观众。李品仙主持开幕式并致辞,称"此次运动会旨在挑选优秀选手,扩大提倡运动之普遍性、整体性,以促进国民健康,提升国际地位",并特别指出,此次运动会是在"经费极端困难之下,经过努力"才得以举办的。开幕式后,合肥各公私立中学的学生给观众表演团体操。随后,开始进行田径各个项目及球类项目的比赛,获得名次的选手,主要来自省立合肥中学、省立贞干中学、省立合肥女中、县立简易师范、中正中学等几所中学。⑤ 7日,省会区运动会继续进行各项比赛决赛,8日上午,运动会在进行篮球和排球决赛后宣告结束。⑥

省会区运动会的举行,原本是为全省运动会选拔优秀的合肥选

---

① 《省运会积极筹备,竞赛规程已拟定》,《皖报》(合肥版)1947年5月4日,第3版。
② 《省会中小学应参加省运会体育表演》,《皖报》(合肥版)1947年5月7日,第3版。
③ 《省会区运动会决定延期举行》,《皖报》(合肥版)1947年5月21日,第3版。
④ 《筹备工作困难多,全省运动会流产》,《公正报》1947年5月22日,第4版。
⑤ 《省会区运动会开幕》,《皖报》(合肥版)1947年6月6日,第3版。
⑥ 《省会区运动会继续举行》,《皖报》(合肥版)1947年6月6日,第3版。

手,然而,在省会区运动会举办之后,全省运动会却因种种困难,一再推延。省运会筹委会最初决定,省运会推迟至6月10日举行。然而,仅仅数日之后,筹委会意识到即使到6月10日,省运会亦难举行。首先由于运动场尚未完善,其次各地选手选拔尚未完成,更严重的是战事的扩展,"目前皖南、皖北交通尚未顺畅,两地男女选手恐更不能如期赶到",故筹委会再次决定全省运动会延期举办,计划推迟至9月间举行。①

1947年下半年,国民党在安徽的统治陷入全面危机,粮价飞涨,民不聊生,抢粮风潮屡屡发生,特别是中原解放军千里挺进皖西大别山,合肥为之震动。在这样的局势下,国民党当局只得全力加强合肥周边的军事部署,根本无暇继续筹备在合肥举办省运会。最终,这次筹备多时,众人期盼的1947年安徽省全省运动会最终未能举办,被迫放弃。

第六节 国民党统治的崩溃与合肥全境解放

一、政治黑暗与腐败盛行

抗日战争结束后,随着省府迁入合肥,合肥遂成为国民党在皖的统治中心。同时也成为省内各地各种利益集团相互争夺、彼此角逐的名利场及政治暗箱操作的风水宝地,政治腐败随之迅速蔓延。一批批来自全省各地的求官职者,纷纷涌向这座古城,他们施展种种手段,通过各种途径,投靠和贿赂省府、省参议会的重要官员,以为自己谋求一官半职或牟取其他利益。一位记者对此这样描述道:

---

① 《全省运动会再延期,闻将延至9月份举行》,《公正报》1947年5月28日,第4版。

安徽省府自迁入合肥以后,无疑这里便成为政治中心地了,所谓"求名者集于朝",合肥大小旅馆里,平添了许多候事的人,在公务员生活清苦的今日,官吏可以一做者只有县长的位置,据估计在合肥谋官职者,单以活动县长,就有三百多人,然而安徽全省,只有残破的六十二县,不免有粥少僧多之概。这批未来的县长,全部持有中枢要人的"八行"而来活动,真叫当局者有应付为难之苦……①

随着合肥地区吏治日益腐败,各级官员贪污盛行,鱼肉乡民,导致民怨沸腾,当局不得不拿一些民愤极大、肆意妄为的官吏开刀,以期平息民怨。1946年春,合肥县长隆武功贪污案被揭露,成为轰动一时的重大新闻。

隆武功,广西清西县人,日本投降前夕,被任命为合肥县长。日本投降之后,合肥县政府从西乡刘家圩迁回合肥城,隆武功以接受大员的身份进城,"大肆掠夺物资,任意逮捕平民,甚至枪杀无辜。并以供应军需为名,向各乡摊派军粮,名为购买,实则不给分文",罪恶累累,民愤极大。②

1946年春,南京政府派遣钮永建为安徽宣慰使来到合肥,在省参议会召集会议,对隆武功一直不满的合肥士绅龚啸云乘机揭露其贪赃枉法的种种罪行。省府本想庇护隆武功,逼迫龚啸云拿出隆武功犯罪证据。随后,在民众支持下,龚啸云迅速搜集隆武功所犯各种罪行的证据300余件。与此同时,隆武功贪污的消息不胫而走,成为轰动一时的特大新闻,芜湖、蚌埠、南京等地多家报馆记者,云集合肥。省内外民众,也纷纷向省长李品仙请愿,强烈要求严惩隆武功。迫于民众和舆论压力,李品仙只得同意将隆武功送交法院办理。③

---

① 《合肥是安徽的政治中心》,《大地周报》,1947年,第5版。
② 龚啸云:《对合肥县长隆武功贪污案的回忆》,《合肥文史资料》第7辑,第101页。
③ 龚啸云:《对合肥县长隆武功贪污案的回忆》,《合肥文史资料》第7辑,第101—102页。

然而,在合肥法院审判隆武功案件过程中,仍然遭到省府和安徽省高等法院的一再干涉,先是试图将隆武功"交保候审",在遭拒绝后,又试图将合肥法院院长调离。当局的干涉,导致隆武功案件的审理一再拖延。①

然而,隆武功贪污公款等罪行毕竟铁证如山,而且引起社会舆论的广泛关注,当局的竭力庇护最终无法扭转该案审判的最终结果。1946年10月24日,合肥地方法院审理隆武功案取得重大进展,认定隆武功"触犯惩治贪污罪五项"。② 10月30日,合肥地方法院对隆武功作出判决,上海的《申报》及时报道了这一消息:

"前合肥县长隆武功贪污罪,30日经地院宣判,四罪共处徒刑四十三年半,执行15年。共同犯前县银行长丁利坤,电管处主任朱树南,补给站秘书刘□□,各处徒刑10年,褫夺公权10年。"③

然而,隆武功案并没有就此终结,隆武功不服合肥法院的判决,向安徽省高等法院提出上述。随后,"隆武功贪污案,藉端勒索部分由高院五分院发回更审"。1947年4月10日上午8时,隆武功案在合肥地方法院刑庭开庭重新审判。④ 所谓"藉端勒索部分",是指合肥前县长隆武功,于合肥收复、县府进城时,以高玉书有汉奸嫌疑为由,将其扣押80余日。后经合肥县银行丁利坤向高玉书勒索黄金16两,白银1500两,并由丁利坤具保开释。隆武功否认勒索一事与己有关,故提出上诉。4月11日下午2时,合肥地方法院做出重审判决,认定隆武功实为勒索高玉书一案主犯,并判决如下:

"隆武功共同勒索财物,处有期徒刑10年,褫夺公权10年,所得财物应予没收;丁利坤帮助藉端勒索财物,处有期徒刑5年,褫夺公权5年。"⑤

---

① 何同:《隆武功贪污案件审理见闻》,《合肥文史资料》第7辑,第103页。
② 《合肥前县长贪污案宣判》,《申报》1946年10月29日,第1张第3版。
③ 《隆武功贪污判刑十五年》,《申报》1946年11月1日,第1张第3版。
④ 《隆武功案昨日重审》,《皖报》(合肥版)1947年4月11日,第3版。
⑤ 《隆案藉端勒索部分发回更审,昨已宣判》,《皖报》(合肥版)1947年4月12日,第3版。

尽管合肥县长隆武功因贪污受到惩处，但是隆武功并非是唯一贪赃枉法的官吏，更多犯有贪污罪行的官员从未得到法律追究。就在隆武功案审理期间，报纸披露安徽省公路局长叶宗祺，利用战后修复损毁公路的机会，大肆挪用公款，中饱私囊，严重影响各公路修筑工程进展，引起省长李品仙的震怒。① 然而，此后并没有叶宗祺受到当局惩处的下文。1947年5月，合肥县参议员许慕韩涉嫌贪污的消息亦被报纸披露。②

事实上，这一时期随着国民党在战场上不断遭到惨败，贪污腐败已经深深地腐蚀了整个国民党官僚阶层，合肥城区众多贪官污吏不仅没有得到法律追究，反而继续得到重用，继续吮吸着民脂民膏。一位外地记者在考察合肥官场之后，在《合肥现形记》一文中说，他在游览包孝肃公祠后，看到祠内大门上"虎铡尚存否，倘教污吏贪官法网难逃，何妨一试"文字后，不由发出"贪官污吏生得其时，阎王老子太无情"的感叹。③

二、横征暴敛

1946年6月，国民党为了维护一党专制的独裁政权，悍然发动全面内战，战火迅速蔓延全国各地。随着战事的扩展，各种资源短缺的问题日益突出，尤其是粮食短缺的情况更为严重，国民党政府随即恢复在农村地区的横征暴敛政策，赤裸裸地对农民进行掠夺，安徽各地农民立即陷入水深火热的苦难之中。

1946年夏季，南京政府开始强迫各地农民缴纳军粮。在内战开始后，皖东北、皖北等地成为国共双方争夺的重要地区，饱受战火蹂躏，1946年秋，又遭受严重的水灾和蝗灾，许多地区粮食产量大幅度下降，粮食严重匮乏，无法完成缴纳军粮任务。安徽各县，尤其是霍

---

① 《叶宗祺刮公路皮，李主席极为震怒》，《皖北日报》1946年7月24日，第3版。
② 《议员许慕韩贪污被告》，《合肥日报》1947年5月7日，第3版。
③ 庞心一：《合肥现形记》，《大地周报》1947年第85期，第9版。

邱、六安、三河、全椒、桐城等县，均未如数交付军粮。2月底，南京政府国防部长白崇禧致电安徽省主席李品仙，敦促安徽迅速完纳军粮。电文称：

贵省田粮处应交十五分监部军粮，据报各县均不按期拨交补给中止，现2月将终，而上年12月底前军粮，尚多欠交，目前皖北军粮急待补给，且奉蒋主席电令，限2月底归还屯粮，已饬十五分监部派员分赴各县坐催，请严饬田粮处及各县火速拨交，否则贻误军食，各该交粮机关，应自负责，恭希併饬知照，仍请饬将交换情形示复为荷。

与此同时，负责征缴军粮的南京政府十五分监部诸葛曙致电李品仙，恳请皖省迅速交付拖欠军粮，电文以威胁的口吻强调：

"主席蒋手令，查办交接粮迟误之责各员，送军法处审问。恳即电各县火急交粮。又，霍邱县不肯照原议案在淮河及正阳附近交粮，六安、三河、全椒均集中迟误，桐城上年5月份购交新军粮2000余包亦未交付，恳分别惩处，勒令即交，否则各县长及职均有杀身之祸……"

在蒋介石及南京政府各大员的严厉催促下，李品仙电令省内各县政府，限期在2月底之前缴纳拖欠军粮。电令称：

"查各县应交十五分监部军粮，除已经交皖供应局，暨据该县呈报拨交数外，其余欠粮，迭经电饬如限清交在案。顷准十五分监部诸葛分监电话，以中央督查组业已到蚌，顷奉主席蒋手令，欠交军粮，限2月底前缴齐，如有违误，解京军法司审办。……供应局之粮，亦应遵照限期如数交该局所属仓库接收。如有违误，即遵令惩办，决不宽贷,此令。"①

1946年夏,国民党恢复征收田赋,并变本加厉,强迫各地农民必须将各年拖欠田赋一并缴纳。1947年4月,省府在报上刊登厉行催缴欠赋的各项办法:

"1.各县三十五年度及以前各年欠赋除奉准豁免者外,统限自本年4月1日起,至八月底止,分5个月征齐,第1个月须征起欠额10%,第2个月征起40%,第3个月征起70%,第4个月征起90%,第5个月须扫数征齐。2.各县府或田粮处应印制欠赋通知单,加盖县印,发交各乡镇办事处,报请县府,查照欠赋,挨户填交各保甲长。3.各欠户如经通知,仍不清完者,准由乡镇办事处报请县府传案押追清完。4.各县催收欠赋,应先催大户,次催小户,以免小户观望。5.业户欠粮在2年以上,每年并在廿市石,确属无一次清完者,准分期缴纳,由最近年份完起。6.各县县政府,应予开始催收时,将业户应行注意事项,分保布告周知,并将原布告检呈察核。7.各保甲长散发欠赋通知单,应于奉到后5日内送达各业户,逾期即查明责任,予以惩处。8.在欠赋催收期间,各县县长、处长,应分乡出巡,亲身督征,并加派科员以上职员。挨乡坐催。"②

为了满足战争需要,国民党当局还以"委购粮"的名义在全省各地大量强行以低价收购粮食,不仅造成全省粮食的严重匮乏,而且给安徽经济造成严重破坏。2月,安徽省参议会在合肥召开会议,通过决议,以"上年本省承办委购粮,人民创痛,至今未苏,今以15000元之贱价收购县级稻谷一石。值此春荒,民饥可虑"为由,恳请粮食部停止在皖征购赋粮。2月底,省参议会以"鉴于目前物价飞涨,地方

---

① 《李主席手令各县,迅将军粮缴清》,《皖报》(安庆版)1947年3月6日,第3版。
② 《催收欠赋,省府制订十项办法》,《皖报》(合肥版)1947年4月11日,第3版。

财政无法维持,人民痛苦日深"为由,再次通过决议,派遣代表赴南京请愿,吁请免征赋粮。并利用张治中将军路过合肥之际,请其以"桑梓为重,代向中央呼吁"。省府亦向省参议会表示,将向南京政府力争,请求免除在皖征购赋粮。

然而,南京政府粮食部部长谷正伦当即拒绝安徽省府和安徽省参议会的请求,反而强硬地要求省府,"转饬各县照数赶速运交足额,以济军食"。①

1947年3月,合肥等地出现粮食严重短缺,省城粮价暴涨,人民生活难以维系。迫于民间压力,省府和省参议会再次恳求南京国民政府减免在皖征购赋粮。南京国民政府面对这一情形,为了保持后方政治统治稳定,防止社会发生骚乱,不得不做出少许让步,减少安徽征购赋粮的数额。4月初,粮食部致电安徽省长李品仙,表示:

"关于征购贵省省县粮150万市石案,洽定已久,成效未著,现循贵省该代表之请,省级粮仍为60万市石,县级粮减为60万市石,共为120万市石,价款除已拨100亿元在案外,并于寅俭由央行续汇30亿元,希即洽收转拨。此次关于收购省县粮一案,主席在京召集各省主席、民意机构议长检讨,严饬各省履约,如约如期如额运交,并不得任意请求加价或减免。"②

1947年春,国民党军队在战场上遭到一连串严重失败,军事上的失败又加剧了国统区政治、经济和社会的全面危机。为了挽救失败命运,国民党开始变本加厉地在国统区推行更加疯狂的掠夺性政策。蒋介石亲自致电李品仙,要求安徽立即征缴1947年度田赋。电文称:

---

① 《省参议会为民请命,电吁请免购赋粮》,《皖报》(合肥版)1947年2月27日,第3版。

② 《粮食部电省政府,催运收购赋粮》,《皖报》(合肥版)1947年4月4日,第3版。

查三十六年田赋,以经济丰收常态,仍征收实物,经中央决定在案,嗣为配合动员戡乱,复经国务会通过,继续征借粮食,所有征收、征借配额及实施办法,业经行政院通饬遵照,现距开征之日已近,希即督饬加紧筹划,如期开征,以应需要。

省府奉电后,随即电令全省各县一律遵办:"本省三十五年度欠运皖供应局及粮储运处军粮,省府顷奉国府主席电,限一律于9月20日之前,扫数清交,如有贻误,该主管人员,定予严惩。……除撤职外,并交军法讯办。"电文并要求征麦县份务于9月1日开征,征稻县份务于9月16日开征,又派省田粮处戴副处长少英,亲赴各县督运。①

南京政府和安徽省府推行的横征暴敛政策,导致安徽这个全国重要的产粮省份出现严重的粮食短缺现象,使包括合肥在内的安徽人民的生活陷入水深火热之中。

三、粮价不断暴涨与抢米风潮突起

自从国民党向各解放区发起全面进攻,挑起全面内战之后,为了保障军队供给和战争开支,南京政府在其统治区域大肆征收苛捐杂税,竭力搜刮民脂民膏,并滥发纸币,造成严重的通货膨胀,物价不断上涨。合肥位于国民党统治的心脏地带,南京政府在这一地区的搜括尤其严重。经过八年日军占领之后,合肥地区经济本已千疮百孔,元气尚未恢复,现在更是雪上加霜,人民生活日益贫困。

1946年初夏,长江中下游地区一些城镇相继出现粮食短缺的情况,国民党官僚和不法商人乘机在安徽等产粮省份大肆搜购粮食,囤积居奇,至上海、南京等沿江各埠出售,以牟取暴利,从而导致合肥地

---

① 《本年新赋限期开征,国府主席电饬遵照》,《皖报》(合肥版)1947年8月14日,第3版。

区米价上涨,民众生活苦不堪言。对此,当时的上海《申报》曾有报道:

合肥米价,上月一度涨至每石3万元,嗣因二麦盛茂,即将丰收,民食有物可代,乃即跌至二万三四千元,讵近一周内,沿江各埠米价太高,商人纷来购米出境,每日北运蚌埠,南运芜湖……不下数百石,米价又因之逐步上涨,27日每石已逾43000元,其他各物亦随之昂贵,期盼当局,从速禁米出口,稳定市价。①

由于南京政府拒绝免除在皖收购赋粮,大量米粮继续从安徽市场流失,进一步造成合肥等地市场粮食短缺,这对于日益高涨的物价无疑起到推波助澜的效用。对此,合肥的一家报纸惊叹道:

"近来社会上都骇异于物价上涨,食粮涨、燃料涨、衣着涨……举凡生活的一切必需的日用品,没有的不涨。涨,涨!从前的涨还是螺旋,涨到某一阶段,还可稍一停顿,现在不然了,任何物质的价格,都是直线上升,好比一只毒性发作的狂犬,毫无理性乱咬,简直无法制止。"②

在各种生活必需品中,粮食价格的疯狂上涨,无疑对合肥地区人民的基本生活造成灾难性的影响。1947年春,正值农村青黄不接之时,合肥市场的米价再次开始连续上涨,迫使省府采取管制措施,4月15日,省府电令灾区各县,禁止粮食酿酒,同时禁止粮食外运。③随后,省府又颁布命令,责成粮行暂停采购成交,以免粮商贩运出

---

① 《合肥——米价高涨,生活费重》,《申报》1946年6月3日,第1张第2版。
② 《我们的呼吁》,《合肥日报》1947年5月7日,第3版。
③ 《禁止粮食外运,并禁止酿酒,违者严惩》,《皖报》(合肥版)1947年4月15日,第3版。

口。① 然而,上述措施并没有得到真正执行,丝毫不能遏制奸商的投机行为。米商们继续大量采购和囤积粮食,米价进一步上涨。5月初,合肥的一家报纸发表文章称:

"本市米价近日来涨风甚炽,其原因系本市及外埠米老虎大量运输出口所致,……近复有大批米老虎疯狂收购,致本市米价又由12万1石,进入16万1石大关。政府当局设不迅速管制,惩办奸商,则本市物价将不知高达何种程度……"②

然而,米价的疯狂上涨并没有就此停止,5月下旬,合肥米价进一步上涨,一家报纸赫然以"白色恐怖,米价突破18万关"为标题,担心粮价如此暴涨,"长此以往,不仅影响人民生活,而且可能扰乱社会经济",呼吁当局采取切实措施,阻止粮价继续上涨。③

米价的持续飞涨,不仅使处于社会底层的市民百姓的生计难以维系,就连省城合肥的中下层公务员也开始面临断炊的危险。当时,国民党合肥县政府的一位公务员在报上直言不讳地指出:

"我们是一群县级公务员,目下待遇还是三个月前订的,数目微薄,简直出乎想象。举一个例,一个委任四级科长,每月只拿到18万元,等而下之,当然更少。现在物价超过当时好几倍,以此区区之数,能饱几人肚子?……在战时,我们勒紧肚带,吃辛受苦,是期待胜利来临,胜利来了,除带给少数人利益膨胀外,而给我们的依然是'饥寒'二字。于此,我们深表感慨和愤恨。"④

粮食价格暴涨,使得处于社会底层的贫苦民众生活更是陷入绝

---

① 《粮价连日突飞猛涨,省府采取管制》,《皖报》(合肥版)1947年4月22日,第3版。
② 《本市米价飞腾,昨入16万关》,《合肥日报》1947年5月4日,第3版。
③ 《白色恐怖,米价突破18万关》,《公正报》1947年5月13日,第4版。
④ 《我们的呼吁》,《合肥日报》1947年5月7日,第3版。

境，他们本能地认为是那些奸商囤积居奇，大肆外运米粮，以牟取暴利，从而导致合肥地区的粮价暴涨，因此将不满的矛头首先对准这些粮商。迫于生活压力，他们最终铤而走险，聚众围堵粮商的运粮船只，抢夺船上粮食，抢米风潮迅速蔓延。1947年4月27日，合肥东门外发生饥民抢粮风潮，当地一家报纸报道了这一事件：

  合肥县东门外沈鸿昌、信和丰等五米行，近有上海客人购买绿豆、花生、米等粮食，二百余石，企图输出获利。讵于本月27日上午10时左右，船行经卫扬村地方，突被该村附近饥民百余人，蜂拥而来，将米商所载运粮食全部抢劫一空。

  这家报纸在报道这一事件的同时，又指出："查合肥向系产米区，民食尚称自足，经此次沪帮来肥搬运，米价突由7万涨至13万关外，对于全市民食威胁至大，可以想见。"又说："至此事发生后，昨日外运米粮，咸为之裹足，本市米价一度下跌，最熟米每石已由16万跌至12万，普通成色则在10万之谱。"①其对抢米饥民之同情，对偷运米粮外运的粮商之憎恨，已溢于言表。

  5月13日，合肥东门外十余里的卫央村，也发生抢米风潮。上午10时，停泊在卫央村河边的十余艘运粮船，正准备开驶，忽然拥上百余名当地村民，将船上粮米抢劫一空。②

  5月15日，合肥再度发生抢米风潮，东门外大王庙附近，停泊有20余只粮商的运粮船，准备运粮出境，结果遭到大群饥民的抢夺，损失粮米50石。③

  5月16日和17日，合肥更是连续发生因为饥民抢米而酿成的严重流血事件，引起社会舆论一片哗然。据报道，16日下午，合肥一些砻坊和米行，悍然将1000余担米粮，装载七八十艘运粮船，浩浩荡

---

① 《二百石米粮外运，突被饥民抢空》，《皖报》（合肥版）1947年5月1日，第3版。
② 《生活逼人，抢米风又起》，《公正报》1947年5月14日，第4版。
③ 《东外饥民又抢米，米蠹损失五十石》，《公正报》1947年5月17日，第4版。

荡,试图私运出城。粮商并用重金聘请当地国民党驻军,"携带机枪2挺,步枪三四十支,前往弹压护送"。当晚10点左右,即有饥民三四百人,携带箩筐,前来抢米。"讵意护送部队,见饥民纷纷冲来,立即鸣枪射击,当时将一年纪19岁姜姓少女击毙。饥民见米船鸣枪伤人,纷纷四散逃回,米船一无损失"。17日下午3时许,该粮船继续实行武装护运,这更激起附近地区饥民的愤恨,他们怒不可遏,复集合七八百余人,蜂拥下船,大肆抢掠。"是时,护运部队见来势凶猛,复鸣枪百余发,并枪伤饥民三人"。

合肥为安徽省省府所在地,又毗邻国民党统治的中心城市南京,米价暴涨直接影响人民大众的生存,导致抢米风潮频发,造成社会动乱,威胁国民党在这一地区的统治,引起国民党最高当局的担忧。1947年5月初,蒋介石亲自致电安徽省长李品仙,强调"粮食为人民食用、不可或缺之物,绝不容有囤积操纵、牟利害民情事,迩来各地粮价,辄多波动,危害民生极大"。为此,他拟定4项办法,试图平息事态,并要求安徽等省予以遵办:

1.凡正当粮商办理粮食之购销,各级地方行政主管,应予协助及便利,其未经备案核准之粮商,不得购屯粮食。

2.各银行办理粮食贷款及押汇,亦以已登记核准之正当粮商为限,其数额在谷麦100担以上者,并须随时报请粮食部备查;在200担以上者,应先报请粮食部核定,各银行更不准私自合作存粮食。

3.正当粮商购运粮食,应随时出售,供应市场,不得囤积或故意抬价。

4.乡村与都市间之粮食流通,应绝对自由,地方党政军机关及人民团体,均不得操纵。其在政府制定限定物价之都市,对于粮食输出有限制之必要时,亦应由当地行政主管机关,秉承粮食部命令办理,其他机关亦不得越权办理。

与此同时,蒋介石又命令行政院,转令各省当局:"对于各该省市物价管制,限一星期内管理妥善,不得延误。尤以米粮一项,应采严厉措施,予以抑平价格。如发现囤积操纵粮食者,一律处以死刑,以为操纵民食者戒。"①

在南京政府的命令下,省府也开始采取相应措施,严禁粮商囤积粮食,以期平抑米价。省府并认为,"现以春荒期届,粮价飞涨……迭据各县电报,发生抢米风潮,其中难免不有不肖分子煽惑扰乱,如不设法严厉制止,影响社会秩序,妨害治安,关系军粮"。5月17日,省府拟定平抑米价及制止抢米风潮的五项办法,电饬各县遵行:

1.各地行政机关立即查明当地粮食歉亏状况,督商购运调剂;并召集地方士绅,切实举行平粜,并严禁粮食囤积居奇,依法严办,以期稳定粮价。

2.各县未用积存未用积谷,饬即妥拟办法,呈准贷放民食。

3.各县县级应得改公粮,除奉饬收购部分,应即会同党团民意机关议价,呈准拨售。

4.各地行政暨军警机关,应督饬当地乡保甲长暨农工商团体,严密查防不肖分子煽惑无知贫民滋生风潮。

5.各地行政暨军警机关,对发生抢粮风潮,应严厉制止,其违抗暴动者,即以聚众抢劫暨妨害社会秩序依法惩处。②

然而,不论是蒋介石亲自拟定的稳定粮价的四项措施,还是安徽省府制定的平抑粮价、制止抢米风潮的五项办法,并不能抑制合肥等地粮价的不断上涨,亦不能制止民众抢米风潮的继续蔓延。5月17日上午,合肥米商再次纠集一百余艘木船,试图将四千余担米粮偷运出境。合肥城区和周边地区的饥民获悉后,蜂拥而至,人数居然达到5万之众。为了阻止饥民抢米,船上武装人员公然开枪,造成数名饥

---

① 《蒋主席电省府,限期抑平米价》,《公正报》1947年5月6日,第4版。
② 《防止抢米风潮,省府拟定五项办法》,《皖报》(合肥版)1947年5月17日,第3版。

民伤亡。由于受到民众阻挠,粮商被迫将船只驶回合肥。次日,合肥县县长汪廷霖和县参议员宋世科闻讯后,随即赶赴米船停泊码头,仍有大批饥民前来抢米,于是命令警察鸣枪驱散饥民,同时将粮船扣押,并向民众表示,今后"本人将竭力阻挠米粮出口",并答应被粮商枪杀的饥民"据实为之申冤",以此来平息事态。①

5月19日,针对此次抢米风潮,合肥参议会举行临时紧急谈话会议,形成决议6条:

1.此次强运肇事之米,应即全部封存,作救济之用。2.凡武装护运之粮商,由行政机关依法处理。3.肇事武装士兵,送请最高军事机关,依法惩处。4.抚恤伤亡,由县府令饬乡保长调查伤亡人数。5.由县府召集县参议会、县党部、青年团、省会警察局及地方各法团,组成"粮食管制委员会",切实遵照省府规定,严格管制。6.请县府切实维护交通与治安。②

同日上午,合肥县长汪廷霖在接见记者时明确表示,"关于此次押回之米石,有700石左右,现在正在起卸中,是项米粮决定办理平籴,或移交慈善机关,办理急赈事宜"。③

在此之前,省参议会已于5月18日下午在合肥召开紧急会议,商议如何稳定物价,阻止抢米风潮进一步蔓延的对策。会议通过决议,要求省府采取措施,阻止大量运米出省和阻止粮商囤积居奇。④随着当局采取紧急措施,严惩囤积居奇,全面限制粮米外运,加之1947年夏秋之后,新粮陆续收获入仓,粮食供应严重不足的情况暂时得到缓和,粮价疯狂上涨的趋势开始遏制,一度急剧动荡的社会也

---

① 《抢米风潮仍未息,又有三人为枪击受伤》,《皖报》(合肥版)1947年5月19日,第3版。
② 《合肥参议会对米潮案发表谈话》,《皖报》(合肥版)1948年5月20日,第3版。
③ 《汪廷霖谈将办平糶》,《皖报》(合肥版)1948年5月20日,第3版。
④ 《商讨制止米潮,省参会昨开紧急会议》,《皖报》(合肥版)1948年5月19日,第3版。

暂时恢复了平静。然而，这只不过是暂时现象，随着1948年中国政局出现新的发展，国民党在中国大陆的统治开始崩溃，一轮更为猛烈而疯狂的通货膨胀将不可避免地卷土重来。

四、国民党在合肥的统治陷入全面危机

在国民党挑起内战之初，合肥位于国民党统治的中心区域，远离内战战场，尚未受到战争的直接影响。1947年6月，刘伯承和邓小平率领晋冀鲁豫野战军从鲁西南突破黄河天险，随后，刘邓大军千里挺进大别山，直插国民党统治区的大后方，揭开了中国人民解放军战略反攻的序幕。中原战局的这一重大变化，使合肥地区的国民党统治机关立即陷入极度恐慌之中。

合肥位于安徽中心区域，西面与皖西大别山山区毗邻，东边邻近国民党统治中心南京，北方紧靠津浦线上的交通枢纽蚌埠，战略地位极为重要，自古即为兵家必争之地，1947年，一位名叫庞心一的作者曾撰文指出：

> 合肥除为政治的省会外又是重要的军事城市，清顾祖禹在《方舆纪要》（原文如此，应为《读史方舆纪要》）中指出："庐州府（府治合肥）为淮右襟喉，江南唇齿，自大江而北出得合肥，则可以西向申蔡，北向徐寿，而争鹿中原。中原得合肥，则扼江南之（吮）[吭]而拊其背矣。"由此可见合肥的重要了。①

正是由于合肥处于极为敏感的战略要地，因此对战局的发展和演变极为敏感。早在1947年6月初，中共地方武装在合肥周边地区的活动开始频繁，合肥城区局势日益紧张。为了防止中共武装人员的活动，6月12日，安徽省保安司令部宣布在合肥城中实行戒严，规

---

① 《合肥现形记》，《大地》1947年第65期，第9版。

定"自即日起,每晚 10 时起,实行夜间戒严,禁止人民通行"①。

8月底,刘邓大军第三纵队挺进皖西,开辟皖西根据地,9月上旬,连续攻克金寨、六安、霍山、岳西、舒城、桐城、庐江等县城,合肥为之震动。之后,刘邓大军转战豫西。9月19日,刘邓大军第三纵队回师皖西,抵达六安附近。国民党政府调遣原驻合肥的第八十八师六十二旅前往增援,被围困于六安东南的张家店。10月9日,人民解放军发动张家店战役,"敌六十二旅被全部围歼,俘获敌少将副师长唐家楫以下 2000 余人"。②

张家店战役之后,合肥防务顿显空虚,省府、县府及各附属机关均陷入极度恐慌之中。为加强城防,合肥成立城防司令部,并于10月14日设立联合军警稽查处,在城门设置检查站,对来往行人实行严格检查。③ 10月24日,合肥县参议会举行第一届第六次会议,加强城防成为此次会议中心议题,决定"针对当前局势之需要,配合政府,动员戡乱"。④ 随后,合肥县政府认为,"在此动员戡乱时期,军事供应,因为紧要,而发给国民身份证,为清查户口,杜绝奸宄之根本办法",命令各乡镇长,必须抓紧填发身份证,限 11 月 10 日之前全部办完。⑤

1948 年春,根据中共中央新的战略部署,刘邓大军主力从大别山区转入中原地区,以配合陈粟大军进行规模更大的作战。在此之后,国民党人在合肥防务上所面临的巨大压力有所缓和,然而,国民党在军事上的不断失败,迫使当局更加疯狂地将一切资源和资金投入战争,彻底拖垮早已千疮百孔的国统区经济。1948 年初开始,一轮更为猛烈的通货膨胀和粮价上涨开始形成,给合肥地区的民众带来

---

① 《保安司令部昨宣布,合肥实行戒严》,《皖报》(合肥版)1947 年 6 月 13 日,第 3 版。
② 戴惠珍等:《安徽现代史》,安徽人民出版社 1997 年版,第 547—548 页。
③ 《省会军警联合稽查处规定检查站设置办法》,《皖报》(安庆版)1947 年 10 月 15 日,第 4 版。
④ 《合肥县参议会六次大会闭幕》,《皖报》(安庆版)1947 年 10 月 25 日,第 3 版。
⑤ 《合肥县填写身份证,限下月 10 日前办竣》,《皖报》(安庆版)1947 年 10 月 25 日,第 3 版。

更为严重的伤害。

1948年1月,随着合肥地区物价的迅速上涨,公务员微薄的工资已经无法养活他们自己和家人。由于法币的迅速贬值和米价不断上涨,为了减轻公务员的生活压力,1月初,省府开始考虑给公务员配给食米。①

4月,粮荒再一次在合肥等地蔓延,合肥东乡一位刘姓妇人,因丈夫在外面没有将钱及时寄回来,家中食粮断绝多日,因不忍看饥饿的子女哭啼而上吊自杀。针对当局将饥荒的原因归咎于中共的进攻,报道此事的记者悲愤地追问:

粮食到哪里去了?饥荒是谁造成的?淮河流域的皖西各县,以未经骚扰而又是全国最著名米市芜湖一带,尚且一次、一次表演食粮的悲剧,是不免叫吾人有所怀疑。②

1948年5月初,合肥城区及周边地区的各类商品物价开始加速上涨,民众因此对南京国民党政府的不满更为强烈。当地报纸在报道物价猛烈上涨的同时,激烈地表达了这种愤怒情绪:

5月涨风一来,百物上扬,大至于黄金,小至于猪肉,无不蒸蒸日上,简直像一匹脱缰的野马,直往前奔,无法控制,无法遏止。而我们的政府,上至政院,下至县府,不知道是被涨风吹倒了?抑是被物价吓晕了,又或者是张皇失措,不然何以不见有人拿办法来制止或制裁?③

6月,合肥地区的物价仍在飞涨,合肥一家报纸连续以《热狂的

---

① 《公务员配给食米,当局正在考虑中》,《公正报》1948年1月6日,第2版。
② 陆尘:《饥饿的序幕——安徽食粮缺乏简述》,《皖报》(合肥版)1948年6月20日,第3版。
③ 《政府在装聋作哑吗?涨风何以不抑止》,《公正报》1948年5月16日,第4版。

物价涨风》《物价吃人,饰金食米创新价》《涨吧!》《官价米无市》《6月份生活指数91万倍》等醒目标题,①报道合肥城区物价的飞涨已经使城区民众的生活陷入绝境。

在合肥等地物价飞涨无法抑止之际,在中原战场上国民党军队又遭到重挫。1948年6月17日至22日,人民解放军攻克当时的河南省会开封,全歼守敌39600余人,中原战场发生决定性的转变,国民党在这一地区的统治岌岌可危。为了挽救败局,南京政府决定成立统辖湖南、湖北、河南、江西和安徽军政事务的统一机构——华中军政长官公署,由白崇禧出任军政长官。6月底,经白崇禧推荐,南京政府调任安徽省主席李品仙为副军政长官,作为白崇禧的副手。②在卸任之前,李品仙于7月2日重返合肥,并发表讲话,声称"皖省为中原重要地区,军政工作应加强总体战"。③

然而,所谓总体战,只不过是一句空话,丝毫不能改变国民党统治在安徽土崩瓦解的必然命运。当局认为,"开封战役之后,华中军事日益加强,皖省为华中重要地区,合肥尤为军事、政治重镇,城防有加强必要",遂决定加紧修筑合肥城防工事。④

然而,在李品仙出任华中军政公署副长官之后,安徽省主席一职实际上空缺,国民党在安徽的统治陷入群龙无首的境地,各派政治势力的矛盾和冲突开始公开化。7月初期,国民党安徽省当局内部在修筑合肥城防工事问题上发生严重矛盾和冲突。对于修筑和加固合肥城区城防工事,当时预估相关建筑费用为1000亿元,为解决这笔庞大经费来源问题,省参议会陶若副会长建议,将其中400亿元向合肥城区居民摊派,立即引起合肥民众强烈抗议:

(7月)10日上午10时,合肥城内人民代表18人与民众数百人,

---

① 见1948年6月19日、21日、27日、29日、7月1日《公正报》。
② 李品仙:《李品仙回忆录》,(台湾)中外图书出版社1971年版,第242—243页。
③ 《华中军事日形紧急,李主席受重任返合》,《皖报》(安庆版)1948年7月4日,第3版。
④ 《合肥为华中军政重镇,加强城防工事以保安全》,《皖报》(合肥版)1948年7月5日,第3版。

为反对 400 亿城防工事建筑费与省参议会及自卫特捐稽核委员会发生冲突……齐赴省参议会请愿，坚请陶若副议长领导向省政府请愿，要求该费由自卫稽核委员会负责。因陶副议长兼该会主任委员，故加以拒绝，随有民众多人上前，架起陶副议长游行，沿途高呼口号。经军警努力维持，始将陶副议长解救至省府。

事后，安徽省参议会和自卫特捐稽核委员会召开紧急会议，会后发表声明，声称合肥这些民众代表的行为已属越轨行动，予以强烈谴责，并通过如下决议：

1.请省府惩办肇事祸首。2.请省府保障省参议会及自卫特捐稽核委员会人员的安全。3.自卫特捐稽核委员会停止办公，以示抗议。4.召集省参议会临时大会。

与此同时，合肥民众代表则会见记者，表明城防工事建筑费应由自卫特捐稽核委员会负责，强调他们对摊派城防工事建筑费将反对到底。

在这一事件中，合肥县参议会、县商会及各界人士明确支持民众代表，他们也在县参议会举行会议，之后在县参议会举行记者招待会，表明反对向合肥民众摊派 400 亿元城防工事修筑费，要求由自卫特捐稽核委员会承担修筑合肥城防工事的全部费用。[①]

围绕修筑合肥城防工事费用问题，省参议会和合肥县参议会所展开的斗争和冲突并不是偶然的，它不仅是统治集团内部各派系和集团长期争权夺利斗争的继续，也是国民党人在安徽所遭遇的政治军事危机全面升级的表现，标志着国民党人在合肥的统治即将走到尽头。

五、省府南迁与合肥解放

1948 年 7 月底，驻守的皖北重镇阜阳国民党军迫于人民解放军

[①] 《合肥为城防捐问题，向省参议会请愿》，《皖报》（安庆版）1948 年 7 月 16 日，第 3 版。

的强大压力,被迫从城中撤出,阜阳随之获得解放,整个皖北地区的解放区连成一片。

在失去皖北控制之后,国民党当局意识到位于皖中的合肥随时可能即将失去,决定将在皖政治、军事力量逐步南移。8月10日,当局决定成立皖南绥靖部,任命第十四绥靖区司令李觉为绥靖区司令。① 8月25日,南京政府行政院举行第13次会议,决定批准安徽省主席李品仙的辞职请求,任命夏威为安徽省主席。②

就在夏威出任省主席之际,合肥城内的经济形势已经全面恶化。8月初,安徽各地再一次掀起涨价狂潮,物价开始普涨,"甚至一天要涨好几成"。③ 8月19日,国民党政府决定在国统区发行金圆券。随后,各地物价上涨暂时得到遏制。然而,这立即带来了各种物资严重匮乏的情况。由于当局对粮价的严格控制,合肥城内粮食价格居然低于郊外,一般米贩裹足不前,米行大量囤积粮食,不愿出售,出现有价无市的局面,造成合肥居民极大恐慌。

8月28日下午,合肥县参议会通过决议,决定由县商会筹款40亿元,购米800担;并派员前往上派等处收购米粮,然后将这批米粮"在城内分东、西、北三个市场出售,并由警察局派警士监视,规定每户每日不得超过1斗,价格定为每斗370万元"。④ 然而这些办法对于解决合肥城中的米粮供应,不过是杯水车薪,丝毫不能解决问题。

10月23日,根据《申报》报道,"合肥城区各类物资严重短缺,重要物品米、草、油、盐等,有价无市"。⑤ 在合肥市场上的柴、米、油、盐绝迹之后,当局决定在合肥对粮食实行配给,购运8500石米运入合肥,规定自11月1日起对粮食实行全面配售,居民"不论大小,每人

---

① 《皖南将设绥靖区》,《申报》1948年8月12日,第1张第1版。
② 《政院会议通过,夏威张轸为皖豫主席》,《申报》1948年8月26日,第1张第1版。
③ 宋树华著:《八月涨风》,《皖报》(合肥版)1948年8月20日,第3版。
④ 《米商大量囤积,造成白色恐怖,合肥商会正设法采运供应》,《皖报》(合肥版)1948年8月29日,第3版。
⑤ 《合肥物资奇缺》,《申报》1948年10月23日,第1张第2版。

凭证限购一斗,油盐燃料虽订有办法,尚未见效,若干物品则黑市重重"。①

11月6日,中国人民解放军华东野战军和中原野战军在以徐州为中心,东起海州,西至商丘,北抵临城,南达淮河的广大地区向国民党军队发起全面进攻,揭开了淮海战役序幕。11月22日,盘踞在东线碾庄的黄伯韬兵团全军覆灭,杜聿明所率领的国民党军队主力被困在徐州。此时,南京国民政府事实上已经失去对皖北地区的控制。

随着战局南移,合肥地区的国民党军政当局倍感压力,省主席夏威意识到合肥已难以防御,开始将安徽的统治重心逐渐南移,拟迁往安庆和皖南地区。夏威上任不久,即宣布成立皖南行署,任命张义纯为主任,将"省府各厅及保安司令部各抽调一部分工作人员,约200人,前往屯溪设立行署,内分秘书、政务、警保三处,办理行政业务"。②皖南行署原先考虑以宣城为候选地,考虑到屯溪更为安全,最终决定改设屯溪。③12月3日,省府下令,皖南行署在赴屯溪之前,暂在合肥办公。④

与此同时,省府开始计划撤离合肥,夏威就任安徽省主席不久,11月25日,《申报》刊登省府一些机构开始从合肥南撤的消息:

> 皖省府为应变,并加强基政,决定人才下乡,首批五百人,限24日出发,二批五百人限26日出发,工作地点各依自愿,以芜湖、宣城、安庆为多,同时劝令公务员眷属赶速疏散回籍,省府公文装包待迁江南,皖南行署人员整装待发。此后省府将仅有200人留合,必要时迁安庆。又,合肥各中学亦均奉命赶课,提前结束。……一片送眷声中,出售家具招帖甚多,商店各货装满窗橱,但顾客极少,入晚九时戒

---

① 《合肥明日期配粮》,《申报》1948年10月31日,第1张第2版。
② 张义纯:《抗战爆发后安徽省政府人事更迭内幕》,《合肥文史资料》第7辑,第27页。
③ 杜渐:《从合肥看战局的南移》,《展望》1948年第3卷第7期,第8页。
④ 《行署改设屯溪,先在合肥办公》,《皖报》1948年12月4日,第3版。

严,倍形冷落……①

11月底,西线突进的黄维兵团在皖北宿县西南的双堆集被人民解放军团团围困,12月6日,人民解放军向被围之黄维兵团发起总攻,不到10日全歼黄维兵团。当双堆集战役全面展开之际,合肥城中的国民党安徽省党政军机构更是惶惶不可终日。12月8日,当局决定将省府各机构迁往安庆,派遣人员先期前往安庆寻觅房屋,同时下令"一、八两区专署迅予抢修省屯路,加强皖南与皖中战时运输准备,并增设过江汽车渡船四艘,每船可容渡汽车二辆,限本月15日以前完成"②。

12月19日,当局突然下令将省府及附属各机关全部撤出合肥,向南迁徙。在此之前,当局已经将"全市官私车辆和舟船控制起来",随后,大批车辆载着各级官员及其家属开始沿着合安公路前往安庆。而在此之前,夏威还信誓旦旦地对合肥等地的士绅表示,"省府从未考虑南迁,望勿轻信谣言"。③ 12月24日,《申报》刊登消息,称:"皖省府人员全部至安庆,夏威主席仍在合肥,第八绥区尚有半数人员留守,国家银行紧闭双扉,警察岗位亦尽撤去,平日熙攘之机关,现仅余空屋。今日凄风苦雨,倍形凄凉。"④

12月27日,夏威本人突然离开合肥。与此同时,驻扎合肥的国民党守军、保安司令部、省会警察局也随之全部撤出,合肥一时成为一座空城。直到次日,南京国民党政府派遣原驻蚌埠的刘汝明所部五十五军进入合肥,担任守城任务。然而,这支军队军纪极坏,军长曹福林公开承认:"我的兵都是从开封抓来的新兵,纪律难以维持,我

---

① 《皖省人才下乡,合肥正赶筑城防工事》,《申报》1948年11月25日,第1张第2版。
② 《省府各机关将迁安庆》,《申报》1948年12月9日,第1张第2版。
③ 杜渐:《合肥竟也成了真空》,《展望》1948年第3卷第7期,第8页。
④ 《皖省府人员全部至安庆,合肥各机关人去楼空》,《申报》1948年12月24日,第1张第2版。

自己也没有什么办法。"五十五军进入合肥第一天,就四处强占民房,抢夺居民粮食,合肥人民不堪其扰。① 之后,一些合肥士绅专程前往蚌埠,拜访兵团司令刘汝明,叙述五十五军官兵在合肥的种种暴行。之后,刘汝明同意将五十五军调离合肥,自己率部进驻合肥。②

1949年1月10日,淮海战役胜利结束,人民解放军即将挥师南下。眼见大势已去,经合肥士绅劝说,刘汝明同意率领所部从合肥撤出。1月21日,刘汝明率部南撤,同日,人民解放军先遣部队进入合肥,在合肥的国民党军政要员列队迎接,将城防设施、武器装备、人员及仓库物资进行清点移交。合肥宣告和平解放。③

---

① 《合肥竟也成了真空》,《展望》,第7页。
② 朱友民:《合肥解放前夕刘汝明部队离肥经过和背景》第2辑,第37页。
③ 沈友信:《国民党合肥县党部梗概》,《合肥文史资料》第7辑,第143页。

大事记

1911年(清宣统三年)

11月9日　庐州合肥光复,成立庐州军政分府,孙万乘被推为总司令。此前王亚樵与李元甫、王传柱等在合肥东乡大兴集李鸿章祠堂成立庐州军政分府,李元甫任司令,被孙万乘等取消。

1911年11月20日夜　革命党人王天培亲督敢死队200余人攻打庐城,21日,庐江宣告光复。庐州军政府部助推光复舒城,张信斋光复含山、巢县。

本月中合肥县开征印花税。

12月　北洋军武卫右军倪嗣冲部进攻颍州(阜阳),淮上军组织北伐军讨倪,合肥军政分府派兵一团参加北伐。

本年有江西籍人在合肥后大街(今安庆路)设"大启堂"书店,后改名"大智堂"。

1911年　中国红十字会在安徽分设6处分会,庐州(合肥)分会为其中之一。

本年合肥福建会馆李子木在原福建会馆附近搭建京剧庆舞台(一名共舞台),为合肥最早的京剧戏园。

1912年(中华民国元年)

4月6日　庐州军政分府奉命裁撤。27日,暂署理安徽都督的柏文蔚将庐州军改编为陆军十五师。

4月9日　庐州内河各厘卡一律裁撤,改征统税。

5月　柏文蔚发表《条陈禁烟通电》,称"皖省土税、膏捐一律停止,统限一年内禁绝"。合肥布置禁烟。

6月10日 柏文蔚下令取消土膏委员,强制禁买、禁吸鸦片。

6月27日 合肥县城内正式召开合肥县临时议会筹备会。当日选出合肥县议员129人,有98人出席,缺席31人。

7月1日 合肥县临时议会举行成立大会,82名议员到会,缺席47人。安徽省府行政厅长以及各科办事员袁道铭、宣德音、周炳文到会出席,合肥县域国民党、共和党等各党派及社会各界来宾出席观礼。

7月10日 合肥县临时议会从第一次会议开会,以无记名票选方式选出议会审议长及法律、财政、民政、教育、实业、清议、惩罚等各股审查员。

7月14日 临时议会议定议员席次座位,通过《合肥县议会议事细则》《合肥县议会办事细则》《合肥县议会议事罚则》《合肥县议会旁听规则》。

7月16日 开始,临时议会一读宣布武全福议员提议改良地丁案等案由,至29日一读结束。

8月 临时议会二读召开,至10月11日共十八次会议。

10月 合肥司法机构初级审查厅成立,次年改为审检所,由县知事兼管。

临时议会先后九次会议,三读通过议员提案或临时提案。24日结束。

12月 黄锡侯、杨栋臣、夏玉峰代表庐州(合肥)分会参加在上海召开的中国红十字大会。

本年庐州府官立中学更名为庐州中学校;各小学堂亦全部改称为小学校。

合肥县县商会成立首家商办水龙局,并筹款购买一架灭火水龙。

王亚樵、许习庸、丁鹤岑等在合肥县城乡组织安徽社会党各县支部,一年时间内发展至四五万人。次年,王等人在撮镇夏家祠堂开会,被倪嗣冲派兵包围,丁鹤岑等被捕杀害,王亚樵逃脱,社会党总部被查封。

本年庐州府名废弃,改称合肥县。

1913年(中华民国二年)

3月27日　合肥乡村出现小刀会活动。

6月　合肥县设地方审判厅,旋即停废。

庐江县遭洪水风雹大灾,圩堤溃决。

7月　柏文蔚等发动"二次革命",安徽以淮上军为主体的反袁斗争波及合肥城乡等地。7月17日,安徽宣布独立;19日合肥宣布独立。

8月19日　倪嗣冲部安武军进入合肥。

8月底　袁世凯任命倪嗣冲为安徽都督、民政长,合肥地区包括巢湖、庐江县讨袁军活动失败。

10月　督军倪嗣冲致电北洋政府和各省,提议附从讨袁者"轻则禁锢终身,重则立置法典",现存社团、帮会"一律从严查办""将国民党一律解散"。11月19日倪嗣冲宣布取消安徽省议会中国民党籍议员40余名,其中包括合肥县议员多人。12月,倪嗣冲上报北洋政府要求停止实行县议会章程。

本年度　与美、英、德、日有商贸关系的商人在三河设立协和、海林、谊和、华昌等商行。

巢县原在清末高小基础上改设中学。倪嗣冲督皖,将办学经费移办团防,合肥各校被迫停课。次年2月复课,但在1915年5月倪又借故财政问题下令各县停办学务。

督军倪嗣冲训令60县知事制定《安徽省契纸减税暂行章程》。指令巢湖县水上警察比照检验民间枪支办法,查验过往商船上的商贾携带枪支一事。训令颁发《巢湖水巡编订暂行章程》。

庐江县知事詹亮畴上报督军久旱后的庐江县已经下雨情景。

1914年(中华民国三年)

本年初　安徽重设淮泗、安庆、芜湖3个道。北洋政府5月23日颁《省官制》,改各省民政长为巡按使,以巡按使公署代替行政公署;观察使为道尹;县设知事;6月2日正式公布实行省、道、县三级管理体制。合肥改属安庆道。(1928年废道)。

2月　督军倪嗣冲下令合肥县知事发给遭受白朗起事的灾民药品。

3月26日　合肥广兴集出现"江淮义侠军"活动。倪嗣冲上报北洋政府,合肥广兴集钱文海为首的"长淮义侠军"起事,已经派所属王治国率两营军队前去镇压,会同张勋所部联合围剿。并命令皖北镇守使倪毓棻29日派华钧章、倪金镛率领两营军队到定远夹击。

3月29日(农历三月初三)　庐江矾山地区卢皎宇等组织千人武装暴动,准备攻打庐城。因泄密溃败。

1914年　南京基督教总会派美国传教士医生韦格非接任院长,并将医院改名为合肥基督医院。

督军倪嗣冲下令合肥县知事派警赴该县三河地方查封烟馆,按律从重处罚。

6月30日　袁世凯任命陆军中将倪嗣冲为安武将军,督理安徽军务。

倪嗣冲训令各县一体知照《崇圣典例》,祭孔仍用跪拜礼。

庐州中学校改称安徽省立第三中学。但不久即改称安徽省立第二中学。

巢县、柘皋、下塘集、庐州府设邮政二等局。

巢县知事王树恩因拿获乱党有功,被倪嗣冲下令奖励勋章佩带,给予七等嘉禾章一枚。

倪嗣冲驳回巢县绅董恳请留任该县王知事的请求。

本年皖西地区发生的扫荡性白朗起事,累及合肥地区。

本年全省连遭风雹旱蝗灾,合肥县等以连年荒歉,急待赈济。

1915年（中华民国四年）

县立女子高级小学成立。此为合肥第一所县立女子小学校。

本年北洋政府财政入不敷出，要求各省按田赋原额加征30％或40％。安徽因连年灾荒，获准加征15％（名"一五加征"）。安徽巡按使将田赋扩大到所有税捐，电令各县加征。引起合肥城乡舆论。

巢县县城设立高等小学一所，区立初小一所，在柘皋、炯炀两镇各设县立高初两等小学一所，其余各乡区共设区立初小六所。

1916年（中华民国五年）

4月上旬　黄兴令柏文蔚组织讨袁护国军，柏任总司令，在皖南、皖北、皖中组织讨袁武装，合肥也是省内反袁斗争主要地区。

4月　袁世凯特任倪嗣冲署理安徽巡按使。接任因年老辞职的李兆珍。

倪嗣冲通令各县停办学务，大致将办学经费移作地方办理团防之用。

5、6月间　庐江以及寿县等地革命党人谋划起事，均被倪嗣冲安武军势力镇压。如5月庐江县革命党人袁同心、金际煦、丁少卿等反袁力量，在石心圩、白石山、被县知事曾绵荣镇压。6月15日，县知事曾绵荣派兵包围矾山，烧毁卢皎宇家族5栋80余间屋宇。

据1916年内务府土地人口统计，1916年合肥县住户数194157，男性人口数626625，女性人口数573602，共计人口数1200227；巢县住户数57951，男性人口数207143，女性人口数200020，共计人口数407163；庐江县住户数54694，男性人口数287998，女性人口数199965，共计人口数487963。

1916年中国银行在城内设汇兑所，1919年改为支行（1927年又被裁撤）。1916年交通银行在芜湖支行下设合肥汇兑所。

1917年（中华民国六年）

1月　倪嗣冲下令六十县知事根据安徽私塾改良总会所呈送的

"改良私塾办法"，办理本县相关事宜。

1月24日　霍山发生6级以上地震，合肥有震感，人心浮动。

7月　合肥因军阀内讧，导致城内百姓大批出逃。

9月5日　《申报》报道，合肥县南乡竹店地方出现似龙非龙似蟒非蟒之怪物。

9月8日　北洋政府特任倪嗣冲为安徽督军兼长江巡阅使，免其安徽省长本职，由黄家杰继任。废止省长公署政务厅内教育、实业两科，设立教育厅。

12月14日　《申报》报道，合肥县请裁减警备队20余名。

基督教会出资创办私立三育女子中学，是合肥最早兴办的女子中学校。同年又有三育中学成立。

1918年（中华民国七年）

3月12日　含山李雨春、陈紫枫率护法讨倪军攻占县城。合肥等地出现革命党人活动，遭安武军镇压。

3月25日　《申报》报道，合肥县吴山庙、六安县众兴集均有党人勾结土匪建旗起事。

11月14日　安徽省省长黄家杰病故。21日由合肥县人龚心湛继任省长职。

庐江县在县城桑园街创办县立桑园女子小学。

合肥县创立庐州公立甲等工业学校。

1919年（中华民国八年）

年初　合肥兴建第一家仁华机织袜厂，有手摇织袜机数十台，职工百余人。

5月8日　合肥中小学推选的代表在省立二中成立学生联合会筹备会，讨论响应北京五四运动等问题。

11日　安徽省学生联合会筹备会成立，发布宣言，泣告60县学生北京学生爱国运动情形。14日成立合肥学生联合会，决定立即在城中示威游行。

15日 合肥学生罢课,在城内主街示威游行,响应北京"五四"和省城安庆,沿途高呼口号"全国一致反对卖国外交""惩办曹汝霖、章宗祥、陆宗舆3个卖国贼",散发大量传单。

16日 合肥各校组织讲演团,向城乡百姓宣传日本侵略野心和军阀卖国真相,宣传抵制日货。有市民等各界参加。

17日 合肥各校学生4000余人于卫衙大关集会,提出"反对卖国外交""惩办卖国贼""释放被捕爱国学生"。会后举行爱国示威游行。

18日 合肥商学界于公共操场召开国民筹商大会,通过禁用日货的决议。

22日 安徽省长吕调元据北洋政府镇压学生令,立即命令警察厅布告:学生散发传单,有违法纪,不服从取缔者,经查出即依法严办,决不姑宽。

24日 合肥东门码头工人发现有奸商把日糖400包伪装成国货,学生获悉后冲破军警包围,将400包日糖悉数抛入河中。日货在合肥销售量锐减。

本月 庐江县城内学生上街声援北京学生。

合肥等地有马克思主义研究会成立。

6月 合肥连绵淫雨,城乡遭受大水灾,水势之大超前清光绪八年,一些地区8月大水尚未退完。

7月 在外地读书的合肥青年学生,利用暑假在正谊中学成立"旅外学生会",并组建"救国新剧团",进行抗日救国宣传。

7月30日 《申报》报道,合肥县属西一镇区北分路口缉私卡,被百余名身着军服者焚毁。

7月 蔡晓舟和杨量工出版《五四》一书。

秋 合肥进步知识分子在城乡创办4所贫民学校,参加学习者有码头工人、染匠、市民等数百人,其中以码头工人为最多。

本年《安徽省60县产业调查繁表》记载,合肥县人口数1416111

人,巢县418113人,庐江县453367人。

省立第六师范学校于该年秋创立。

庐江县城内基督教徒在庐城开办"育英""育秀"男女小学校。

1920年(中华民国九年)

8月　蔡晓舟、高一涵及胡适等北京大学皖籍教职员工成立旅京皖事改进会筹备处,其宗旨是驱除安徽军阀,改进安徽政治。陈独秀等接着在上海成立"旅沪皖事改进会",与旅京皖事改进会互通声气。

9月22日　合肥屠宰工人因不堪屠宰捐重负,相继罢工。

11月6日　《申报》报道,合肥县三河镇厘卡越章苛索。

蔡晓舟在《新人》杂志发表《文化运动与理想社会》一文。

蔡晓舟在泰东书局出版《国语组织法》,蔡元培为之作序。

刘君尧创办合肥县私立正宜初级中学。

合肥县省立第六师范学校成立附属小学。

本年　《新青年》《每周评论》等新文化刊物在合肥各地广为流传,合肥当地知识分子和学生接受并传播新文化、新思想。

1921年(中华民国十年)

3月9日　《民国日报》发表蔡晓舟等《安徽各界联合会反对倪道烺长皖传单》。

4月25日　《申报》报道,安徽学生总会发电抗议新安军违法拘捕合肥二中校长王霭如事。

5月23日　《民国日报》报道蔡晓舟、孙养癯主笔《新安徽报》《民性报》被停刊消息。

6月2日　安庆发生"六二"惨案,安庆各校进步教职员和学生,为争取教育基金独立、反对倪嗣冲北洋军阀侵吞教育经费事,向省议会请愿。军阀马联甲、倪道烺令毒打学生,40多人受伤,学生姜高琦身受7刀(7月1日身亡)、周肇基被殴伤(次年11月身亡)。安徽法专校长光明甫因当面怒斥马联甲,亦遭辱打,是为"六二"惨案。3日,省城安庆各界罢工、罢市;合肥县和庐江、巢县部分学生罢课声援。

9月26日 《安徽第六师范周刊》出版,为合肥教育界著名新文化报刊。

庐江学生搜集到省第三届议员各种贿选证据,向法院起诉。

本年 英国资本家韦恩典兄弟在合肥设立"英商和记蛋品公司",低价收购合肥地区的禽蛋,运往南京和记洋行加工冷藏,转销欧洲市场。该公司前后垄断合肥禽蛋市场达十多年之久。

1922年(中华民国十一年)

6月11日 《申报》报道,合肥县知事蔡焕飚因弛禁种烟案,经该县教育界晋省控诉,传闻省长已将蔡撤任查办。

本年 蔡晓舟呈请安徽省教育厅将已经停办的庐州女子师范,改为庐州女子中学,并被批准。合肥成立首所公立女子中学。

6月24日 庐江县城水作坊、糕点坊工人罢工前后5天,取得每人每年增加工资银洋5元胜利。

庐江县立初级中学成立,校长卢幼仝,年底该校有进步师生上街检查日货。

合肥县自治讲习所毕业学员出版《自治日报》,后由刘海峰、刘抱冰兄弟接办,1923年停刊。

1923年(中华民国十二年)

本年 叶斗南牵头开办民营"合肥耀远电气股份有限公司",首批入股的有李企颜(李鸿章之孙)、方秉仪等15人。该公司于民国十五年建成开机供电。

5月 据《申报》登载,合肥县本年遍种烟苗,该县知事左海涛,因军队劣绅朋比,不能实行铲除,已辞职他去。

7月9日 《申报》登载合肥县旅省同乡发表《合肥县逼征烟税之电吁》。

7月26日　由蔡晓舟等组织领导的安徽国民救国大会开会,蔡晓舟提出皖省自治四条办法。

9月　因庐江县城交通阻滞,不利商旅。有曹子美纠绅商合资组织小轮公司,股本一万元购买浅水小轮两只,拟定十月实行开驶。

10月3日　《申报》报道合肥县匪情严重,"安徽各属匪势,近来异常猖獗,现除皖南而外,皖北二十一县,如宿县、亳县、涡阳、蒙城、盱眙、来安等县近已成为匪世界矣。然皖中十六县中,唯合肥一县,向多盗匪。大有兵来匪散,兵去匪聚之势。"22日,又报道该县"顷据合肥来人述及合肥与六安接壤之老庙集、太平集、马家集一带,近又发现大股土匪。快枪数百杆,奸掳焚杀,惨不忍闻。"

合肥省立第二中学改为第二初级中学校。

吴仲英创建私立湖滨初级中学。

12月20日　《申报》报道,有合肥县议会议员沈荣秩等,按照江浙成例,提议恢复民初被解散的县议会。除呈请合肥县公署依法召集外,并函请此间各公团一致进行不达目的不止。

冬天,合肥县立公共图书馆,由中和局从其经管的旧庐州府文庙祭祀羡余积存款项上拨出3000元创办,地址在尚节楼街,名称为县立中和图书馆。

该馆1926年12月一度停办。

《新合肥报》创刊,报社在合肥县城的卫衙周昭忠公祠内,四开四版。

原合肥、庐江比邻共有的灵台圩划入庐江县境内。

1924年(中华民国十三年)

4月　蚌埠警察厅长马祥斌提议修筑安蚌汽车道路,尤其中心之地的合肥县城至省城安庆道路,年久失修,要求省政务会议讨论修筑。

7月　合肥首次出版发行四开四版小报——《新合肥报》。社址在卫衙大关的周昭忠公祠内。

7月7日　《申报》报道合肥县知事袁励辰,4日密电省署,谓县境西乡、与六安交界处,已发现大股土匪,亲率警队前往督剿。

7月25日　《申报》报道,23日,有匪千余人围攻合肥县城,至晚匪乘雨攻益猛烈,营长徐涟立即率队开城迎击,匪徒败窜始得解围。

9月23日　《申报》报道,合肥县"合肥西南三镇区山南馆镇,突来匪徒三百余名,手持快枪,由六安椿树岗经六合桥大烟墩……馆镇,掳人勒赎,捣毁学校。当经该区保卫团长唐恩泽督率团丁往击,鏖战六小时之久,当场格毙该匪首领刘世宽一名。匪势不支,遂向六安交界逃窜。又复集合大股匪徒,扬言十五日破合肥刘家圩。该圩竟于十六日晚被匪攻破,所有储藏之快枪三千数百杆,大炮七八尊,以及子弹等件,闻完全已落匪手,于是匪势益炽。……合肥县知事袁励辰,除告急外,并呈请辞职。闻合肥县城,近日大有风声鹤唳之势,居民来芜避难者,先后已达二千余人。故江口一带之旅馆客栈,几有人满之患。"

10月29日　合肥县商会,有鉴于"皖省巢湖界于合巢之间,面积甚广,航行湖中,因无天灯,莫办口岸,偶一不慎,即遭灭顶"。拟在施口、中庙、卢蓆嘴、三河口、东口门等处,分设天灯,并派范章甫赴沪订购天灯五盏。特函请芜湖总商会咨函,要求海关监督叮嘱各关卡,予以免验放行。

庐江县进步青年周新民、苗树德等从外地购回《独秀文存》和《新青年》杂志等新思潮报刊,开始在县内传播进步思想。

本年　合肥县劝学所改设合肥县教育局。

刘建文创办私立庐阳中学。

方焕成,张汇六等编辑出版《淝声报》。

1925年(中华民国十四年)

5月中旬　芜湖爆发收回教育自主权运动,教会学校圣雅阁中学举行悼念孙中山活动,遭校方阻止,学生开展"收回教育自主权,反对奴化教育"斗争,全体罢课,并同萃文、育才等教会学校联合行动。

合肥与安庆等地教会学生积极响应。

24日　合肥县知事袁励辰同商会、教育会、农会、劝学所、财政局、各区团防局共同在《申报》刊登电文,辟谣合肥包种烟苗事。

5月30日　上海发生"五卅"惨案。

6月23日　上海"五卅"惨案发生后,安庆、芜湖、合肥、庐江、巢湖、阜阳、宣城等40余城镇举行示威,开展宣传募捐活动与抵制英日货斗争。合肥各界举行了罢工、罢课、罢市的"三罢"斗争,并成立"沪案后援会",组织募捐,慰问和救助遇难同胞家属。同时,合肥工、农、商、学、军各界万余人在卫衙大关召开国民大会,声讨帝国主义制造"五卅"惨案罪行,支持上海工人斗争。

7月7日　《申报》登载合肥籍工人蔡继贤在上海杨树浦,被外人杀害一案。"皖同乡会之呼吁国闻通信社云,合肥工人蔡继贤被某国水兵枪杀案,安徽同乡会接到噩耗后,比即派人调查属实,并抚慰其家属。将调查情形报告分会。群众愤激,除设法救济死者遗族外,一面致许交涉使,函请一致援助,并致北京段执政电催速办。"

龚啸云主笔的《合肥日报》,由启新印刷社印行。

1926年(中华民国十五年)

2月　中共安徽省地方组织先后派遣崔筱斋、薛卓汉等16人到广州农民运动讲习所学习。学习结业后,9月返回安徽,被派往合肥、寿县等地组织开展农民运动。

8月　《民声报》创办,创办人戴学同、郭叔平、唐润平等,铅印,四开四版。

10月14日　安徽省立各校校长宣布全体辞职,抗议当局积欠教育经费。

本月　合肥地区第一个共产党组织——中共合肥北乡支部,在双河集崔家祠堂成立,崔筱斋任书记。

"安徽省农民运动委员会"在合肥北乡崔小圩组成,崔筱斋任主任,其后在双河集、造甲店、白家河、陈刘集等处建立农民协会,开展农民运动。

合肥龙庙集被溃兵抢劫,"合肥县龙庙集距县署六十里,日昨突有自称溃兵二十余人,身着军服,各持快枪,将全集商店、居户抢劫一空,并拉夫多名,送至半途始行释去。据该处团总入城赴县报案云,约计损失一万数千元。窭知事拟亲往履勘。又三十里集,亦于前日被土匪打劫,损失尚未查明。"

11月12日 共产党员蔡晓舟、李云鹤和进步人士许习庸、聂鹤亭等为迎接北伐军入皖,在合肥北乡吴山庙举行有数百人参加的武装起义,成立安徽讨贼军第四路军司令部,打响合肥地区反对军阀统治的第一枪。

国民党人士汪浩如出任庐江县县长。

北伐的国民革命军第二军谭延闿、鲁涤平部过境合肥及庐江等境。本年庐江县青年袁学熙、朱锦书(女)等10余人,被国民党安徽省党部(左派)安排在武昌党务干部学校学习;张守仁等进步青年到武昌中央农民运动讲习所学习。

1926年 中国红十字会在合肥开办施粥厂,每年用款3000—7000元,散放赈米等;巢县分会则于水旱荒歉开展施米、施粥,仅1926年施米用费即百石,用洋千元。

1926年春 国民党安徽临时省党部在安庆邓家坡成立。

4月 安徽省长公署通令整顿烟酒税收,合肥县支栈改组为烟酒事务分局。

是年夏,"省党部"分别派员赴贵池、绩溪、广德、潜山、霍山、六安等县视察并推动"民校"工作的开展。是年7月初,国民革命军从广州誓师北伐,连克攻长沙、武昌。

10月 国民党安徽省临时党部迁至汉口联堡里。

11月 蔡晓舟、郑鼎(李云鹤)和许习庸、聂鹤亭等人,在合肥北乡吴山庙(今长丰县吴山镇)小营盘成立了"安徽讨贼军第四路军"司令部,组织了有300人参加的武装起义。

12月21日 孙传芳、张宗昌、陈调元在南京召开军事会议。

1927年(中华民国十六年)

年初　国民革命军与安国军在安徽战场展开了长达9个月的殊死战斗,取得完全占领安徽的胜利。

1月　合肥相继成立织布、店员、木工等工会组织。

1月初　国民革命军在南昌召开军事会议,蒋介石、唐生智、李宗仁、程潜、朱培德、张发奎等出席会议。2月,江左军和江右军的各部队集结完毕后,开始向皖西和皖南进军。2月中下旬,中央军之江左军和江右军开始了在安徽战场的战斗。2月20日,江右军由九江向皖南进发,第一纵队进抵至德一带,第三纵队到达祁门附近,孙军刘宝题部在徽州宣布起义,就任国民革命军新编第三军军长兼江右军第四纵队指挥官,并率部向芜湖、宣城方向移动。

2月21日　国民政府正式在武汉办公,武汉一时成为革命的中心。

3月　国民党合肥县党部筹备委员会成立。

本月　在合肥卫衙大关召开国民党合肥县党部成立大会,有万人参加。这是第一次国共合作时期建立起来的国民党合肥县党部。接着上海发生"4·12"大屠杀。4月下旬,国民党合肥县党部被勒令解散,由蒋介石政府委派的合肥县党部代之。

本年春,直鲁军围攻合肥,学校停课。秋,学校复课。

本年春,合肥县设立民众教育馆,下设款产保管委员会,以及中和图书馆款产保管委员会。

3月4日至7日　江左军之第一、第二、第三纵队分别推进到潜山、英山、黄梅一带,对安庆形成了战略包围。

3月8日　江右军攻克芜湖。

3月15日　程潜指挥一、三两个纵队进攻当涂。3月17日,江右军占领当涂。

3月18日　江左军推进到六安、合肥一线,迫使驻守六安、合肥的直鲁军之十一军一部向北退却。

3月中旬　北伐军第七军一、二师抵达合肥。他们进城后分头派人组织工人协会,店员协会,妇女协会,并在卫衙大关召开群众大会,宣传反帝反封建,动员群众支持北伐。

3月　国民党合肥县党部筹备委员会成立。不几日,在合肥卫衙大关召开成立大会,有万人参加。这是第一次国共合作时期建立起来的国民党合肥县党部。4月下旬,国民党合肥县党部被勒令解散,由蒋介石国民党政府委派的合肥县党部代之。

本年春　直鲁军围攻合肥,学校停课。秋,学校复课。

4月　合肥县农民协会筹备处成立。

4月12日　蒋介石发动了"四一二"事变,开始"清党"。

4月中旬　张宗昌率直鲁军10万余人南下,袭击合肥。

4月18日　蒋介石在南京建立了南京国民政府。

同日晚,直鲁军先头部队开始向合肥城发动进攻,被国民革命军击退。

19日　直鲁军10万人将合肥重重包围,并连续发动两次进攻,均被马祥斌部打退。27日,直鲁军借滂沱大雨,在炮火掩护下,发起全线猛攻。5月初,马祥斌再次急电南京催援,南京却电示弃守合肥。

5月5日　新编第五军叶开鑫部自大通渡江,进占含山。

6日　陈调元部自东西梁山渡江,阻止和县敌人前进。5月12日,第二路军第三十七军之第二师主力占领和县,直鲁军向全椒溃退。

5月中旬　隶属于南京国民政府的国民革命军发动了第一次北伐。

5月15日　解除合肥之围。

5月22日　收复蚌埠。

6月2日　国民革命军占领徐州。

7月15日　汪精卫召开"分共"会议,国共合作全面破裂。

7月24日　孙军重新夺回徐州,国民革命军王天培部退回宿州。8月初,国民革命军开始南撤,合肥、六安一带由第三十三军防守。

8月　中共庐江县特别支部成立(简称"特支"),有7名党员,书记苗树德,属中共安徽省临委领导。

8月中旬　国民革命军撤至长江南岸,扼险据守。

9月14日　国民革命军攻占滁县,固守涟水、滁水、定远一线。

10月初　军事委员会决定继续北伐。10月中下旬,各军集结准备完毕。

10月　庐江县特支改属中共怀宁县委。

11月初　国民革命军进行第二次北伐,发动蚌埠会战。国民革命军占领明光、凤阳、马鞍山、蚌埠、怀远等地,肃清了皖北的安国军,完全占领了安徽。

12月　国民政府规定至1928年止,所有鸦片烟类药品,一律按其价值的50％征税。

本月　南京国民政府公布《图书馆条例》;大学院院长蔡元培提出《教育经费独立案》。

本年　刘锡麟创立合肥民生医院。

本年　合肥县商会主办的《皖商周刊》创刊。

9月　共产党员童汉璋等,奉命从上海回合肥。下旬,在合肥城内建立中共六安特别区合肥直辖小组。这是中共党在城内建立的最早组织。同年底,发展成为中共合肥特别支部,并在西乡雷麻店建立雷麻小组。

本年　合肥手工业率先成立纱业、木业、铁炭业、皮毛业、银楼业、五金业等18个同业公会。

本年　合(肥)六(安)、合(肥)安(庆)公路动工兴建,并分别于1931年、1932年竣工通车。合肥开始有公路汽车业务,发展极为缓慢,直到1948年全城仅1家简易汽车站。

本年　合肥地区开始创建共青团组织。

本年　合肥商会由会长制改为委员制,成立主席团,由许可堂、吴澄清、杨立瑶3人组成,下设18个同业公会,入会商店约400户。

本年　在反对帝国主义运动冲击下,基督教会控制的私立三育中学停办。

本年　合肥坐商发展到900多家,中型商店150余家。农业和手工业生产均有新发展。

1928年(中华民国十七年)

1月27日　皖省巩固教育基金大会举行了游行示威,宣读请愿书。

1月　合肥籍18名学生在省内外大学获奖学金。

本月　共青团合肥特支委成立。

4月　安徽省教育厅委任胡翼谋为馆长,并且颁布图书馆规程三十一条。

5月　安徽教育机构实行停顿改组。

春　中共合肥特支扩建为中共合肥特别区委,童汉璋任书记。同时在合肥四乡建立党的基层组织。

5月　合肥设邮包税分局,办理邮包税征收业务。

6月22日　全市糕点行业工人举行罢工,迫使资方给工人增加工资。在糕点业工人带动下,合肥理发业、木工业和碾米业工人也相继举行罢工。

7月　国民党四十六军"钱营"派员到合肥西乡南岗催收烟苗捐,途中遭农协会员袭击,催收烟苗捐的国民党合肥县政府委员熊仁鉴被砍死,同时砍伤数人,夺枪20余支。

8月　国民党二届五中全会在南京召开。

8月　蒋介石到合肥。中共党组织发动肥西3000农民进城请愿,拦住蒋介石的座车,要求取消烟苗附加税,蒋被迫在状子上批"退还二成三"。

10月　蒋介石再次来肥。将四十军改编为第八师,撤去毛炳文代理军长职务,由蒋的同乡朱绍良取而代之。

11月8日　庐江北特支根据中共合肥县委指示,以农会名义组织900余人到庐江县城示威请愿,进行合法斗争。最后迫使国民党庐江县政府答应"二五减租,年息三分"。

本年冬　中共合肥党组织在合肥西乡雷麻店、焦婆店一带组织赤卫队,吴天久任队长,汪前文任队副,下辖三分中队。

本年　国民党四十六师进驻合肥,在逍遥津附近架设一座官用电台。这是合肥使用电台之始。

本年　中共合肥特支委和合肥县委建立。

本年　全省废道,合肥直属安徽省。

1929年(中华民国十八年)

2月　安徽省政府通过《修正安徽省政府民政厅暂行组织条例》,卫生事项改归第四科掌管。

3月　国民党第三次全国代表大会正式通过了三民主义教育宗旨。

5月中旬　督学程宗潮视察合肥教育。

8月23日　合肥厘金比额改定为4.994万元。

本年　安徽省分设行政督察专区,合肥县划归第三专区辖隶。

本年秋　省立第六女子中学校成立。

本年　各校应领经费,县教育局均按七折支付。

本年　在抗捐、抗税斗争中,合肥县成立武装纠察队,后改称赤卫队。这支武装有100多人,编成3个大队。

本年冬　中共中央在合肥东乡店埠镇设立交通中站,下设正阳关、舒城、潜山、六安4个分站,程明远、陈良季分别担任交通中站正副站长。

本年　公立合肥女子中等职业学校创立。当时仅设3个班,121名学生。这是合肥女子职业教育之始。该校于抗日战争前夕停办。

本年　合肥城南游艺园曾有无声电影放映。这是合肥最早的营业性电影放映。

本年　全省春、秋干旱,尤以合肥、肥东为最甚。合肥河水断流,肥东5—11月无大雨,吃水困难达5个月之久。

本年冬　国民党安徽省政府建设厅组织民工疏浚南淝河合肥至

施口段河滩，便利船舶运输。

本年　安徽省实行教育局长考试。

本年　鸦片烟类药品税率改为100%。

1930年（中华民国十九年）

1月20日　六安中心县委在流波䃥召开常委与游击队党团联席会议，宣布成立中国工农红军第三十三师，调合肥特区军委徐百川（张开泰）任师长。

3月17日　中共六安中心县委召开六安、寿县、霍山、黄山、合肥县和红三十三师联席会议，研究中心县委与各县工作。会议做出六县军事、纪律、宣传、共青团工作等9项决议，其中对赤卫队、游击队的编制、任务，军政训练做出明确规定。

本年春　中共合肥党组织在合肥西乡北分路口、官亭、五里岗等地领导农民开展抗暴斗争，在不到20天的时间里，就组织四次斗争。

本年春　中共党员孙仲德在合肥、庐江、舒城等地组织一个党的外围组织——舒庐合地区"赤色互济会"，主要任务是发动贫苦农民抗租抗税。

4月　合肥西乡赤卫队配合六安红十区独立营于金桥、椿树岗一带狙截合肥、舒城去六安的国民党陈调元部，缴获长短枪140余支。

5月1日　国民党合肥县法院成立，省高等法院委任汤启代理院长，后由贺飏武任院长。

5月5日　合肥国民党当局以查户口为名，在城内开始搜捕，并组织所谓职工会、农会、铲共团。合肥党组织遭严重破坏，部分赤卫队员去大别山，其余停止活动。

5月　教育部公布图书馆规程十四条。9月教育部颁布《三民主义教育实施原则》。

5月　中共合肥县委在西乡雷麻店方坎村成立，下辖3个区，4个特支，有党员70余人，徐梦观（薛成）任书记。

6月11日　合(肥)巢(县)公路通车。时配福特汽车7辆,客货兼营。这是合肥最早一条对外辐射的公路。

7月　合肥县教育局义务教育委员会成立。

8月　合肥县电话站架设城乡线,境内王拐岗、周老圩、上派、三河至合肥电话开通。

10月　省府常会议决调整安徽省政府民政厅组织规程。

本年秋　中共党员颜文斗与樊渊,范君一等,在合肥范巷口(今长江路与徽州路交叉口处)开设联一书店,负责中共党的秘密联络工作。

11月　财政部安徽财政特派员公署为实行裁厘、办理特税预作准备,特发《全省棉税局暂行简章》,合肥设棉税查验所。

本年冬　中共三河特支组织1000多农民在新河附近夺走已装船的200多担大米。

本年　国民党政府发行的纸币及辅币——镍币,开始在合肥市场流通,商品价格改为以元、角、分为单位计算。

本年　共青团合肥中心县委成立。

本年　鸦片烟类药品税率提高为200%。

本年　合肥县地方财政机关改为地方财政管理处,设主任1人,处员2人,雇员3人;合肥设查验所(属巢县棉税局领导)负责棉税稽查任务。皮花每担征税0.32元,子花每担征税0.12元。

1931年(中华民国二十年)

本年　合肥地方财政机关仍改为财政局,内设二科,并设监察委员会,委员五人,为无给职。

1月1日　国民政府裁撤厘金。

1月20日　中共皖西分特委临时委员会成立,由姜敬堂任书记。领导六安、霍山、合肥、霍邱、寿县、舒城、桐城、潜山、英山等九县。

1月,合肥县政府划县境为10个区,建立了10个自治区公所。

1月26日　国民党政府颁布施行《安徽省营业税规程》,全省设

28个区征收处,每区设税收专员1人。合肥、巢县为一征收区,设营业税征收处。

2月15日　中共安徽省委正式成立。省委确定全省划为四个中心县委,红色区域以霍山为中心;白色区域以安庆、屯溪、合肥三县为中心,出版党报《安徽红旗》周刊,成立党报委员会,以王步文为编辑。

2月25日　中共安徽省委决定:所有皖西特委、行署完全取消,改为中心县委。

本年初　卫立煌由南京来合肥招兵。两个月在合肥招足两个团。

3月23日　中共皖西分特委召开中共合肥县及县辖各区委书记联席会议,组建中共合肥中心县委(又称皖西中心县委)。8月中央指示,将合肥(皖西)寿县(皖北)2个中心县委合并,建立中共皖西北中心县委。同年11月,又将皖西北中心县委改组为中共皖北临时中心县委。12月,中央又决定恢复中共皖西北中心县委。恢复后的中心县委领导合肥、寿县、颍上、凤台、阜阳、太和、桐城、庐江等地的党组织。

3月31日　合肥北乡千余名农民在党组织领导下举行瓦埠暴动。暴动队伍缴反动地主长、短枪100多支,捕反动地主30余人,后遭地主武装联庄会的围剿,因众寡悬殊而失败。

4月　由于叛徒告密,合肥联一书店被查停业。改办美林商店。还在城内开设同德药房,继续沟通中央交通中心站与鄂豫皖苏区的联系。1934年环境恶化,联系中止。

5月　国民政府颁布《地方教育经费保障办法》14条。

5月　国民党陆军第四师工兵第三连连长杜一民率一连官兵在乌江哗变后,拉到合肥东南乡打游击,后同寿县党组织接上关系,编入寿县游击队。

6月　合肥自治区公所裁撤,成立县地方自治协会。

7月　中共皖西北特委在合肥被破坏,书记小李及王大妈等被捕。继又重新成立特委,由刘敏任书记。

9月18日　中共合肥县委召开党团联席会议,通过反对日本出兵占领东三省的工作决议,组织反帝运动委员会。会后广泛开展宣传,组织反日示威游行和飞行集会。

11月　三河成立"抗日会",提出抵制日货,反对侵略,对日宣战等口号,积极声援上海"一·二八"事件。

12月初　合肥发生特大火灾。大火燃烧数昼夜,烧毁房屋千间,万余贫苦灾民无家可归。火因起自三孝口的刘义丰杂货店老板刘长庆抽鸦片乱丢烟头起火。

12月10日　中共中央给中共合肥(皖西北)中心县委发出5条指示(内容略)。

12月　为纪念广州暴动,中共皖西北中心县委在北乡举行有数千人参加的示威大会,并同当局发生武装冲突。

本年　肥南三河七家米厂800余名工人举行罢工,要求增加工资,减少工时,改善伙食等,罢工获胜。

本年　合肥地区发生特大水灾,城内东门一带水深丈余,西门落水桥(今长江饭店处),水深没胫。全境圩堤悉被冲决,田禾庐舍,荡然无存,城乡人畜死亡不计其数。

本年　合肥县十六联保主任在双河集向农民征收耕牛税,规定税额为:每头牯牛2元、水牛1.5元、黄牛1元。时值青黄不接,农民无米下锅,更无钱缴税。中共肥北区委书记崔筱斋组织农民抗缴,迫使联保主任停征。

本年　合肥的当铺、钱庄逐步被兴起的银行所代替。中国银行合肥分行、中国农民银行合肥分理处(后为办事处)、中国银行合肥办事处、交通银行合肥办事处,安徽地方银行总行,合肥县银行总行相继建立。

1932年(中华民国二十一年)

1月　国民党驻合肥四十六师陈调元部二十七团2个连士兵,在共产党领导和帮助下举行兵变。

1—2月 合肥南乡三河镇爆发万余饥民扒粮斗争。2月18日,中共中央指示皖西北中心县委加强对三河镇农民扒粮斗争的领导,便之发展成为广大群众的游击战争。

2月18日 中共中央给皖西北(特委)指示信指出,在合肥西乡、三河等地已有反日组织,要打进去,争取领导权。

3月14日 中共中央指示合肥(皖西北)中心县委,发动党团员和赤色群众,做好兵运、反帝运动和职工运动工作。

4月 中共合肥(皖西北)中心县委游击队在西乡正式成立,有队员12人,长短枪12支。是月3日,北乡游击队夺取地主步枪12支。

4月 中共合肥(皖西北)中心县委成立特务队和赤卫队,在城内成立士兵小组。

4月7日 合肥北乡双河集农民举行暴动。100多名赤卫队员,500多名红枪会员在李星三(张志一)、崔筱斋的率领下,包围双河集国民党联保办事处和团防局。在纵横四五十里的北乡,从地主粮仓里共扒粮两千余担,夺取不少地主武装弹药。5月合肥西乡又爆发"五一"扒粮斗争,夺粮20多万斤。

4月下旬 国民党军2万余人,上合肥西援。红军以一部兵力狙击敌人,主力集中待机,当援兵进入戚家桥东北地区,红军立即分路发起猛攻,经一天激战,将其全部消灭。

5月1日 中共合肥中心县委发表"五一"劳动纪念宣言和反对国民党进攻鄂豫皖苏区告民众书。雷麻店群众250余人举行露天大会,决议进行分粮、抗烟捐斗争。会后结队示威游行,被豪绅地主镇压而散。官亭、分路口、造甲店、白河也举行了同样的大会和示威游行。

5月 中共中央决定撤销中共皖西北中心县委,仍分别成立合肥、寿县两个中心县委。7月,中共合肥中心县委成立,9月,由于叛徒出卖,中共合肥中心县委遭破坏,书记秦全(程明远)等23人被捕。

本月 中共合肥临时中心县委在肥西大潜山成立。次年4月中共合肥中心县委恢复。

5月　禁征鸦片捐税。

5月9日　中共皖西北中心县委发布《五·九国耻纪念宣言》，号召民众自动武装起来，进行彻底民族革命斗争，以武装力量驱逐日本及各帝国主义，号召同盟罢工，反对国民党进攻苏区和红军。

5月　中共合肥（皖西北）中心县委决定将定远、寿县、合肥三县交界处的武装力量编为一个游击大队，指定造甲店党支部书记崔兴邦为大队长。全大队分3个中队，有200多人枪。

9月　蒋介石亲自指挥的国民党鄂豫皖三省"剿匪"总司令部所属的右路军司令部设在六安的总预备队约两个师集结于合肥。

9月2日　共青团合肥县委宣传部长张绪东泄露"肃反"机密，受到批评后叛变革命。接着党团接头机关遭破坏，一些人员被捕。

9月24日　合（肥）巢（县）营业税征收处裁撤，营业税划归县政府兼办。次年，设立合（肥）舒（城）营业税局。

10月　省会公安局卫生科拟定了《卫生警察十二要》。

本年秋　合肥县政府撤销自治乡、镇公所，各保直接隶属区公所（署）。

10月　团合肥中心县委为反抗日本帝国主义侵略，抵制奸商偷运日货，组织和发动工人学生上万人上街进行捉奸商游行示威活动。

10月26日　合肥县法院改为合肥地方法院。

12月　安徽省教育厅公布《安徽省短期义务教育实施计划》。

本年　中共中央派吴醉松到中共合肥中心县委，开始"肃反"。合肥党团中心县委负责人李希圣、张伯平、王平等和县以下史浪云、夏日等受到处理。原书记吴伯孚外逃投敌。

本年　为纪念辛亥革命烈士，县立第一、第二、第八完小分别改为县立鸿仙小学、旸谷小学，映典小学。

本年　省立第六女子中学进步教师、学生组成"黎明读书会"，后改为"朝曦读书会"，从事抗日救国宣传活动。

本年　合肥地区发生旱灾，无麦无禾，市场十分萧条。

本年 美国基督教会牧师葛思巍来肥传教,饲养8头奶牛。合肥奶牛饲养始于此。

本年 合肥有汽车路工、码头工、瓦匠,裁缝、布坊、柴坊、砻坊工4500余人,但仅有木匠业组织了工会。

本年 由于发生"1·28事件",合肥至上海交通受阻,货源中断,合肥的煤油、布匹、火柴、肥皂、糖、纸等价格上涨20%以上。

本年 合肥县撤销县地方自治协会,将原10个区改设10个自卫区公所。

本年 全省改设行政督察区,合肥属第三专区。1940年,改属第二专区。

1933年(中华民国二十二年)

1月 活动在肥南和庐北的部分游击队合并建成合肥游击队,赵大友任队长,颜文斗任副队长。

2月19日 焦婆店团防包围村庄,合肥中心县委书记陈良季,团区委组织、宣传负责人同时被捕,27日被杀害于焦婆店。

3月24日 合肥成立县财务委员会。

本年春 省立第六女子中学,为建立学校图书馆筹集资金,首次在合肥公演话剧《红楼梦》。这是合肥演话剧之始。演出获圆满成功。

本年春 合(肥)乌(江)国道公路全线竣工通车。

本年春 共青团合肥中心县委重建。

4月底 中共合肥中心县委恢复。1934年6月又遭破坏。同年9月,经中共上海中央局同意,中共合肥、寿县两地中心县委再次合并成立中共皖西北中心县委(又称皖西特委),直属中共上海临时中央局领导。1937年抗日战争爆发,特委领导奉命赴延安学习,特委活动终止。

5月 颜文斗率领合肥中心县委游击队袭击程店、双枣树、神灵沟等民团,夺取长短枪20多支。

8月1日　全国反帝战争日，中共合肥中心县委在城内散发宣传品，一些群众被逮捕。

本月　合六路商办汽车公司正式经营合肥——六安公路客货运输，有汽车6辆。这是合六路第一个商办汽车公司。

7月　苏、浙、皖、豫、鄂、赣、闽七省试办土烟特税及土酒定额税，原征公卖费及烟酒税捐废止。

8月　寿县红军游击队与合肥地区游击队合并为皖西北游击大队。次年6月扩充为皖西北游击师，孙仲德任师长。1930年至1936年，游击师活动范围由合肥发展到舒城、寿县、定远等广大地区，不断打击当地土顽劣绅。

9月　中共合肥中心县委工人部长马子中于彭家圩组织农协，不幸遇敌被捕，押送合肥途中，被颜文斗率领的游击队营救，并毙敌2人，夺枪3支。

本月　耀远电气股份有限公司技术员温懋怀被选为全国民营电业联合技术委员会委员。11月1日，出席全国民营电业联合会第五届年会。

10月　中共中央巡视员文元（即国诚）在寿县、合肥分别召开各县联席会议，讨论中共中央关于五次反"围剿"的决议。

本年　中共中央巡视员刘敏在合肥西乡缺牙山成立合肥临时中心县委。

本年　县城乡教师联谊会要求清理教育经费，县长郭以平以通共"嫌疑"罪名将城乡教师联谊会成员多人拘捕。

本年　合肥县城有私营客运黄包车25辆，私人车行4家。

本年　合肥县政府增设联保，并设联保办公处，全县划为10个区，组成201个联保，共辖2151个保。是年，安徽省政府通过《安徽省县政府办事规则》。

1934年（中华民国二十三年）

3月　淮南铁路（田家庵—裕溪口）路段开工，次年12月完工。

1936年通车。1937年日本侵略中国后,日军于1944年6月拆除合肥至裕溪口段铁轨。

4月2日　合肥赤色农民委员会发出《告劳苦兄弟姐妹书》,号召农民积极参加扒粮斗争。

4月17日　省政府颁布《安徽省征收船捐暂行规则》,设全省船舶管理处征收船捐,合肥船捐归巢湖分处征收。

4至5月间　在中共合肥(皖西)中心县委领导下,合肥、庐江发生数十次扒粮斗争,规模大的有数百、上千人参加,小的也有数十人参加。

5月　合肥设契税局,直属省契税整理处。

5至6月间　中共皖西北中心县委的三支游击队,分别活动于合肥西南乡及庐江北部、寿县西南各乡、新息一带。

6月　合肥首次成立"振兴商办长途汽车公司",从事公路客货运输。

7月1日　合(肥)蚌(埠)公路全线竣工通车。

7月　中共合肥中心县委领导下的游击队30余人,在西乡韩田上村与国民党合肥县保安总队遭遇被困,激战中颜文斗、马子中等16人被捕后英勇就义于六安。

7月底　合肥县反动武装包围南乡马郢村,诱逼群众自首,全村200余人,除数人被捕外,余均外逃。

9月　合肥设地方税局,负责征收包括田赋、契税,营业税、烟酒牌照税、牙行营业税,牲畜营业税、屠宰税及地方一切税捐。其中田赋仍由县政府征收,地方税局负责稽征,契税为教育专款,由地方税局稽征。

10月16日　皖西北游击队在春秋山、白花蛉一带遇国民党省保安八团和舒合自卫队合击,失散很多,大队长曹广海、政治部主任田道生、中队长严礼国等英勇牺牲。

10月下旬　中共皖西、皖北两个中心县委合并为皖西北中心县委,刘敏任书记并在合肥西乡缺牙山主持召开皖西北中心县委会议,会上决定"化整为零,隐藏武装,分散活动,坚持斗争"。

12月底　南京行营颁布了《剿匪省份各县政府裁局改科办法大纲》,将县地方各局统一至县政府的管理监督之下,财政局并入县政府财政科。

本年　1、2、7三个月合肥大旱。

本年　合肥发生扒粮暴动。

本年　国民党安徽省政府在合肥三里街修建飞机场,但罕见飞机起降。

本年　省立六中、六女中分别改为省立庐州中学、省立庐州女子初级中学;六中和六女中的师范部及其实验小学合并成立省立庐州师范学校及其附属小学。

本年　国民党政府在安徽初设水上管理机构,成立安徽省公路局船舶管理处,隶属芜湖、巢湖分局,下设当涂、三河、施口等6个稽征所。

本年　束缚工人手脚的国民党合肥县民众公团成立,辖工会1个,农会13个。

本年　第二次全国财政会议确定县为自治单位,将田赋附加及印花税的三成、营业税的三成、房捐和屠宰税及其他许可的税捐等,划为县级财政收入。

本年　蒋介石发起了新生活运动,颁布《新生活须知》。

本年　合肥县旱灾严重,有饥民倒毙街头。

1935年(中华民国二十四年)

3月24日　县财务委员会成立。

2月　皖西北特委在合肥西乡缺牙山(今肥西县聚星乡)成立,刘敏任书记,张如屏任组织部长。李德保任宣传部长。

本年春　合肥首次在县城内崇德街白衣庵(今蚌埠路第一小学对面)设立合肥客运汽车站,办理客运航班。

10月　合肥火车站动工兴建,1936年4月竣工。被定为二级车站。

本年　安徽省令各县裁局改科,教育局被并入县政府第三科,教育经费由县政府第二科财政科统一经理。

本年　"12·9"抗日爱国学生运动兴起后,合肥工会组织积极响应,举行罢工、罢市,支援学生运动。

本年　合肥县联保并为137个。

本年　合肥县共有木匠500余户,石匠、漆匠、篾匠各100余户,瓦匠200余户,铁匠、铜匠、锡匠、染匠、缝纫等3000余户。

1936年(中华民国二十五年)

1月　遵省政府令,区设教育委员会1人,区以下按联保划办小学区,并设立以联保主任为首的学董会。

1月20日　中共皖西北独立游击师袭击合肥西南乡严店,击毙挨户团团长,缴枪10余支。

本年春　中共皖西北特委决定将中共合肥县委改为合肥特别区委,指定董成荣任书记,桂俊亭(李俊)任军事部长兼特区赤卫队长和交通站长。

5月1日　撤销县教育局,改设第三科,主管全县教育行政工作。

5月　省政府撤销合肥地方税局,改设县营业税局。

5月17日　合肥发生5万饥民抢米风潮。

本年秋　省立庐州中学,庐州女子初级中学开设初中一年级义务班。

本年　原省立第六女子中学"朝曦读书会"成员创办的忠源女子小学成立。

本年　卫立煌在合肥西郊大蜀山麓创办一所私立农林职业学校。

本年　美籍传教士溥尔琪之妻在合肥创设一所幼儿园。

本年　全县推行小学初级二部制。

本年冬　中共皖北特支设合肥。特支辖合肥县委、寿县县委、舒城区委、无为工委、庐江、阜阳、颍上、凤台、繁昌（一部分），共有党员320人。

本年　合肥新华皂烛工厂在前大街279号开业，生产"强国牌"肥皂、"新华牌"药皂。

本年　由于淮南铁路全线通车，芜湖—合肥私营轮船乘客渐少，客运航班停业。

1937年（中华民国二十六年）

本年初　合肥县公安局改称合肥警察局。

7月7日　卢沟桥事变发生，中国抗日战争全面爆发。

7月30日　北平沦陷，天津弃守。

8月1日　合肥发生地震。

8月13日　日军进攻上海，国民党军队奋起抵抗。

本月　为阻日军进犯，国民党军队奉令将淮南线铁路破坏。

12月11日　日军攻陷中国最大工业城市上海。

12月13日　日军攻陷中国首都南京。

本年冬　日军即经常派轰炸机空袭合肥，给合肥人民的生命财产造成重大损失。其中最严重的一次是1938年3月28日的轰炸，几乎将肥城夷为废墟。

12月　合肥地区西乡共产党人桂俊亭、赵于臣、程明远等于山南、中派、雷麻店一带组织抗日武装，领导地方抗日救亡运动。

本月　国民党第二十一集团军廖磊部由九江向合肥集结。

本年　合肥县联保并为80个。

1938年（中华民国二十七年）

2月　李宗仁主政安徽。

2月6日　国民党第二十一集团军在总司令廖磊率领下，由浙西经南昌、九江、宿松、桐城一线抵达合肥，布防县城及梁园、八斗岭一线。

本年初　　国民党设立合肥警备司令部,由原独立第四十旅旅长宋世科担任司令。

3月　　国民党军队为阻日军进犯,奉令破坏合六、合蚌、合寿等公路。

3月27日　　日机轰炸合肥主城区,200余人被炸死。

是月　　合肥县成立抗日民众动员委员会。

4月26日　　日机猛炸巢城。

4月30日　　由芜湖北上进犯的日军坂井支队侵占巢县。

5月初　　因国民党第二十一集团军离肥北上,所遗合肥防地由国民党第二十六集团军布防。月初,该集团军所部由豫、鄂等省抵达合肥布防。

5月10日　　日军飞机第一次轰炸庐江县城,至1941年夏,庐江县城遭日机轰炸达13次之多,民房600余间被炸毁,居民死伤约60人。

5月11日　　日军坂井支队由巢县攻入合肥境内,遭中国守军激烈抵抗。

5月13日　　日军侵入合肥近郊。

5月14日　　日军占领合肥。日军在城内外实施大屠杀。不久,日军成立庐州特务班。

16日　　日军在合肥城挨家挨户搜捕,将无辜居民驱押到苗圃(今合肥市老体育场)、卫衙大关(今安庆路卫民巷)等地集体屠杀。

5月19日　　日军制造烟墩集惨案。随后又在三河集、庐江东汤池、上东湾、巢县温家套等地制造一系列惨案。

5月25日　　国民党军与日军激战大蜀山。29日,国民党军一度攻入合肥城内。5月30日,国民党军与日军再战大蜀山,歼灭日军500余人。

6月4日　　日军一部3000余人自大蜀山攻击国民党军阵地,该部国民党军晚间退守六安。

6月上旬　　在日军特务班撮合下,合肥维持会成立。袁琢斋为会长,方星樵为副会长。

6月23日 新四军江北指挥部在今肥北县青龙厂召开会议,新四军第四支队政委高敬亭随后被错杀。会后部队整编,第四支队由徐海东兼任司令员,下辖第七、第九、第十四3个团。

是月底 新四军四支队八团在合肥东乡马集组建抗日义军。

7月 沦陷区日伪合肥县政府组成,方星樵任县知事。另成立日伪警察局,由黄宗杰任局长。王占林被伪维新政府委为伪庐州地区绥靖队司令。

本年夏 安徽省政府迁移立煌(今金寨县)。

8月3日 日军10万余人集结合肥、舒城一带。

本月 日军沿合六公路西犯,防虎山一役,安徽抗日人民自卫军第二路军第一支队毙日炮兵大佐大雄。官亭一役,自卫军二支队重伤敌军10余人,缴获大盖枪3支,电话和耳机1副。在合肥西乡三十岗火龙地,自卫军七支队生擒1名日军机枪连连长,缴获机枪1挺。自卫军三支队在合肥东北部白龙厂击毙击伤日军30余人,缴获日军战马2匹,钢盔、大刀数十件。

9—10月 新四军四支队七、八两个团在合肥附近合安、合六公路作战10余次,击毙日军500多人,击伤300多人,击毁和缴获军车70多辆,缴获步枪400余支。

10月 日军占领安庆。

本年秋 桂俊亭、凌正明领导的游击队在合肥花子岗、桃溪镇等地对日军进行袭击,将敌汽车站和仓库炸毁。

10月28日 伪安徽省政府于蚌埠成立。

11月6日 国民党军队袭击合肥日军,炸毁三里街机场日机4架。

11月17日 国民党军一部一度收复合肥城。

12月14日 伪安徽省政府委任方星樵试署伪合肥县知事。

12月 日军集中兵力向花子岗一带进行大扫荡。花子岗沿合(肥)安(庆)公路两侧20多个村庄被烧毁,花子岗镇3000多间草瓦房化为灰烬。

本月　日军包围烟墩集,屠杀无辜群众多人。

1939年(中华民国二十八年)

1月　合肥县府撤销联保办公处,建立92个乡公所、13个镇公所。

2月　安徽烟酒各税由财政厅接管代征。

1月2日　伪巢县县公署成立,陆月芬担任首任伪县知事。

本年初　日军于合肥设立庐州警备司令部,首任司令官为市川。

1月　共产党员宣南生通过争取地方绅士支持,筹款购枪,在合肥东乡山王集成立山王自卫队。队长宣南生。1940年上半年,该队与江北游击纵队取得联系,队伍由百人迅速发展到七八百人,扩展为总队,活动范围扩大到西山驿、梁园、张集等地。8月,该队经江北游击纵队批准,编入淮南人民自卫军,年底改编入江北游击纵队三团。

本月　日商陆续窜入合肥设立洋行。至1941年,日商在合肥开设的洋行达20余家。

2月1日　方星樵正式就任伪合肥县知事,首届伪合肥县级政权正式成立。

2月　黄宗杰被委为伪合肥警察所所长。

本月　日军以4000余骑兵偷袭梁园,被新四军四支队八团击溃。

3月22日　大民会庐州联合支部成立。

3月　新四军江北游击纵队在烧麦岗成立直属大队。

本年春　新四军四支队八团进入合肥众兴地区,帮助皖东工委在合肥东乡发展一批共产党员,成立有7个党支部。

5月11日　日伪政权成立合肥县地方税分局,征收营业税、牙税、烟酒牌照税、屠宰税、牲畜费等。

11月11日　新四军四支队八团包围合肥东乡店埠日伪维持会刘孟乙部,歼敌百余人,活捉匪首刘孟乙,缴获步马枪百余支、机枪1

挺、洋马12匹及其他军用物资。其后日伪军1200余人分两路扫荡梁园,被新四军八团再次击溃,日军死伤百余人。

11月　伪华中电气通信股份有限公司在合肥设立庐州电报局。

本年　日军进行奴化宣传,合肥大街小巷到处写"日中亲善""日中提携""同文同种""共存共荣""建立中国的王道乐土""大东亚共荣圈"等大型标语,强令中小学生学日文;强令中小学举行日本国旗升旗仪式;强令住户悬挂日本国旗;强令行人遇见日本官兵鞠躬行礼。

1940年(中华民国二十九年)

1月4日　国民党军部在其所辖游击队友邻部队配合下,于合肥歼灭日军500余人,并击毙日军合肥警备司令三浦中佐。

2月1日　伪合肥县公署举行成立初周纪念大会。

3月　日军庐州特务班升格为庐州特务支部。

3月底　伪合肥县方星樵致电汪精卫,庆贺汪伪国民政府成立。中共合肥县委在肥东广兴集建立,书记岳炎(严佑民)。

6月3日　日军侵占下塘集,设立下塘集特别区(相当于县政府),强征人口税、招待日军费等。

6月　战前遭中国军民破坏的淮南铁路经修复,全面通车。

7月5日　攻占罗集的日军试图西进攻占吴山庙,遭国民党守军狙击。

7月8日　国民党军一部押运弹药至下塘集西南地区时,与日军尾崎旅团田川联队大泽阁大队遭遇,双方激战一天,击毙、击伤日军大队长大泽阁以下300余人,缴获弹药一批。

8月1日　伪中国合作社合肥支社成立。

9月20日　陆月芳去职,胡正刚继任伪巢县县知事。

10月初　方星樵因汉奸内部矛盾,被日伪撤职,后被日军宪兵队秘密处死,抛尸淮河。

10月9日　宋植枬被委为代理伪合肥县知事。

11月1日　宋植枬到任,改称"县长",伪县公署改称伪县政府。

12月　苏皖地区国民党顽军前后对新四军皖东根据地发动6次大扫荡,新四军退让梁园、草庙、大马厂、复兴集及界牌集等防地。

本年　方星樵赴蚌埠出席伪安徽省政府举办的第一次县政会议。

本年　侵华日军将耀远电气股份有限公司更名为"华中铁道发电厂",筹备发电。

本年冬　伪皖中清乡司令部于长乐集成立,吴道南担任司令。

本年　合肥县改属第二专区辖隶。增设22个乡公所,确立乡、镇公所为基层政权。

12月　省政府于民政厅第三科添设卫生技士。

1941年(中华民国三十年)

本年初　合肥始行新县制。

1月　省政府修正《安徽省战时施政纲领》。

1月中旬　国民党顽军进犯淮南津浦路西新四军根据地。

1月23日　日军调集3000余人分两路对新四军路西根据地进行扫荡。

本年春　国民政府中央规定:各县诊疗所一律改为综合性的县卫生院,所有卫生院均兼管各县卫生行政工作。

3月28日　侵华日军从巢县向三河方向进发。

3月30日　日军侵占盛桥。

3月底　日军由巢县出发,占领庐江县盛桥等地,直至1943年7月才撤离。

4月　宋植枥的伪职由代理改为实授。

5月1日　日军进犯长岗店,遭国民党部队反击,被击毙280余名,残敌四窜。

9月26日　国民党军队袭击驻吴山庙等地日军。

10月初　宋植枥下台。张树森被伪安徽省政府委为伪合肥县长,8日,张树森到任。

10月25日　国民党军队总攻合肥,逼近城垣。

11月20日　国民党军队将双墩集至淮南段五公里铁轨拆毁。

本年　伪特工总部安徽区成立后,正式设立合肥站。

本年　合肥实施《国产烟酒类税暂行条例》,土烟特税和土酒定额税废止。

1942年(中华民国三十一年)

本年　安徽省政府修正了《安徽省战时施政纲领》。

3月1日　伪下塘集特别区区公所挂牌成立,魏连成担任首任伪区长。

5月31日　国民党军队攻占合肥城外围多处日军据点。

6月10日　国民党军队围攻合肥县城,在合肥北三星击毙日伪官兵百余名。同日,国民党军夜袭巢湖南盛家桥、姑黄闸。次日,又与日伪军在合肥东门外进行激战。

本月　新四军淮西独立团正式组建,隶属津浦路西联防司令部领导,主要活动于淮南铁路西部地区。至抗日战争胜利,该团由300余人发展到1000多人,先后俘敌千余人,缴获大量战利品。

8月　伪省立合肥中学开始招生。

11月15日　成立省卫生处,直属省政府管辖。

本年冬　新四军巢北支队开辟一条由青龙厂经磨店、西山驿、山王到周家疃约150华里的交通线,保证了新四军七师、二师和军部的联系。

1943年(中华民国三十二年)

本年初　日寇窜扰立煌,省卫生处全部房屋被烧。

3月6日　张树森被撤职,伪合肥县长改由吴道南担任。4月5日,吴道南正式就任。

1943年3月中旬至5月初　新四军第七师前后两次,阻击日军对新四军皖江抗日根据地中心地区(即巢无中心区)的"扫荡"。

11月20日　伪安徽省政府第11次省政会议,决议免去吴道南伪合肥县长职务,由陈成代理伪合肥县长。

本年　伪特工合肥站升格为合肥支局。

1944年(中华民国三十三年)

4月　伪下塘集特别区改为伪兴淮特别区。

同月　胡正刚去职,宋复担任伪巢县县长。

本年底　陈成去职,伪合肥县长改由夏叙堂担任。

本年　合肥地区发生旱灾,粮源匮乏。是年,国民政府扩大田赋征实数额,合肥县的田粮征实数为60452石。

1945年(中华民国三十四年)

3月　夏叙堂辞职,伪安徽省政府委任陈秀波代理伪合肥县长。

同月　陈常焘就任伪巢县县长。

4月　新四军在合肥县东北边缘黄疃对国民党桂系所部顽军发动一场阻击战,此战史称"黄疃庙战役"。

8月15日　日本天皇裕仁发表广播讲话,宣布无条件投降,中国抗日战争胜利结束。伪合肥县政府垮台。

8月17日　国民党军一部占领巢城。

8月18日　蒋介石发布命令,命令国民党第十战区司令李品仙负责接受安徽和江苏北部日军投降。

8月21日　合肥光复。

8月　国民党合肥县政府从合肥城郊迁回城区。

9月初　国民党合肥县政府由西乡鸽子笼(镇)迁至合肥城。不久,安徽省政府也迁至合肥城。

9月24日　李品仙在蚌埠接受皖中、皖北地区日军投降。

9月　国民政府宣布合肥为安徽省临时省会,省府从立煌迁至合肥。

10月　中共皖西大队撤退到桐城、潜山交界的西岭同中共舒桐潜工委及其领导的游击队会合，10月中旬，两支部队的领导人在桐城的孙家湾开会，会议决定将中共舒桐潜工委改建为中共皖西工委，直属华中局领导，桂林栖任书记，两支部队合并为皖西大队。会后，皖西大队分散活动。

12月5日　省立立煌女子中学迁至合肥，改称省立合肥女子中学。

12月9日　善后救济总署安徽分署在合肥设立。

12月　立煌医院迁至合肥，改称为省立合肥医院。

本年　安徽学院从立煌迁至合肥临河集，假借李氏仓库继续办学。

本年　安徽省图书馆从立煌迁至合肥，暂以城内明峻别墅为馆址。

本年　省立第六中学从立煌迁至合肥，与日伪时期的合肥县立中学合并，改称省立合肥中学。

本年　合肥县推派代表与全省22个县的代表同赴南京，吁请政府停购军粮。是年抗战胜利，安徽省政府迁往合肥，卫生处随迁，并增设人事室，编制逐渐扩充至40人。

1946年（中华民国三十五年）

1月3日　四地委和军分区负责人在定远县老人仓开会，会议决定成立中共寿（县）六（安）合（肥）霍（山）工作委员会，赵凯为书记；成立寿六合霍县政府，赵凯兼任县长；成立寿六合霍县总队。

4月29日　安徽学院学生决定派遣代表前往合肥，请求省府将安徽学院改为国立安徽大学。

4月　合肥设立省会警察局。

5月31日　淮南铁路水家湖至蚌埠段铁轨修复，正式恢复通车。

6月26日—7月12日　省参议会第一届第一次会议在合肥召开。

6月　省参议会通过多项议案，要求当局严厉惩办各地汉奸，以伸民族正义。

7月12日　省参议会致电南京政府,要求将安徽省省会从合肥迁回安庆。

7月16日　中原军区一纵一旅在旅长皮定均带领下到达高刘,第一次打掉高刘集乡公所。

8月　寿六合霍县总队第三次攻打高刘集,先后击毙高刘奸商王家父子和高刘乡乡长。

8月28日　包孝肃公祠修整完毕,合肥各界民众举行落成典礼。

9月26日　省府决定在合肥北门苗圃开辟省立体育场。

10月30日　合肥前县长隆武功犯有贪污等罪行,被判处15年徒刑。

10月　省府根据安徽学院院长程演生的建议,将安徽学院从合肥临河集迁往芜湖赭山。

11月8日　省参议会第一届第二次会议再次通过议案,要求南京政府同意将省会迁回安庆。

11月　省府下令合肥县政府加紧修筑境内公路。

12月10日　省府决定在合肥建立省会新村,以解决房荒,并请求救济分署和中国农民银行提供贷款。

12月18日　合肥县政府在报纸上连续刊登公告,公布抗日战争时期为国捐躯合肥籍军人名单。

本年　私立贞干中学从立煌迁至合肥,次年3月,由省教育厅改为省立贞干中学。

本年　当局强购硬派军粮、粮商囤积居奇。

1947年(中华民国三十六年)

2月7日　合肥城内公用电话架设完毕。

2月15日　合肥县参议会电请南京政府,请求抑制物价暴涨。

2月18日　张治中将军来合肥访问,受到各界民众欢迎。

2月19日　安徽省教育会在合肥举行成立大会。

2月27日　合肥参议会会议通过决议，以国民党领袖和合肥籍辛亥烈士名字为城内主要街道重新命名。

2月28日　内政部电复安徽省参议会，决定安徽省会仍设合肥。

2月　省参议会派代表前往南京，恳请当局减轻安徽粮税负担。

2月　中共潜太、岳北、舒六县委和桐庐、庐北工委成立。

3月5日　经省府批准，合肥全县127乡镇合并为65乡镇。

3月　寿六合霍工委率游击队第二次将国民党高刘乡公所武装全部解除，建立起人民的乡政权。

4月　省建设厅决定在城区挖凿五口深井，以解决居民饮水问题。

4月　合肥与安庆、合肥与蚌埠之间开始架设长途直达电话。

5月14日　合肥各界人士举行公祭大会，悼念抗日战争中牺牲的合肥籍军人和遇害的合肥居民。

5月1—7日　合肥掀起居民抢购粮食风潮，民众亡3人、伤6人，4人被捕。

5月16日　合肥大群饥民抢米，遭到保安团开枪射击，饥民死1人，伤3人。

5月　根据华中局2月来信指示，为了统一加强对巢合地区的领导，成立了以吴万银为书记的中共巢北工委。

7月　刘邓大军第三纵队"全部在皖西作战"，向霍邱、六安、霍山、寿县、舒城、桐城、庐江、无为等县展开。9月，第三纵队第八旅党委决定，进一步实施战略展开，放手歼敌，解放城镇。12日晚，第二十四团攻入庐江城内。13日，庐江城第一次解放。10月上旬，第二十四团又随旅主力参加张家店战斗后，回师东进，11日再次解放庐江。

12月初　中共皖西二地委、二专署、二分区在庐江大凹山的小马庄宣布成立中共桐庐县委，同时，撤销桐庐工委。随后，桐庐县民主政府也宣布成立。早些时候在桐庐游击大队基础上成立桐庐基干团。根据皖西二分区指示，将桐庐基干团划分为桐庐独立团和湖西独立团。隶属皖西二分区和桐庐县委的双重领导。

12月下旬　中共皖西二地委、二专署在庐江葛家庙宣布成立中共湖西县委和湖西县民主政府,同时成立湖西独立团。中共湖西县委、民主政府的建立,标志着湖西游击根据地的重新建立。

12月　中共肥西(南)工委成立。同时建立肥西(南)办事处。随同工委活动的还有肥西武工队。

本年　合肥及周围地区发生水蝗灾害,115万人受饥寒。

本年部分粮商与外地粮商勾结,乘内战之机将大批粮食偷运至外埠销售牟取暴利,导致合肥城粮食匮缺,米价暴涨。

1948年(中华民国三十七年)

2月　为恢复开辟皖江根据地,经皖西区党委批准,在无为成立皖西四地委、四分区。统一了巢、无、和、含、庐、合等地武装斗争的领导,并成立了中共肥东工委、全合工委。

2月　合肥电灯厂开始发电,部分机关、居民、市区道路开始使用电灯照明。

3月　合肥城区东大街全面改造工程动工。

3月　程明远带领干部南下,在肥东北留下一些人在青龙地区开展敌后斗争。在合五区的帮助和支持下,同年5月,成立了合四区。4月 皖西三分区党委派人带领一支由16人组成的六合支队,挺进双河一带活动,待机进入肥西,配合肥西工委开展工作。6月,六合支队部分人员进入肥西,在鸽子笼和聚星街一带与肥西武工队会合,成立了肥西游击队。8月初,游击队改编为肥西支队。到1949年5月,肥西支队发展到1600余人,成立了肥西独立团,后被整编为六安分区警备第八团。

5月3日　省会警察局公布合肥市区人口统计情况,全城共计11,200户,男女居民58,616人。

5月16日　省府拟定防止抢米风潮五项办法。

5月30日　省府下令,禁止稻米出境。

5月　全合县政府成立。同时,成立全合县总队。

5月　中共肥东北工委成立,同时还成立了肥东北办事处。

5月—6月　合肥抢米风潮蔓延。

6月6日—8日　省会区运动会在合肥举行。

6月　人民解放军攻克开封。合肥为之震动,国民党当局随即在合肥城修筑城防工事。

6月　合肥物价继续暴涨,居民生活指数上涨91万倍。

7月10日　合肥各界民众举行游行示威,反对强行摊派城防工事建筑费。

8月　肥东办事处成立,先后恢复和建立了西山驿、长临河、石塘、店埠、大兴等区政权。

8月　国民政府全面征收自卫经费。

8月　李品仙辞去安徽省主席职务,夏威接任省主席。

8月下旬　刘邓大军挺进皖西大别山区,连克皖西六安、庐江等县城。

9月　合肥至浦口公路修通。

10月9日　张家店战役结束,原驻合肥国民党六十二旅前往增援张家店国民党守军,此役被人民解放军全歼。

10月10日　淮南铁路合肥车站举行水(家湖)合(肥)段复轨通车典礼。

10月　合肥成立城防司令部,加强全城警戒。

10月　寿六合霍工委为开辟地区,在肥东北工委的帮助下,建立了双墩区工委。

本年秋　国民党安徽省政府迁安庆,卫生处迁往芜湖,编制紧缩。11月1日省府决定在合肥实行粮食配售。

11月6日　华东解放军和中原解放军向徐州国民党守军发起进攻,淮海战役开始。

11月28日　国民党五十五军进入合肥,强占民房,抢夺粮食,居民不堪其扰。

12月3日　省府宣布在屯溪设立皖南行署,暂在合肥办公。

12月19日　省府、国民党省党部及附属各机构突然从合肥城内迁出,辗转迁至安庆。

12月27日　省主席夏威离开合肥,保安司令部、城内国民党驻军、省会警察局随之撤离。

1949年(中华民国三十八年)

1月10日　历时66天的淮海战役胜利结束,全歼国民党军队55万人。

1月20日　经合肥士绅劝说,国民党军队刘汝明部从合肥撤离。

1月21日　合肥解放,合肥县府机关被废撤。

1月22日　合肥军事管制委员会成立。

2月　皖北支前司令部合肥粮草供应站成立,为南下的中国人民解放军和本地公职人员提供粮食柴草。

2月11日　合肥市工商管理局成立。

参考文献

一、民国期刊

1. 申报报务管理委员会.申报[N].上海:1912—1941.12、1945—1948.
2. 汪伪广播事业建设协会.申报[N].上海:1945.5.
3. 商务印书馆.东方杂志[J].上海:1913—1928.
4. 张季鸾,胡政之.大公报[N].天津:1911—1928.
5. 于右任.民立报[N].上海:1913.
6. 安徽省政府秘书处.安徽公报[N].安庆、立煌、合肥:1913—1948.
7. 伪维新政府教育部.教育公报[N].南京:1939.
8. 国民党中央宣传部.中央日报(安徽版)[N].屯溪栗里:1945.10.
9. 国民党中央宣传部.中央日报[N].南京:1945.9.
10. 叶楚伧.民国日报[N].上海:1921.
11. 安徽省教育厅秘书处编.安徽教育行政周刊[J].安庆:1929.
12. 安徽省建设厅编译股.安徽建设月刊[J].安庆、立煌:1929—1942.
13. 安徽省教育厅秘书处编.安徽教育[J].安庆:1929.11—1934.3.
14. 安徽省立图书馆编印.学风[J].安庆:1931—1936.
15. 国民党安徽省党部.皖报(合肥版)[N].合肥:1945—1948.
16. 安徽省政府秘书处编辑室编辑.皖政导报[N].安庆:1946.7.

17.芜湖工商日报社,张九皋.芜湖工商日报[N].芜湖:1932.11.29—1937.12.

18.安徽省教育厅编.安徽教育行政旬刊[J].安庆:1933.1.

19.安徽省建设厅秘书处编辑股.安徽建设季刊[J].安庆:1933.1.9.

20.国民政府军事委员会南昌行营第二厅编辑室编辑.军政旬刊[J].南昌:1934.

21.汪伪政权申报年鉴出版社.申报年鉴[J].上海:1944.

22.小书院公论月刊编.公论(合肥)[J].合肥:1935.4.

23.安徽省政府秘书处.安徽政务月刊[J].安庆:1935—1937.

24.伪安徽省政府.蚌埠新报[N].蚌埠:1939—1940.

25.朱绣封,余石坪.芜湖新报[N].芜湖:1939.11—1941.12.

26.安徽省政府秘书处,安徽政治[J].立煌、合肥:1939—1944.

27.安徽省动员委员会.文化月刊(安徽)[J].立煌:1939.7—1940.1.

28.日伪安徽省政府.安徽日报[N].蚌埠:1940—1945.

29.中原出版社.中原文化月刊[J].立煌:1941.10—1942.9.

30.安徽警务处月刊社编.皖警月刊[J].合肥:1942.8.

31.青年编辑部编印.合肥青年[J].合肥:1945.11—1946.7.

32.善后救济总署安徽分署秘书处编.善后救济[J].合肥:1946.

33.国民党安徽省党部.皖北日报[N].蚌埠:1946.7.

34.安徽省卫生处编辑.安徽卫生[J].合肥:1946.7.

35.安徽省文献委员会编印.安徽文献[J].合肥:1946.7—1946.9.

36.雷池文艺社.雷池[J].合肥:1946.12.

37.安徽省建设厅建设汇报编印.建设汇报[N].合肥:1947.1—1947.10.

38.国民党合肥县党部.合肥日报[N].合肥:1947.

39.张鸣.公正报[N].合肥:1947—1948.

40.张孝徽.大地[N].上海:1947.

41.新社会月刊社编印.新社会月刊[J].合肥：1947.

42.安徽省银行刊室编印.安徽地方银行纪念刊[J].合肥：1948.

43.陈仁炳.展望[J].上海：1948.

二、历史档案与资料汇编

1.合肥县临时议会.合肥县临时议会议事录[C].合肥：合肥县临时议会，1912.6.

2.苏浙皖各地施政概况第一辑.安徽省合肥县公署施政概况报告表[R].现藏于南京第二历史档案馆.

3.安徽省合肥县地方自治区域调查表[Z].现藏于南京市第二历史档案馆.

4.安徽省警务处搜集之内政材料表[Z].现藏于南京市第二历史档案馆.

5.合肥伪组织调查表[Z].现藏于合肥市安徽省档案馆.

6.中华民国十一年度内务统计·土地与人口[Z].现藏于北京市北京图书馆.

7.国民政府安徽省政府第一次县政会议纪录[C].现藏于合肥市安徽省图书馆.

8.安徽省政府教育厅.安徽全省教育局长会议记录[C].安庆：安徽省政府教育厅出版，1929.

9.安徽省政府教育厅.一年来之安徽教育[M].安庆：安徽省政府教育厅出版，安徽省政府教育厅，1930.

10.南京国民政府安徽省政府秘书处.一年来之安徽政治（第四编教育）[M].安庆：安徽省政府秘书处，1933.

11.南京国民政府教育部.教育部督学视察安徽省教育报告[R].南京：南京国民政府教育部，1933.

12.南京国民政府教育部.第一次中国教育年鉴甲编[M].上海：开明书店，1933.

13.南京国民政府教育部.第一次中国教育年鉴乙编[M].上海：开明书店,1934.

14.南京国民政府教育部.第一次中国教育年鉴丙编[M].上海：开明书店,1934.

15.安徽省通志馆.合肥采访册[M].安庆：安徽省通志馆出版,1935.

16.安徽省政府秘书处编.安徽省现行法规[Z].安庆：安徽省政府秘书处,1928.

17.安徽省政府教育厅编译处.安徽现行教育法规汇编[G].安庆：安徽省政府教育厅,1930.

18.南京国民政府安徽省政府.安徽省政府委员会会议记录[C].安庆：安徽省政府,1930.

19.南京国民政府安徽省政府.安徽省政府委员会会议汇要[C].安庆：安徽省政府,1932.

20.安徽省政府秘书处.安徽省政府单行法规汇编[G].安庆：安徽省政府秘书处第三科第八股,1933.

21.南京国民政府安徽省政府秘书处.一年来之安徽政治[M].安庆：安徽省政府秘书处,1933.

22.安徽省政府.民国廿二年份安徽省概况统计[Z].安庆：安徽省政府,1933.

23.安徽省教育厅.安徽整理地方教育行政会议录[C].安庆：安徽省教育厅,1934.

24.安徽省政府教育厅.安徽教育要览（第一回）[M].安庆：安徽省政府教育厅,1934.

25.安徽省政府教育厅.安徽教育要览（第二回）[M].安庆：安徽省政府教育厅,1934.

26.安徽省政府秘书处.安徽省单行法规续编[G].安庆：安徽省政府秘书处,1935.

27.安徽省政府编.安徽省政府二十三年度行政成绩报告[R].安

庆:安徽省政府,1935.

28.安徽省二十四年度预算委员会.安徽省二十四年度省县地方预算汇编(1935)[G].台北:文海出版社,1999.

29.安徽省民政厅.安徽省民政工作纪要(1936)[M].台北:文海出版社,1987.

30.吴正著.皖中稻米产销之调查[M].上海:交通大学研究所,1936.

31.安徽省政府教育厅.安徽教育要览(第三回)[M].安庆:安徽省政府教育厅,1936.

32.安徽省政府教育厅.安徽教育要览(第四回)[M].安庆:安徽省政府教育厅,1947.

33.曾愈.安徽省专署县政府整调之经过及其理论之基础[M].//安徽省政府秘书处编行.抗建中之安徽(乙编政治).1940.

34.韦永成.新县制在敌后区域实施的意义与本省实施计划[M].//安徽省政府秘书处编行.抗建中之安徽(乙编政治).1940.

35.莫仲凡.安徽省的基层行政[M].//安徽省政府秘书处编行.抗建中之安徽(乙编政治).1940.

36.操云岑.三位一体制在安徽省的实施[M].//安徽省政府秘书处编行.抗建中之安徽(乙编政治).1940.

37.廖磊.廖主席言论集[M].立煌:中原出版,1939.

38.李品仙.安徽省廿八年度统计年鉴[M].立煌:安徽省政府,1939.

39.丘国珍.战时安徽地方武力之发动与整理[M].//安徽省政府秘书处编行.抗建中之安徽(丙编军事).立煌:1940.

40.汪伪政权.安徽警务处过去一年来工作概要[N].//安徽省公报.蚌埠:伪安徽省政府秘书处发行,1940.

41.汪伪政府.国民政府安徽省政府第一次县政会议记录[C].蚌埠:汪伪政府,1940.

42.安徽省政府会计处.安徽省各县地方预算书(中华民国三十年

度)[M].立煌:安徽省政府会计处,1941.

43.安徽省政府秘书处编.安徽一年[M].立煌:安徽省政府秘书处编译室,1942.

44.安徽省政府秘书处.战时安徽政治设施[M].立煌:安徽省政府秘书处编译室,1942.

45.安徽省政府.安徽政治建设实绩[M].立煌:出版社不详,1944.

46.安徽省政府.安徽省三十四年度全省行政会议录[C].安庆:安徽省政府,1945.

47.安徽省政府编印.安徽省战时损失概况[M].安庆:安徽省政府,1945.

48.安徽省政府教育厅编.安徽省战后教育计划大纲[M].安庆:安徽省政府教育厅,1945.

49.安徽省政府复员计划委员会编.安徽省政府复员工作方案[M].安庆:安徽省政府复员计划委员会,1945.

50.安徽省政府复员计划委员会编.安徽省复员工作方案[M].安庆:安徽省政府复员计划委员会,1945.

51.安徽省教育厅编.安徽省战后教育大纲[M].安庆:安徽省教育厅,1945.

52.安徽省政府秘书处编.安徽政绩简编[G].合肥:安徽省政府秘书处,1946.

53.安徽省政府秘书处编.安徽省五年建设计划[Z].合肥:安徽省政府秘书处,1946.

54.安徽省政府编.安徽省五年建设计划[Z].合肥:安徽省政府,1946.

55.安徽省政府.安徽省教育统计简编[G].合肥:安徽省政府,1946.

56.安徽省参议会.安徽省参议会第一届第一次大会会刊[C].合肥:安徽省参议会,1946.

57.安徽省政府秘书处编.省政府委员会会议记录汇编(1946年)

[G].合肥:安徽省政府秘书处,1947.

58.安徽省政府秘书处编.八年来之安徽[M].合肥:安徽省政府秘书处,1946.

59.安徽省财政厅.安徽战时财政概况[M].合肥:安徽省财政厅,1946.

60.王朝浚.安徽省立合肥医院概况.一年来之安徽——安徽卫生[M].合肥:1947.

61.南京国民政府安徽省政府.安徽省政府委员会会议录汇编[G].合肥:安徽省政府,1947.

62.南京国民政府安徽省政府.安徽省三十六年度行政会议记录[C].合肥:安徽省政府,1947.

63.南京国民政府安徽省政府.安徽省县市地方岁入总预算汇编[G].合肥:安徽省政府,1948.

64.李品仙.安徽省政府工作报告(1947年度)[R].合肥:安徽省政府秘书处,1948.

65.多贺秋五郎编著.近代中国教育史资料(民国编下)[M].台北:文海出版社,1975.

66.沈云龙主编,陈训正编.近代中国史料丛刊(七十九辑)·国民革命军战史初稿(第二卷)[M].台湾:文海出版社,1971.

67.秦孝仪主编.中华民国重要史料初编——对日抗战时期第六编傀儡组织(三)、(四)[M].台北:台湾中国国民党党史会编辑出版,1981.

68.杜春和,林斌生,丘权政编.北洋军阀史资料选辑(下册)[M].北京:中国社会科学出版社,1981.

69.中共安徽省委党史工作委员会编.安徽现代革命史资料长编(第一卷)[M].合肥:安徽人民出版社,1986年版.

70.安徽省政协文史资料研究委员会,中共安徽省委党校理论研究所合编.淮上起义军专辑[M].合肥:1987.

71.李桂林主编.中国现代教育史教学参考资料[M].北京:人民

教育出版社,1987.

72.安徽省政府经济文化研究中心.安徽近代教育沿革与统计资料选辑1840—1949[M].合肥:1987年.

73.中共安徽省委党史委员会、安徽省档案馆编.国民革命军北伐进军安徽[M].1988(内部资料).

74.沈云龙主编.近代中国史料丛刊三编.第二次中国教育年鉴(第九编)社会教育[M].台北:文海出版社,1989.

75.沈云龙主编,邝德生编.近代中国史料丛刊三编(第二十五辑)·国民革命史[M].台北:文海出版社,1989.

76.张湘炳,蒋元卿,张子仪编.辛亥革命安徽资料[G].合肥:黄山书社,1990.

77.第二历史档案馆编.中华民国史档案资料汇编(第五辑第一编)军事[M].江苏:江苏古籍出版社,1991.

78.中共安徽省委党史工作委员会编.安徽现代革命史资料长编(第二卷)[M].合肥:安徽人民出版社,1991.

79.赵铭忠主编.汪伪政府行政院会议录(第6册)[C].北京:中国档案出版社,1992.

80.中国人民解放军历史资料丛书编审委员会.新四军文献[M].北京:解放军出版社,1993、1994.

81.日本侵华在安徽的罪行[Z].现藏于安徽省档案馆、蚌埠市档案馆,1995.

82.中共安徽省委组织部,中共安徽省委党史工作委员会,安徽省档案馆编.中国共产党安徽省组织史资料(1921.7—1987.11)[M].合肥:安徽人民出版社,1997.

83.蔡鸿源主编.民国法规集成(第58册)[M].合肥:黄山书社,1999.

84.方兆本主编.安徽文史资料全书·合肥卷[M].合肥:安徽人民出版社,2005.

85.沈祖炜主编,上海市文史研究馆编.辛亥革命亲历记[M].上海:中西书局,2011.

86.朱兴良.合肥县财政之收入支出及财务行政论[M].//南京图书馆编.二十世纪三十年代国情调查报告(210册),南京:江苏凤凰出版社,2012.

87.舒嗣芬.合肥县财政之岁出岁入与田赋篇[M].//南京图书馆编.二十世纪三十年代国情调查报告(209册),南京:江苏凤凰出版社,2012.

88.安徽省财政厅.安徽财政史料选编[M].合肥:安徽省财政厅出版,1992.

89.安徽省政协文史资料研究委员会编.安徽文史资料选辑[M].合肥:中国人民政治协商会议安徽省委员会文史资料研究委员会发行,1981.

90.王启敏.百年安徽风云[M].合肥:安徽人民出版社,2001.

91.合肥市政协文史资料研究委员会编.合肥文史资料[M].合肥:安徽人民出版社,2012.

三、民国时期著述

1.蔡晓舟,杨亮公.五四[M].上海:同文印书局,1919.

2.蔡晓舟.国语组织法[M].上海:泰东书局,1920.

3.陈翊林.最近三十年中国教育史[M].上海:太平洋书店,1933.

4.刘文典.淮南鸿烈集解[M].上海:商务印书馆,1923.

5.郭汉明.安徽省之土地分配与租佃制度[M].南京:正中书局,1937.

6.傅广泽.安徽省田赋研究[M].台北:成文出版社,1977.

7.金延泽.安徽省土地整理之研究[M].台北:成文出版社,1977.

四、地方志

1.张祥云修,孙星衍纂.合肥县志(54卷本图1卷)[M].嘉庆七年(1802年).

2.佚名纂修.合肥县志[M].清光绪(1875—1908)不分卷8册抄本.

3.吴名鳌纂.庐阳名胜便览(6卷1册)[M].酌影堂,乾隆三十二年(1767年)刻本.

4.李恩绶纂.(合肥)香花墩志(不分卷1册)[M].光绪二十九年(1903年)抄本.

5.钱镕等纂修.庐江县志(十六卷)[M].清光绪十一年(1885年)刻本.

6.李信孔.安徽巢湖中庙庙志[M].安徽省巢湖市图书馆,1984.

7.李絜非撰.合肥风土志[M].//《学风》1935年第5卷第7期.

8.安徽通志馆.皖志列传稿[M].1936年印.

9.东亚同文会编.中国省别全志·安徽省志[M].日本大正八年(1919年)东京铅印本第十二卷;安徽省图书馆藏佚名译本.

10.安徽通志馆纂修.安徽通志稿[M].民国二十三年(1934年)铅印本.

11.安徽省地方志编纂委员会.安徽省志·邮电志[M].合肥:安徽人民出版社,1993.

12.安徽省地方志编纂委员会.安徽省志·军事志[M].合肥:安徽人民出版社,1995.

13.安徽省地方志编纂委员会.安徽省志·人口志[M].合肥:安徽人民出版社,1995.

14.安徽省地方志编纂委员会.安徽省志·卫生志[M].合肥:安徽人民出版社,1996.

15.安徽省地方志编纂委员会.安徽省志·教育志[M].北京:方

志出版社,1997.

16.安徽省地方志编纂委员会.安徽省志·新闻志[M].北京:方志出版社,1999.

17.安徽省地方志编纂委员会.安徽省志·建置沿革志[M].北京:方志出版社,1999.

18.合肥市地方志编纂委员会.合肥市志[M].合肥:安徽人民出版社,1996—1999.

五、今人著作

1.李品仙.李品仙回忆录[M].台北:台湾中外图书出版社,1975.

2.蒋纬国总编,范京生主编.国民革命战史·北伐统一(第三卷)[M].台湾:黎明文化事业股份有限公司,1980.

3.日本防卫厅研究所战史室著.中国事变陆军作战史(第三卷)[M].北京:中华书局,1983.

4.周昌柏主编,王发明等编写.安徽公路史(第1册)[M].合肥:安徽人民出版社,1989.

5.中共合肥市委党史办编.新民主主义时期中共合肥党史大事记[M].合肥:中共合肥市委党史办,1990.

6.马茂棠主编.安徽航运史[M].合肥:安徽人民出版社,1991.

7.谢国兴著.中国现代化的区域研究·安徽省1860—1937[M].台北:台湾中央研究院近代史所专刊,1991.

8.戴惠珍等著.安徽现代史[M].合肥:安徽人民出版社,1997.

9.王世杰主编,金汉杰主审.安徽省教育大事记[M].合肥:安徽教育出版社,1999.

10.李宗仁口述,唐德刚撰写.李宗仁回忆录[M].广西:广西师范大学出版社,2005.

11.高书全,孙继武,顾民著.中日关系史(第二卷)[M].北京:社会科学文献出版社,2006.

12.中共肥西县委党史研究室著.中国共产党肥西地方史(第一卷)[M].合肥:安徽人民出版社,2008.

13.安徽师范大学校史编写组.安徽师范大学校史[M].合肥:安徽人民出版社,2008.

14.中共庐江县委党史研究室著.中国共产党庐江历史(第一卷)[M].北京:中共党史出版社,2013.

六、参考论文

1.凌远征,吴嘉漠."哪"字的由来[J].语文建设:1992(3).

2.武菁.论抗日战争时期安徽的新桂系[J].安徽史学:1992(4).

3.张元隆.民国教育经费制度论述[J].安徽史学:1996(4).

4.周乾.民国时期的安徽大学[M]//秦闯.安徽重要历史事件丛书.教坛古今.合肥:安徽人民出版社,1999.

5.卞国金.庐阳书院变迁述略——从庐阳书院到合肥一中[J].安徽史学:2000(3).

6.陆翔,陆义芳.安徽省近代几所教会医院概述[J].中华医生杂志:2000年10月第30卷第4期.

7.刘慧宇.论中国近代国地财政划分制度的演变[J].东南大学学报(哲社版):2001(1).

8.全根先.民国时期图书馆刊刻古籍述略[J].新世纪图书馆:2004(5).

9.李焱.北洋政府时期安徽地区的灾荒救济[J].江淮论坛:2008(2).

10.谈儒强.教化之基养正之所贤才之薮——以清末以降合肥地区私塾教育为例[J].合肥师范学院学报:2010(5).

11.王红丽,陈恩虎.民国时期巢湖流域陆上交通与区域经济发展[J].湖北经济学院学报(人文社会科学版):2010(2).

12.吕祖杰.新桂系举办的安徽省政治军事干部训练班[M].//中

国人民政治协商会议广西壮族自治区委员会文史资料研究委员会.广西文史资料第 30 辑.广西:中国人民政治协商会议广西壮族自治区委员会文史资料研究委员会发行。

13.杨立红,朱正业.民国时期淮河流域汽车运输业探析[J].阜阳师范学院学报(社科版):2010(2).

14.陆发春.辛亥安徽光复:类型划分与重点考察——以淮上军为讨论中心[J].合肥师范学院学报:2011(9).

15.陆发春.安徽共和政权的初步建立和新政举措[M].//郭敏.辛亥:激荡的安徽.合肥:黄山书社,2011.

16.冯小红.乡村治理转型期的县财政研究(1928—1937)——以河北省为中心[D].上海:复旦大学历史学系,2005.

17.汪杨.新文化运动的地域展开——以安徽地区的书、报、刊等媒介为例[J].安徽大学学报(哲社版):2010(3).

18.黄昊.1927—1937 年国民政府在安徽的基层行政改革[J].安庆师范学院学报(社会科学版):2010(4).

19.陆发春,王瀛培.北洋政府时期安徽疫病流行与社会应对[J].安庆师范学院学报:2012(1).

20.黄昊,武菁.抗战时期安徽新县制改革研究[J].安徽史学:2012(3).

后　记

　　本书的编撰，得到诸多单位、学者和朋友的鼎力支持与无私帮助，得到时任省委宣传部陆勤毅副部长、市委宣传部夏毓平副部长的鼓励和鞭策，以及中国社会科学院历史研究所所长卜宪群研究员、南京大学历史文化学院院长张生教授的细心指导。翁飞博士、汤奇学教授、许有为教授给予许多有价值的写作建议。宁业高教授、许昭堂先生等诸位地方史专家，在资料和写作方面给予热心支持和帮助。市社科院贾猛主任、人民出版社刘超编辑付出大量时间和精力，给予多方面的指导和帮助。安徽省档案馆、图书馆，合肥市档案馆、图书馆，安徽大学图书馆及安徽大学历史系资料室，均为查阅资料提供了帮助。安徽大学研究生陈晰、陈晓雯、王彬竹、王潇洋、胡正定等，在资料收集整理、文字校对等方面，做了许多耐心细致的工作，在此一并感谢！

　　参与本书写作的几位学者，皆从事中国近现代史研究、民国史研究、安徽区域史及中共党史研究多年，本着实事求是的治史态度，殚精竭虑，认真写作。

　　本书写作分工：概述，武菁；第一章，陆发春；第二章，武菁；第三章，徐京；第四章第一节，武菁；第二、三节，吴元康；第四、五节，徐京；第五章第一、三、四、五、六节，周乾；第二节，徐京。统稿分工：第一、三、五章，陆发春；第二、四章，武菁。几位作者在这个写作集体中，相处融洽，相互勉励，共同洒下辛勤汗水。

　　本书编写过程中，参阅了部分已有成果，在此，谨向有关作者表示真诚的感谢。由于时间紧迫，能力有限，书中存在一些不尽如人意甚至错漏之处，敬请专家学者及读者朋友不吝批评指正。

武菁　陆发春